やさしい 医薬品医療機器等法

第2版

―医薬品・医薬部外品・化粧品編―

一般社団法人
レギュラトリーサイエンス学会 編

じほう

はじめに

令和元年12月に「医薬品，医療機器等の品質，有効性及び安全性の確保等に関する法律」（以下，「医薬品医療機器等法」）が改正されました。

今回の改正の医薬品等に関するポイントは次のとおりです。

①医薬品等へのアクセスの迅速化

②安全対策の充実

③国際的な整合性のある品質管理手法の導入

④薬剤師・薬局の在り方の見直し

⑤信頼確保のための法令遵守体制の整備

⑥医薬品等行政評価・監視委員会の設置

具体的には，①では「先駆け審査指定制度」や「条件付き早期承認制度」の法制化が行われました。②では，添付文書の電子的提供の原則化や包装等へのバーコード表示の義務化，③では製造方法等の変更に関する計画（PACMP）による承認事項の一部変更手続きやGMP適合性調査などの見直しが盛り込まれました。④では，薬剤師による継続的な服薬状況の把握・服薬指導義務の法制化や「地域連携薬局」，「専門医療機関連携薬局」やテレビ電話等による服薬指導が導入されました。⑤では，製造販売業者・販売業者・薬局の法令遵守体制の整備や虚偽・誇大広告による医薬品等の販売に対する課徴金制度が導入されました。

医薬品医療機器等法は各時代の医学や薬学の進歩，医療・社会環境の変化などに対応して改正が行われ，整備されてきました。今回の改正も医学や薬学，バイオテクノロジーやITなどの進歩とともに，安全対策の強化の必要性が高まっていることが背景にあります。

本書では上記の改正点も含めて，医薬品，医薬部外品，化粧品に関する医薬品医療機器等法についてわかりやすく解説しています。本書，「やさしい医薬品医療機器等法」は「医薬品・医薬部外品・化粧品編」と「医療機器・再生医療等製品編」の２冊組となっています。医薬品等に携わる方々はもとより，薬学生を含め，医薬品医療機器等法にご関心をお持ちの方々にご活用いただければ幸いです。

令和元年12月

一般社団法人レギュラトリーサイエンス学会理事長
大野　泰雄

CONTENTS

第2部　医薬部外品

第3部　化粧品

資料編

プロローグ

医薬品医療機器等法（旧名：薬事法）の変遷

医薬品医療機器等法は，私たちの生命や健康に直接かかわる医薬品，医療機器，再生医療等製品，化粧品などの品質や有効性，安全性を守り，また優れた医薬品，医療機器，再生医療等製品の開発を推進することを目的とした法律です。その目的のために，医薬品医療機器等法は，医薬品等の製造販売の承認許可制度や販売業の許可制度，副作用情報の収集制度などの制度を設けています。

しかし，はじめからこんなにいろいろな制度が盛り込まれた薬事法があったわけではありません。本格的な薬事制度が日本に採り入れられて以来150年余りの間の社会，医療環境の変化，医学薬学，科学の進歩・発展等に伴って，多くの人々の努力によって今日の薬事規制体系が作りあげられてきました。

医薬品医療機器等法とはどのような法律なのか，前身である薬事法の生い立ち，そして医薬品医療機器等法への改称などこれまでの歴史をお話ししてみようと思います。

1　西洋医術の採用

日本で本格的な薬事制度が作られたのは明治時代のはじめです。明治維新によって，日本は260年続いた鎖国を解いて，西洋の進んだ文化，法令制度を採り入れ，急速に近代化の道を歩み始めました。医療についても，それまでの漢方を中心とした東洋医学から西洋医学へと急転換しました。

明治元（1868）年3月8日の日付で明治維新政府は次のように西洋医学の採用を宣言しています。

「西洋医術の儀，是れ迄止められ置き候らえども，今より，その長ずる所に於いては，ご採用是れあるべく，仰せいだされ候こと」

候文で読みにくいのですが，「西洋医術はこれまで禁止してきたけれども，これからはいいところは採用していきますよ」ということです。

慶応4（1868）年の正月に戊辰戦争が始まりました。会津藩を中心とする幕府軍と，薩長を中心とする官軍との戦争です。正月の3日に始まり，白虎隊が壮烈な戦死を遂げて会津が落城したのが9月，函館戦争が終わったのが翌年の5月でしたから，この西洋医学の採用宣言は，まさに内戦の真っ最中に出されたわけです。みんながみんな刀を抜いてチャンバラをしていたわけではなかったのです。

2 近代医療制度づくり

明治4（1871）年，明治政府は，欧米の法令や政治制度を視察するために，岩倉具視を団長とする遣欧使節団を送り出しました。この使節団の中に，長与専斉という1人の医師が随員として入っていました。長与専斉は長州の出身で，有名な緒方洪庵の弟子だった人です。彼は，欧米の医療事情や医療制度を調べるために随員の1人として派遣されたのです。明治6（1873）年，長与専斉は使節団より一足先に帰国し，ほどなくして前任の相良知安のあとを継いで第二代医務局長に就任しました。彼は外国人専門家の意見や欧米での見聞をもとに，医療や薬事制度の整備に着手しました。

明治7（1874）年，「医制」が東京，大阪，京都で公布されました。その内容は後の医師法や薬剤師法，医療法，薬事法などの基礎となるものでした。実は，医薬分業も，この医制のなかに，新しい医療制度としてはっきりとした形で採用されていました。

また，医制の発布と並行して東京に司薬場が設立されました。現在の国立医薬品食品衛生研究所の前身です。当時，日本には西洋の医薬品がたくさん輸入されていましたが，まがいものや不良品が，当時の日本人の化学的無知につけこんで持ち込まれていました。司薬場は，そうした不良医薬品，偽造医薬品を検査するための施設でした。ちゃんとした薬事法のなかった当時からすれば，この司薬場が薬事法そのものといってよいものでした。

明治8（1875）年には薬舗開業試験，つまり薬局の開局試験が行われ，翌，明治9（1876）年には製薬が免許制となりました。

明治10（1877）年には市販薬の規制のため売薬規則が布達されました。これは売薬業者の免許鑑札制を制定したもので，5年ごとの更新が必要になりました。そのねらいは，市場に出回っていた無害無効な大衆薬を規制していこうというものでした。

3 日本薬局方の誕生

明治19（1886）年には長与専斉のライフワークともいうべき「第一版日本薬局方」が公布されました。薬局方は，先にお話しした司薬場と同じように薬事法に代わる存在といってもいいものでした。当時，日本にはイギリス，ドイツ，フランスなどヨーロッパの文明諸国からいろいろな医薬品が輸入されていましたが，同じ医薬品でも国によって品質規格はまちまちで，また，前述のように市場には粗悪な医薬品が出回っていました。そこで，日本薬局方を定めて医薬品の品質を統一し，不良品，贋薬を駆逐しようとしたわけです。なお，この日本薬局方づくりには，当時，オランダからやって来たゲールツというお雇い外国人薬学者がたいへん尽力しました。ゲールツは日本でその生涯を終え，今でも横浜の外国人墓地に眠っています。

この薬局方の検討は，明治6（1873）年にはすでに始まっていました。明治10（1877）年の西郷隆盛の西南戦争を遡ること4年前ということになります。

こうして，着々と医薬品を規制するための制度づくりが進められていきました。そして明治22（1889）年，薬品取締規則が廃止され，代って薬品営業並薬品取扱規則が制定されました。この法律は薬律とも呼ばれ，この法律の制定によって，ようやくわが国に近代的な薬事法の体系が作られたといわれています。この薬律により，それまでの薬舗や薬舗主ということばに代わって，薬局，薬剤師の名前が初めて登場し，制度として確立されました。その他，毒薬劇薬に関する規制，薬種商，製薬企業の免許鑑札制などの規制が整備され，今日の薬事法の原形がここに誕生しました。

このようにして，日本人の頭からちょんまげが取れて間もない明治時代の前半に，医薬品の製造，販売の免許制，薬局，薬剤師制度を含む法令，日本薬局方，司薬場などの薬事規制の体系が整備されていったのです（図0-1）。

4 戦時下の薬事法

明治時代に作られたこれらの薬事法規をベースに，その後，大正，昭和と途中いく度かの大きな戦争をはさみながら薬事制度は改善されてきました。

大正3（1914）年には，明治10（1877）年の売薬規則に不備な箇所もあったためこれを廃止し，代わって売薬法が制定されました。

大正14（1925）年には，従来，薬品営業並薬品取扱規則によって確立されていた薬剤師

図0-1　薬事法，薬剤師法の変遷

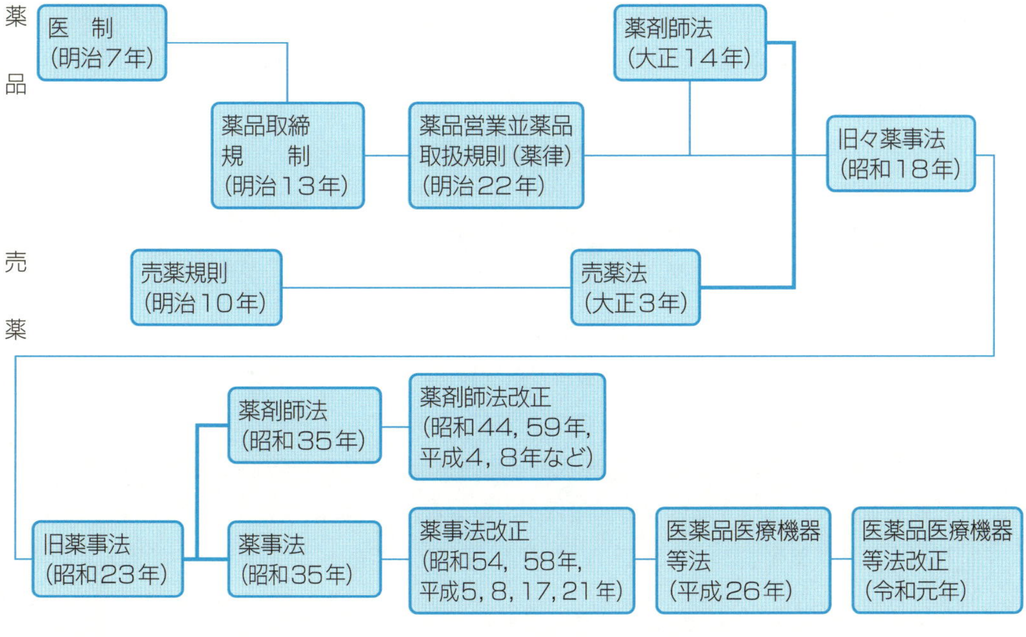

薬品
医　制（明治7年）
薬品取締規制（明治13年）
薬品営業並薬品取扱規則（薬律）（明治22年）
薬剤師法（大正14年）
旧々薬事法（昭和18年）

売薬
売薬規則（明治10年）
売薬法（大正3年）

旧薬事法（昭和23年）
薬剤師法（昭和35年）
薬剤師法改正（昭和44，59年，平成4，8年など）
薬事法（昭和35年）
薬事法改正（昭和54，58年，平成5，8，17，21年）
医薬品医療機器等法（平成26年）
医薬品医療機器等法改正（令和元年）

制度を，さらに独立した法令によってその資格，業務をはっきりさせることとなり，薬律から独立して薬剤師法が制定されました。

第二次大戦下の日本は，次第に物資が不足していく状況下にありましたが，戦時下という特殊な状況にあって医薬品は特に重要な戦略物資でした。政府は医薬品の生産，配給の統制強化を図りましたが，それまでの薬事法令が十分整備されていたとはいえず，制度の改善が検討されました。その結果，薬律，薬剤師法，売薬法などを一本化し，また，規制の内容も整備することになり，戦争真っ只中の昭和18（1943）年に，それらの法に代わる薬事法が制定されました。この薬事法によって，今日の医療用医薬品を意味する薬品と大衆薬を意味する売薬は医薬品として一本化されたほか，医薬品の製造の許可制などが制定されました。しかし，戦時下に制定されたこの法律の最も重要な目的は，重要な戦略物資である医薬品の確保を図ること，そして社会的には“国民の体位の向上を図る”ことにあり，戦時体制に即した統制的な色彩の強い法律でした。

5 戦後の薬事法

戦後の日本は，極度に物資は不足し，経済的な混乱の中にあり，米をはじめ，なにもかもが配給制で，国民は飢えてやせ細っていました。医薬品や医療品も不足し，多くの人がチフスや赤痢などの伝染病で命を落としていきました。結核は国民病として恐れられ，また，国民の栄養状態も衛生状態も極度に悪化した状況下にあって，医薬品の確保は至上命令でした。

昭和23（1948）年，占領軍の総司令部GHQ（General Head Quarter）の指導もあって新しい薬事法がつくられることになりました。当時，国民生活は混乱しており，また，物資不足の状況下でもあり，不良医薬品や偽医薬品が横行する時代でしたから，この新しい薬事法は，不良医薬品の取締りを最重点においた衛生警察法規といってよいものでした。また，従来の薬事法が医薬品だけを対象としていたのに対し，この法律で初めて医療用具や化粧品も規制されることとなりました。さらに，この法律では，局方に収められていない医薬品の許可制，ワクチンなどの国家検定の制度なども定められました。

6 現行薬事法（医薬品医療機器等法）の制定

昭和31（1956）年に日本は国連に加盟しました。昭和34（1959）年には岩戸景気といわれて，テレビや電気洗濯機，冷蔵庫が新三種の神器といわれる時代でした。もう戦後ではないという意識を，政府も国民も持つ時代になりました。

昭和34年から36年にかけて，国民健康保険法，健康保険法等が充実され，国民すべてが公的医療保険に加盟する国民皆保険体制が整えられました。また，昭和31年，医師法，歯科医師法及び薬事法の一部改正（いわゆる「医薬分業法」）が施行され，医薬分業の法的整備が行われました。

これを機に，それまで戦時中，薬事法に統合されていた薬剤師法を薬事法から切り離し独立させること，また，新しい時代に即した新しい薬事法を作ろうという気運が高まり，昭和23年薬事法が廃止され，昭和35（1960）年，新しい薬事法と薬剤師法が制定されました。現行の薬事法すなわち医薬品医療機器等法はこの昭和35（1960）年に定められたものです。

さて，新しい薬事法が制定されて間もない昭和40年代の初めから，薬事法はいろいろな経験を積みながら画期的といってよい改正，整備を遂げていくことになります。

まず，昭和30年代の後半に起こったサリドマイド事件を契機として，医薬品の安全性確保が強く要請されるようになりました。政府はこの事件を契機として，メーカーに新薬の副作用報告義務を課すなどの行政指導を実施しました。

また，昭和40年代の初めには，ビタミン剤などの保健薬について，本当に効くのかなどの議論が高まり，医薬品の有効性に対する議論が展開されました。この議論は国会でも取りあげられ，米国の薬効再評価制度を参考にした医薬品の再評価制度が作られる契機となりました。

昭和42（1967）年は，サリドマイド事件などの反省に基づき，厚生省は，「医薬品の製造承認等に関する基本方針」を通知しました。この承認審査基本方針では，医療用医薬品と一般用医薬品の区分，承認申請に必要な資料の範囲（急性・慢性毒性試験資料，胎仔試験資料，臨床試験成績資料等）を規定しました。

昭和40（1965）年の後半，WHOは，医薬品の品質管理をマニュアル化し，GMP（Good Manufacturing Practice）という基準づくりを提案しました。これは，盛んになってきた医薬品の国際取引にあたって，各国がGMPを定め，貿易国間でお互いに品質の保証ができるようにしようという提案でした。このため日本では昭和49（1974）年にGMPが作成され，通知が出されました。

これらの行政指導によって作られた制度は，昭和54（1979）年の薬事法の大改正によって法律に取り込まれました。さらにこの改正では，新薬に対する再審査制度がつくられました。厚生大臣が承認した新薬を原則6年後にもう一度審査するという，世界に例のない画期的な制度でした。また，昭和58（1983）年には外国製造業者の直接承認申請に関する薬事法の一部改正が行われました。

平成5（1993）年の薬事法改正では，薬事法の目的がそれまでの「品質，有効性及び安全性の確保」に，「医薬品等の研究開発の促進」が加えられました。特に，この改正では，希少疾病用医薬品，いわゆるオーファンドラッグの研究開発の促進が薬事法によって定められることになりました。この改正は，それまでどちらかといえば規制一辺倒であった薬事法に，医薬品の開発促進という新たな性格を加えたという意味でたいへん重要な改正でした。

そして，平成8（1996）年の薬事法の一部改正は従来にも増して大きな改正となりました。治験については，GCPの内容の見直しと法制化，治験届のチェック制度，承認審査については，GCPやGLPに沿った資料の提出義務とこれらの基準に適合しているかどうかの調査，市販後については，GPMSPの法制化や薬局等および薬剤師の患者への情報提供などが法制化されました。これらの背景には，ソリブジンによる副作用問題，非加熱血液製剤によるHIV感染問題などがあり，医薬品の安全性確保が強く求められる中で，治験・承認審査・市販後対策の充実強化が図られました。

また，こうした新たな規制方策のほかに，厚生省における審査体制の大幅な充実強化が図られるようになったことも，平成8（1996）年の薬事法改正の流れにおける特色の1つといえるでしょう。個々の医薬品に関する情報量が増大してきていますし，また科学技術の進歩とともに遺伝子組換えなど先端技術を応用したもの，まったく新しい薬理作用をもつもの，作用が強くて使い方の難しいものなどが増加してきています。これらに的確に対応し，優れた医薬品が早く患者に届けられるよう厳格な審査とともに，迅速化も図る必要がありますし，審査過程の透明化にも応えていくことが求められるようになりました。

日本は欧米に比べて審査事務局のスタッフが少ないという指摘がありましたが，審査体制の見直しも行われました。その結果，審査のうち基準適合性調査などの定型的業務については医薬品副作用被害救済・研究振興調査機構（現 独立行政法人医薬品医療機器総合機構）を活用し，厚生省においては審査に専念するセンターの設置など審査事務局の充実を図って，中央薬事審議会における審議と相まって，審査の高度化，迅速化，透明化を図ることになりました。これに加え，医薬品等の安全対策をも基軸とした組織再編が行われ，次のような事項を内容とする厚生省組織令の一部改正が平成9（1997）年7月に施行されました。

・薬務局を廃止し，医薬安全局を設置する（薬務局で所管していた医薬品等の振興部門は健康政策局に移管。健康政策局で所管していた医療施設における院内感染防止対策などは医薬安全局に移管）

・国立衛生試験所を改組した国立医薬品食品衛生研究所に「医薬品医療機器審査センター」を設置

平成13（2001）年1月，省庁再編により厚生労働省が誕生し，医薬安全局は「医薬食品局」となるとともに，食品衛生行政を担当する食品部が医薬局の中に設けられました。

そして，平成14（2002）年の通常国会で，薬事法はそれまでの医薬品等の製造承認，許可の考え方を大きく変える「製造販売承認，許可制度」の導入，医療機器，生物由来製品の安全対策の強化等を目的とした大幅な改正が行われました。

また，平成16（2004）年，「独立行政法人医薬品医療機器総合機構」が設立され，医薬品や医療機器等の承認審査実務を全面的に行うこととなりました（図0-2）。

さらに，平成18（2006）年には，一般用医薬品の小売販売制度の改正，指定薬物の乱用規制，医療法改正に伴う薬局の新たな位置づけなどを目的とした大幅な薬事法改正が行われました。特に，一般用医薬品の小売制度改正は，昭和35（1960）年の現行薬事法の制定以来，半世紀ぶりの改正となりました。

そして平成25年（2013年），医療機器に関する規制の整備，及び再生医療等製品を新たに薬事法により規制することとなり，大幅な薬事法改正が行われることとなりました。これに合わせ，戦時の昭和18年以来使用されてきた「薬事法」という法律名が，「医薬品，医療

図0-2　薬務行政組織の再編

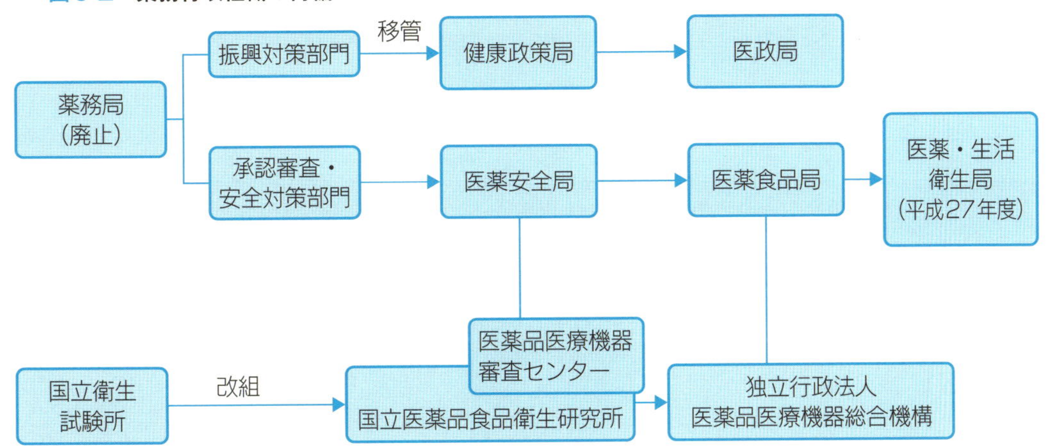

機器等の品質，有効性及び安全性の確保等に関する法律」と改称されることとなりました。医薬品医療機器等法は，平成26年11月25日，施行されました。

そして，令和元年12月，医薬品・医療機器等が安全かつ迅速に提供され，適正に使用される体制を構築するため，医療上特に必要性が高い医薬品及び医療機器について条件付きで承認申請資料の一部省略を認める仕組みの創設，虚偽・誇大広告による医薬品・医療機器等の販売に係る課徴金制度の創設，医薬品等行政評価・監視委員会の設置，薬剤師による継続的服薬指導の実施の義務化，承認等を受けない医薬品・医療機器等の輸入に係る確認制度の創設等を内容とする改正が行われました。

このように薬事法（医薬品医療機器等法）は，各時代の医学や薬学の進歩，医療，社会環境の変化などに対応して改正が行われ，整備されてきました。今後も，薬事法は，医学，薬学，バイオテクノロジー，ゲノム科学，ITなどの目覚ましい進歩と，社会的には高齢化，少子化，情報化の進展などに伴い，さらに変遷を遂げていくことでしょう。

第 1 部

医薬品

第1章

医薬品医療機器等法とはどんな法律か

1 医薬品医療機器等法の目的

医薬品医療機器等法とはどんな法律でしょうか。どんな法律でも，その冒頭に，その目的を掲げています。まずは，その「目的条項」をみてみましょう。

医薬品医療機器等法

目的

第1条 この法律は，医薬品，医薬部外品，化粧品，医療機器及び再生医療等製品(以下「医薬品等」という。)の品質，有効性及び安全性の確保並びにこれらの使用による保健衛生上の危害の発生及び拡大の防止のために必要な規制を行うとともに，指定薬物の規制に関する措置を講ずるほか，医療上特にその必要性が高い医薬品，医療機器及び再生医療等製品の研究開発の促進のために必要な措置を講ずることにより，保健衛生の向上を図ることを目的とする。

医薬品医療機器等法の目的を整理してみると次のとおりです。

(1) 医薬品，医薬部外品，化粧品，医療機器及び再生医療等製品の品質，有効性及び安全性を確保すること，並びにこれらの使用による保健衛生上の危害の発生及び拡大の防止のために必要な規制を行うこと。
(2) 指定薬物の乱用を防止するために必要な措置を講ずること。
(3) 医療上特に必要性が高い医薬品，医療機器及び再生医療等製品の研究開発の促進のために必要な措置を講ずること。

2 医薬品医療機器等法で規制されるもの

医薬品医療機器等法で規制の対象となるものには，次の6つがあります。

①医薬品

②医薬部外品

③化粧品
④医療機器
⑤再生医療等製品
⑥指定薬物

医薬品，化粧品，これはわかりますね。それから医療機器ですが，これは心電計とかCTのように病院で使われる機械や道具のことですから，これもわかると思います。

しかし，医薬部外品というのはわかりにくいのではないでしょうか。でも，私たちは，医薬部外品には毎日お目にかかっています。たとえば，薬用歯磨きというものがありますが，これは医薬部外品のひとつです。朝，歯を磨くときちょっとみてください。チューブのどこかに「医薬部外品」と書いてあるものがあります。書いていない歯磨きは化粧品，書いてあったら医薬部外品です。なお，「歯槽膿漏の治療」など薬効を謳うと医薬品になる場合もあります。具体的には医薬品医療機器等法で定義されており，その詳細については後の「医薬部外品」の部で紹介しますが，ここでは，とりあえず，医薬部外品とは，医薬品ほどではないけれども緩和な医薬品的な効果を持ったものぐらいに理解しておいてください。

そして「再生医療等製品」。平成25年に，京都大学の山中教授が，iPS細胞でノーベル賞を受賞しました。iPS細胞は，人のあらゆる臓器，組織を再生することができる「万能細胞」ですが，これによって，事故や疾患で損傷した骨や臓器，皮膚などを再生する「再生医療」の可能性が大きく開けました。再生医療等製品は，その再生医療等に使用される細胞の加工物です。

最後の「指定薬物」とは，医薬品医療機器等法によって規制される乱用薬物です。「危険

図 1-1　医薬品の開発から承認までの流れ

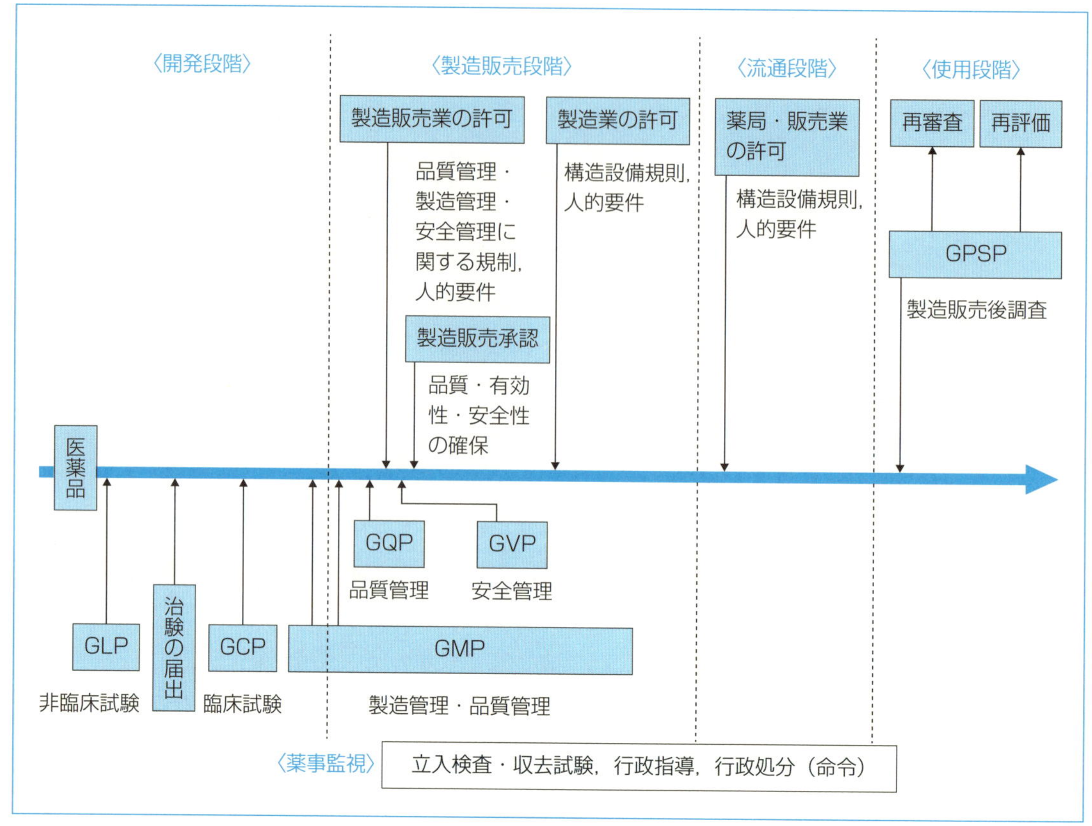

（出典：一般社団法人レギュラトリーサイエンス学会監修：医薬品製造販売指針2018，じほう）

ドラッグ」が大きな社会問題となったことがありますが，この危険ドラッグを規制する法律は，医薬品医療機器等法です。乱用薬物規制に係る法律としては，麻薬及び向精神薬取締法，覚醒剤取締法，大麻取締法などがありますが，これらの法律では規制されていない薬物が，法の網をすり抜けて乱用されるようになりました。そこで，中枢神経に作用し興奮作用や幻覚作用を持っており乱用される可能性が高いものについて，その疑いの段階で，早期に，その製造，販売，所持，使用を禁ずることができるよう，「指定薬物」制度が設けられました。医薬品医療機器等法は，基本的には，正規の医薬品や医療機器等の有効性，安全性を守り，また健全な発展を目的とする法律であり，指定薬物制度のような非合法薬物の規制はやや異質な感もありますが，「薬物の危険性」から国民を守るという衛生法規としての目的に叶うものでしょう。

3　医薬品医療機器等法の構成

では，具体的にどのような規定があるのかということですが，医薬品を例にとって説明しましょう。

医薬品医療機器等法には，５つのステップごとに，それぞれ必要な規定が設けられています。

最初のステップは，新しく医薬品を開発，研究する過程です。たとえば，医薬品を開発するにはどうしても人による試験，つまり，臨床試験が必要になります。このため，医薬品医療機器等法には「新薬の臨床試験（治験）の届出制度」が設けられ，医薬品の承認申請のために臨床試験をするときは厚生労働大臣に届け出なくてはならないとされています。

次のステップは，医薬品の品質や効き目，副作用を評価する過程ですが，このステップには「医薬品の製造販売承認，製造販売業許可の制度」が設けられています。医薬品を売り出すためには，厚生労働大臣（一部の医薬品等は都道府県知事）の審査を受けて製造販売の承認，製造販売業許可及び製造業許可を受けなければならないという制度です。

また，まれにしか発生しない病気のための医薬品の研究開発を促進するための規定もあります。

第3のステップは，厚生労働大臣の承認，許可を得て，いよいよ医薬品を製造する段階ですが，ここでは製造管理をきちんとするために，たとえば，製造設備とか，製造・試験記録の作成・保存，薬事監視員による製造所内への立ち入り検査などの規定が設けられています。

第4のステップは，医薬品の販売ですが，医薬品の販売には都道府県知事等の許可が必要です。また，医薬品を販売するためには薬剤師など専門家を置かなければならない，販売の際には適正な使用のための情報を提供することとか，誇大広告をしてはいけない等の規定が定められています。

第5のステップは，医薬品が医療機関などで使用される段階及び，市販後と一般市民により使用される段階です。医薬品の使用の際に起こるいろいろな問題についての規定が設けられています。その代表的なものに医薬品の副作用の問題があります。副作用の情報収集や厚生労働大臣への報告を，医薬品メーカーや医療機関，薬局に対して義務づけています。また，実際に使用されている医薬品の効き目について再度確認しようという再評価，再審査の制度などが設けられています。

4 医薬品医療機器等法を読むにあたって

本書では，そのような医薬品医療機器等法の規制の内容をみていくわけですが，その前に，法律というものの組み立てを知っておいていただきます。

医薬品医療機器等法は，医薬品や医療機器などについていろいろな規制を定めていますが，法律の条文だけで細かいことまでカバーしていきますと，あまりに細かな法律になってしまいます。そこで，どんな法律でも，制度の根幹となることをまず法律で定め，細部については法律の規定の範囲内で別に定めるというのが通常のやり方です。

医薬品医療機器等法の条文をみていきますと，

・政令で定める

表 1-1　医薬品医療機器等法の構成

医薬品医療機器等法	法律
医薬品医療機器等法施行令	政令
医薬品医療機器等法施行規則 薬局等構造設備規則 生物学的製剤製造規則 放射性医薬品の製造及び取扱規則 医薬品の製造管理及び品質管理の基準に関する省令 医薬品の安全性に関する非臨床試験の実施に関する省令 医薬品の臨床試験の実施の基準に関する省令 医薬品の市販後調査の基準に関する省令 薬局並びに店舗販売業及び配置販売業の業務を行う体制を定める省令 医薬品等に使用することができるタール色素を定める省令など	省令
日本薬局方など	告示
厚生労働省医薬・生活衛生局長通知・課長通知など	通知

・厚生労働省令で定める

・厚生労働大臣の指定するもの

というような表現が頻繁に出てきます。これらを整理してみますと，医薬品医療機器等法は**表 1-1** に示すようなものによって運用されています。

ですから，本書では，医薬品医療機器等法本文だけでなく，必要に応じて政令や省令，告示，通知などから必要な部分を引用しながら話を進めていくことにします。とりあえず，ここでは，このような構成になっているんだということを頭に入れておいてください。

第2章

医薬品とは何か

1 医薬品の定義

医薬品とは何か，などといいますと，“何を今さら”といわれてしまいそうです。でも，医薬品とは何かを改めて考えてみますとなかなか難しいのです。簡単にいうと，医薬品とは，私たちが病気をしたり，けがをしたときに，それを治療したり，痛みなどの症状を和らげたりするもの，ということになります。

しかし，疾病の治療に使用されるものが医薬品であるなら，「血圧の高めの方に」とか，「血糖値の高い方に」などのコマーシャルが，頻繁にテレビに登場します。最近は，いわゆる「トクホ」をはじめ，健康食品，サプリメントがブームになっています。市販薬を上回る市場になっているようですが，これらは医薬品ではないのでしょうか。

一体，医薬品とは何でしょう。そして健康食品と，どこが違うのでしょう。

医薬品医療機器等法第2条第1項に，医薬品とは何か，その定義があります。

定義

第2条　この法律で「医薬品」とは，次に掲げる物をいう。

1　日本薬局方に収められている物

2　人又は動物の疾病の診断，治療又は予防に使用されることが目的とされている物であつて，機械器具等（機械器具，歯科材料，医療用品，衛生用品並びにプログラム（電子計算機に対する指令であつて，一の結果を得ることができるように組み合わされたものをいう。以下同じ。）及びこれを記録した記録媒体をいう。以下同じ。）でないもの（医薬部外品及び再生医療等製品を除く。）

3　人又は動物の身体の構造又は機能に影響を及ぼすことが目的とされている物であつて，機械器具等でないもの（医薬部外品，化粧品及び再生医療等製品を除く。）

ご覧のように，医薬品医療機器等法では医薬品を3つに区分して定義しています。

3つの定義

●定義1　日本薬局方に収載されている物

その第1は「日本薬局方に収載されている物」ということです。日本薬局方というのは，医療の場で繁用されている標準的な医薬品を収載し，それらの医薬品の品質規格を定めている公定書です。日本薬局方については，医薬品医療機器等法第41条で次のような規定が設けられています。

医薬品医療機器等法

（日本薬局方等）

第41条　厚生労働大臣は，医薬品の性状及び品質の適正を図るため，薬事・食品衛生審議会の意見を聴いて，日本薬局方を定め，これを公示する。

2　厚生労働大臣は，少なくとも10年ごとに日本薬局方の全面にわたつて薬事・食品衛生審議会の検討が行われるように，その改定について薬事・食品衛生審議会に諮問しなければならない。

日本薬局方というのは，「医薬品の性状および品質の適正をはかる」ために国によって定められた医薬品の品質基準書の1つです。たとえば，アスピリンという有名な解熱剤がありますが，アスピリンは日本薬局方に収載されていて，品質規格が定められています。市販されているかぜ薬や鎮痛剤などに含まれているアスピリンの品質は，すべてこの日本薬局方の品質基準に適合したものです。また，日本薬局方では，医薬品の基本的な試験検査の方法なども定めています。

日本薬局方は，明治19年に第1版が公布されましたから，すでに130年を超える歴史を持っています。現在は平成28年に公布された第17改正日本薬局方です。日本薬局方は，10年ごとに見直し（現在は5年ごとに大改正）され，その時代時代の標準的な医薬品を収載することとなっています。第17改正日本薬局方には1,962品目の医薬品が収載されています。また，5年ごとの大改正までの間に，追補などの目的で一部改正がなされています。

アスピリンのように誰が考えても医薬品に違いないものばかりでなく，デンプンや乳糖のように，錠剤などをつくるときの賦形剤や添加剤として使用されるものも収載されています。これらも医薬品として取り扱われています。

このように「日本薬局方に収載されている物は医薬品である」，と医薬品医療機器等法では定義しているわけです。

●定義２　人又は動物の疾病の診断，治療又は予防に使用されることが目的とされている物

定義の２つ目では，「人又は動物の疾病の診断，治療又は予防に使用されることが目的とされている物」は医薬品である，といっています。この定義には2つの要素があります。

まず，医薬品というと病気の治療だけを思い浮かべる人が多いかもしれませんが，それだけではなくて，「予防」それに「診断」に使用することを目的とする物も医薬品である，ということです。

予防に用いられる医薬品としては，インフルエンザワクチンのようなワクチンがおなじみです。診断に使用される医薬品としては，たとえば，胃の検査をするときに飲むバリウムや放射性診断薬などがあります。また，直接人が飲んだり注射したりするものではありませんが，血中や尿中の糖分やたんぱくを調べる試験紙などがあり，体外診断薬として医薬品の扱いになります（ただし，この体外診断薬は，海外ではメディカル・デバイス，つまり医療機器扱いとなっていることもあり，その承認，許可，製造販売後安全対策などについては，医療機器に準じた扱いとなっています）。

このように，「医薬品とは，病気の診断，治療，または予防の3つの目的に使用される物である」ということです。

次に医薬品か否かの判断には，使用される「目的」が重要です。これを「目的規制」といいますが，次に述べるようになかなか難しい点があります。

冒頭で，健康食品やサプリメントについて触れましたが，これらを，たとえば「高血圧に効きますよ」とか，「胃がんが治りますよ」，「がんを防ぎます」などと，「病気」に対する治療や予防効果があることを期待して使用するかのように説明して売っていた場合，「治療」や「予防」を目的としている，ということになり，これらは「食品」ではなくて，医薬品医療機器等法でいう医薬品に該当するということになってきます。

法の定義からいえば，医薬品の本質が何か，本当に作用を持っているのか，ではなくて，どういう目的に用いられる物か，つまり，疾病の診断，治療，予防の目的に使用される物かどうかということが，まず医薬品か否かの第1の判断の基準となる，ということです。

それでは，たとえば，“蕎麦が血圧を下げる”などと蕎麦屋で宣伝していた場合，蕎麦は医薬品ということになるのでしょうか？　もちろん，蕎麦は蕎麦，医薬品とはいわないでしょう。このへんが難しいところなのです。逆に，アスピリンを飴玉のように加工して，“これは飴玉だ”といって売っていても医薬品です。

このように，医薬品といってもその定義にはなかなか難しいところがあります。このために，健康食品と医薬品の境目はいったいどこかという議論が頻繁に行われるようになってきました。そこで厚生労働省は，どこまでを医薬品というのかについての局長通達（「無承認無許可医薬品の指導取締りについて」昭和46年4月1日薬発第476号厚生省薬務局通知。

平成30年4月18日改正）を出しています。その主なところをかいつまんでみますと，次のようになります。

① 本来的に医薬品として開発され，使用されてきたものは医薬品である。たとえば，アスピリンやペニシリンなどのように誰がみても医薬品と目されるものは，使用目的をいう，いわないにかかわらず医薬品である。

② 医薬品としても使用され，食品や他の化学製品などにもよく用いられるものについては，その使用目的，使用方法，剤形から判断して，医薬品か否かを判断する。たとえば，ビタミンCは医薬品としても使用されますが，食品にもよく用いられます。つまり，おいしいドロップの酸味料として使用されており，広告や説明でもビタミンCの治療に関する効能などにはまったく触れていないような場合，これは医薬品とはなりません。

③ 食品として使用されることのほうが一般的であるものについては，医薬品のような使用目的をいわない限り，また，剤形が錠剤のような形をとっていてもそういう形にする理由があるのであれば食品扱いとなります。つまり，クロレラは，比較的栄養素に富んだ植物であるといわれていますが，単なる栄養食品として売られている限り医薬品にはならないということになります。

④ 明らかに食品であるもの，つまり，蕎麦や大根については，基本的には医薬品とはしない。でもまあ，あんまりオーバーなことはいいなさるなよ，という分類のものですね。

●定義３　人又は動物の身体の構造又は機能に影響を及ぼすことが目的とされている物

医薬品の定義の3番目は，「人又は動物の身体の構造又は機能に影響を及ぼすことが目的とされている物」という定義です。これは，化学物質や植物成分の中には，疾病の治療や診断，予防に使用されないけれども，人に対する作用を期待して使用される物があり，そういう物の中には医薬品として規制する必要のあるものがある，ということです。

たとえば，最近はメタボが気になって，ダイエットする人が増えています。太っていることが病気の状態である場合ももちろんありますが，健康で太っている人はいくらでもいます。女性の中には痩せたいと思っている人がおおぜいいます。そこでダイエット食品がおおはやりですが，なかには，食欲を抑えることで体を痩せさせるということで，「食欲抑制剤」を含んでいるような場合があります。このような食欲を抑える作用を持つ成分を含んでいる場合，「身体の構造，機能に影響を与える」目的で使用されることになり，医薬品とされる場合があります。

この第3の定義は，ある意味ではたいへん広い解釈のできる定義ということができるかもしれません。“危険ドラッグ”が大きな社会問題となったことから，医薬品医療機器等法では，「指定薬物」に指定し，その製造や販売，使用を規制していますが，当時新たな危険ドラッグが次々と登場し，指定が追い付かないことが指摘されました。そこで，医薬品医療機器等法では，構造が類似の化合物を包括して指定するとともに，危険ドラッグは，「身体の機能に影響を及ぼす」ことを目的に製造，販売されているのであるから，医薬品医療機器等法の医薬品に該当し，指定薬物として指定されていない段階でも，医薬品医療機器等法違反で規制すべきとして，現に，無許可無承認医薬品として摘発された例もあります。

2 医薬品の区分

「医薬品」，と一口にいっても，その作用の強さや副作用の程度，使用方法の難易度など，さまざまです。ですから医薬品の内容によって規制の仕方も異なります。医薬品医療機器等法では，医薬品のリスク等によって医薬品のいろいろな区分を設け，その区分に応じて規制を定めています。

ですから医薬品医療機器等法の規制を理解するためには，医薬品がどのように区分されているか理解しておく必要があります。この項では，その医薬品の区分について説明します。

(1) 医療用医薬品と一般用医薬品

私たちが医薬品を入手する方法は，大きく分けて2つのルートがあります。

1つは，一般消費者が，街の薬局，薬店で市販薬を購入する方法。もう1つは，病院や診療所でもらうか，医師の処方箋により街の薬局で調剤してもらう方法です。

大まかにいえば，前者の市販薬を「一般用医薬品」，後者の病院や処方箋により薬局等でもらう，あるいは注射薬のように施用される医薬品を「医療用医薬品」と呼んでいます。医薬品医療機器等法ではどのように整理されているのでしょう。

まず，法第4条第5項で，一般用医薬品について次のように定義されています。

医薬品医療機器等法

第４条第５項

４　一般用医薬品　医薬品のうち，その効能及び効果において人体に対する作用が著しくないものであつて，薬剤師その他の医薬関係者から提供された情報に基づく需要者の選択により使用されることが目的とされているもの（要指導医薬品を除く。）をいう。

一般用医薬品とは，「その効能及び効果において人体に対する作用が著しくないものであつて，薬剤師その他の医薬関係者から提供された情報に基づく需要者の選択により使用されることが目的とされているもの」と定義されています。

つまり，「作用が強くないもので，消費者が自分の判断で選んで購入するもの」が，一般用医薬品です。なお，「要指導医薬品」については，後ほど説明します。

これに対し，「医療用医薬品」については，実は，医薬品医療機器等法本文では出てきません。したがって医薬品医療機器等法上の定義はされていません。そのかわり，医薬品医療機器等法施行規則に次のような条文があります。

医薬品医療機器等法施行規則

（新医薬品等の使用の成績等に関する調査及び結果の報告等）

第62条　次の各号に掲げる医薬品（医療用医薬品として厚生労働大臣が定める医薬品（以下「医療用医薬品」という。）を除く。）につき法第１４条の承認を受けた者が行う法第１４条の４第６項の調査は，当該各号に定める期間当該医薬品の副作用等その他の使用の成績等について行うものとする。

この規則で，「医療用医薬品として厚生労働大臣が定める医薬品」とありますが，次のような通知が出されています。

薬食発第0331015号　平成17年3月31日（医薬食品局長通知）より抜粋

医療用医薬品とは，医師若しくは歯科医師によって使用され又はこれらの者の処方箋若しくは指示によって使用されることを目的として供給される医薬品をいう。

また，次のいずれかに該当する医薬品は，原則として医療用医薬品として取扱うものとする。

ア　処方箋医薬品，毒薬又は劇薬（※）。ただし，毒薬，劇薬のうち，人体に直接使用しないもの（殺虫剤等）を除く。

イ　医師，歯科医師が自ら使用し，又は医師，歯科医師の指導監督下で使用しなければ重大な疾病，障害若しくは死亡が発生するおそれのある疾患を適応症にもつ医薬品

ウ　その他剤型，薬理作用等からみて，医師，歯科医師が自ら使用し，又は医師，歯科医師の指導監督下で使用することが適当な医薬品

※一部，要指導医薬品として認められているものがある（筆者注）。

このように医薬品は，医療用医薬品と一般用医薬品に区分されます。

2つの区分について，もう少し詳しくみてみましょう。

①医療用医薬品

医療用医薬品はさらに大きく次の2つに区分されます。

①処方箋医薬品

②処方箋医薬品以外の医療用医薬品

●処方箋医薬品

医薬品医療機器等法に次のような規定があります。

医薬品医療機器等法

（処方箋医薬品の販売）

第49条　薬局開設者又は医薬品の販売業者は，医師，歯科医師又は獣医師から処方箋の交付を受けた者以外の者に対して，正当な理由なく，厚生労働大臣の指定する医薬品を販売し，又は授与してはならない。ただし，薬剤師等に販売し，又は授与するときは，この限りでない。

「処方箋医薬品」とは，「医師，歯科医師，獣医師の処方箋の交付を受けた者」に対してでなければ販売できない医薬品です。

しかし，実は医療用医薬品でありながら，処方箋医薬品に指定されていない医薬品があります。

●処方箋医薬品以外の医療用医薬品（処方箋医薬品に指定されていない医療用医薬品）

「それはおかしい。医療用医薬品は，医師の指示や処方箋によって使用されるのだから，すべて処方箋医薬品ではないか」と，読者は考えられるでしょう。そのとおりなのです。

しかし，厚生労働省は，前述の法第49条により「処方箋医薬品」を告示で指定しました（平成17年2月20日，告示第24号）が，「医療用医薬品」のすべてを処方箋医薬品とはしませんでした。

というのは，医療用医薬品の中には，一般用医薬品と同じ成分の医薬品がたくさん含まれているからです。たとえば，胃腸薬，消化酵素剤，ビタミン剤やアスピリンなど，一般用医薬品としても定着している成分はたくさんあります。しかし，こうした医薬品も，医療用医薬品としても不可欠です。

そこで，医療用医薬品のうちでも特に薬理作用が強い，あるいは副作用について注意が必要，注射剤のような使用方法が一般人では困難，医師の診断や治療が不可欠な疾患などに対する医薬品を「処方箋医薬品」に指定したのです。つまり，医療用医薬品のうち，特に有効性や安全性の観点から，医師の処方箋による管理下に用いられるべきものと認められる医薬品が，「処方箋医薬品」です。厚生労働省は，「処方箋医薬品」の指定に際し，医療用医薬品のうち，どのような医薬品を「処方箋医薬品」として指定したか，その考え方を通知で示しています。関係部分をみてみましょう。

厚生労働省通知「処方せん医薬品の指定について」（平成17年2月10日，薬食発第0210001号）より抜粋

新指定告示の要旨

⑴　医薬品として承認されているもののうち，医師，歯科医師又は獣医師（以下「医師等」という。）の処方せんに基づいて使用すべきものとして，以下に該当するものを処方せん医薬品として指定したこと。

①　医師等の診断に基づき，治療方針が検討され，耐性菌を生じやすい又は使用方法が難しい等のため，患者の病状や体質等に応じて適切に選択されなければ，安全かつ有効に使用できないもの

②　重篤な副作用等のおそれがあるため，その発現の防止のために，定期的な医学的検査を行う等により，患者の状態を把握する必要があるもの

③　併せ持つ興奮作用，依存性等のため，本来の目的以外の目的に使用されるおそれがあるもの

⑵　旧薬事法における要指示医薬品については，⑴に該当するものとして，処方せん医薬品として指定されるものであること。

⑶　放射性医薬品，麻薬，向精神薬，覚せい剤，覚せい剤原料，特定生物由来製品及び注射剤については，⑴に該当するものとして，これらすべてが処方せん医薬品として指定されるものであること。なお，これらについては，それぞれ新指定告示第1号から第7号に規定しており，有効成分の表記（第8号）による指定ではないことに留意されたい。

⑷　新指定告示第7号については，人工腎臓用透析液及び医療用注入器を用いて体内に直接適用する固形製剤も含まれるものであること。

⑸　新指定告示第8号関係

①　製剤に含まれる有効成分が同号に掲げるもの，その塩類，それらの水和物及びそれらの誘導体からなるもの（殺そ剤を除く。）が処方せん医薬品として指定されるものであること。

②　複数の有効成分を含有する製剤については，新指定告示上，含有するすべての有効成分を塩類，水和物及び誘導体までを含めた形で表記し，指定対象品目の明確化を図ったこと。

③　歯科用薬剤は外用剤には含まれないものであること。

⑹　上記にかかわらず，体外診断用医薬品については処方せん医薬品として指定されないものであること。

別のいい方をしますと，上記に該当する以外の医薬品は「作用が緩和なため等により処方箋薬には指定されていないが，本来，医療用医薬品であり，処方箋によって交付されるべきもの」ということになります。

②一般用医薬品

一方，前述したように，一般用医薬品は，医薬品医療機器等法では「医薬品のうち，その効能及び効果において人体に対する作用が著しくないものであつて，薬剤師その他の医薬関係者から提供された情報に基づく需要者の選択により使用されることが目的とされているも

の」と定義されています。

つまり，一般用医薬品とは，街の薬局，薬店で売られている，消費者が薬剤師などからの情報を参考にして，自分で選んで購入する大衆薬（市販薬）を指しています。一般用医薬品は，作用的にも緩和で，安全性が比較的高く，消費者が自分の判断で購入して使用するものですから安全が第一です。

このような一般用医薬品の性格を踏まえ，次のような原則的な考え方がとられています。

① 適応は，おおむね軽疾病の治療または予防，もしくは健康増進など

② 有効性・安全性が確認されているものであり，作用の強いものでない

③ 用法や剤形等が，一般消費者が自ら適正に使用できるものであること

●スイッチOTC医薬品

市販されている一般用医薬品の多くは長年使用されてきたものであり，効能効果も安全性も高く，日常生活の中に定着しています。しかし，一般用医薬品にも，“新薬”があります。

“スイッチOTC医薬品”という言葉があります。“Switched-OTC drug”というのが正確な英語です。どういう意味かといいますと，まず，“OTC”というのはover the counter drug，つまり店頭のカウンター越しに直接買える医薬品という意味で，OTC医薬品は一般用医薬品を指します。次に“スイッチ”という言葉ですが，switched from the prescription drug，つまり，「処方箋医薬品から一般用医薬品に転用された医薬品」という意味です。れっきとした英語で，和製英語ではありません。

最近は高齢化が進むにつれ，自分の体は自分で守るという意識が消費者の間に強くなっていますが，そういう声に応えるよい薬はないかと模索されてきました。そんな中で，「そうだ。医療用医薬品の中に何かいいものがあるはずだ，医療用として長い間使用されてきて，副作用も少ないし，作用も緩和なものがあるに違いない。そういう薬を一般用医薬品にスイッチしたらどうか」，というわけでスイッチOTCなる言葉がでてきたわけです。スイッチOTC医薬品は，医薬品医療機器等法では，“新一般用医薬品”と呼ばれています。一般用医薬品としては，新しい医薬品，という意味です。

これに対し，“ダイレクトOTC医薬品“という言葉があります。実はこれは和製英語です。

スイッチOTC医薬品が医療用の成分を一般用医薬品に転用したものであるのに対し，ダイレクトOTC医薬品は，医療用医薬品としても，一般用医薬品としても，これまで承認された実績のない有効成分を含有する医薬品を指しています。つまり，まったくの“新薬”です。

通常，まったく新しい有効成分の医薬品の場合，まず医療用医薬品として承認され，医師や薬剤師の管理，指導の下で使用され，安全性などが確認された後，一般用医薬品としても承認される，という手順がとられますが，その手順をとらず，直接，つまりダイレクトに一般用医薬品として承認が与えられる場合があります。作用が比較的緩和であることが確認されており，その効能効果が市販薬として適当である場合（発毛剤等）です。そのような医薬品を「ダイレクトOTC医薬品」と呼んでいるのです。

表2-1をみてください。日本では，昭和36（1961）年に国民健康保険法など健康保険関連の法律が整備され，国民の誰もが安い費用で医療を受けることができる「国民皆保険体制」が整備されました。その結果，医薬品の生産高も著しく増加しました。

一方，この10年間に一般用医薬品の生産額は停滞あるいはむしろ減少ぎみで，医薬品の全体に占める一般用医薬品の生産の割合は低下し，今日では約10%となっています。

日本はいま，高齢化が急速に進んでいますが，それに伴い，健康保険や国民保険などの医療費が膨大なものとなっています。その医療費の増高を抑えるため，医薬品費の抑制が重要な課題となっていますが，その対策の一環として，例えば医療用の生活習慣病薬などを一般用医薬品にスイッチしたらどうか，という考え方もでてきています。

(2) 医薬品のリスク等による区分

一般用医薬品のコンビニ等一般小売店での自由販売や，インターネットによる医薬品販売の解禁とか，ずいぶん長い間，一般用医薬品の販売規制の見直しの議論が続けられてきました。この議論を受けて，平成21年，平成26年と続いて，医薬品販売制度の大きな改正が行われました。薬事法が制定されたのは昭和35年のこと，医薬品販売制度の改正はそれ以来半世紀ぶりのことです。

平成21（2009）年6月施行の薬事法改正では，医薬品販売業として，それまでの一般販売業，薬種商販売業制度に代って店舗販売業制度，登録販売者制度が創設されました。そして，平成26年施行の薬事法改正では，一般用医薬品のインターネット販売の解禁などの改正が行われました。

この二度にわたる医薬品販売制度の改正の中で，以下のような，薬局・薬店（店舗販売業），配置販売業で取り扱われる医薬品のリスク等による新しい区分が設けられました。

表2-1　医薬品生産金額の推移

年	生産			医療用医薬品			その他の医薬品			一般用医薬品			配置用家庭薬		
	金額	伸び率	構成比	金額	伸び率	構成比	金額	伸び率	構成比	金額	伸び率	構成比	金額	伸び率	構成比
	百万円	%	%	百万円	%	%	百万円	%	%	百万円	%	%	百万円	%	%
平成21年	6,819,589	3.0	100.0	6,174,202	3.0	90.5	645,387	2.9	9.5	616,601	3.0	9.0	28,786	-0.4	0.4
平成22年	6,779,099	-0.6	100.0	6,148,876	-0.4	90.7	630,223	-2.3	9.3	602,193	-2.3	8.9	28,030	-2.6	0.4
平成23年	6,987,367	3.1	100.0	6,344,512	3.2	90.8	642,855	2.0	9.2	617,231	2.5	8.8	25,624	-8.6	0.4
平成24年	6,976,712	-0.2	100.0	6,263,010	-1.3	89.8	713,702	11.0	10.2	689,018	11.6	9.9	24,684	-3.7	0.4
平成25年	6,894,014	-1.2	100.0	6,193,983	-1.1	89.8	700,031	-1.9	10.2	677,407	-1.7	9.8	22,624	-8.3	0.3
平成26年	6,589,762	-4.4	100.0	5,868,927	-5.2	89.1	720,835	3.0	10.9	700,376	3.4	10.6	20,459	-9.6	0.3
平成27年	6,748,121	2.4	100.0	5,996,890	2.2	88.9	751,231	4.2	11.1	732,268	4.6	10.9	18,962	-7.3	0.3
平成28年	6,623,860	-1.8	100.0	5,871,373	-2.1	88.6	752,487	0.2	11.4	735,210	0.4	11.1	17,276	-8.9	0.3
平成29年	6,721,317	1.5	100.0	6,007,419	2.3	89.4	713,898	-5.1	10.6	699,626	-4.8	10.4	14,272	-17.4	0.2
平成30年	6,907,722	2.8	100.0	6,172,570	2.7	89.4	735,152	3.0	10.6	720,928	3.0	10.4	14,224	-0.3	0.2

（厚生労働省：「薬事工業生産動態統計平成30年年報」

新たな区分を整理してみると，以下のとおりです。

ｉ）薬局医薬品
　　調剤された薬剤
ⅱ）要指導医薬品
ⅲ）一般用医薬品
　　第１類医薬品
　　第２類医薬品
　　指定第２類医薬品
　　第３類医薬品

まず，薬局医薬品，要指導医薬品及び一般用医薬品の定義を並べてみます。

医薬品医療機器等法

第４条第５項

二　薬局医薬品　要指導医薬品及び一般用医薬品以外の医薬品（専ら動物のために使用されることが目的とされているものを除く。）をいう。

三　要指導医薬品　次のイからニまでに掲げる医薬品（専ら動物のために使用されることが目的とされているものを除く。）のうち，その効能及び効果において人体に対する作用が著しくないものであつて，薬剤師その他の医薬関係者から提供された情報に基づく需要者の選択により使用されることが目的とされているものであり，かつ，その適正な使用のために薬剤師の対面による情報の提供及び薬学的知見に基づく指導が行われることが必要なものとして，厚生労働大臣が薬事・食品衛生審議会の意見を聴いて指定するものをいう。

　イ　その製造販売の承認の申請に際して第１４条第８項に該当するとされた医薬品であつて，当該申請に係る承認を受けてから厚生労働省令で定める期間を経過しないもの

　ロ　その製造販売の承認の申請に際してイに掲げる医薬品と有効成分，分量，用法，用量，効能，効果等が同一性を有すると認められた医薬品であつて，当該申請に係る承認を受けてから厚生労働省令で定める期間を経過しないもの

　ハ　第４４条第１項に規定する毒薬

　ニ　第４４条第２項に規定する劇薬

四　一般用医薬品　医薬品のうち，その効能及び効果において人体に対する作用が著しくないものであつて，薬剤師その他の医薬関係者から提供された情報に基づく需要者の選択により使用されることが目的とされているもの（要指導医薬品を除く。）をいう。

以上のような区分に応じて，医薬品医療機器等法では，その販売，情報提供，指導等のあり方を定めています。

ここでは，上記の区分について説明しましょう。薬局医薬品では，「要指導医薬品及び一般用医薬品以外の医薬品」，また，一般用医薬品の定義では，「要指導医薬品を除く」となっていますので，まず，「一般用医薬品」からみていきます。

①一般用医薬品とは

上記の医薬品医療機器等法の定義によれば，一般用医薬品は，

ｉ）その効能及び効果において人体に対する作用が著しくないもの

であって，

ⅱ）薬剤師その他の医薬関係者から提供された情報に基づく需要者の選択により使用されることが目的とされているもの

です。

つまり，「作用が緩和で，薬剤師などに相談しながら，自分の判断で購入する医薬品」，すなわち市販薬です。

②要指導医薬品とは

要指導医薬品とは，次の要件を満たすものです。

ａ）その効能及び効果において人体に対する作用が著しくないもの，かつ

ｂ）薬剤師その他の医薬関係者から提供された情報に基づく需要者の選択により使用されることが目的とされているもの，かつ，

ｃ）その適正な使用のために薬剤師の対面による情報の提供及び薬学的知見に基づく指導が行われることが必要なものとして，厚生労働大臣が薬事・食品衛生審議会の意見を聴いて指定するもの

ａ）とｂ）は，前出の一般用医薬品の要件とまったく同じです。つまり要指導医薬品とは，この限りでは，医師の処方箋によらず一般消費者が自分の判断で購入できる「一般用医薬品」です。

ただし，条件があります。

1つはｃ）にあるように，「薬剤師の対面による情報提供，指導が必要なもの」として，厚生労働大臣が指定するもの。

そして，第4条第5項第3号の「イ～ニ」にあげる医薬品に該当するものであるということです。イ～ニの医薬品とは以下のようなものです。

●「イ」の医薬品

第14条第8項とは，次の条文です。

医薬品医療機器等法

第14条

8　厚生労働大臣は，第１項の申請があつた場合において，次の各号のいずれかに該当するときは，同項の承認について，あらかじめ，薬事・食品衛生審議会の意見を聴かなければならない。

1　申請に係る医薬品，医薬部外品又は化粧品が，既に製造販売の承認を与えられている医薬品，医薬部外品又は化粧品と，有効成分，分量，用法，用量，効能，効果等が明らかに異なるとき。

つまり，「承認の申請に際して第14条第8項に該当するとされた医薬品」とは，有効成分，効能効果等がまったく新しい医薬品，つまり「新医薬品」，新薬です。

そして，要指導医薬品の定義では，「承認を受けてから厚生労働省令で定める期間を経過しないもの」とありますが，新医薬品には「再審査」という制度があります。つまり，「厚生労働省令で定める期間」とは，再審査期間を指しています。

新薬には通常8年の再審査期間が定められています。その期間中，実際に使用された場合に，有効性や安全性に問題はないかデータを集め，それらのデータに基づいて，もう一度，審査する制度です。そのデータを集めている期間中は，要指導医薬品に指定することとされています（再審査制度については，第12章で説明します）。

ただし，新医薬品のほとんどは医療用医薬品です。まったく新しい有効成分，効能効果等の医薬品は，まだ，医療現場で広く使用された実績がありません。したがって，新医薬品は，まず，「医療用医薬品」として承認され，医師の処方の下に使用されるのが通常です。医療用医薬品は，上記のａ）やｂ）の要件には該当せず，要指導医薬品とはなりません。

しかし，なかには，医療用医薬品の経験を経ず，直接，一般用医薬品として承認される場合もあります。つまり，「イ」の医薬品は，一般用医薬品として承認された「新医薬品」であって，再審査期間がまだ終了しておらず，厚生労働大臣が薬事・食品衛生審議会の意見を聴いて，その安全確保のためには薬剤師による対面による情報提供，指導が必要と判断して指定したものです。つまり，再審査期間中のダイレクトOTC医薬品です。

もう1つあります。それは，医療用医薬品としては新しくないが，「一般用医薬品」としては新しい医薬品，つまり「新一般用医薬品」です。医療用医薬品として，何年か実績を積んだ有効成分のうち，比較的作用が緩和なものを一般用医薬品として転用した医薬品，つまり，「スイッチOTC医薬品」です。このスイッチOTC医薬品（新一般用医薬品）には再審査は適用されませんが，初めて一般用医薬品として使用されるものであるため，承認の時点で，承認条件として，一定期間の「使用成績調査」等の調査が課されています。医薬品医療機器等法に次のような条文があります。

医薬品医療機器等法

（許可等の条件）

第79条　この法律に規定する許可，認定又は承認には，条件又は期限を付し，及びこれを変更することができる。

この条文を受けて，医薬品医療機器等法施行規則に次のような規定があります。

医薬品医療機器等法施行規則

第7条

2　法第79条第1項の規定に基づき，製造販売の承認の条件として当該承認を受けた者に対し製造販売後の安全性に関する調査（医薬品，医薬部外品，化粧品及び医療機器の製造販売後安全管理の基準に関する省令（平成16年厚生労働省令第135号）第2条第3項に規定する市販直後調査を除く。）を実施する義務が課せられている医薬品製造販売の承認の条件として付された調査期間

これらの規定に基づいて，製造販売の承認の際に，市販後の調査が課されており，その調査期間中，薬事・食品衛生審議会の意見を聴いて対面販売等が必要と判断されたスイッチOTC医薬品は，要指導医薬品とされるということです。

●「ロ」の医薬品

「イに掲げる医薬品と有効成分，分量，用法，用量，効能，効果等が同一性を有すると認められた医薬品」であって，「承認を受けてから厚生労働省令で定める期間を経過しないもの」とされています。

その「イ」の医薬品とは上で説明したように新しい一般用医薬品，すなわちダイレクトOTC医薬品，もしくはスイッチOTC医薬品です。これらの医薬品には，再審査期間または承認条件として通例3年間の使用調査が指示されています。つまり，新医薬品（ダイレクトOTC医薬品）や新一般用医薬品（スイッチOTC医薬品）の承認後の製造販売後の調査期間中に，それらと有効成分，効能効果等が同じで，「後発」で承認された医薬品のことを指しているわけです。先発のダイレクトOTC医薬品，スイッチOTC医薬品の調査期間中であるので，後から承認された医薬品も，新医薬品もしくは新一般用医薬品扱いとなり，調査が指示されますが，その調査期間は，先発の調査期間と合わせる。つまり，先発の調査期間の残りの期間が後発で出てきたダイレクトOTC医薬品，スイッチOTC医薬品の調査期間と同じ期間になります。その期間中に承認された医薬品については，薬事・食品衛生審議会の意見を聴いて，必要と判断された場合は，要指導医薬品に指定されるということです。

●「ハ」及び「ニ」の医薬品

「ハ」は毒薬に指定されている医薬品，「ニ」は劇薬に指定されている医薬品です。毒薬，劇薬に該当するものは，要指導医薬品に指定されています。医薬品医療機器等法では毒薬，劇薬を次のように規定しています。

医薬品医療機器等法

（表示）

第44条　毒性が強いものとして厚生労働大臣が薬事・食品衛生審議会の意見を聴いて指定する医薬品（以下「毒薬」という。）は，その直接の容器又は直接の被包に，黒地に白枠，白字をもつて，その品名及び「毒」の文字が記載されていなければならない。

2　劇性が強いものとして厚生労働大臣が薬事・食品衛生審議会の意見を聴いて指定する医薬品（以下「劇薬」という。）は，その直接の容器又は直接の被包に，白地に赤枠，赤字をもつて，その品名及び「劇」の文字が記載されていなければならない。

3　前2項の規定に触れる毒薬又は劇薬は，販売し，授与し，又は販売若しくは授与の目的で貯蔵し，若しくは陳列してはならない。

医薬品の毒性，劇性については，動物による急性毒性試験において確認された致死量（LD_{50}等）等により，もしくは，人に対する副作用が強いもの等について，薬事・食品衛生審議会の意見を聴いて，厚生労働大臣が指定することとされています。

毒薬，劇薬に該当する医薬品については，次のような販売にあたっての規制があります。

医薬品医療機器等法

（交付の制限）

第47条　毒薬又は劇薬は，14歳未満の者その他安全な取扱いをすることについて不安があると認められる者には，交付してはならない。

医薬品医療機器等法

（譲渡手続）

第46条　薬局開設者又は医薬品の製造販売業者，製造業者若しくは販売業者（第3項及び第4項において「薬局開設者等」という。）は，毒薬又は劇薬については，譲受人から，その品名，数量，使用の目的，譲渡の年月日並びに譲受人の氏名，住所及び職業が記載され，厚生労働省令で定めるところにより作成された文書の交付を受けなければ，これを販売し，又は授与してはならない。

さて，以上の規定に従って，現在，**表2-2**の医薬品が要指導医薬品に指定されています。要指導医薬品に指定された医薬品は，一般用医薬品からは除かれ，販売方法等について別に定められています。

③薬局医薬品とは

最後に，「薬局医薬品」です。

定義では，「要指導医薬品及び一般用医薬品以外の医薬品」とされている，文字どおり，薬局でしか販売できない医薬品です。

医薬品医療機器等法において，医薬品から要指導医薬品及び一般用医薬品を除くと残るも

表2-2　要指導医薬品一覧（平成31年4月15日時点）

有効成分	販売名	製造販売業者	承認年月日	調査期間（予定）	販売開始日
フルチカゾンプロピオン酸エステル	フルナーゼ点鼻薬〈季節性アレルギー専用〉	グラクソ・スミスクライン・コンシューマー・ヘルスケア・ジャパン株式会社	平成31年4月15日	安全性等に関する製造販売後調査期間（3年）	－
フルニソリド	ロートアルガードクリアノーズ季節性アレルギー専用	ロート製薬株式会社	平成30年10月30日	安全性等に関する製造販売後調査期間（3年）	－
クロトリマゾール	エンペシドLクリーム	バイエル薬品株式会社	平成29年11月17日	安全性等に関する製造販売後調査期間（3年）	平成30年7月10日
	デリーザLクリーム	佐藤製薬株式会社	平成29年11月17日	安全性等に関する製造販売後調査期間（3年）	－
フェキソフェナジン	アレグラFXジュニア アレグラαジュニア アレグラフレッシュジュニア アレグラファインジュニア	サノフィ株式会社	平成29年9月27日	安全性等に関する製造販売後調査期間（3年）	平成29年11月9日（アレグラFXジュニア）
ベポタスチン	タリオンR タリオンAR	田辺三菱製薬株式会社	平成29年9月27日	安全性等に関する製造販売後調査期間（3年）	－
ロラタジン	クラリチンEX	バイエル薬品株式会社	平成29年1月13日	安全性等に関する製造販売後調査期間（3年）	平成29年1月16日
	クラリチンEX OD錠	バイエル薬品株式会社	平成29年1月13日	安全性等に関する製造販売後調査期間（3年）	平成29年9月2日
チェストベリー乾燥エキス	プレフェミン	ゼリア新薬工業株式会社	平成26年4月3日	再審査期間（8年）	平成26年9月10日

要指導医薬品（劇薬）一覧

販売名	製造販売業名	承認年月日
ガラナポーン	大東製薬工業株式会社	昭和41年1月25日
ハンビロン	日本薬品株式会社	昭和38年3月5日
ストルピンMカプセル	松田薬品工業株式会社	昭和39年2月7日
エフゲン	阿蘇製薬株式会社	昭和43年8月31日

のは，「医療用医薬品」と「薬局製造販売医薬品」です。

医療用医薬品についてはすでに説明しました。では，「薬局製造販売医薬品」とはどのような医薬品でしょうか。

● 薬局製造販売医薬品

「薬局製造販売医薬品」とは，文字どおり，薬局で製造され，販売される医薬品です。まず，医薬品医療機器等法第80条で次のように規定されています。

医薬品医療機器等法

第80条

7　薬局開設者が当該薬局における設備及び器具をもつて医薬品を製造し，その医薬品を当該薬局において販売し，又は授与する場合については，政令で，第3章，第4章及び第7章の規定の一部の適用を除外し，その他必要な特例を定めることができる。

そして，医薬品医療機器等法施行令第3条で，薬局製造販売医薬品について，次のように規定しています。

医薬品医療機器等法

（製造販売業の許可の有効期間）

第3条　法第12条第2項の政令で定める期間は，5年とする。ただし，薬局製造販売医薬品（薬局開設者が当該薬局における設備及び器具をもつて製造し，当該薬局において直接消費者に販売し，又は授与する医薬品（体外診断用医薬品を除く。以下この章において同じ。）であつて，厚生労働大臣の指定する有効成分以外の有効成分を含有しないものをいう。以下同じ。）の製造販売に係る許可については，同項の政令で定める期間は，6年とする。

医薬品を製造販売するためには，製造販売承認及び許可，製造業許可を受ける必要があります。この政令の規定は，法第12条の医薬品の製造販売業の許可に基づいて製造販売業の許可の有効期限を定めた規定です。

薬局製造販売医薬品（薬局開設者が当該薬局における設備及び器具をもつて製造し，当該薬局において直接消費者に販売し，又は授与する医薬品）

つまり，「薬局製造販売医薬品」とは，製薬企業が製造販売する医薬品ではなく，薬局で調剤器具などを用いて製造し，販売する医薬品です。通常，「薬局製剤」とも呼ばれています。

薬局製造販売医薬品を製造するためには，薬局は，その医薬品について製造販売承認，許可を受けなければなりません。

④薬局製造販売医薬品に関する特例

この薬局製造販売医薬品については，医薬品医療機器等法第80条で，政令で特例を定めることとしており，これに基づいて医薬品医療機器等法施行令によって，次のような特例が設けられています。ここでは，製造販売承認と許可について紹介してみましょう。

医薬品医療機器等法施行令
（薬局における製造販売の特例）
第74条の4
3　薬局製造販売医薬品の製造販売に係る法第12条第1項の許可は，厚生労働大臣が薬局ごとに与える。
4　前項の場合において，当該品目の製造販売に係る法第14条第1項及び第9項の承認は，厚生労働大臣が薬局ごとに与える。
5　薬局製造販売医薬品の製造販売業の許可については，法第12条の2第1号及び第2号の規定は，適用しない。
6　第80条第1項（第1号に係る部分に限る。）の規定により都道府県知事（薬局製造販売医薬品の製造販売をする薬局の所在地が保健所を設置する市又は特別区の区域にある場合においては，市長又は区長）が薬局製造販売医薬品の製造販売業の許可又は製造販売の承認を行うこととされている場合における第3項又は第4項の規定の適用については，これらの規定中「厚生労働大臣」とあるのは，「当該薬局の所在地の都道府県知事（その所在地が保健所を設置する市又は特別区の区域にある場合においては，市長又は区長）」とする。

薬局の許可は，医薬品医療機器等法では，都道府県知事（または政令市市長，特別区長）の許可とされていますが，薬局製造販売医薬品の製造販売の承認，及び製造販売業の許可は，厚生労働大臣とされています。

また，法第12条の2第1号及び第2号とは，GQP，GVPに関する規定ですが，薬局製造販売業には適用されないことになっています。

薬局製造販売医薬品として製造に使用できる成分は，厚生労働大臣が指定するものに限られており，GMPやGQPは適用されない等の特例が定められています。

また，薬局製造販売医薬品は，その製造した薬局のみでの販売が認められます。薬局製造販売医薬品は一般消費者が薬局店頭で購入できるものであり，その意味では「一般用医薬品」ですが，薬局のみでの販売に限られていることから，「薬局医薬品」に分類されているのです。

●「調剤された薬剤」とは

ところで，医薬品医療機器等法では，もう1つ，「調剤された薬剤」という区分を設定し，その販売方法等を定めています。

医薬品医療機器等法にはその定義はされていませんが，文字どおり，処方箋によって「調剤された薬剤」です。したがって「医療用医薬品」ですが，なぜ，「医薬品」ではなく，「薬剤」と呼んでいるのでしょうか。

「調剤された薬剤」とは，医薬品が元の包装・容器から取り出され，薬袋に入れて患者に交付される状態のものをいいます。調剤された薬剤は，患者の病状に応じて，医師の処方箋に従って調製されたものです。つまり，「調剤された薬剤」は，ある特定個人のために調製された「新たな医薬品」の形をなしているといえます。その効能効果も用法や用量，副作用等の留意事項もその調製された単位で考える必要があるため，これを「薬剤」と呼んで区分しているのです。

(3) 一般用医薬品のリスクによる3つの区分

次は，一般用医薬品のリスクによる区分です。一般用医薬品は，基本的には作用が緩和な医薬品ですが，それでも有効成分によって，比較的作用が強いもの，まれではあっても重篤な副作用が発現したという報告のあるものなどさまざまです。ですから，一般用医薬品の使用について消費者に説明したり，情報提供をするといっても，その内容は一律ではありません。そこで，医薬品医療機器等法では，副作用等による危険性（リスク）の程度を勘案し，3つの区分を設けています。

第１類医薬品　　第２類医薬品　　第３類医薬品

医薬品医療機器等法

（一般用医薬品の区分）

第36条の7　一般用医薬品（専ら動物のために使用されることが目的とされているものを除く。）は，次のように区分する。

1　第１類医薬品　その副作用等により日常生活に支障を来す程度の健康被害が生ずるおそれがある医薬品のうちその使用に関し特に注意が必要なものとして厚生労働大臣が指定するもの及びその製造販売の承認の申請に際して第14条第8項に該当するとされた医薬品であつて当該申請に係る承認を受けてから厚生労働省令で定める期間を経過しないもの

2　第2類医薬品　その副作用等により日常生活に支障を来す程度の健康被害が生ずるおそれがある医薬品（第１類医薬品を除く。）であつて厚生労働大臣が指定するもの

3　第3類医薬品　第１類医薬品及び第２類医薬品以外の一般用医薬品

この分類は，条文にあるように，

ア　副作用等により日常生活に支障を来す程度の健康被害が生ずるおそれがある医薬品のうちその使用に関し特に注意が必要なもの

イ　副作用等により日常生活に支障を来す程度の健康被害が生ずるおそれがある医薬品

ウ　それ以外の医薬品

というように，「副作用等によって生ずるおそれのある健康被害の程度」，つまりリスクの程度によって，区分されています。

以下，3つの区分ごとにみていきましょう。

①第１類医薬品

第36条の７では，第１類医薬品として次の２つをあげています。

ⅰ）副作用等により日常生活に支障を来す程度の健康被害が生ずるおそれがある医薬品のうちその使用に関し特に注意が必要なものとして厚生労働大臣が指定するもの

ⅱ）承認の申請に際して第14条第８項に該当するとされた医薬品であって当該申請に係る承認を受けてから厚生労働省令で定める期間を経過しないもの

●ダイレクトOTC医薬品とスイッチOTC医薬品

まず，ⅱ）からみていきます。

「第14条第８項に該当する医薬品」とは，「要指導医薬品」の項で説明したように，新薬（ダイレクトOTC医薬品）及び新一般用医薬品（スイッチOTC医薬品）です。ダイレクトOTC医薬品の場合，再審査品目に指定され，一定期間の再審査が指示されます。また，スイッチOTC医薬品の場合は，承認条件として３年間の使用成績調査が指示されます。

それぞれ，再審査期間または使用成績調査期間があるわけですが，「厚生労働省令で定める期間」として，医薬品医療機器等法施行規則第159条の２で次のように定められています。

医薬品医療機器等法施行規則

（法第36条の７第１項第１号の厚生労働省令で定める期間）

第159条の２　法第36条の７第１項第１号の厚生労働省令で定める期間は，次の表の上欄に掲げる医薬品の区分に応じ，それぞれ同表の下欄に定める期間とする。

一　法第14条の４第１項第１号に規定する新医薬品　法第14条の４第１項第１号に規定する調査期間（同条第２項の規定による延長が行われたときは，その延長後の期間）に１年を加えた期間

二　法第79条第１項の規定に基づき，製造販売の承認の条件として当該承認を受けた者に対し製造販売後の安全性に関する調査（医薬品，医薬部外品，化粧品及び医療機器の製造販売後安全管理の基準に関する省令第２条第３項に規定する市販直後調査を除く。）を実施する義務が課せられている医薬品　製造販売の承認の条件として付された調査期間に１年を加えた期間

つまり，次のとおりです。

○新医薬品（ダイレクトOTC医薬品）：

再審査期間（延長された場合はその期間）＋１年

○新一般用医薬品（スイッチOTC医薬品）：

承認条件として付された調査期間（原則３年）＋１年

ダイレクトOTC医薬品であって，再審査期間が経過していないもの，及びスイッチOTC医薬品で，製造承認の際，承認条件として使用成績調査を指示されたもので，厚生労働大臣が定める期間を経過していないもの，は要指導医薬品に指定されない場合「第１類医

薬品」です。その期間が終了した時点で，収集されたデータにより区分の見直し（第1類の区分のままとするか，第2類，第3類に移行するか）が行われることになります（法第36条の7第2項，第3項）。

●厚生労働大臣が指定するもの

次に，法第36条の7の「厚生労働大臣が指定するもの」ですが，次のような告示が出ています。

○医薬品，医療機器等の品質，有効性及び安全性の確保等に関する法律第36条の7第1項第1号及び第2号の規定に基づき厚生労働大臣が指定する第1類医薬品及び第2類医薬品

（平成19年3月30日　厚生労働省告示第69号）

医薬品，医療機器等の品質，有効性及び安全性の確保等に関する法律第36条の7第1項第1号及び第2号の規定に基づき
厚生労働大臣が指定する第1類医薬品及び第2類医薬品

医薬品，医療機器等の品質，有効性及び安全性の確保等に関する法律第36条の7第1項第1号及び第2号の規定に基づき厚生労働大臣が指定する第1類医薬品及び第2類医薬品は，それぞれ次の各号に掲げるものとする。

一　第1類医薬品

イ　医薬品，医療機器等の品質，有効性及び安全性の確保等に関する法律第14条の4第1項第2号に規定する厚生労働大臣が指示する医薬品であって，同号に規定する厚生労働大臣が指示する期間に1年を加えた期間を経過していないもの

ロ　医薬品，医療機器等の品質，有効性及び安全性の確保等に関する法律第14条第8項に該当するものとして承認され，同法第79条第1項の規定に基づき，製造販売の承認の条件（以下「承認条件」という。）として当該承認を受けた者に対し製造販売後の安全性に関する調査を実施する義務（以下「調査義務」という。）が課せられている医薬品（その製造販売の承認のあった日後調査期間（承認条件として付された調査期間をいう。以下同じ。）を経過しているものを除く。）と有効成分，分量，用法，用量，効能，効果等が同一性を有すると認められる医薬品であって，調査義務が課せられている医薬品のうち，調査期間に1年を加えた期間を経過していないもの

ハ　専らねずみ，はえ，蚊，のみその他これらに類する生物の防除のために使用されることが目的とされる医薬品のうち，人の身体に直接使用されることのないもの（毒薬又は劇薬に限る。）

ニ　別表第一に掲げるもの，その水和物及びそれらの塩類を有効成分として含有する製剤

ホ　別表第一の二に掲げる体外診断用医薬品

（第2類医薬品の項，略。後述）

イ～ホまで5つあげられています。順にみていきましょう。

ⅰ）イについて

「医薬品医療機器等法第14条の4第1項第2号」とは次の規定です。

医薬品医療機器等法

第14条の4

二　新医薬品（当該新医薬品につき第14条又は第19条の2の承認のあつた日後調査期間（次項の規定による延長が行われたときは，その延長後の期間）を経過しているものを除く。）と有効成分，分量，用法，用量，効能，効果等が同一性を有すると認められる医薬品として厚生労働大臣がその承認の際指示したもの　当該新医薬品に係る申請期間（同項の規定による調査期間の延長が行われたときは，その延長後の期間に基づいて定められる申請期間）に合致するように厚生労働大臣が指示する期間

つまり，新薬，すなわちダイレクトOTC医薬品として承認された医薬品と有効成分，用法用量，効能効果等が同じと認められる医薬品で，それらダイレクトOTC医薬品の再審査期間がまだ終了しないうちに後続で承認された医薬品です。それらはいわば「後発品」ですが，再審査調査や使用成績調査が終わっていないため（つまり，安全性等が未確認のため），先発の新薬と同様の調査義務が課せられるわけです。そして，後発組の調査期間は，後発組が承認された時点で先発組の残っている再審査調査期間です。たとえば，先発組が6年の調査期間の場合，その期間が1年経過した時点で後発品が承認されたとすると，残り5年が後発組の調査期間ということになります。その調査期間＋1年は第1類医薬品に分類されます。

ⅱ）ロについて

ロは，新一般用医薬品，つまりスイッチOTC医薬品の後発品です。スイッチOTC医薬品の場合，「新医薬品」ですが，その有効成分は医療用医薬品としての承認実績がありますので，再審査には指定されません。しかし，そのかわり，一般用医薬品としては初めてのものであることから，承認の際に，条件として使用成績調査が課されます。そのスイッチOTC医薬品の使用成績調査が終了していないうちに，それと有効成分，用法用量，効能効果等が同じであると認められる後発の医薬品です。それらも，まだ一般用医薬品としての安全性等が未確認の時点で承認されているため，新一般用医薬品と同様の扱いとなり，使用成績調査が課されます。その調査期間は，先発の調査期間と同じ期間（3年のうち1年経過していれば残り2年）とされます。その調査期間＋1年は，第1類医薬品に分類されます。

●第1類医薬品と要指導医薬品

以上の第1類医薬品の定義で，疑問を持たれるかもしれません。それは，上記の定義に該当するダイレクトOTC医薬品やスイッチOTC医薬品は「要指導医薬品」ではないか，ということです。

要指導医薬品と第1類医薬品はどこが違うのか。それは，

「その適正な使用のために薬剤師の対面による情報の提供及び薬学的知見に基づく指導が行われることが必要なものとして厚生労働大臣が指定したもの」
という点です。

つまり，ダイレクトOTC医薬品及びスイッチOTC医薬品（それらの調査期間中に承認された後続品も含め）については，承認に際して，薬事・食品衛生審議会に，「薬剤師の対面による情報の提供及び薬学的知見に基づく指導が行われることが必要」かどうかを諮問します。そして，必要と判断された場合は，「要指導医薬品」に指定されることとなるわけです。特に必要ないと判断されれば，はじめから一般用医薬品の第1類医薬品とされることもあり得ることになります。

なお，要指導医薬品は，調査期間は承認条件として付された調査期間（再審査期間または3年）の終了した時点で，要指導医薬品の指定が解除され，一般用医薬品に移行することになり，まずは第1類医薬品に区分されることとなります。

iii）ハについて，

専らねずみ，はえ，蚊，のみ等の駆除に使用される殺鼠剤，殺虫剤，防虫剤などで，噴霧剤など人の身体に直接使用されることのないもの，は第1類医薬品です。ただし，毒薬または劇薬に該当するものです。

iv）ニについて

ニは，「別表第一に掲げるもの」ですが，現在は，次のものがあげられています。

（平成30年7月8日時点）

	告示名	別名等
1	アシクロビル	
2	アミノフィリン	
3	イソコナゾール	硝酸イソコナゾール
4	オキシコナゾール。ただし，膣カンジダ治療薬に限る。	硝酸オキシコナゾール，オキシコナゾール硝酸塩
5	クロトリマゾール。ただし，膣カンジダ治療薬に限る。	
6	ジエチルスチルベストロール	
7	ジクロルボス。ただし，プラスチック板に吸着させた殺虫剤（ジクロルボス5%以下を含有するものを除く。）に限る。	
8	シメチジン	
9	ストリキニーネ	硝酸ストリキニーネ
10	テオフィリン	
11	テストステロン	

12	テストステロンプロピオン酸エステル	プロピオン酸テストステロン
13	トラネキサム酸。ただし，しみ（肝斑に限る。）改善薬に限る。	
14	ニコチン。ただし，貼付剤に限る。	
15	ニザチジン	
16	ビダラビン	
17	ファモチジン	
18	ミコナゾール。ただし，膣カンジダ治療薬に限る。	ミコナゾール硝酸塩
19	ミノキシジル	
20	メチルテストステロン	
21	ヨヒンビン	塩酸ヨヒンビン
22	ラニチジン	塩酸ラニチジン
23	ロキサチジン酢酸エステル	塩酸ロキサチジンアセテート
24	ロキソプロフェン	ロキソプロフェンナトリウム水和物

ｖ）ホについて

「別表第一の二に掲げる体外診断用医薬品」ですが，一般用黄体形成ホルモンキットが指定されています。

以上整理してみると，第１類医薬品とは次のようなものです。

①新医薬品（ダイレクトOTC医薬品）
②新一般用医薬品（スイッチOTC医薬品）
③①または②の後発品で，先発品がまだ調査期間中に承認されたもの
④殺鼠剤，殺虫剤，防虫剤で毒薬または劇薬に該当するもの
⑤告示（平成19年3月30日厚生労働省告示第69号）別表第一または別表第一の二に掲げるもの

ただし，上記①～④に該当する要指導医薬品を除くことは先に説明したとおりです。

②第２類医薬品

第２類医薬品は，「その副作用等により日常生活に支障を来す程度の健康被害が生ずるおそれがある医薬品（第１類医薬品を除く。）」であり，告示第69号で以下のように指定されています。

第２類医薬品

イ　専らねずみ，はえ，蚊，のみその他これらに類する生物の防除のために使用されることが目的とされる医薬品のうち，人の身体に直接使用されることのないもの（毒薬又は劇薬を除く。）

ロ　専ら滅菌又は消毒に使用されることが目的とされている医薬品のうち，人の身体に直接使用されることのないもの
ハ　体外診断用医薬品
ニ　別表第二に掲げる漢方処方に基づく医薬品及びこれを有効成分として含有する製剤（第1類医薬品を除く。）
ホ　別表第三に掲げるもの，その水和物及びそれらの塩類を有効成分として含有する製剤（第1類医薬品を除く。）

イは，殺鼠剤，殺虫剤，防虫剤などで毒薬，劇薬に指定されていないものです。

ロは，滅菌剤，消毒剤等です。

ハは，体外診断薬で，尿糖検査薬，尿たんぱく検査薬，妊娠検査薬などがあります。

ニは，漢方処方製剤で，現在，安中散など約300品目が指定されています。

ホは，無機薬品及び有機薬品約250品目，生薬及び動植物成分約200品目が指定されています。

● 指定第2類医薬品

第2類医薬品は，副作用等の健康被害のおそれの程度が第1類医薬品に比較し低いものとの位置づけですが，しかし第2類医薬品の中には，非ステロイドの消炎鎮痛剤などスティーブンス・ジョンソン症候群など，重篤な皮膚障害などが発現しているものもあります。

そこで，医薬品医療機器等法施行規則によって，第2類医薬品のうち，第1類医薬品に準じた注意を要するものを「指定第2類医薬品」として指定することとされています。

医薬品医療機器等法施行規則
第1条第3項
5　指定第2類医薬品（第2類医薬品のうち，特別の注意を要するものとして厚生労働大臣が指定するものをいう。以下同じ。）

指定第2類医薬品としては，下表の成分があげられています（平成30年7月6日付け薬生安0706第1号厚生労働省医薬安全対策課長通知）。

○指定第2類医薬品　無機薬品及び有機薬品

1	アスピリン
2	アミノ安息香酸エチル（内服薬に限る。）
3	アモロルフィン
4	アリルイソプロピルアセチル尿素
5	アルミノプロフェン
6	安息香酸（吸入剤に限る。）
7	イブプロフェン
8	エストラジオール
9	エストラジオール安息香酸エステル

10	エチニルエストラジオール
11	エテンザミド
12	カサントラノール
13	ケトプロフェン
14	コデイン
15	コルチゾン酢酸エステル
16	サザピリン
17	サリチルアミド
18	サリチル酸（内服薬に限る。）
19	サリチル酸フェニル。ただし，外用剤を除く。
20	ジヒドロコデイン
21	ジフェンヒドラミン（睡眠改善薬に限る。）
22	シュウ酸セリウム
23	センノシド
24	デキサメタゾン
25	デキサメタゾン酢酸エステル
26	テルビナフィン
27	トリアムシノロンアセトニド
28	ニコチン。ただし，貼付剤を除く。
29	ネチコナゾール
30	ビタミンA油。ただし，外用剤を除く。
31	ヒドロコルチゾン
32	ヒドロコルチゾン酢酸エステル
33	ヒドロコルチゾン酪酸エステル
34	ピペリジルアセチルアミノ安息香酸エチル
35	プソイドエフェドリン
36	ブテナフィン
37	フラボキサート
38	フルオシノロンアセトニド
39	プレドニゾロン
40	プレドニゾロン酢酸エステル
41	プレドニゾロン吉草酸エステル
42	ブロムワレリル尿素
43	プロメタジン
44	ベクロメタゾンプロピオン酸エステル
45	ベタネコール
46	ベタメタゾン吉草酸エステル
47	メチルエフェドリン（内服薬に限る。）
48	ラウオルフィアセルペンチナ総アルカロイド
49	ラノコナゾール
50	レチノール。ただし，外用剤を除く。
51	レチノール酢酸エステル。ただし，外用剤を除く。
52	レチノールパルミチン酸エステル。ただし，外用剤を除く。
53	ロペラミド

○指定第２類医薬品　生薬及び動植物成分

1	イチイ。ただし，外用剤を除く。
2	カスカラサグラダ。ただし，外用剤を除く。
3	クバク
4	コジョウコン
5	センナ（別名センナヨウ）
6	センナジツ
7	トコン
8	ブシ（別名加工ブシ又はホウブシ）。ただし，外用剤を除く。
9	マオウ。ただし，外用剤を除く。

③第３類医薬品

第3類医薬品は，第1類医薬品，第2類医薬品に指定されている医薬品以外の医薬品で，その作用，副作用等が緩和であり，安全性の高いものと位置づけられています。

現在，無機薬品・有機薬品約350成分，及び生薬・動植物成分約450種類が指定されています。

第3章

医薬品の研究開発

1 新薬の研究開発－1/25,000の確率にかける執念－

医薬品は，市販する前に厚生労働大臣（一部の医薬品は都道府県知事）の承認を受けなければなりません。その承認を受ける前の段階として，医薬品の研究開発があります。1つの新薬を開発し，発売までにこぎつけるには膨大な開発経費と長い年月が必要だといわれています。

製薬企業の団体である日本製薬工業協会は，小冊子「もっと知りたい！ 新薬のこと」（2018年3月作成）の中で，新薬の研究開発が非常にリスクの大きな仕事であるということを知ってほしいと，次のように述べています。

「1つの新薬が誕生するまでには，多くの研究，試験や申請などの手続きを経なければなりません。研究開発には実に9～16年もの年月と，多額の費用がかかります。研究者が可能性を信じた化合物でも，実際にくすりにするためには病気への有効性だけでなく，安全性も慎重に判断されるため，せっかくの研究開発を断念しなければならないことも少なくありません。くすりの候補として研究を始めた化合物が実際に新薬として世に出る成功確率は約25,000分の1。新薬の生まれる道のりはとてつもなく厳しく長いものです。」

1つの新薬にたどりつくために検討される化合物の数は約25,000にのぼる。そして，25,000の化合物のうち臨床試験までたどりつけるのは数品目，最後に医薬品として市販にまでいけるのは1品目。25,000もの化合物からスタートしても，長い年月をかけて検討していって，最後に医薬品にたどりつけるのが1つというのですから，確率25,000分の1。最近では，新薬候補の検索にコンピュータやAIが利用されるようになっていますが，それにしても，製薬企業がどんなに苦労して新薬を開発しているかがよくおわかりいただけると思います。ここでは，新薬の研究開発のどこがそんなにたいへんなのかをみていくことにしましょう。

有力な新薬候補をみつけ出せ！

医薬品の研究開発にまず必要なのは情報です。

第1に，医学や薬学，その他の関連科学の進歩に関する情報が必要です。ある病気の原因が解明された場合，そこから薬物治療の大きなヒントが得られるかもしれませんし，また，新しく合成された化合物はその薬理作用によって医薬品として活用できるかもしれません。そういう情報は学会や専門誌などに発表されるわけですが，それらの情報を新薬開発メーカーは絶えず関心をもって集めています。最近は「創薬」といっても，医学や薬学の専売特許ではなく，理学，農学，微生物学など，“学際”的になっています。加えて情報化時代ですから情報量も多く，メーカーにとってその情報収集はたいへんな仕事となります。

次に，医師や薬剤師などの医療に携わる人々，あるいは国民の間にどのような医薬品に対する期待があるのかなど，医療や社会的な状況から医薬品に関するニーズがどこにあるかを知ることも大切です。最近は，日本人の平均寿命が著しく伸び，高齢化社会が来たといわれていますが，そうなると，当然，高齢者のための医薬品がたいへん重要になります。

一方，外国での医薬品開発の動向や市場に関する情報を集めることも不可欠です。医薬品市場もどんどん国際化し，外国での研究開発が日本のマーケットにも大きな影響を及ぼすからです。こうした広い範囲の情報を分析して，どんな医薬品を開発していったらよいか，的を絞っていくわけです。

こうして収集した情報や独自の研究成果の中から，医薬品の素材となりそうな天然物や新しい合成品を選別していきます。これはちょうど，全国10,000の高校野球のチームの中から全国の予選を勝ち抜いて甲子園に出場し，そんなチームの中からプロ野球のスカウトマンが，将来有望そうな選手を見つけ出していくという感じです。

このスクリーニングと呼ばれる選別作業はいくつかの段階に分けて行われます。まず，本当にその化合物に薬効があるかどうかを文献や基礎的実験研究によって掘り下げていきます。また，開発研究を進めるかどうかの判断材料として毒性についても検討が加えられます。これらのスクリーニングの結果から，開発の目的となる物質が絞られてきますが，このスクリーニングをパスしたものは，さらに本格的な幅広い研究開発に入っていくことになります。

スクリーニングをパスした物質は大きく分けて，動物などによる非臨床試験と人による臨床試験によってさらに検討が続けられていきます。スクリーニングが高校野球の地方予選とすれば非臨床試験以降は精鋭が集う甲子園大会の前半戦，臨床試験はその後半戦です。医薬品開発はこれから正念場に入っていくわけです。どんな試験，実験が行われていくのかをみていくこととしましょう（図3-1）。

2 非臨床試験

（1）いろいろな非臨床試験

スクリーニングをパスしてきた物質は，まず品質試験，動物試験などによって有効性と安全性の確認が行われます。これらの試験は，その多くが臨床試験の前に行われるという意味で前臨床試験とも呼ばれています。試験の内容としては，品質・薬理・毒性試験などがあります。

①品質・安定性試験

どんなに有効性や安全性の高い医薬品であっても，実際に流通している間に，有効成分が容易に変質したり，分解してしまってだめになってしまうのであれば，医薬品としての存在価値はありません。そこで，薬効のある物質が選び出されますと，まず，物質の安定性なども含めた物理的・化学的性質が調べられます。室内に長く置いておいたら変化してしまうなどということはないか，光や湿気，熱などに対して安定か，また，薬効をさらに優れたものにしたり，安全性を高めるために，純度の高いものをできるだけ経済的に製造する方法などについての検討が進められます。さらに，医薬品をどのような投与経路で，どのような剤形で製品化するのが最も効果的か，つまり，錠剤がよいか，カプセルにするほうがよいかなどについて，動物実験などの結果もみながら製剤化の検討が行われます。そして，最終的に剤形や包装，保存条件などが決められます。こうした検討の過程で医薬品の物理化学的性質が確認され，医薬品としての品質規格が決められていきます。

②薬理試験

医薬品の開発でいう薬理試験には2つの側面があります。1つは，ある化学物質が医薬品として活用できるどのような薬効を持っているか，つまり，効果の内容やその作用機序について調べるための試験，もう1つは，その化学物質が薬効だけでなく，人に対して全体的にどのような生理的作用を及ぼす可能性があるかをみるための試験です。前者は，医薬品の効能効果の根拠を確かめてみようというもの，後者は，どちらかといえば，薬効のほかに，場合によっては副作用にもなりかねない作用も含めて，その物質の全体的なプロフィールを知っておこうというものです。

図3-1　医薬品の開発

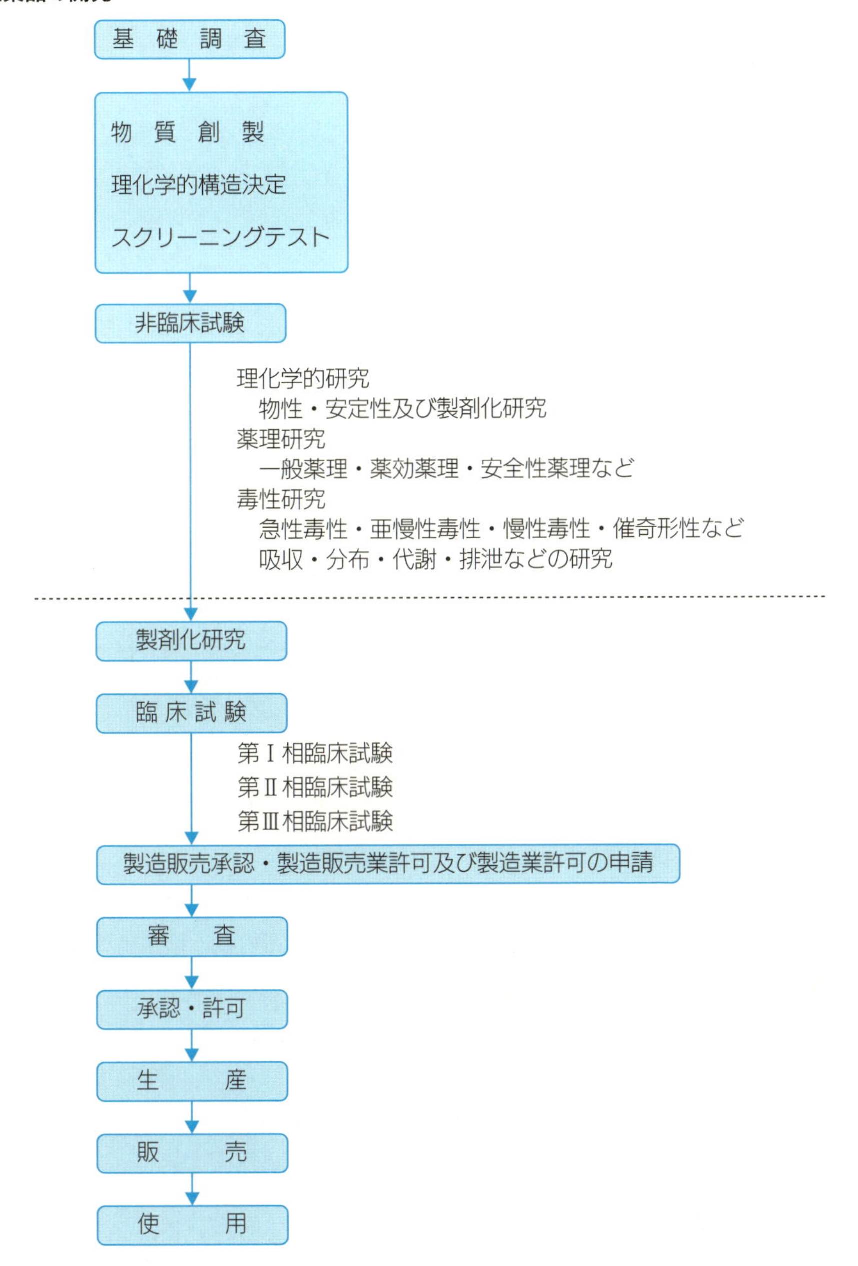

③毒性試験

毒性試験もまた医薬品の開発ではたいへん重要なステップです。どんなに効果の優れた医薬品であっても毒性が強すぎたのでは医薬品として使用することはできません。医薬品の評価ではリスク・ベネフィットを検討することが大切だといわれます。これは，医薬品としての効果とその毒性や副作用を比較してみて，医薬品としての利益が勝っているかどうかをはかりにかけてみるということです。

毒性試験は，普通，動物によって行われます。これによって，医薬品として使用された場合，強い副作用が出ることはないか，どんな副作用が予想されるのかをチェックしようというものです。

医薬品の開発では，**表3-1**に示すようにいろいろな側面からの試験が行われています。

この毒性試験は，医薬品が使用された場合の安全性に深く関係しますのでたいへん重要なものです。そこで，この毒性試験の信頼性を高めるために，厚生労働省はこれらの試験法のガイドラインを定めています。

表3-1　新薬開発のための毒性試験

一般毒性試験	急性毒性試験 亜慢性毒性試験 慢性毒性試験
特殊毒性試験	生殖・発生毒性試験 依存性試験 抗原性試験 変異原性試験 がん原性試験 局所刺激性試験

④吸収・分布・代謝・排泄試験

人が薬を飲みますと，その薬は吸収され，血管に移行し，肝臓を通り，肝臓でその多くが分解され（初回通過効果），血管に戻って身体のあちこちに運ばれ，やがて体外に排泄されていきます。

その変化や吸収の速度がたいへん速いものもあれば，遅いものもあります。これは化合物の性質や薬の剤形によっても違います。この吸収や代謝の仕方によって医薬品の効き目も違ってきますし，副作用も違ってきます。

このような医薬品の体の中での変化や動きを吸収，分布，代謝，排泄の4つの側面からとらえて医薬品の効果や安全性について確かめる試験を行います。英語で吸収をabsorption，分布をdistribution，代謝をmetabolism，排泄をexcretionというところからその頭文字をとって，これらの試験を“ADME”（アドメ）などともいいます。

吸収は，投与された医薬品が，身体のどの部位から，どのような速さで吸収されていくかを調べます。分布は，医薬品が体のどの部分に，どのような形で集まっていくかを調べます。医薬品には，腎臓に集まりやすいもの，骨に蓄積しやすいものなどいろいろなものがあります。代謝は，医薬品がどのような形に変化していくかを（場合によっては人間に有害な形に姿を変えないとも限りません），排泄は，どのような形で，どこからどのくらいの速さで外へ出ていくのかを（糞便として排泄されるもの，尿中に排泄されるものなどさまざまです）調べます。

ADMEは，このように医薬品の体の中での動きを知る試験です。

注：first-pass effect（初回通過効果）

薬物が投与部位から全身循環血に移行する過程で起こる分解や代謝のこと。内服の場合，小腸から吸収された薬物は門脈を通って肝臓を経て全身血へ移行するが，肝臓に存在する酵素によって，薬物によっては大半が分解，代謝される（肝初回通過効果）。肝臓のみでなく，小腸にも代謝酵素が存在し，ここでの代謝もある。特に，内服では初回通過効果が大きく，肝初回通過によりほとんどが分解されてしまう医薬品の場合は，注射剤や皮膚，鼻腔，直腸下部（坐剤）などで吸収される剤形とすることが検討される。

(2) 医薬品の安全性に関する非臨床試験の実施の基準（GLP）

毒性試験などの非臨床試験や次項で述べる臨床試験は，医薬品の有効性や安全性を確認するたいへん重要な基礎資料となります。そこで，これらの試験データの信頼性を確保するために，医薬品医療機器等法第14条第3項に次のような規定が設けられています。

医薬品医療機器等法

（医薬品等の製造販売の承認）

第14条

3　第1項の承認を受けようとする者は，厚生労働省令で定めるところにより，申請書に臨床試験の試験成績に関する資料その他の資料を添付して申請しなければならない。この場合において，当該申請に係る医薬品が厚生労働省令で定める医薬品であるときは，当該資料は，厚生労働省令で定める基準に従つて収集され，かつ，作成されたものでなければならない。

この規定は，製薬企業が医薬品の製造販売承認を申請する場合には，有効性や安全性を証明するデータを提出しなければならないことを定めた条文ですが，この規定に基づいて，非臨床試験のうち，特に，毒性試験など安全性試験の信頼性を確保するための「厚生労働大臣の定める基準」として，「医薬品の安全性に関する非臨床試験の実施の基準に関する省令」（平成9年厚生省令第21号）が定められています。これを通常，Good Laboratory Practice，略して“GLP”と呼んでいます。

では，GLPとはどのような基準でしょうか。そのポイントをみてみましょう。

GLPのポイント

①試験施設は，試験を行うのに十分な面積，構造，設備，機器を有すること
②試験施設の運営管理者は，試験ごとに，試験責任者を指名すること
③試験施設に信頼性保証部門を置き，信頼性保証部門責任者を指名すること
④運営管理者は，試験業務の標準操作手順書を作成すること
⑤試験責任者は，試験ごとに，試験計画書を作成し，運営管理者の承認を受けること
⑥信頼性保証部門責任者は，試験がGLPに従って適正に実施されていることを確認すること
⑦試験従事者は，被験物質，試験動物を適切に管理すること

⑧試験責任者は，試験ごとに最終報告書を作成すること
⑨運営管理者は，資料保存施設管理責任者を指名し，試験関係資料を，資料保存施設に適切に保存すること

GLPは，安全性に関する非臨床試験の技術的な試験方法を定めるものではなく，このように，安全性試験の信頼性を確保し，適切に試験を実施するための管理基準なのです。そして，後の章で説明するように，医薬品の製造販売の承認審査に際し，申請データの信頼性を保証するための基準でもあるのです。

3 臨床試験－医薬品開発のキーステップ－

（1）臨床試験の3つのステップ

非臨床試験の結果から，その化合物が医薬品としての薬効を持ち，毒性も強いものではなく，また品質も均一で安定したものが得られることがわかり，ここで初めて医薬品としての可能性が出てきます。しかし，試験管の中での試験，あるいは動物による試験の結果ですから，本当に人間でも同じ効果が期待できるのかどうかはそれだけで決めることはできません。どうしても人による試験が必要になってきます。

しかしいままで人に使用したことのない医薬品を人に初めて使ってみようというのですから，慎重のうえにも慎重でなければなりません。ですから，臨床試験に入ることのできる医薬品候補というのは，まず第1に，いままでに述べたいろいろな非臨床試験で，その効果や安全性からみて臨床試験を行う価値があると推定できるようなデータが得られているものであることが絶対条件になります。

このような条件に合うものについて臨床試験を行うわけですが，試験を安全に行うために，医薬品を開発するための臨床試験は，大きく分けて第Ⅰ相試験，第Ⅱ相試験，第Ⅲ相試験という3つのステップを踏んで行われます。

第Ⅰ相試験というのは，普通，少数の健康な青・壮年層で，それも男性を対象として行われます。この試験では，人での代謝とか，耐薬性，人に何らかの作用を生ずるような量はどの程度かといったようなことが調べられます。このような試験ですから，試験に参加できる人は限られますし，ボランティアを募って行われることになります。

第Ⅱ相試験は，その医薬品の目的とする患者を対象に行われますが，最初から多数の人に使用するわけにはいきません。少数の患者によって行われます。これによって，その医薬品の効果がある適応範囲や，どのくらいの量を使用すれば効果が得られるかなどが調べられます。医薬品の用量を検討するこのような試験は「Dose-finding」試験などともいわれます。

第Ⅲ相試験は，第Ⅰ相や第Ⅱ相試験で得られたデータをもとに，いよいよ一定数の患者を対象に行われる試験です。

これらの臨床試験は，効果がある適応疾患や，適切な用量などを決定する最終段階の試験ですからたいへん重要な試験であり，客観的な評価を行えるような試験でなくてはなりません。

薬の効き目というものはたいへん不思議なもので，患者の気持ちなど精神的な要因が大きく影響します。たとえば，不眠症の患者が，医師から「睡眠薬ですよ」といわれてビタミン剤をもらって服用すると，本当に眠くなってしまう場合があります。また，胃潰瘍は精神的なストレスも大きな原因の1つですが，この胃潰瘍の場合，デンプンの粉でも，医師に薬だといわれて1週間も服用していれば治ってしまう場合もあるといわれます。このように客観的にみて，特に活性を持っていないのに活性を持っているかのごとき効果が出てくることを「プラセボ（Placebo）効果」といいます。こういう要素を排除し，よりよく管理された臨床試験（well controlled study）の実施が必要になってきます。たとえば，“二重盲検法(double blind study)”という言葉を聞かれたことがあるかと思いますが，これは，医薬品候補品とその候補品と見分けがつかないようにした比較薬（これには作用を持ったものの場合と持たないものの場合があります）を用意し，臨床試験を行う医師にも，患者にも，どちらが本物かを知らせないで試験をするといった方法です。

また，比較をする場合に，片方に治りやすい患者が偏っていると薬の効き目を正しく評価することができません。このため，比較する薬を服用する患者を無作為に割り当てるなどの方法（randamized study）がとられています。このように，薬の効き目を正確に見きわめるためには，慎重な配慮が必要なのです。

(2) 臨床試験の社会性

普通，新商品の開発研究は，開発メーカーが独自に企画して進めていますから，研究はメーカーの研究所の中で進み，それが商品として世の中に出てくるまではベールの中です。新車の開発もそうですね。つまり，社会のニーズ等の調査ということで，社会との接点がないわけではありませんが，通常，直接見えないところで研究開発が行われています。

ところが，医薬品の研究開発はちょっと違います。試験管の中での研究や動物実験の段階は確かに研究所の中だけで進みますが，やがて臨床試験に入りますと，社会とのつながりなしに研究は進みません。この段階になりますと，どうしても病院や診療所，医師や薬剤師，そしてなんといっても患者の協力なしに研究開発はできません。しかも，病院や診療所は生きた社会そのものです。したがって，研究開発の一環である臨床試験を行う場合，メーカーには社会に対する大きな責任が伴います。

臨床試験は，人に実際に用いて，薬物の性質や有効性，安全性などを明らかにするということですから，患者への説明を十分したうえで同意を得るいわゆるインフォームド・コンセントが重要ですし，患者のことを第一に，倫理的にも適切に実施することが求められます。また，この臨床試験の結果は承認審査のための資料として用いられ，厚生労働省での厳正な審査の結果，承認されて初めて市販されることになります。すなわち，1つひとつの臨床試験の結果は，将来市販され多くの患者に使用される医薬品の評価のもとになるものです。ですから，臨床試験は，科学的に適正であると同時に，倫理的配慮の下に実施されなければなりません。

(3) 治験にかかわるさまざまな制度

そこで医薬品医療機器等法では，この医薬品を開発するために行う臨床試験を次のように「治験」と位置づけ，定義しています。

医薬品医療機器等法

（定義）

第2条

17　この法律で「治験」とは，第14条第3項（同条第9項及び第19条の2第5項において準用する場合を含む。），第23条の2の5第3項（同条第11項及び第23条の2の17第5項において準用する場合を含む。）又は第23条の25第3項（同条第9項及び第23条の37第5項において準用する場合を含む。）の規定により提出すべき資料のうち臨床試験の試験成績に関する資料の収集を目的とする試験の実施をいう。

このように，「治験」とは，医薬品や医療機器，再生医療等製品の承認を受けるための資料の1つである「臨床試験」の試験成績に関する資料を収集するために実施される臨床試験と定義されています。ということは，病院などで独自に行われる「臨床研究」などは「治験」には含まれないということになります。

さて，この治験に関して次のようなさまざまな制度が設けられています。

① 「臨床試験の実施の基準（GCP）」：医薬品医療機器等法第80条の2第1項，第4項，第5項

② 「治験の届出制度」：同条第2項，第3項

③ 「治験中の副作用・感染症報告義務」：同条第6項

④ 治験中に問題が生じた場合のGCP遵守状況の調査：同条第7項

⑤ 危害発生等の防止のための治験の中止・変更などの必要な指示：同条第9項

それでは，順番に各制度をみていきましょう。

(4) 臨床試験の実施の基準（GCP）

医薬品や医療機器などの人を対象とした試験，すなわち臨床試験は科学的に信頼性あるものであると同時に，倫理的に厳正に行われるべきであり，その実施のあり方を基準として定めるという，いわゆるGCP（Good Clinical Practice）の考え方は，昭和39（1964）年にヘルシンキで開催された世界医師会総会において宣言された「人間を対象とした生物医学的研究を行う医師への勧告」（いわゆるヘルシンキ宣言）に源を発しています。ヘルシンキ宣言は原則的な内容であり，倫理的枠組みのものですが，GCPはその具体的な内容であり，倫理的かつ科学的規制としての枠組みのものです。

GCPは欧米諸国でも定めていますが，わが国では平成元（1989）年に薬務局長通知でGCPを定めて運用してきました。その後，日米欧3極で新薬の承認審査資料のハーモナイゼーションを図るICH（International Conference of Harmonization of Technical Requirements for Registration of Pharmaceuticals for Human Use）という国際会議においてGCPが取り上げられ，平成8（1996）年5月には国際的に共通の指針となるICH-GCPがまとまりました。また，同年6月に薬事法の一部を改正する法律が成立しましたが，その際，文書によるインフォームド・コンセントの実施などの国際的な基準に合致したGCPに改定することなど，治験の充実強化を図ることが指摘されました。こうして，GCPは法制化されることとなり，また内容も見直されて，平成9（1997）年4月より施行されました。

そして，平成14（2002）年の薬事法改正で，医師主導治験も含めることとされました。

医薬品医療機器等法

（治験の取扱い）

第80条の2 治験の依頼をしようとする者は，治験を依頼するに当たつては，厚生労働省令で定める基準に従つてこれを行わなければならない。

4 治験の依頼を受けた者又は自ら治験を実施しようとする者は，厚生労働省令で定める基準に従つて，治験をしなければならない。

5 治験の依頼をした者は，厚生労働省令で定める基準に従つて，治験を管理しなければならない。

この規定に基づいて，厚生労働省令「医薬品の臨床試験の実施の基準に関する省令」（平成9年3月27日，厚生労働省令第28号）によって，次のような基準が定められています。

①治験の準備に関する基準
　　第1節　治験を依頼しようとする者による治験の準備に関する基準
　　第2節　自ら治験を実施しようとする者による治験の準備に関する基準
②治験の管理に関する基準
　　第1節　治験依頼者による治験の管理に関する基準
　　第2節　自ら治験を実施する者による治験の管理に関する基準
③治験を行う基準
　　第1節　治験審査委員会
　　第2節　実施医療機関
　　第3節　治験責任医師
　　第4節　被験者の同意
④再審査等の資料の基準
⑤治験の依頼等の基準

それではこれらを，順にみていきましょう。

①治験の準備に関する基準

●治験を依頼しようとする者による治験の準備に関する基準

治験は，製薬企業の研究所で行うわけにはいきません。当然，医療機関に依頼して行うわけですが，この「治験の準備に関する基準」では，治験を依頼する前に準備すべき事項を定めています。主なポイントは次のとおりです。

①　治験の依頼をしようとする者及び実施医療機関は，文書により治験の契約を締結すること
②　治験の依頼及び管理に関する手順書を作成すること
③　被験薬の品質，毒性，薬理作用に関する試験を終了していること
④　治験実施医療機関及び治験責任医師を選定すること
⑤　治験実施計画書を作成すること
⑥　治験薬概要書を作成すること
⑦　治験責任医師に，被験者に対する説明文書の作成を依頼すること
⑧　実施医療機関の長に，治験実施計画書，治験薬概要書等の文書を提出すること
⑨　治験実施医療機関の長と，文書により治験の契約を結ぶこと
⑩　被験者に対する補償措置を講じておくこと

●自ら治験を実施しようとする者による治験の準備に関する基準

治験は，通常，製薬企業など医薬品を製造販売するために企業が医療機関に依頼して行うものです。しかし最近は，国内では有効な医薬品がない病気について，外国で開発され，市販されている優れた医薬品を医師が試験的に入手し，あるいは国内では別の病気に使われて

いる医薬品を用いて，自分の患者に使用するケースも増えてきました。このため，このような医師が主導的に行う承認を目指した医薬品の臨床試験も「治験」（医師主導の治験）の範疇に含めることとされました。そこで，この基準では，医師自ら治験を実施する前に準備する事項を定めています。

この医師自らが行う治験の準備のポイントは次のとおりです。

① 治験の管理に関する手順書を作成すること
② 被験薬の品質，毒性，薬理作用に関する試験を終了していること
③ 治験実施計画書を作成すること
④ 治験薬概要書を作成すること
⑤ 被験者に対する説明文書を作成すること
⑥ 実施医療機関の長に，治験実施計画書，治験薬概要書等の文書を提出すること

②治験の管理に関する基準

●治験依頼者による治験の管理に関する基準

医療機関への治験の依頼が終わり，治験契約が結ばれると，いよいよ治験が始まるわけですが，この基準は，治験を依頼する側，つまりメーカー側の「治験の管理基準」，一方，後述する「治験を行う基準」は治験実施医療機関の基準です。

以下は，治験依頼者の管理の基準のポイントです。

① 治験薬の管理
・治験薬の表示（治験用である旨，製造番号，効能効果，用法用量等）を適切に行うこと
・治験薬の製造量，製造年月日，品質試験等の記録を作成しておくこと
・治験薬の実施医療機関への供給量，回収量等の記録を作成すること
・治験薬の管理手順書を作成し，実施医療機関の長に渡すこと
② 治験の継続，計画の変更等について審議するために「効果安全性評価委員会」を設置すること
③ 被験薬の有効性，副作用等に関する情報を収集し，実施医療機関に提供すること
④ 治験のモニタリングを行うこと
⑤ 治験が適正に行われなかった場合，治験を中止すること
⑥ 治験終了後，または中止後，総括報告書を作成すること
⑦ 治験に関する記録，治験実施計画書等を，製造販売承認後，3年間保存すること

●自ら治験を実施する者による治験の管理に関する基準

医師主導の治験を実施する場合の治験の管理の基準です。

ポイントは以下のとおりです。

① 治験の実施の準備及び管理に関する業務手順書等（モニタリングに関する手順書，監査に関する計画書及び業務に関する手順書等）を作成すること

② 被験薬の品質，毒性及び薬理作用に関する試験その他治験を実施するために必要な試験を終了していること
③ 治験実施計画書を作成すること
④ 効果安全性評価委員会を設置すること
⑤ 被験薬の品質，有効性及び安全性に関する情報に基づいて，「治験薬概要書」を作成すること
⑥ あらかじめ，治験計画書，症例報告書の見本，説明文書等の文書を実施医療機関の長に提出し，治験の実施の承認を得ること
⑦ 監査担当者を定め，監査に関する計画書及び業務に関する手順書を作成し，治験審査委員会の意見を踏まえて，当該計画書及び手順書に従って監査を実施させること
⑧ 治験に係る被験者に生じた健康被害の補償のために，保険その他の必要な措置を講じておくこと

③治験を行う基準

次に，治験を実施する医療機関の「治験を行う基準」です。

ポイントは以下のとおりです。

① 実施医療機関の長は，治験が省令，治験実施計画書，治験依頼者との契約書，自ら治験を実施する者が治験を実施する場合にあっては手順書等に従って適正かつ円滑に行われるよう必要な措置を講じなければならない
② 次に掲げるいずれかの治験審査委員会を設置し，治験の妥当性について審査を行わせること。なお，治験審査委員会には，非専門家及び施設外の委員が加わっていること
　一 実施医療機関の長が設置した治験審査委員会
　二 一般社団法人又は一般財団法人が設置した治験審査委員会
　三 特定非営利活動促進法（平成10年法律第7号）第2条第2項 に規定する特定非営利活動法人が設置した治験審査委員会
　四 医療関係者により構成された学術団体が設置した治験審査委員会
　五 私立学校法（昭和24年法律第270号）第3条 に規定する学校法人（医療機関を有するものに限る。）が設置した治験審査委員会
　六 独立行政法人通則法（平成11年法律第103号）第2条第1項 に規定する独立行政法人（医療の提供等を主な業務とするものに限る。）が設置した治験審査委員会
　七 国立大学法人法（平成15年法律第112号）第2条第1項 に規定する国立大学法人（医療機関を有するものに限る。）が設置した治験審査委員会
　八 地方独立行政法人法（平成15年法律第118号）第2条第1項 に規定する地方独立行政法人（医療機関を有するものに限る。）が設置した治験審査委員会
③ 治験業務を統括する治験責任医師を置くこと
④ 治験の業務に関する手順書を作成すること

⑤　治験業務を所管する治験事務担当者を選任すること

⑥　治験責任医師は，被験者に，文書によって治験に関する説明を行い，文書により，記名，捺印を得て，同意を得ること

⑦　治験薬管理者を定め，手順書に従って治験薬を適切に管理すること。

⑧　実施医療機関は治験の業務の一部を委託する場合には，文書により当該業務を受託する者との契約を締結すること

⑨　治験責任医師等は，次に掲げるところにより，被験者となるべき者を選定すること。

・倫理的及び科学的観点から，治験の目的に応じ，健康状態，症状，年齢，同意の能力等を十分に考慮すること

・同意の能力を欠く者にあっては，被験者とすることがやむを得ない場合を除き，選定しないこと

・治験に参加しないことにより不当な不利益を受けるおそれがある者を選定する場合にあっては，当該者の同意が自発的に行われるよう十分な配慮を行うこと

⑩　治験責任医師は，治験の実施状況の概要を適宜実施医療機関の長に文書により報告すること

⑪　治験責任医師等は，治験実施計画書に従って正確に症例報告書を作成し，これに記名押印し，又は署名しなければならない

⑫　実施医療機関の長は，治験依頼者が実施し，又は自ら治験を実施する者が実施させるモニタリング及び監査並びに治験審査委員会及び専門治験審査委員会による調査に協力しなければならない

⑬　治験責任医師は，治験薬の副作用によると疑われる死亡その他の重篤な有害事象の発生を認めたときは，直ちに実施医療機関の長に報告するとともに，治験依頼者に通知すること

⑭　実施医療機関の長は，治験依頼者若しくは自ら治験を実施する者から治験を中断し，又は中止する旨の通知を受けたときは，速やかにその旨及びその理由を治験責任医師及び治験審査委員会等に文書により通知すること

⑮　実施医療機関の長は，記録保存責任者を置き，治験に関する記録を被験薬に係る医薬品についての製造販売の承認を受ける日又は治験の中止若しくは終了の後3年を経過した日のうちいずれか遅い日までの期間保存すること

⑯　治験責任医師は，自ら治験を中断し，又は中止したときは，実施医療機関の長に速やかにその旨及びその理由を文書により報告しなければならない

⑰　治験責任医師は，治験を終了したときは，実施医療機関の長にその旨及びその結果を報告すること

④　被験者の同意に関する基準

そして，被験者の同意に関する基準の概要です。この被験者への説明と同意がGCPの柱

の1つになっています。

① 治験責任医師等は，被験者に，あらかじめ治験の内容その他の治験に関する事項について当該者の理解を得るよう，文書により適切な説明を行い，文書により同意を得なければならないこと

② 被験者が同意の能力を欠くこと等により同意を得ることが困難であるときは，代諾者となるべき者の同意を得ること

③ 治験責任医師等は，説明文書の内容その他治験に関する事項について，被験者又は代諾者に質問をする機会を与え，かつ，当該質問に十分に答えなければならないこと

④ 治験責任医師等は，次に掲げる事項を記載した説明文書を交付しなければならないこと

一　当該治験が試験を目的とするものである旨

二　治験の目的

三　治験責任医師の氏名，職名及び連絡先

四　治験の方法

五　予測される治験薬の効果及び予測される被験者に対する不利益

六　他の治療方法に関する事項

七　治験に参加する期間

八　治験の参加をいつでも取りやめることができる旨

九　治験に参加しないこと，又は参加を取りやめることにより被験者が不利益な取扱いを受けない旨

十　被験者の秘密が保全されることを条件に，モニター，監査担当者及び治験審査委員会が原資料を閲覧できる旨

十一　被験者に係る秘密が保全される旨

十二　健康被害が発生した場合における実施医療機関の連絡先

十三　健康被害が発生した場合に必要な治療が行われる旨

十四　健康被害の補償に関する事項

十五　当該治験に係る必要な事項

⑤ 被験者の同意は，説明文書の内容を十分に理解した上で，同意文書に，説明を行った治験責任医師等及び被験者（立会人が立ち会う場合にあっては，立会人も）が日付を記載して，これに記名なつ印し，又は署名しなければ，効力を生じないこと

⑥ 治験責任医師等は，治験に継続して参加するかどうかについて被験者の意思に影響を与えるものと認める情報を入手した場合には，直ちに当該情報を被験者に提供し，これを文書により記録するとともに，被験者が治験に継続して参加するかどうかを確認しなければならないこと

⑤治験の依頼等の基準

そして，製薬企業等が治験を医療機関に依頼しようとする場合の基準です。

① 治験の依頼をしようとする者は，治験実施計画書の作成，実施医療機関及び治験責任医師の選定，治験薬の管理，副作用情報等の収集，記録の保存その他の治験の依頼及び管理に係る業務に関する手順書を作成すること

② 治験の依頼をしようとする者は，被験薬の品質，毒性及び薬理作用に関する試験その他治験の依頼をするために必要な試験を終了していること

③ 治験の依頼をしようとする者は，治験実施計画書を作成すること

④ 治験の依頼をしようとする者は，第5条に規定する試験により得られた資料並びに被験薬の品質，有効性及び安全性に関する情報に基づいて，次に掲げる事項を記載した治験薬概要書を作成すること

⑤ 治験の依頼をしようとする者は，あらかじめ，治験実施計画書，治験薬概要書，症例報告書の見本，説明文書，治験責任医師及び治験分担医師となるべき者の氏名等を記載した文書を実施医療機関の長に提出すること

⑥ 治験の依頼をしようとする者及び実施医療機関は，次に掲げる事項について記載した文書により治験の契約を締結しなければならない

⑦ 治験の依頼をしようとする者は，あらかじめ，治験に係る被験者に生じた健康被害の補償のために，保険その他の必要な措置を講じておくこと

(5) 治験の届出制度

次は「治験の届出」制度です。

医薬品医療機器等法

（治験の取扱い）

第80条の2

2　治験（薬物，機械器具等又は人若しくは動物の細胞に培養その他の加工を施したもの若しくは人若しくは動物の細胞に導入され，これらの体内で発現する遺伝子を含有するもの（以下この条から第80条の4まで及び第83条第1項において「薬物等」という。）であつて，厚生労働省令で定めるものを対象とするものに限る。以下この項において同じ。）の依頼をしようとする者又は自ら治験を実施しようとする者は，あらかじめ，厚生労働省令で定めるところにより，厚生労働大臣に治験の計画を届け出なければならない。ただし，当該治験の対象とされる薬物等を使用することが緊急やむを得ない場合として厚生労働省令で定める場合には，当該治験を開始した日から30日以内に，厚生労働省令で定めるところにより，厚生労働大臣に治験の計画を届け出たときは，この限りでない。

治験を依頼する前に，あらかじめ厚生労働大臣にその旨を届け出なければならないという規定です。この届出は治験の実態を把握しておく必要性が高いものが対象となっています。医薬品医療機器等法施行規則第268条では，次のようなものについて届出が必要であると

されています。

① 新有効成分を含有するもの
② すでに市販されている医薬品と有効成分が同一の薬物であるが，投与経路が異なるもの（生物学的同等性試験を除く。以下も同じ）
③ すでに市販されている医薬品と有効成分が同一の薬物であるが，有効成分の配合割合またはその効能，効果，用法もしくは用量が異なるもの
④ 再審査期間を経過していない医薬品と同じ有効成分のもの
⑤ 生物由来製品となることが見込まれるもの
⑦ 遺伝子組換え技術を応用して製造されるもの

これらに該当する薬物の治験については，図3-2のような「治験計画届書」によって，届出することとされています。

その届出をしてから30日を経過した後でなければ，治験を依頼し，また治験を実施することはできません。その間に，厚生労働省は治験計画の内容をチェックします。30日を過ぎて，厚生労働省から何の指示もなければ治験を依頼し，また，実施することができます。

医薬品医療機器等法
（治験の取扱い）
第80条の2
3　前項本文の規定による届出をした者（当該届出に係る治験の対象とされる薬物等につき初めて同項の規定による届出をした者に限る。）は，当該届出をした日から起算して30日を経過した後でなければ，治験を依頼し，又は自ら治験を実施してはならない。この場合において，厚生労働大臣は，当該届出に係る治験の計画に関し保健衛生上の危害の発生を防止するため必要な調査を行うものとする。

(6) 治験によって発生した副作用等に対する対策

治験薬はあらかじめ，動物試験によって安全性等が確認されているとはいえ，人に初めて使用されるわけですから，「不測の事態」というものを常に意識していなければなりません。そこで，医薬品医療機器等法では厳しく安全性等に対する監視と発生した場合の措置について規定しています。

医薬品医療機器等法
（治験の取扱い）
第80条の2
6　治験の依頼をした者又は自ら治験を実施した者は，当該治験の対象とされる薬物等について，当該薬物等の副作用によるものと疑われる疾病，障害又は死亡の発生，当該薬物等の使用によるものと疑われる感染症の発生その他の治験の対象とされる薬物等の有効性及び安全性に関する事項で厚生労働省令で定めるものを知つたときは，その旨を厚生労働省令で定めるところにより厚生労働大臣に報告しなければならない。この場合において，厚生労働大臣

図3-2　治験計画届書様式

別紙様式 1

治 験 計 画 届 書

治験成分記号	治験の種類	初回届出年月日	届出回数
	1：企業が依頼する治験 2：自ら実施する治験		

<table>
<tr><td colspan="2">製造所又は営業所（治験薬提供者）の名称及び所在地</td><td colspan="4"></td></tr>
<tr><td colspan="2">成分及び分量</td><td colspan="4"></td></tr>
<tr><td colspan="2">製造方法</td><td colspan="4"></td></tr>
<tr><td colspan="2">予定される効能又は効果</td><td colspan="4"></td></tr>
<tr><td colspan="2">予定される用法及び用量</td><td colspan="4"></td></tr>
<tr><td rowspan="14">治験計画の概要</td><td>目的</td><td colspan="4"></td></tr>
<tr><td>予定被験者数</td><td colspan="4"></td></tr>
<tr><td>対象疾患</td><td colspan="4"></td></tr>
<tr><td>用法及び用量</td><td colspan="4"></td></tr>
<tr><td>実施期間</td><td colspan="4"></td></tr>
<tr><td>有償の理由</td><td colspan="4"></td></tr>
<tr><td>治験の費用負担者</td><td colspan="4"></td></tr>
<tr><td colspan="2">実施医療機関の名称及び所在地</td><td colspan="3">治験責任医師の氏名及び職名</td></tr>
<tr><td colspan="2"></td><td colspan="3"></td></tr>
<tr><td colspan="2">治験分担医師の氏名及び職名</td><td>治験薬の予定交付（入手）数量</td><td>予定被験者数</td><td>その他
（共同で行う他の同一計画がある場合はその届出提出者の氏名等）</td></tr>
<tr><td></td><td></td><td></td><td></td><td></td></tr>
<tr><td>治験調整医師又は治験調整委員会構成医師の氏名及び職名</td><td colspan="4"></td></tr>
<tr><td>治験の実施（依頼・準備を含む。）・管理業務を委託する者の氏名，住所及び受託する業務の範囲</td><td colspan="4"></td></tr>
<tr><td colspan="5"></td></tr>
<tr><td colspan="2">備考</td><td colspan="4"></td></tr>
</table>

上記により治験の計画を届け出ます。

年　　月　　日

住　所：（法人にあっては，主たる事務所の所在地）
氏　名：（法人にあっては，名称及び代表者の氏名）　印

独立行政法人医薬品医療機器総合機構理事長　殿

（注意）
1．用紙の大きさは日本工業規格A4とすること。
2．製造方法欄で，輸入品の場合は，輸入先の国名，製造業者の名称又は名称及び輸入先における販売名を併記すること。
3．記載欄に記載事項のすべてを記載できないときは，その欄に「別紙（　）のとおり」と記載し別紙を添付すること。
4．備考欄に当該届の担当者氏名及び連絡先の電話番号・FAX番号を記載すること。

は，当該報告に係る情報の整理又は当該報告に関する調査を行うものとする。
9　厚生労働大臣は，治験の対象とされる薬物等の使用による保健衛生上の危害の発生又は拡大を防止するため必要があると認めるときは，治験の依頼をしようとし，若しくは依頼をした者，自ら治験を実施しようとし，若しくは実施した者又は治験の依頼を受けた者に対し，治験の依頼の取消し又はその変更，治験の中止又はその変更その他必要な指示を行うことができる。

上記の条文では，
① 死亡，感染症の発生，その他の有効性・安全性にかかわる問題で重要な事項について厚生労働大臣に報告すること
② 厚生労働大臣は，治験によって保健衛生上の危害の発生，拡大を防止するために，治験の取消し，変更，中止等の措置を指示することができる

としています。

また，先に述べたとおり，不幸にして健康被害が生じた際の補償を行うため，保険に入ることが求められています。

（7）治験薬の品質の確保（治験薬GMP）

ところで，医薬品の製造所における品質の管理のため，「医薬品の製造管理及び品質管理の基準」という基準が省令で定められています。この基準は，GMP（Good Manufacturing Practice）と呼ばれています。

治験薬についても，「治験薬GMP」という治験薬の品質を確保するための基準が通知によって示されています。

上述のGCPの第17条に，「治験依頼者は，治験薬の品質の確保のために必要な構造設備を備え，かつ，適切な製造管理及び品質管理の方法が採られている製造所において製造された治験薬を，治験依頼者の責任のもと実施医療機関に交付しなければならない。」とあります。

治験薬GMPは，この規定に基づいて定められたもので，「治験薬の製造管理，品質管理等に関する基準（治験薬GMP）について」（平成20年7月9日薬食発第0709002号医薬食品局長通知）という通知です。

治験薬GMPの目的は次のとおりです。

① 治験薬の品質を保証することで，不良な治験薬から被験者を保護する
② 均一な品質の治験薬を用いることで，治験の信頼性を確保する
③ 治験薬と市販後製品とで同一の品質を保証することで，市販後製品の有効性と安全性を確保する

治験薬GMPの主な事項は次のようなものです。

① 治験薬の製造管理及び品質管理に求められる要件は，一律的に規定することは困難であるので，開発に伴う段階的な状況やリスクを考慮して，適切だと判断される要件については柔軟に運用すること。また，製品ライフサイクルを見据えた品質マネジメントの一環として活用することが望ましいこと。
② 被験者の保護及び臨床試験の信頼性の確保のために，治験薬の製造管理及び品質管理に係る全ての記録について，後日の確認が取れるように保存すること。
③ 治験薬が開発候補として絞り込まれた段階においては，被験者の保護及び臨床試験の信頼性の確保に加えて，治験薬と市販後製品との一貫性・同等性を示す根拠として，また，治験薬の設計品質及び製品品質の確立の根拠として，開発段階における全ての変更を管理し，文書化し，記録として保存すること。
④ 治験薬の製造施設の構造設備については，治験薬の製造スケール等，開発と共に大きく変更されることが必然である一方，開発に伴って製造方法や試験方法等のデータが蓄積されていくことから，開発段階に応じたより適切な管理が求められること。

なお，治験薬GMPは，医薬品GMPに準じたものとなっていますので，第6章で紹介する医薬品GMPも参照してください。

(8) いろいろな臨床試験や臨床研究

臨床試験のうち，医薬品の承認審査に必要な試験成績収集のために実施されるものが「治験」であることは既に説明しました。治験の中には，企業主導によって実施されるものと医師主導で実施されるものがあって，いずれもGCPで規制されています。

治験以外の臨床試験あるいは臨床研究については，臨床研究法という法律が平成30年4月に施行されました。この法律では，臨床研究を「医薬品等を人に対して用いることにより，医薬品等の有効性又は安全性を明らかにする研究（治験や観察研究等を除く。）」と定義しています。したがって，この法律では，たとえば手術手技に関するものは臨床研究には該当しません。また，人を対象としたあらゆる医学系研究全般を対象として臨床研究と総称し，そのうち，予防・診断・治療等の介入を人に行うことによってその有効性や安全性を明らかにするために行われるものを臨床試験と呼んできた，という従来の経緯や国際的な呼称とは異なることに留意が必要です。

そのような点はあるものの，治験がGCPで，医薬品等の臨床研究が臨床研究法で，それ以外の臨床研究が「人を対象とする医学系研究に関する倫理指針」で規制されるという体系が構築されています。なお，治験以外の臨床研究は，原則として，医薬品等の承認審査のための資料として用いることはできません。

第4章

医薬品の承認と許可

1 製造販売承認制度とは

動物実験や臨床試験など長い年月をかけての研究開発の結果，医薬品としての有効性や安全性が十分に確認できると，次のステップは，医薬品を実際に市場に出していく段階の話となります。

医薬品メーカーが，自分で自分の試験データを評価して，効くとか，安全だというデータがたくさんあるといっても，それだけで医薬品を製造し発売するわけにはいかないように医薬品医療機器等法は規定しています。医薬品は人の生命，健康に直接関わるものですから，市販の前に公的な評価を必要とすることとしているのは外国でも同様です。わが国の場合，この市販に際しての認証制度として「承認」と「許可」の制度があります。

医薬品の承認と許可とはどんな制度でしょうか。余談ですが，日本にはたくさんの外資系の製薬企業が入ってきて，国際化が著しくなってきていますが，医薬品に関係する外国人にとってもapprovalとかlicenceなどと英語でいうより，「shonin」とか「kyoka」とかいったほうが通じやすいともいわれています。

①医薬品の製造販売承認

まず，承認についての医薬品医療機器等法第14条第1項をみてみましょう。

医薬品医療機器等法

（医薬品，医薬部外品及び化粧品の製造販売の承認）

第14条　医薬品（厚生労働大臣が基準を定めて指定する医薬品を除く。），医薬部外品（厚生労働大臣が基準を定めて指定する医薬部外品を除く。）又は厚生労働大臣の指定する成分を含有する化粧品の製造販売をしようとする者は，品目ごとにその製造販売についての厚生労働大臣の承認を受けなければならない。

承認とは，ある物質がその医薬品の品質や，本当に医薬品としての効果があるか，安全性は大丈夫かなどについて，すなわち，医薬品としての有用性があるかどうか審査して与えられるものです。

上記の条文では，ある物質について，それを医薬品として製造販売しようとする者は，品目ごとに厚生労働大臣の審査を受け，「承認」を受けなければならない，と規定しています。

この条文では医薬品のほか，医薬部外品，化粧品について規定していますが，医療機器については第23条の2の5に，また再生医療等製品については第23条の25に，それぞれ製造販売承認についての同様の規定があります。

②体外診断用医薬品の扱い

医薬品の定義に，「医薬品とは疾病の診断，治療，又は予防に使用されることを目的とするもの」とありましたが，体外診断用医薬品については，次のように定義されています。

医薬品医療機器等法

第2条

14　この法律で「体外診断用医薬品」とは，専ら疾病の診断に使用されることが目的とされている医薬品のうち，人又は動物の身体に直接使用されることのないものをいう。

体外診断用医薬品は法の定義上では医薬品に該当します。しかし，体外診断用医薬品は，医薬品医療機器等法では，製造販売承認，製造販売業，製造業の扱いは医療機器に準じた規制となっています。米国など外国では，体外診断薬はメディカル・デバイス，つまり医療機器扱いとなっていることから，国際的な整合性をとるために，医療機器に準じた規制とされているのです。

体外診断薬の製造販売承認は，次の条文のように，医療機器の承認に係る条文の中に規定されています。

医薬品医療機器等法

（医療機器及び体外診断用医薬品の製造販売の承認）

第23条の2の5　医療機器（一般医療機器並びに第23条の2の23第1項の規定により指定する高度管理医療機器及び管理医療機器を除く。）又は体外診断用医薬品（厚生労働大臣が基準を定めて指定する体外診断用医薬品及び同項の規定により指定する体外診断用医薬品を除く。）の製造販売をしようとする者は，品目ごとにその製造販売についての厚生労働大臣の承認を受けなければならない。

体外診断用医薬品については，本書の「医療機器・再生医療等製品編」で，改めて説明します。

③承認事項の一部変更

承認された事項の一部を変更する際には，あらかじめ，厚生労働大臣の承認を受けなければなりません。この承認を受けずに，勝手に製造方法，効能効果などを変更してしまうと，まったく承認を受けていない場合と同様に取り扱われます。

なお，一定の軽微な変更については届出制が設けられています。また，製造方法などの変更について，計画を策定し，その計画について厚生労働大臣の確認を得て，実際に変更する際には事前に届出を行うという，変更計画の確認および計画に従った変更に係る事前届出制も創設されました（令和元年12月4日から2年以内に施行）。

医薬品医療機器等法

第14条

9　第1項の承認を受けた者は，当該品目について承認された事項の一部を変更しようとするとき（当該変更が厚生労働省令で定める軽微な変更であるときを除く。）は，その変更についての厚生労働大臣の承認を受けなければならない。この場合においては，第2項から前項までの規定を準用する。

10　第1項の承認を受けた者は，前項の厚生労働省令で定める軽微な変更について，厚生労働省令で定めるところにより，厚生労働大臣にその旨を届け出なければならない。

④医薬品等の輸入の確認制度の創設（令和元年12月4日から1年以内に施行）

製造販売の承認を受けないで，医薬品を輸入する場合には，厚生労働大臣の確認を受けなければならないという確認制度が設けられました。まずは，条文をみてみましょう。

医薬品医療機器等法

（輸入の確認）

第56条の2　第14条，第19条の2，第23条の2の5若しくは第23条の2の17の承認若しくは第23条の2の23の認証を受けないで，又は第14条の9若しくは第23条の2の12の届出をしないで，医薬品を輸入しようとする者（以下この条において「申請者」という。）は，厚生労働省令で定める事項を記載した申請書に厚生労働省令で定める書類を添付して，これを厚生労働大臣に提出し，その輸入についての厚生労働大臣の確認を受けなければならない。

製造販売の承認を受けていない医薬品などを輸入することは禁止されていますが，その例外として，自ら使用されるものであって，販売や授与がなされない場合にあっては，従来から，個人輸入として行政的に認められてきました（いわゆる薬監証明制度）。

しかしながら，これらの個人輸入に関係する不正事案が相次いでいることなどから，現状の輸入監視の仕組みを法律上明確にし，その取締りや輸入制限などを可能とするために，確認制度が新たに設けられました。

なお，欧米で承認されている薬で，省令で定められる数量以下のものを自ら使用する目的で輸入する場合などにあっては，この確認を受けることは不要とされています。

2 製造販売業及び製造業許可制度とは

（1）許可

①製造販売業の許可

次に「許可」についてです。条文をみてみましょう。

医薬品医療機器等法

（製造販売業の許可）

第12条　次の表の左欄に掲げる医薬品（体外診断用医薬品を除く。以下この章において同じ。），医薬部外品又は化粧品の種類に応じ，それぞれ同表の右欄に定める厚生労働大臣の許可を受けた者でなければ，それぞれ，業として，医薬品，医薬部外品又は化粧品の製造販売をしてはならない。

医薬品，医薬部外品または化粧品の種類	許可の種類
第49条第1項に規定する厚生労働大臣の指定する医薬品	第1種医薬品製造販売業許可
前項に該当する医薬品以外の医薬品	第2種医薬品製造販売業許可
医薬部外品	医薬部外品製造販売業許可
化粧品	化粧品製造販売業許可

医薬品を製造販売しようとする者は，厚生労働大臣の許可を受けなければなりません。先ほどの第14条の「承認」は，医薬品そのものについて，医薬品としての性能，つまり疾病の治療や診断，予防に本当に効果があるか，品質や安全性は大丈夫かについて品目ごとに審査を受けて与えられるものです。

これに対して「許可」は，これからその承認を受けた医薬品を製造，販売しようとする者が，その医薬品の品質管理や製造販売後の安全管理をきちんと行う能力を持っているかについての審査をして与えられるものです。

②体外診断用医薬品の製造販売業の扱い

体外診断用医薬品については，本来医薬品に該当するが，製造販売承認については医療機器に準じた扱いとされると説明しましたが，製造販売業許可及び後述する製造業についても医療機器に準じた規制となっています。

すなわち，体外診断用医薬品については，下記のように，医療機器と同じ条文により規定されています。

医薬品医療機器等法

第23条の2 次の表の左欄に掲げる医療機器又は体外診断用医薬品の種類に応じ，それぞれ同表の右欄に定める厚生労働大臣の許可を受けた者でなければ，それぞれ，業として，医療機器又は体外診断用医薬品の製造販売をしてはならない。

医療機器または体外診断用医薬品の種類	許可の種類
高度管理医療機器	第一種医療機器製造販売業許可
管理医療機器	第二種医療機器製造販売業許可
一般医療機器	第三種医療機器製造販売業許可
体外診断用医薬品	体外診断用医薬品製造販売業許可

したがって製造販売業の区分も，医療機器製造販売業の区分において，規定されています。

③製造販売業の都道府県知事による許可権限の委任

製造販売業の許可は，法第12条では「厚生労働大臣の許可」を受けなければならないと定めていますが，政令第80条第2項によって，厚生労働大臣は，都道府県知事に製造販売業の許可権限を委任することができることとされています。

この場合，許可権限は後述する製造販売業者の「総括製造販売管理責任者」がその業務を行う事務所の所在地の都道府県知事に委任することとされています。

●「業として」の意味

なお，第12条にある「業として」という言葉ですが，「業として」というのは，平たくいえば“商売として”ということです。つまり，事業として，他への販売，授与を目的として製造が行われたかどうかということです。「業か，業でないか」の判断は難しいのですが，普通，「その製造販売行為が繰り返し行われているか」あるいは「一度でも大量に製造販売されたか」，「少量でも，金額的に高額であるかどうか」などで判断されます。

●「製造販売」の意味

ところで，上の2つの条文中で，いずれも「製造」の承認，許可ではなく，「製造販売」の承認，許可となっていることに気がつかれたと思います。この「製造販売」という用語は，平成17（2005）年の改正薬事法で，それまでの「製造承認」，「製造許可」という考え方に代わって導入されました。

次の条文をみてください。第2条第13項に「製造販売」という言葉が，次のように定義されています。

医薬品医療機器等法

（定義）

第2条

13　この法律で「製造販売」とは，その製造（他に委託して製造をする場合を含み，他から委託を受けて製造をする場合を除く。以下「製造等」という。）をし，又は輸入をした医薬品（原薬たる医薬品を除く。），医薬部外品，化粧品，医療機器若しくは再生医療等製品を，それぞれ販売し，貸与し，若しくは授与し，又は医療機器プログラム（医療機器のうちプログラムであるものをいう。以下同じ。）を電気通信回線を通じて提供することをいう。

従来の薬事法では，医薬品の有効性や安全性は，「その医薬品を製造した者」が責任を負うという考え方でした。つまり，医薬品は，その発売元となる者が「自ら製造するべき」という考え方でした。そうでないと，医薬品の品質を十分管理することはできないという考え方だったわけです。ですから，製薬企業は，医薬品を製造し，発売するためには，医薬品の製造承認をとり，自ら製造工場を持つことが原則でした。

しかし，平成17（2005）年に改正された薬事法では，どこで製造したかよりも，「その医薬品を社会に売り出した者，つまり発売元（元売り）が責任を負う」という考え方の下に，以下のような仕組みとすることになりました。

・製造販売承認取得者は，その医薬品の製造については自分で行ってもよいし，他のメーカーに委託して製造してもよい。

・ただし，その医薬品の有効性，安全性だけでなく，品質についても承認・許可を取得した者が責任を取らなければならない。

条文では，「製造等」となっていますが，その「等」は，条文中のかっこ書き（他に委託して製造する場合を含む）となっています。するとどういうことが起こってくるでしょう。

たとえば，これまで錠剤やカプセル剤などの内服薬だけを製造していた会社が，初めて注射薬の製造販売承認を取ったとします。従前，その会社は，注射薬工場を新たに建てなければなりませんでした。しかし，製造販売承認取得者が自分でその製品を製造しなくても，注射薬の専門工場を持つどこかのメーカーに製造を委託して製造することができるようになったのです。企業にとっては，新たに工場を建てたり，機械を整備したりという余計な設備投資をする必要がなくなったわけです。今まで自分の工場で製造していた製品を他のメーカーへの委託製造に切り替える企業も出てくるなど，この改正は，製薬企業にとっては経営の合理化を進めるうえでたいへん意味の大きな改正となりました。

なお，「製造販売」には，もう1つ理解しておく必要があることがあります。それは，製造販売には，「輸入して販売する」ことも含まれている，ということです。

つまり，「他に委託して製造する」とは，国内のメーカーに委託して製造するだけでなく，「外国のメーカーに委託して製造する」と理解すれば，輸入して販売することも「製造販売」に含まれることになります。ですから，従前なら，たとえば，製造コストの安い中国などの海外のメーカーに委託して製造し，それを輸入して販売する場合，「輸入販売業」の許可が必要でしたが，それも「製造販売」に含まれることになったのです。アメリカで開発された医薬品などまったくの外国オリジナルの製品を輸入する場合も，外国で製造してもらって輸入し，販売するという意味で，やはり「製造販売」行為に含まれるとされているのです。

(2) 2つの製造販売業

医薬品医療機器等法第12条では，医薬品製造販売業を次のように第1種，第2種と2種類に分けています。

① 第49条第1項に規定する厚生労働大臣の指定する医薬品	第1種医薬品製造販売業
② 前項（①）に該当する医薬品以外の医薬品	第2種医薬品製造販売業

まず，第1種医薬品製造販売業とは，「第49条第1項により指定された医薬品」を製造販売する者です。「第49条第1項により指定された医薬品」とは，「処方箋医薬品」を指しています。

第2種医薬品製造販売業とは，「処方箋医薬品以外の医薬品」を製造販売する者ということになります。「処方箋医薬品以外の医薬品」とは，医療用医薬品のうち処方箋医薬品に指定されていないもの，要指導医薬品及び一般用医薬品です。

(3) 製造販売業の許可の基準

次に，製造販売業の許可の基準です。

医薬品医療機器等法

（許可の基準）

第12条の2　次の各号のいずれかに該当するときは，前条第1項の許可を与えないことができる。

一　申請に係る医薬品，医薬部外品，又は化粧品の品質管理の方法が，厚生労働省令で定める基準に適合しないとき。

二　申請に係る医薬品，医薬部外品，又は化粧品の製造販売後安全管理（品質，有効性及び安全性に関する事項その他適正な使用のために必要な情報の収集，検討及びその結果に基づく必要な措置をいう。以下同じ。）の方法が，厚生労働省令で定める基準に適合しないとき。

2　第5条（第3号に係る部分に限る。）の規定は，前条第1項の許可について準用する。

（注）下線部は令和元年12月4日から2年以内に施行

①2つの基準に適合していること

「製造販売業」は，「医薬品の有効性や安全性についての責任は，その医薬品を製造したものに帰するのではなく，その医薬品を社会に送り出す者」，つまり「元売り」行為を行うものに責任を帰するという考え方でつくられました。

製造販売業者は，医薬品の製造を全面委託できますが，それは，たとえ他のメーカーに外注して製造した場合であっても，その医薬品によって起こった品質や有効性，安全性の管理責任は，その医薬品を発売したものが負うという考え方です。

その場合，製造販売業者が，製造所で製造される医薬品の品質管理を一体どうやって行うのか，特に他のメーカーに委託製造した場合の製造管理について，そして医薬品の品質や副作用等に起因する市販後の安全問題に対してどのように対策をとるかが問題です。そこで，2つの重要な基準が設けられています。

1つは，上記条文の第1号，「申請に係る医薬品，医薬部外品又は化粧品の品質管理の方法に関する厚生労働省令で定める基準」，もう1つは，同第2号の「申請に係る医薬品，医薬部外品，化粧品又は医療機器の製造販売後安全管理の方法に関する厚生労働省令で定める基準」です。医薬品医療機器等法は，この2つの基準に適合しない場合は，製造販売業の許可をしない，と定めています。

● GQP

まず，第1の「品質管理の方法」に関する基準として，「医薬品，医薬部外品又は化粧品の品質管理の基準に関する省令（平成16年9月22日，省令第136号）」によって，「医薬品の品質管理の基準」が制定されています。この品質管理の基準は，英語では「Good Quality Practice」と呼ばれ（GQPと略称），省令は「GQP省令」と呼ばれています。

基準では，製造業者が適正な品質管理の下に医薬品の製造を行っているか，製造販売業者がきちんと管理することを定めています。また，製品の出荷後，品質に問題が発生した場合の措置，対策などのあり方についても定めています。出荷後に品質上の問題が発生し，その原因が製造委託先の製造業者の品質管理に問題があったことであっても，製造販売業者自身も責任の大きな部分を負わなければなりません。

GQP省令については「第6章　医薬品の製造と製造販売の管理」で詳しくその内容をみることにします。

● GVP

次に，「製造販売後の安全管理の方法に関する基準」は，「医薬品，医薬部外品，化粧品，医療機器又は再生医療等製品の製造販売後安全管理の基準に関する省令（平成16年9月22日，省令第135号）」によって定められています。英語で，「Good Vigilance Practice」と呼ばれ（GVPと略称），省令は，「GVP省令」と呼ばれています。

このGVP省令は，製造販売業者の市販後安全体制の整備，安全管理のための基準の作成，安全管理情報の収集，安全対策の実施等について定めています。GVP省令については，「第10章　医薬品の製造販売後安全対策とGVP」で詳しくみていきます。

②申請者が法令違反等により処分を受けてから一定の期間を経過していない者等でないこと

次に，第2項の規定をみてみましょう。この「第5条（第3号に係る部分)」とは次のようなものです。

医薬品医療機器等法

（許可の基準）

第5条

三　申請者（申請者が法人であるときは，薬事に関する業務に責任を有する役員を含む。）が，次のイからトまでのいずれかに該当するとき。

イ　第75条第1項の規定により許可を取り消され，取消しの日から3年を経過していない者

ロ　第75条の2第1項の規定により登録を取り消され，取消しの日から3年を経過していない者

ハ　禁錮以上の刑に処せられ，その執行を終わり，又は執行を受けることがなくなつた後，3年を経過していない者

ニ　イからハまでに該当する者を除くほか，この法律，麻薬及び向精神薬取締法，毒物及び劇物取締法（昭和25年法律第303号）その他薬事に関する法令で政令で定めるもの又はこれに基づく処分に違反し，その違反行為があつた日から2年を経過していない者

ホ　成年被後見人又は麻薬，大麻，あへん若しくは覚醒剤の中毒者

ヘ　心身の障害により薬局開設者の業務を適正に行うことができない者として厚生労働省令で定めるもの

ト　薬局開設者の業務を適切に行うことができる知識及び経験を有すると認められない者

（注）下線部は令和元年12月4日から2年以内に施行

実はこの第5条は，薬局の許可の要件を定めたものですが，医薬品製造販売業にも準用されています。第75条の第1項は，医薬品等の製造販売業者，製造業者，販売業者が，医薬品医療機器等法，その他薬事に関連する法律や政令で定めるものに違反した場合，許可の取消し，業務停止の処分とすることを定めた条文です。

なお，令和元年の法改正で，法令遵守体制の整備の一環として，第5条第3号にトとして業務を適切に行うことができる知識と経験を有すると認められない者，が追加されました。

(4) 総括製造販売責任者の設置

GQP，GVPという2つの基準を定めたうえで，医薬品医療機器等法では，これらの基準の適切な運用により，医薬品の品質の管理，また，製造販売後の安全管理の徹底を期するため，次のような制度が設けられています。「総括製造販売責任者」の設置義務です。

医薬品医療機器等法

(医薬品等総括製造販売責任者等の設置及び遵守事項)

第17条　医薬品，医薬部外品又は化粧品の製造販売業者は，厚生労働省令で定めるところにより，医薬品，医薬部外品又は化粧品の品質管理及び製造販売後安全管理を行わせるために，医薬品の製造販売業者にあつては薬剤師を，医薬部外品又は化粧品の製造販売業者にあつては厚生労働省令で定める基準に該当する者を，それぞれ置かなければならない。ただし，医薬品の製造販売業者について，次の各号のいずれかに該当する場合には，厚生労働省令で定めるところにより，薬剤師以外の技術者をもつてこれに代えることができる。

一　その品質管理及び製造販売後安全管理に関し薬剤師を必要としないものとして厚生労働省令で定める医薬品についてのみその製造販売をする場合

二　薬剤師を置くことが著しく困難であると認められる場合その他の厚生労働省令で定める場合

2　前項の規定により医薬品，医薬部外品又は化粧品の品質管理及び製造販売後安全管理を行う者として置かれる者（以下「医薬品等総括製造販売責任者」という。）は，次項に規定する義務及び第四項に規定する厚生労働省令で定める業務を遂行し，並びに同項に規定する厚生労働省令で定める事項を遵守するために必要な能力及び経験を有する者でなければならない。

3　医薬品等総括製造販売責任者は，医薬品，医薬部外品又は化粧品の品質管理及び製造販売後安全管理を公正かつ適正に行うために必要があるときは，製造販売業者に対し，意見を書面により述べなければならない。

4　医薬品等総括製造販売責任者が行う医薬品，医薬部外品又は化粧品の品質管理及び製造販売後安全管理のために必要な業務並びに医薬品等総括製造販売責任者が遵守すべき事項については，厚生労働省令で定める。

第18条

2　医薬品，医薬部外品又は化粧品の製造販売業者は，前条第3項の規定により述べられた医薬品等総括製造販売責任者の意見を尊重するとともに，法令遵守のために措置を講ずる必要があるときは，当該措置を講じ，かつ，講じた措置の内容（措置を講じない場合にあつては，その旨及びその理由）を記録し，これを適切に保存しなければならない。

(注) 第17条第1項及び第4項の改正，第2項及び第3項の追加並びに第18条第2項の追加は令和元年12月4日から2年以内に施行

医薬品の製造販売業者は，医薬品の品質管理や製造販売後安全管理を行わせるために，「総括製造販売責任者」として，薬剤師を置かなければならないと定められています。ただし，生薬の粉末の刻み加工，医療用ガス類の製造のような場合については薬剤師でなくても他の技術者でよいこととされています。

令和元年の法改正（令和元年12月4日から2年以内に施行）によって，この総括製造販売責任者に，一定の従事経験を有し，品質管理業務又は安全確保業務に関する総合的な理解力及び適正な判断力を有する者でなければならないとする要件が定められました（法第17条第2項）。これと同時に，そのような責務を果たすことが可能な職位を有する薬剤師を確保できない場合などに限り，薬剤師以外の者を選任できる旨の例外規定も設けられました

（第17条第1項第2号）。なお，その場合であっても，例外規定が長く続かないような体制整備が求められることはいうまでもありません。

また，その業務については，令和元年の法改正により，総括製造販売責任者が品質管理または安全確保を公正にかつ適正に行うために必要があるときは製造販売業者に書面で意見を述べること，製造販売業者は総括製造販売責任者の意見を尊重するとともに，法令遵守のために必要な措置を実施すること，その内容（実施しない場合はその理由）を記録すること等が義務づけられています。

令和元年8月時点においては，総括製造販売責任者の遵守事項は省令で次のように決められています。

総括製造販売責任者の遵守事項

①品質管理及び製造販売後安全管理に係る業務に関する法令及び実務に精通し，公正かつ適正に当該業務を行うこと

②必要があると認めるときは，製造販売業者に対し文書により必要な意見を述べ，その写しを5年間保存すること

③医薬品等の品質管理に関する業務の責任者（以下「品質保証責任者」という。）及び製造販売後安全管理に関する業務の責任者（以下「安全管理責任者」という。）との相互の密接な連携を図ること

製造販売業者の法令遵守体制

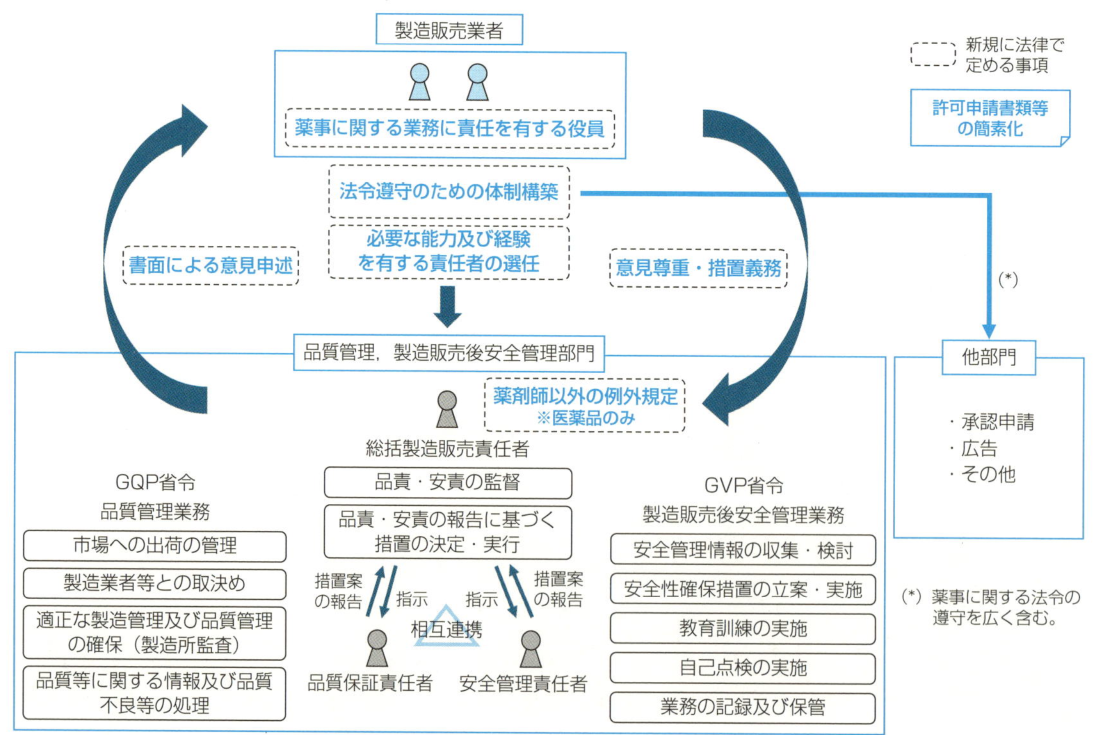

（出典）第9回レギュラトリーサイエンス学会学術大会厚生労働省医薬・生活衛生局監視指導・麻薬対策課 法務指導官 弁護士 堀尾貴将

(5) 製造販売業者の法令遵守体制の整備（令和元年12月4日から2年以内に施行）

承認書と異なる製造方法による医薬品の製造や偽造医薬品の流通など，保健衛生上の危害の発生が懸念される不正事案が少なからず発生しています。過去発生した事案の多くでは，医薬品・医療機器を取り扱う者に求められている基本的な責務が果たされていなかったことが大きな要因とされています。このような不正事案の再発を防止するため，製造販売業者，その役員，総括製造販売責任者などが医薬品医療機器等法が求める責務を果たすことを担保するために法改正が行われました。具体的な条文をみてみましょう。

医薬品医療機器等法

（医薬品，医薬部外品及び化粧品の製造販売業者等の法令遵守体制）

第18条の2　医薬品，医薬部外品又は化粧品の製造販売業者は，医薬品，医薬部外品又は化粧品の品質管理及び製造販売後安全管理に関する業務その他の製造販売業者の業務を適正に遂行することにより，薬事に関する法令の規定の遵守を確保するために，厚生労働省令で定めるところにより，次の各号に掲げる措置を講じなければならない。

一　医薬品，医薬部外品又は化粧品の品質管理及び製造販売後安全管理に関する業務について，医薬品等総括製造販売責任者が有する権限を明らかにすること。

二　医薬品，医薬部外品又は化粧品の品質管理及び製造販売後安全管理に関する業務その他の製造販売業者の業務の遂行が法令に適合することを確保するための体制，当該製造販売業者の薬事に関する業務に責任を有する役員及び従業者の業務の監督に係る体制その他の製造販売業者の業務の適正を確保するために必要なものとして厚生労働省令で定める体制を整備すること。

三　医薬品等総括製造販売責任者その他の厚生労働省令で定める者に，第12条の2第1項各号の厚生労働省令で定める基準を遵守して医薬品，医薬部外品又は化粧品の品質管理及び製造販売後安全管理を行せるために必要な権限の付与及びそれらの者が行う業務の監督その他の措置

四　前3号に掲げるもののほか，医薬品，医薬部外品又は化粧品の製造販売業者の従業者に対して法令遵守のための指針を示すことその他の製造販売業者の業務の適正な遂行に必要なものとして厚生労働省令で定める措置

2　医薬品，医薬部外品又は化粧品の製造販売業者は，前項各号に掲げる措置の内容を記録し，これを適切に保存しなければならない。

（注）令和元年12月4日から2年以内に施行

製造販売業者の法令遵守（ガバナンス）を強化するため，先に述べた総括製造販売責任者の要件の明確化や必要な場合の意見の義務づけとその意見を受ける業者側の尊重義務の明記とともに，この条文では，総括製造販売責任者の権限の明記，薬事に関する業務に責任を有する役員の明示，法令遵守のための指針の策定とその遂行，これらの措置の内容の記録などが義務づけられています。

これらの規定によって，業務監督体制の整備，経営陣と現場責任者の責任の明確化等を柱とする法令遵守体制の整備が図られたものといえます。

(6) 製造業の許可

「製造販売業」は，自らの製造所で製造する場合と，他のメーカーに委託製造（あるいは輸入）した製品を販売する場合があります。そこで，実際に医薬品を製造する「製造業者」について，適正な品質の医薬品を製造する能力を備えているか，その資格をチェックする必要があります。それが，「製造業の許可」です。

①製造業の許可

次の条文をみてください。

医薬品医療機器等法
（製造業の許可）
第13条 医薬品，医薬部外品又は化粧品の製造業の許可を受けた者でなければ，それぞれ，業として，医薬品，医薬部外品又は化粧品の製造をしてはならない。
2 前項の許可は，厚生労働省令で定める区分に従い，厚生労働大臣が製造所ごとに与える。

製造販売承認を受けた企業は，自分でその医薬品を製造するか，外注で製造するわけですが，「製造販売」という言葉は「元売りすること」という販売行為に力点が置かれています。ですから，後にみるように，製造販売業者は，「市販後の安全管理」まで責任を負っています。

これに対して製造業は，製造販売承認・製造販売業許可を取得した者が「自分で製造する場合」，または「外部に委託して，実際に医薬品を製造する場合」のいずれの場合であっても，「実際に製造する」行為に着目し，適正な製造，品質管理を行う能力を持っているかどうかについて審査され，与えられます。

つまり，医薬品を世の中に売り出すためには，まず，製造販売承認と製造販売業の許可を受け，自らその医薬品を製造販売する場合は，自分で製造業の許可を受ける，また，外注して製造販売するのであれば，委託先のメーカーが製造業の許可を受けるということになるわけです。この関係を整理すると**表4-1**のようになります。

表4-1 製造販売承認と製造販売業許可の関係

自らその医薬品を製造販売する場合
製造販売承認取得者→製造販売業許可＋製造業許可
外注して製造販売する場合
製造販売承認取得者→製造販売業許可
実際に製造する受託業者→製造業許可

このように，医薬品医療機器等法は，「医薬品そのもの」の有効性や安全性，そして，それを「製造し販売しようとする者」の製造能力，品質や安全性等の管理能力をチェックするという二重の縛りをしているわけです。

● 体外診断用医薬品の製造業

体外診断用医薬品の製造業もまた，医療機器に準じた規定となっています。医療機器については，製造所ごとの「許可」ではなく，「登録」を受けることとなっていますが，体外診断用医薬品についても，製造所ごとの「登録」を受けることとされています。

医薬品医療機器等法

（製造業の登録）

第23条の2の3　業として，医療機器又は体外診断用医薬品の製造（設計を含む。以下この章及び第80条第2項において同じ。）をしようとする者は，製造所（医療機器又は体外診断用医薬品の製造工程のうち設計，組立て，滅菌その他の厚生労働省令で定めるものをするものに限る。以下この章及び同項において同じ。）ごとに，厚生労働省令で定めるところにより，厚生労働大臣の登録を受けなければならない。

②製造業の区分

医薬品の製造と一口にいっても，製造される医薬品によって，製造設備も機械も違います。たとえば，錠剤，カプセルを製造する工場と，無菌環境が不可欠な注射剤を製造する工場では，設備はまるで異なります。

そこで，製造業の許可は，製造する医薬品の内容によって区分され，その区分に従って製造所ごとに与えられます。既に許可を得た区分とは別の区分に該当する区分の製造を行う場合は，その区分の追加の許可を受けなければなりません。

医薬品医療機器等法

第13条

2　前項の許可は，厚生労働省令で定める区分に従い，厚生労働大臣が製造所ごとに与える。

この規定に従い，医薬品医療機器等法施行規則第26条では次のような区分を設けています。

医薬品医療機器等法施行規則

（製造業の許可の区分）

第26条　法第13条第2項に規定する厚生労働省令で定める医薬品の製造業の許可の区分は，次のとおりとする。

一　令第80条第2項第3号イ，ハ及びニに規定する医薬品の製造工程の全部又は一部を行うもの

二　放射性医薬品（前号に掲げるものを除く。）の製造工程の全部又は一部を行うもの

三　無菌医薬品（無菌化された医薬品をいい，前2号に掲げるものを除く。以下同じ。）の製造工程の全部又は一部を行うもの（第五号に掲げるものを除く。）

四　前3号に掲げる医薬品以外の医薬品の製造工程の全部又は一部を行うもの（次号に掲げるものを除く。）

五　前2号に掲げる医薬品の製造工程のうち包装，表示又は保管のみを行うもの

これを整理してみると，次のとおりです。

区分１：生物学的製剤，厚生労働大臣が指定した検定品目，遺伝子組換え技術を応用して製造される医薬品，または製造管理または品質管理に特別の注意を要する医薬品であって，厚生労働大臣の指定するものの製造工程の全部または一部を行うもの（施行令第80条第２項より）
区分２：放射性医薬品（区分１に掲げるものを除く）の製造工程の全部または一部を行うもの
区分３：無菌医薬品（無菌化された医薬品をいい，区分１，２に該当するものを除く）の製造工程の全部または一部を行うもの
区分４：区分１～３に掲げる医薬品以外の医薬品の製造工程の全部または一部を行うもの
区分５：区分３，４の医薬品の製造工程のうち包装，表示または保管のみを行うもの

以上の区分により，それぞれ製造所の構造設備や機器，製造・品質の管理の方法が大きく異なります。このため，たとえば区分4の抗生物質や解熱鎮痛剤などの内服薬など一般の医薬品の製造業の許可を受けたメーカーが，区分3に属する医薬品，たとえば，注射剤のような無菌製剤を製造しようとする場合は，区分の追加許可を受けなければならないわけです。

なお，医薬品等の製造工程のうち保管のみを行う製造所については，新たに厚生労働大臣への登録制が導入され，登録を受けたときは製造業の許可を受けることが不要となりました（令和元年12月4日から2年以内に施行）。

③医薬品製造所の構造設備基準

製造業の許可にあたっては，当然，その区分に応じた製造所の構造，製造設備が審査されます。その製造所の構造設備については，厚生労働省令（昭和36年，省令第2号），「薬局等構造設備規則」によって定められています。この規則は，薬局，医薬品販売業，再生医療等製品製造販売業などの構造設備を定めていますので，このようなタイトルになっています。その規則第6条から第10条に，下記のように，前記の区分に従って，製造所の構造，設備機器等の基準が定められています。

・一般区分の医薬品の製造所（第６条）
・無菌医薬品区分の製造所（第７条）
・特定生物由来医薬品等の製造所（第８条）
・放射性医薬品区分の製造所（第９条）
・包装，表示又は保管のみを行う製造所（第１０条）

④製造業の許可権限

製造業の許可は，製造所に対する指導，監督を円滑に行うため，政令によって製造所が所在する都道府県の知事に許可権限が委任されています。

ただし，次にあげる医薬品の製造は，特に専門的な技術を必要とするということで，厚生労働省の地方厚生（支）局長に許可権限が委任されています。

・生物学的製剤（体外診断薬を除く）
・放射性医薬品
・国家検定医薬品（後述）
・遺伝子組換え医薬品
・細胞培養技術応用医薬品
・細胞組織医薬品

医薬品医療機器等法施行令

（都道府県が処理する事務）

第80条第2項

三　法第13条第2項（同条第7項において準用する場合を含む。）に規定する権限に属する事務のうち，人のために使用されることが目的とされている医薬品（次に掲げるものを除く。），医薬部外品若しくは医療機器（法第43条第2項の規定により厚生労働大臣の指定した医療機器及びその製造管理又は品質管理に特別の注意を要する医療機器であつて厚生労働大臣の指定するものを除く。），専ら動物のために使用されることが目的とされている医薬品，医薬部外品若しくは医療機器（第5号に規定する医薬品，医薬部外品又は医療機器に該当するものに限る。）又は化粧品の製造に係るもの並びに法第40条の2第2項（同条第6項において準用する場合を含む。）に規定する権限に属する事務のうち，人のために使用されることが目的とされている医療機器（法第43条第2項の規定により厚生労働大臣の指定した医療機器及びその製造管理又は品質管理に特別の注意を要する医療機器であつて厚生労働大臣の指定するものを除く。）及び専ら動物のために使用されることが目的とされている医療機器（第5号に規定する医療機器に該当するものに限る。）の修理に係るもの

イ　生物学的製剤（体外診断用医薬品を除く。第7号において同じ。）

ロ　放射性医薬品（原子力基本法（昭和30年法律第186号）第3条第5号に規定する放射線を放出する医薬品であつて，厚生労働大臣の指定するものをいう。第7号において同じ。）

ハ　法第43条第1項の規定により厚生労働大臣の指定した医薬品（イ及びロに掲げる医薬品を除く。）

ニ　イからハまでに掲げる医薬品のほか，遺伝子組換え技術を応用して製造される医薬品その他その製造管理又は品質管理に特別の注意を要する医薬品であつて，厚生労働大臣の指定するもの

製造業の許可は，都道府県知事許可のものは都道府県（保健所経由のこともある），地方厚生（支）局長承認のものは，地方厚生局に申請書を提出します。

⑤医薬品製造管理者の設置と法令遵守体制の整備

医薬品製造業では，製造販売業における総括製造販売責任者と同様の役割を果たすものとして，医薬品製造管理者の設置が義務づけられています。また，令和元年の法改正により，法令遵守体制の整備についても，製造販売業と同様に，義務づけられました。その内容につ

いては製造販売業の項を参照してください。

なお，医薬部外品や化粧品の製造業者については，責任技術者の設置が義務づけられており，法令遵守体制の整備についても同様です。

⑥外国製造業者の認定制度

「製造販売」には，輸入して販売することも含まれると説明しましたが，輸入医薬品は，外国で開発され，外国の製造所で製造されます。その製造所に対しては，国内法である医薬品医療機器等法をそのまま適用して，日本政府がその製造を許可するとか，しないとかいうことはできません。そこで，医薬品医療機器等法では，次のような「外国製造業者の認定」という制度を設けています。

医薬品医療機器等法

（外国製造業者の認定）

第13条の3　外国において本邦に輸出される医薬品，医薬部外品，化粧品又は医療機器を製造しようとする者（以下「外国製造業者」という。）は，厚生労働大臣の認定を受けることができる。

2　前項の認定は，厚生労働省令で定める区分に従い，製造所ごとに与える。

「製造」は国内で行われる場合「許可」が必要ですが，外国製造業者に対しては，「許可」ではなく「認定」するとされています。外国製造業者は，それぞれその所在地の国の法令の適用を受けているわけですが，その外国製造業者が，日本国内の製造業者に求められている条件と同じ条件を満たしているかどうかを厚生労働大臣が審査して認定することとしているわけです。

ですから，たとえば，その製造所の構造や製造設備が日本の基準を満たしているか，GMP適合施設（後述）であるかどうかなどを必要に応じて規制当局の担当官が外国まで調査に行くということもあるわけです。

近年では，日本で開発され，製造販売承認をとった医薬品を，人件費などのコスト削減の目的で外国で製造するというケースも増えてきました。医薬品医療機器等法の改正によって，製造販売業者は，医薬品の製造を他の製造業者に全面的に委託することができるようになりましたが，そのような場合においても，この外国製造業者の認定が適用されることになります。

第5章

製造販売の承認

1 製造販売承認制度の内容

(1) 承認審査

この章では，製造販売承認制度について，少し詳しくみていきましょう。

まず，法第14条第5項です。

医薬品医療機器等法

(医薬品等の製造販売の承認)

第14条

5　第2項第3号の規定による審査においては，当該品目に係る申請内容及び第3項前段に規定する資料に基づき，当該品目の品質，有効性及び安全性に関する調査（既にこの条又は第19条の2の承認を与えられている品目との成分，分量，構造，用法，用量，効能，効果等の同一性に関する調査を含む。）を行うものとする。この場合において，当該品目が同項後段に規定する厚生労働省令で定める医薬品であるときは，あらかじめ，当該品目に係る資料が同項後段の規定に適合するかどうかについての書面による調査又は実地の調査を行うものとする。

次に，上記の条文に出てくる第14条第2項第3号です。

承認審査で最も重要な点は，その申請された薬物が，「医薬品としての効能効果を持っているか」，そして「安全性に問題はないか」という点です。第14条第2項では，次のように規定しています。

医薬品医療機器等法

(医薬品等の製造販売の承認)

第14条　医薬品（厚生労働大臣が基準を定めて指定する医薬品を除く。），医薬部外品（厚生労働大臣が基準を定めて指定する医薬部外品を除く。）又は厚生労働大臣の指定する成分を含有する化粧品の製造販売をしようとする者は，品目ごとにその製造販売についての厚生労働大臣の承認を受けなければならない。

2　次の各号のいずれかに該当するときは，前項の承認は，与えない。

一　申請者が，第12条第1項の許可（申請をした品目の種類に応じた許可に限る。）を受けていないとき。
二　申請に係る医薬品，医薬部外品又は化粧品を製造する製造所が，第13条第1項の許可（申請をした品目について製造ができる区分に係るものに限る。）又は前条第1項の認定（申請をした品目について製造ができる区分に係るものに限る。）を受けていないとき。
三　申請に係る医薬品，医薬部外品又は化粧品の名称，成分，分量，用法，用量，効能，効果，副作用その他の品質，有効性及び安全性に関する事項の審査の結果，その物が次のイからハまでのいずれかに該当するとき。
イ　申請に係る医薬品又は医薬部外品が，その申請に係る効能又は効果を有すると認められないとき。
ロ　申請に係る医薬品又は医薬部外品が，その効能又は効果に比して著しく有害な作用を有することにより，医薬品又は医薬部外品として使用価値がないと認められるとき。
ハ　イ又はロに掲げる場合のほか，医薬品，医薬部外品又は化粧品として不適当なものとして厚生労働省令で定める場合に該当するとき。
四　申請に係る医薬品，医薬部外品又は化粧品が政令で定めるものであるときは，その物の製造所における製造管理又は品質管理の方法が，厚生労働省令で定める基準に適合していると認められないとき。

厚生労働大臣が，医薬品の製造販売の承認を与える場合，何を審査するかを規定しています。第14条第2項第3号のイ～ハにあるように，
・申請された薬物に，医薬品としての効能効果があるか
・たとえ，効能効果があっても，その効能効果を上回るような副作用等有害作用があって，使用価値がないと認められるものではないか
・その他，品質に問題はないかなど医薬品として適当なものか
ということです。そのために，その申請された薬物の「名称，成分，分量，構造，用法，用量，使用方法，効能，効果，副作用，その他品質，有効性，安全性に関する事項」について1つひとつ審査するのです。

ただし，このような承認が必要でない医薬品もあります。

医薬品医療機器等法第14条第1項の（　）書きをみてください。「厚生労働大臣が基準を定めて指定する医薬品を除く。」とあります。つまり，もう，長く使用されてきた医薬品であって，厚生労働大臣が品質基準を決めていて，その基準に従って製造されているものなら，いちいち品質や有効性，安全性などについて，改めて審査しなくても認めていいだろう，というので承認を不要とするということです。

(2) 承認申請に必要な資料

①承認申請に必要な資料

上述したように，承認審査では，その効能効果や安全性，品質を審査するわけですから，

そのためには，それらを証明するデータがなくてはなりません。そこで，医薬品医療機器等法では，次のように定めています。

医薬品医療機器等法

（医薬品等の製造販売の承認）

第14条

3　第1項の承認を受けようとする者は，厚生労働省令で定めるところにより，申請書に臨床試験の試験成績に関する資料その他の資料を添付して申請しなければならない。この場合において，当該申請に係る医薬品が厚生労働省令で定める医薬品であるときは，当該資料は，厚生労働省令で定める基準に従つて収集され，かつ，作成されたものでなければならない。

条文では，まず，承認申請にあたっては資料を添付しなければならないことが規定されています。この条文を受けて，次のように医薬品医療機器等法施行規則で決められています。

医薬品医療機器等法施行規則

（承認申請書に添付すべき資料等）

第40条第1項

法第14条第3項（同条第9項において準用する場合を含む。）の規定により，第38条第1項又は第46条第1項の申請書に添付しなければならない資料は，次の各号に掲げる承認の区分及び申請に係る医薬品，医薬部外品又は化粧品の有効成分の種類，投与経路，剤型等に応じ，当該各号に掲げる資料とする。

一　医薬品についての承認　次に掲げる資料
　イ　起原又は発見の経緯及び外国における使用状況等に関する資料
　ロ　製造方法並びに規格及び試験方法等に関する資料
　ハ　安定性に関する資料
　ニ　薬理作用に関する資料
　ホ　吸収，分布，代謝及び排泄（せつ）に関する資料
　ヘ　急性毒性，亜急性毒性，慢性毒性，遺伝毒性，催奇形性その他の毒性に関する資料
　ト　法第52条第1項に規定する添付文書等記載事項に関する資料
二　医薬部外品についての承認　次に掲げる資料
　イ　起原又は発見の経緯及び外国における使用状況等に関する資料
　ロ　物理的化学的性質並びに規格及び試験方法等に関する資料
　ハ　安定性に関する資料
　ニ　安全性に関する資料
　ホ　効能又は効果に関する資料
三　化粧品についての承認　次に掲げる次項
　イ　起源又は発見の経緯及び外国における使用状況等に関する資料
　ロ　物理的化学的性質等に関する資料
　ハ　安全性に関する資料

②医薬品の申請区分による必要な申請資料

表5-1のように医薬品の承認申請に必要な資料は，たいへん広い範囲にわたっています。発がん性試験のように2年以上も試験期間が必要なものもあります。また，臨床試験はメーカーだけではもちろんできませんから，病院などと協力して実施することになります。

ただ，上述したすべての資料が，すべての医薬品の申請に必要だというわけではありません。というのは，厚生労働省に申請される医薬品は新薬ばかりではなく，既に売られている医薬品と同じ成分のもの（いわゆるジェネリック医薬品など）を他のメーカーが申請したり，あるいは，ちょっと配合を変えて申請するものなどもあるからです。それから，薬局などで買える一般用医薬品もあります。

●医療用医薬品の場合

表5-2は，医療用医薬品について，承認申請に際し，医薬品の区分によってどのような資料が必要かを厚生労働省が通知によって示したものです。

表5-1　承認申請に必要な資料の範囲

区分	資料	
イ　起源又は発見の経緯及び外国における使用状況等に関する資料	1　起源又は発見の経緯	に関する資料
	2　外国における使用状況	〃
	3　特性及び他の医薬品との比較検討等	〃
ロ　製造方法並びに規格及び試験方法等に関する資料	1　構造決定及び物理的化学的性質等	〃
	2　製造方法	〃
	3　規格及び試験方法	〃
ハ　安定性に関する資料	1　長期保存試験	〃
	2　苛酷試験	〃
	3　加速試験	〃
ニ　薬理作用に関する資料	1　効力を裏付ける試験	〃
	2　副次的薬理・安全性薬理	〃
	3　その他の薬理	〃
ホ　吸収，分布，代謝，排泄に関する資料	1　吸収	〃
	2　分布	〃
	3　代謝	〃
	4　排泄	〃
	5　生物学的同等性	〃
	6　その他の薬物動態	〃
ヘ　急性毒性，亜急性毒性，慢性毒性，催奇形性その他の毒性に関する資料	1　単回投与毒性	〃
	2　反復投与毒性	〃
	3　遺伝毒性	〃
	4　がん原性	〃
	5　生殖発生毒性	〃
	6　局所刺激性	〃
	7　その他の毒性	〃
ト　臨床試験の試験成績に関する資料	臨床試験成績	〃

（平成17年3月31日　薬食発第0331015号の別表1より）

表5-2　医療用医薬品製造販売承認の申請の際必要な提出資料

右欄の記号及び番号は第１表に規定する資料の記号及び番号を示し，原則として，○は添付を×は添付の不要を△は個々の医薬品により判断されることを意味するものとする。

左欄	右欄						
	イ 123	ロ 123	ハ 123	ニ 123	ホ 123456	ヘ 1234567	ト
(1)　新有効成分含有医薬品	○○○	○○○	○○○	○○△	○○○○×△	○○○△○△△	○
(2)　新医療用配合剤	○○○	×○○	○○○	○△△	○○○○×△	○○×××△×	○
(3)　新投与経路医薬品	○○○	×○○	○○○	○△△	○○○○×△	○○×△○△△	○
(4)　新効能医薬品	○○○	×××	×××	○××	△△△△×△	×××××××	○
(5)　新剤形医薬品	○○○	×○○	○○○	×××	○○○○×△	×××××××	○
(6)　新用量医薬品	○○○	×××	×××	○××	○○○○×△	×××××××	○
(7)　バイオ後続品	○○○	○○○	○△△	○××	△△△△×△	△○×××△△	○
(8)　剤形追加に係る医薬品 （再審査期間中のもの） (8の2)　剤形追加に係る医薬品 （再審査期間中でないもの）	○○○	×○○	△△○	×××	××××○×	×××××××	×
(9)　類似処方医療用配合剤 （再審査期間中のもの） (9の2)　類似処方医療用配合剤 （再審査期間中でないもの）	○○○	×○○	○○○	△△×	××××××	○△×××△×	○
(10)　その他の医薬品 （再審査期間中のもの） (10の2)　その他の医薬品 （(10) の場合であって，生物製剤等の製造方法の変更に係るもの） (10の3)　その他の医薬品 （再審査期間中でないもの） (10の4)　その他の医薬品 （(10の3) の場合であって，生物製剤等の製造方法の変更に係るもの）	×××	×△○	××○	×××	××××○×	×××××××	×

（H17.3.31　薬食発第0331015号［一部改正　H21.3.4　薬食発第0304004号］別表2-(1)）

まず第1に，医薬品の有効成分がまったく新しい新医薬品，つまり新薬です。今まで実際に患者に使ったことのない成分の医薬品ですから，本当に有効なのか，副作用は大丈夫なのかなどを十分に審査しなくてはなりません。ですから，表にあるように，通知に示されている資料のほとんど全部が必要になります。

2番目は新配合剤です。医薬品には1つの有効成分だけしか含有しない医薬品と何種類かの有効成分を一緒に含んだものがあります。このいくつかの有効成分を含むものが配合剤です。この配合剤の場合，配合される成分のどれかがまったく新しいものであれば，申請に必要な資料は前述の新有効成分含有医薬品と同じ資料が必要です。配合されている成分のすべてが今まで使用されたことのある成分であれば，表に示したように毒性試験データのいくつかの資料は省略できますが，しかし，臨床試験データなどでは新薬に近い資料が必要です。

３番目は新投与経路医薬品。メーカーでは，それまで内服剤だったものを注射剤に変えたり，坐剤にしてみたりする工夫が絶えず行われています。胃に対して副作用のある薬は注射のほうがいいかもしれません。また，子供には，注射より坐剤のほうが使用しやすいなど，理由はいろいろあります。これらは，成分については既に知られていますので，あとは体の中に取り込む経路が違うことによって，効き目はどうなるか，安全性はどうなるのかという観点から申請資料が決められています。

４番目は新効能医薬品。たとえば，既に市販されている医薬品について新しい薬理作用が確認され，新しい効能の承認をとったというようなケースがこれにあたります。この新効能医薬品の場合は，本当にその新しい効能に効くのかという点が審査の中心になります。

５番目は新剤形医薬品です。これは，今までは普通の錠剤だったが，でもちょっと作用時間が短い。そこで，錠形を工夫して中の成分が少しずつ時間をかけて溶け出るような製剤にしたというようなケースです。

これらの医薬品では，その新しい剤形にしたことで本当によく効くようになったのか，副作用は変わらないかなどについて審査されます。

６番目は新用量医薬品です。医薬品の１回当たり使用量はその医薬品の効き目や安全性にたいへん影響します。医薬品の中には，実際に使用してみたらもっと使用量を増やしたほうがよいとか，新しい効能の追加に合わせて用量を変更するとかいろいろなケースがでてきます。そこで新しい用量についての検討を行います。これが新用量医薬品です。

７番目はバイオ後続品です。バイオ後続品とは，「国内で既に新有効成分含有医薬品として承認されたバイオテクノロジー応用医薬品（先行バイオ医薬品）と同等／同質の品質，安全性及び有効性を有する医薬品として，異なる製造販売業者により開発される医薬品」と定義されています。バイオシミラー（Biosimilar）とも呼ばれ，名称には「BS」の文字を付記することとされています。

８番目は剤形追加医薬品です。これは5番目によく似ていますが，もっと単純です。錠剤をカプセルに変えたとか，粉薬を錠剤に変えたというものです。ここまできますと承認申請のデータはほとんど基礎的なデータだけになります。

９番目は類似処方医療用配合剤とあります。これは2番目に似ていますが，もっとわかりきった配合剤です。たとえば，消化剤などのように各種の消化酵素を配合したものなどです。こういう製剤は，原理的にはもう処方は決まってますし，既存のものと類似のものについてはデータが簡素化されています。

最後の10番目にはその他の医薬品とありますが，これは，以上にあげた9つのいずれにも分類されていないものということです。特に，10の3は既に市販されている医薬品と有効成分も剤形も同じ，用法・用量も同じ，効能・効果も同じ医薬品です。これらの医薬品は，後発医薬品とか，最近はジェネリック医薬品とも呼ばれています。

ジェネリック医薬品で重要なデータは，生物学的同等性に関するデータといわれるものです。これは，まったく同じ有効成分，同じ剤形の医薬品でも，メーカーが違ったりすると医薬品の効き目が違う場合があるということから，近年になって注目されるようになったものです。つまり，同じ成分の錠剤でも，あるメーカーのものは胃の中ですぐ溶けて，吸収もされやすい。ところが別のメーカーのものはなかなか吸収されないとしますと，この製品は前のメーカーのものより効き目が弱い，あるいは遅いというようなことが起こります。この点を確かめるために生物学的同等性試験データが要求されているのです。この試験では，先発品と比べて，薬の吸収が遅くないか，量的に同じように吸収されていくかなどについて試験します。

最近，このジェネリック医薬品に対する関心がたいへん高まっています。高齢化などにより，国民医療費が毎年のように増加していますが，その医療費の増加の抑制のために，保険薬価の高いブランド品ではなく，ジェネリック医薬品の使用を促進するための施策を厚生労働省が推進しているからです。厚労省の呼びかけにより，最近は，病院や診療所，薬局でのジェネリック医薬品の使用が進んできました。

●一般用医薬品の場合

一般用医薬品は，一般国民が，薬局，薬店で薬剤師等に相談し，自分の判断で購入し，使用するものであることを前提としています。ですから，その有効成分は，長い間市販されてきたものが多く，作用も緩やかで，安全性についても一応の確認ができているものといえます。また，その効能効果も普通のかぜや胃痛などのように素人でも判断できる症状に使用するものに限られています。したがって，医療用医薬品よりも，当然，承認申請に必要な資料は簡略化されています。

ただし，医療用医薬品としても承認されたことがなく，もちろん一般用医薬品としても使用されたことのない新しい有効成分を含む一般用医薬品（ダイレクトOTC医薬品）については，医療用の新薬と同レベルの申請資料が要求されます。また，スイッチOTC医薬品のように，医療用から一般用に転用された有効成分を含む一般用医薬品についても，一般人が自分で選び，使用するものとして効能効果や使用方法，用法用量などが適当なものであるか，などが審査されます。

その他，既に一般用医薬品として使用された前例のある有効成分であるが，異なる効能効果に適用するもの，あるいは投与経路が異なるもの（たとえば，内服剤として使用されてきた成分を，貼付剤のような外用剤成分としたものなど）等，申請される一般用医薬品もいろいろです。

そこで，一般用医薬品の承認申請資料は，表5-3のような区分に従って定められています。

③申請資料の信頼性の確保－GLP，GCP

次に，上掲の申請資料を定めた第14条第3項の後半に，次のような規定がありました。

表5-3　申請される一般用医薬品の分類（左欄）と申請に必要な資料

左欄	右欄						
	イ123	ロ123	ハ123	ニ123	ホ123456	ヘ1234567	ト
(1)　新有効成分含有医薬品	○○○	○○○	○○○	○○△	○○○○×△	○○○△○△△	○
(2)　新投与経路医薬品	○○○	×○○	○○○	○△△	○○○○×△	○○×△○△△	○
(3)-①　新効能医薬品	○○○	×××	×××	○××	△△△△×△	×××××××	○
(3)-②　新剤形医薬品	○○○	×○○	○○○	×××	○○○○×△	×××××××	○
(3)-③　新用量医薬品	○○○	×××	×××	×××	○○○○×△	×××××××	○
(4)　新一般用有効成分含有医薬品	○○○	××○	△×△2)	×××	△×××××	△△×××△△	○
(5)-①　新一般用投与経路医薬品	○○○	××○	△×△2)	×××	△×××××	△△×××△△	○
(5)-②　新一般用効能医薬品	○○○	×××	×××	×××	△×××××	×××××××	○
(5)-③　新一般用剤形医薬品	○○○	××○	△×△2)	×××	△×××××	×××××××	○
(5)-④　新一般用用量医薬品	○○○	×××	×××	×××	△×××××	×××××××	○
(6)　新一般用配合剤	○○○	××○	△×△2)	×××	△×××××	△△×××△×	○
(7)-①　類似処方一般配合剤	××○	××○	△×△2)	×××	△×××××	△△×××××	×
(7)-②　類似剤形一般用医薬品	××○	××○	△×△2)	×××	△×××××	×××××××	×
(8)　その他の一般用医薬品（承認基準品目当）	××○1)	××○	△×△2)	×××	×××××	×××××××	×

（平成17年3月31日　薬食発第0331015号の別表2-(1)を平成20年10月20日付薬食発第1020001号通知により改正）

注1）右欄の記号及び番号は別表1に規定する資料の記号及び番号を示し，原則として，○は添付を，×は添付の不要を，△は個々の医薬品により判断されることを意味するものとする。

注2）右欄注の1）から2）については下記のとおりであること。

1）　承認基準に適合する医薬品については，承認基準と申請品目の有効成分及びその分量に関する対比表を添付することでよい。承認基準に適合する医薬品以外については，処方設計の根拠及び有効性・安全性等について十分説明すること。

2）　加速試験により3年以上の安定性が推定されないものについては長期保存試験成績が必要である。ただし，申請時において長期保存試験により，暫定的に1年以上の有効期間を設定できるものについては，長期保存試験の途中であっても承認申請して差し支えないこと。その場合，申請者は，承認時までにその後引き続き試験した長期保存試験の成績を提出するものとする。

医薬品医療機器等法

第14条

3　……。この場合において，当該申請に係る医薬品が厚生労働省令で定める医薬品であるときは，当該資料は，厚生労働省令で定める基準に従つて収集され，かつ，作成されたものでなければならない。

申請資料が信頼性のある資料であるものでなければならない，という規定です。だいぶ以前のことですが，新薬の有効性に関する臨床データが，実は虚偽のデータであったという問題が起こったことがありました。もちろんその医薬品の承認は取り消されました。申請資料が虚偽のデータでは，いくら精密に審査を行っても意味がありません。

そこで，「厚生労働省令で定める医薬品の資料は，厚生労働大臣の定める基準に従って収集され，かつ，作成されたものでなければならない」と定めています。また，法第14条第5項の後段では，「対象となる医薬品については，書面による調査又は実地の調査を行う」と定めています。この医薬品医療機器等法の規定を受けて，医薬品医療機器等法施行規則第43条で，次のように規定されています。

医薬品医療機器等法施行規則

（申請資料の信頼性の基準）

第43条 法第１４条第３項後段（同条第９項において準用する場合を含む。）に規定する資料は，医薬品の安全性に関する非臨床試験の実施の基準に関する省令（平成９年厚生省令第21号）及び医薬品の臨床試験の実施の基準に関する省令（平成９年厚生省令第28号）に定めるもののほか，次に掲げるところにより，収集され，かつ，作成されたものでなければならない。

一　当該資料は，これを作成することを目的として行われた調査又は試験において得られた結果に基づき正確に作成されたものであること。

二　前号の調査又は試験において，申請に係る医薬品についてその申請に係る品質，有効性又は安全性を有することを疑わせる調査結果，試験成績等が得られた場合には，当該調査結果，試験成績等についても検討及び評価が行われ，その結果は当該資料に記載されていること。

三　当該資料の根拠になつた資料は，法第１４条第１項又は第９項の承認を与える又は与えない旨の処分の日まで保存されていること。ただし，資料の性質上その保存が著しく困難であると認められるものにあつてはこの限りではない。

条文では，厚生労働省令で定める基準として，医薬品の場合，次の2つの基準をあげています。

- **医薬品の安全性に関する非臨床試験の実施の基準（GLP）**
- **医薬品の臨床試験の実施の基準（GCP）**

すなわち，これらは，第3章「医薬品の研究開発」で説明した基準です。承認申請データは，これらの基準に従って作成されたものでなければならないのです。

そして，これらの基準に加え，次のように規定しています。

第1に，申請資料は，GLPやGCPに従って行われた試験の結果を忠実に反映したものであること。

第2に，有効性が確認できたとか，安全性が確認されたとか，プラスの結果の出た試験データだけを提出するのではなく，有効性があまりはっきりしなかったとか，安全性に係ると思われる何らかの疑問がある，などの不利な結果の出た試験データについても提出すること，ということ。都合のいいデータだけ提出するのはだめですよ，といっているのです。

第3に，有効性や安全性を証明する根拠となった試験に関する資料，たとえば，試験記録や研究員の作業記録，機器分析の結果表，試験サンプルなどを承認がおりるまでは保存しておくこと，ということ。審査の段階でこうした資料（生データ）の提出が必要な場合があります。

そして，この申請資料の信頼性調査については，法第14条の2の後段にあるように，医薬品医療機器総合機構が行うこととされています。

調査は，機構の信頼性保証部門の担当官が書面調査または実地調査で行います。また，資料の信頼性に疑問があるなどの情報があった場合などは，厚生労働省が，直接，信頼性調査を行う場合もあります。また，実地調査は申請者自身の研究所だけでなく，試験を委託した大学や民間の動物試験研究所などの施設，治験を行った医療機関に対しても行われます。

この信頼性調査の結果，「信頼性に疑問がある」という判定となった資料は，当然，審査資料から除外されます。場合によっては，それが理由となって承認不可とされる場合もあります。

④医薬品及び医薬部外品の製造管理及び品質管理の基準（GMP）

次に第14条第2項の承認の要件として次のような規定があります。

医薬品医療機器等法

第14条第2項

四　申請に係る医薬品，医薬部外品又は化粧品が政令で定めるものであるときは，その物の製造所における製造管理又は品質管理の方法が，厚生労働省令で定める基準に適合していると認められないとき。

「医薬品の製造所における製造管理又は品質管理の方法」が厚生労働大臣の定める基準に適合しない場合，承認を与えない，と規定されています。

この「医薬品の製造所における製造管理又は品質管理の方法」の基準は，「医薬品及び医薬部外品の製造管理及び品質管理の基準に関する省令」（平成16年12月24日，厚生労働省令第179号）で定められています。通常，GMP（Good Manufacturing Practice）と呼ばれています。

GMPで重要なことは，GMPが2つの要素を持っているということです。

まず，GMPは，医薬品の製造所が遵守すべき品質管理，製造管理の基準であること，そして，同時にそれは，効能効果や安全性と同様に医薬品の承認審査における評価項目の1つである，ということです。

GMPは，本来は製造業者が守るべき基準ですが，申請された医薬品が製造業者においてGMPに従って適切な管理の下に製造されるものであることを「承認の要件」とし，医薬品の品質を守ることで，その有効性，安全性を担保しよう，ということです。

このGMPに対し，製造販売業者が守るべき「品質管理の基準」があります。「医薬品，医薬部外品，化粧品又は再生医療製品等の品質管理の基準に関する省令（平成16年9月22

日，省令第136号)」によって定められています。この基準は，製造販売業の許可の要件とされており，製造販売業者自身の品質管理の基準で，GQP（Good Quality Practice）と呼ばれています。

GMP及びGQPの内容については，第6章で詳しくご紹介することとします。

⑤適合性調査

GMPは承認審査における審査事項であることから，臨床試験や動物試験データを提出して，その審査を受けるに際して，製造所がGMPに適合しているかどうか調査が行われます。この調査は「適合性調査」と呼ばれています。次の条文をみてください。

医薬品医療機器等法

第14条

6　第1項の承認を受けようとする者又は同項の承認を受けた者は，その承認に係る医薬品，医薬部外品又は化粧品が政令で定めるものであるときは，その物の製造所における製造管理又は品質管理の方法が第2項第4号に規定する厚生労働省令で定める基準に適合しているかどうかについて，当該承認を受けようとするとき，及び当該承認の取得後3年を下らない政令で定める期間を経過するごとに，厚生労働大臣の書面による調査又は実地の調査を受けなければならない。

医薬品医療機器等法施行規則

（医薬品等適合性調査の申請）

第50条　法第14条第6項（同条第9項において準用する場合を含む。）の調査（以下この章において「医薬品等適合性調査」という。）の申請は，様式第25による申請書を厚生労働大臣（令第80条の規定により当該調査の権限に属する事務を都道府県知事が行うこととされている場合にあつては，都道府県知事）に提出することによつて行うものとする。

（3）条件付き承認制度の導入（令和元年12月4日から1年以内に施行）

医薬品や医療機器等の有効性，安全性を検証するためには，多くの患者を対象に治験を行い，統計学的な検討を行うことが必須です。したがって，患者数が少ない疾患では，そのような検証的な臨床試験を実施することが実際上困難なケースや多くの時間を要するケースも少なくありません。このため，重篤な疾患であって，有効な治療法が乏しく，有効性や安全性の評価について一定のデータがある医薬品・医療機器等については，承認後の使用成績調査，適正使用措置などの実施を条件として，検証的な試験の提出を求めることなく，承認を行う，条件付き承認制度が設けられました。まずは，条文をみてみましょう。

医薬品医療機器等法

第14条

5　厚生労働大臣は，第１項の承認の申請に係る医薬品が，希少疾病用医薬品，先駆的医薬品又は特定用途医薬品その他の医療上特にその必要性が高いと認められるものである場合であつて，当該医薬品の有効性及び安全性を検証するための十分な人数を対象とする臨床試験の実施が困難であるときその他の厚生労働省令で定めるときは，厚生労働省令で定めるところにより，第３項の規定により添付するものとされた臨床試験の試験成績に関する資料の一部の添付を要しないこととすることができる。

10　厚生労働大臣は，第１項の承認の申請に関し，第５項の規定に基づき臨床試験の試験成績に関する資料の一部の添付を要しないこととした医薬品について第１項の承認をする場合には，当該医薬品の使用の成績に関する調査の実施，適正な使用の確保のために必要な措置の実施その他の条件を付してするものとし，当該条件を付した同項の承認を受けた者は，厚生労働省令で定めるところにより，当該条件に基づき収集され，かつ，作成された当該医薬品の使用の成績に関する資料その他の資料を厚生労働大臣に提出し，当該医薬品の品質，有効性及び安全性に関する調査を受けなければならない。この場合において，当該条件を付した同項の承認に係る医薬品が厚生労働省令で定める医薬品であるときは，当該資料は，厚生労働省令で定める基準に従つて収集され，かつ，作成されたものでなければならない。

11　厚生労働大臣は，前項前段に規定する医薬品の使用の成績に関する資料その他の資料の提出があつたときは，当該資料に基づき，同項前段に規定する調査（当該医薬品が同項後段の厚生労働省令で定める医薬品であるときは，当該資料が同項後段の規定に適合するかどうかについての書面による調査又は実地の調査及び同項前段に規定する調査）を行うものとし，当該調査の結果を踏まえ，同項前段の規定により付した条件を変更し，又は当該承認を受けた者に対して，当該医薬品の使用の成績に関する調査及び適正な使用の確保のために必要な措置の再度の実施を命ずることができる。

条件付き承認制度の対象は，希少疾病用医薬品，先駆的医薬品，特定用途医薬品などであって，有効性や安全性を検証するために十分な人数を対象とする臨床試験の実施が困難である場合等とされています。このような医薬品の承認申請にあたっては，臨床試験成績の一部，すなわち検証的試験の試験成績の添付を免除できるとされました。

他方，これらの医薬品の承認の際には，使用成績調査，適正使用措置などの実施を条件とすることによって，有効性や安全性を確保しつつ，このような医薬品の患者へのアクセスを迅速化しようというものです。

承認条件に基づき実施された調査結果などについては，厚生労働省において審査され，その結果に基づき，条件の変更や再調査の実施などが求められることとなっています。

なお，再生医療等製品に設けられた条件及び期限付き承認制度と異なり，承認に期限は設けられていないので，あらためて承認を申請する必要はありません。

(4) 医薬品の特徴に応じた制度

①希少疾病用医薬品

オーファンドラッグという言葉を聞いたことがありますか。オーファンとは英語のOrphan（孤児）のことです。ですからオーファンドラッグとは，「孤児になっている薬」ということになります。つまり，まれにしか発生しない病気の薬のため，市場性は小さく，利益がほとんど期待できない，医薬品開発にはさまざまな試験が必要で，長い時間と膨大な研究費がかかる，とても採算が合わないという理由でメーカーが開発をあきらめてしまっている医薬品，つまり“見捨てられた医薬品”という意味から「オーファンドラッグ」というわけで，れっきとした米語です。まず，医薬品医療機器等法第2条の定義をみてみましょう。

医薬品医療機器等法

（定義）

第2条

16　この法律で「希少疾病用医薬品」とは，第77条の2第1項の規定による指定を受けた医薬品を，「希少疾病用医療機器」とは，同項の規定による指定を受けた医療機器を，「希少疾病用再生医療等製品」とは，同項の規定による指定を受けた再生医療等製品をいう。

オーファンドラッグの医薬品医療機器等法上の正式の呼称は，「希少疾病用医薬品」といいます。まれにしか起こらない疾病のための医薬品を指しています。この希少疾病用医薬品に該当するかどうかは，その医薬品を製造販売しようとするメーカーからの指定申請を受けて，薬事・食品衛生審議会の意見を聴いて，厚生労働大臣が指定します。

医薬品医療機器等法

（指定等）

第77条の2　厚生労働大臣は，次の各号のいずれにも該当する医薬品，医療機器又は再生医療等製品につき，製造販売をしようとする者（本邦に輸出されるものにつき，外国において製造等をする者を含む。）から申請があつたときは，薬事・食品衛生審議会の意見を聴いて，当該申請に係る医薬品，医療機器又は再生医療等製品を希少疾病用医薬品，希少疾病用医療機器又は希少疾病用再生医療等製品として指定することができる。

一　その用途に係る対象者の数が本邦において厚生労働省令で定める人数に達しないこと。

二　申請に係る医薬品，医療機器又は再生医療等製品につき，製造販売の承認が与えられるとしたならば，その用途に関し，特に優れた使用価値を有することとなる物であること。

希少疾病用医薬品は，まず，①対象とする患者の数が省令で定めた人数に達しないこと，そして，②難病治療薬など，その医薬品が特に優れた使用価値があるものであること，です。施行規則ではその人数を次のように規定しています。

医薬品医療機器等法施行規則

（対象者数の上限）

第251条　法第77条の2第1項第1号に規定する厚生労働省令で定める人数は，5万人とする。

この希少疾病用医薬品に指定されると，その医薬品は次のように，医薬品医療機器等法での取扱いに優遇措置を受けることができます。

①　厚生労働省の審査が優先的に受けられる

厚生労働省にはたくさんの新薬や後発の医薬品が承認申請されます。そうした他の医薬品より先に審査を受けることができる，つまり早く市販することができるようになります。

②　再審査期間の延長

これは必ずしも優遇措置ということはできませんが，再審査期間中は，後発医薬品の承認をとることが難しく，そこで再審査期間を「先発期間」と考えますと，市場独占期間が長くなります。

③　研究資金の助成

なお，希少疾病用の医療機器，再生医療等製品についても同様の制度があります。

②先駆的医薬品（令和元年12月4日から1年以内に施行）

ドラッグ・ラグという言葉を聞いたことがありますか。ラグとは英語のlag（遅れる，のろのろと歩く）のことです。つまり，他国では使用されている医薬品がその国では使用できない状況にあることをいいます。いろいろな原因が指摘されていますが，有効な新薬を使えない状況は，患者にとって大きな問題です。このため，厚生労働省や医薬品医療機器総合機構における承認審査を迅速化するなどの施策が講じられています。その1つが画期的な医薬品が世界に先駆けてわが国で開発されるように促すために設けられた先駆的医薬品の制度です。まず，先駆的医薬品の定義をみてみましょう。

医薬品医療機器等法

（定義）

第2条

16　この法律で，「先駆的医薬品」とは，第77条の2第2項の規定による指定を受けた医薬品を，「先駆的医療機器」とは，同項の規定による指定を受けた医療機器を，「先駆的再生医療等製品」とは，同項の規定による指定を受けた再生医療等製品を，「特定用途医薬品」とは，同条第3項の規定による指定を受けた医薬品を，「特定用途医療機器」とは，同項の規定による指定を受けた医療機器を，「特定用途再生医療等製品」とは，同項の規定による指定を受けた再生医療等製品をいう。

この先駆的医薬品に該当するかどうかは，その医薬品を製造販売しようとするメーカーからの指定申請を受けて，薬事・食品衛生審議会の意見を聴いて，厚生労働大臣が指定します。

医薬品医療機器等法

（指定等）

第77条の2

2　厚生労働大臣は，次の各号のいずれにも該当する医薬品，医療機器又は再生医療等製品につき，製造販売をしようとする者から申請があつたときは，薬事・食品衛生審議会の意見を聴いて，当該申請に係る医薬品，医療機器又は再生医療等製品を先駆的医薬品，先駆的医療機器又は先駆的再生医療等製品として指定することができる。

一　次のいずれかに該当する医薬品，医療機器又は再生医療等製品であること。

イ　医薬品（体外診断用医薬品を除く。以下この号において同じ。）及び再生医療等製品にあつては，その用途に関し，本邦において既に製造販売の承認を与えられている医薬品若しくは再生医療等製品又は外国において販売し，授与し，若しくは販売若しくは授与の目的で貯蔵し，若しくは陳列することが認められている医薬品若しくは再生医療等製品と作用機序が明らかに異なる物であること。

ロ　医療機器及び体外診断用医薬品にあつては，その用途に関し，本邦において既に製造販売の承認を与えられている医療機器若しくは体外診断用医薬品又は外国において販売し，授与し，若しくは販売若しくは授与の目的で貯蔵し，若しくは陳列することが認められている医療機器若しくは体外診断用医薬品と原理が明らかに異なる物であること。

二　申請に係る医薬品，医療機器又は再生医療等製品につき，製造販売の承認が与えられるとしたならば，その用途に関し，特に優れた使用価値を有することとなる物であること。

先駆的医薬品は世界に先駆けてわが国で開発され，早期の治験段階で著明な有効性が見込まれる医薬品です。具体的には，①わが国だけでなく，外国で承認されている医薬品と作用機序が明らかに異なること，②承認されたとすれば，特に優れた使用価値を有すること，という2つの条件を満足することが定められています。

この先駆的医薬品に指定されると，希少疾病用医薬品と同様に，厚生労働省の審査が優先的に受けられるほか，再審査期間の延長の対象とされています。しかし，希少疾病用医薬品と異なり，研究資金の助成の対象にはなっていません。

③特定用途医薬品（令和元年12月4日から1年以内に施行）

医薬品の開発は，倫理的な問題もあって，成人を対象に開始されることが一般的です。このため，小児の用法用量の設定などは後回しにされるケースがほとんどです。また，わが国だけでなく，国際的に薬剤耐性菌への対応が求められています。このように医療上のニーズが充足されていない用途の解消を目指して設けられたのが，特定用途医薬品の制度です。その定義，要件をみてみましょう。

医薬品医療機器等法

（定義）

第2条

16　この法律で，「特定用途医薬品」とは，第77条の2第3項の規定による指定を受けた医薬品を，「特定用途医療機器」とは，同項の規定による指定を受けた医療機器を，「特定用途再生医療等製品」とは，同項の規定による指定を受けた再生医療等製品をいう。

医薬品医療機器等法

（指定等）

第77条の2

3　厚生労働大臣は，次の各号のいずれにも該当する医薬品，医療機器又は再生医療等製品につき，製造販売をしようとする者から申請があつたときは，薬事・食品衛生審議会の意見を聴いて，当該申請に係る医薬品，医療機器又は再生医療等製品を特定用途医薬品，特定用途医療機器又は特定用途再生医療等製品として指定することができる。

一　その用途が厚生労働大臣が疾病の特性その他を勘案して定める区分に属する疾病の診断，治療又は予防であつて，当該用途に係る医薬品，医療機器又は再生医療等製品に対する需要が著しく充足されていないと認められる物であること。

二　申請に係る医薬品，医療機器又は再生医療等製品につき，製造販売の承認が与えられるとしたならば，その用途に関し，特に優れた使用価値を有することとなる物であること。

このように，特定用途医薬品は，その医薬品を製造販売しようとするメーカーからの指定申請を受けて，薬事・食品衛生審議会の意見を聴いて，厚生労働大臣が指定します。その要件は，①厚生労働大臣が定めた用途であって，医薬品等に対する医療上のニーズが著しく充足されていないこと，②承認されたとすれば，特に優れた使用価値を有すること，という2つの条件を満足することが定められています。

また，特定用途医薬品は，厚生労働省の優先審査の対象とされているほか，対象患者数が厚生労働大臣が定める数よりも少ないものについては研究資金の助成対象とされています。

なお，特定用途の対象分野，研究資金の助成対象となる患者数については，令和元年12月4日から1年以内に定められます。

(5) 承認のいろいろな特例制度

①外国製造医薬品等の製造販売の承認

世は，グローバル時代。医薬品市場もまた国際化しています。外国で開発され，また製造された医薬品がわが国にもたくさん入ってきます。第4章で，「製造販売」には，「輸入し販売する」場合も含まれることを説明しましたが，そうした輸入医薬品も「製造販売承認」を受けなければならないことは当然です。そして製造販売承認を受けた製造販売業者は，製造販売後の安全管理や品質管理に大きな責任を負っています。ですから，外国で開発された医薬品であっても，日本国内で製造販売承認をとり，製造販売業許可をとるのが普通です。

しかし，インターネットなどにより情報の国際化が進んだ今日，外国に事業所を置いたまま日本の承認を受けることを希望する外国メーカーも出てきました。そこで，医薬品医療機器等法では，“外国の企業等が外国にいたまま”製造販売承認を受けることができる道を開いています。

医薬品医療機器等法

（外国製造医薬品等の製造販売の承認）

第19条の2　厚生労働大臣は，第14条第1項に規定する医薬品，医薬部外品又は化粧品であつて本邦に輸出されるものにつき，外国において製造等をする者から申請があつたときは，品目ごとに，その者が第3項の規定により選任した医薬品，医薬部外品又は化粧品の製造販売業者に製造販売をさせることについての承認を与えることができる。

つまり，条文でみるように，外国にある医薬品メーカーが日本で製造販売承認を取りたい場合，まず，日本国内の製造販売業者を選任し，その製造販売業者に「製造販売させることについて承認を受ける」ことができる，とされています。もちろん，その選ばれた製造販売業者（選任製造販売業者）は，製造販売業許可を受けていなければなりませんし，製造販売業者としての責任を果たさなければなりません。これによって外国企業も，日本国内の製薬企業と同じ条件の下で医薬品の販売ができるわけです。

②医薬品の緊急的な特例承認

前述のように，医薬品の製造販売承認の審査にはたくさんの資料が必要であり，それらの資料を集めるためにはたいへんな時間と研究開発費が必要です。また，厚生労働省に申請されてから承認がおりるまでに，標準でも1年ほどの時間が必要です。医薬品の効能効果や安全性を慎重に確認し，評価しなければなりませんから，これはやむを得ないことです。

しかし，国民の生命や健康に重大な影響を与えるおそれがある疾病や感染症が発生した場合，そして外国ではその疾患や感染症に有効な医薬品が既に開発され，市販されている場合，その疾病や感染症の蔓延を防止するため，一刻も早くその医薬品の輸入をしなければなりません。そこで，医薬品医療機器等法では，そうした緊急に必要な医薬品が輸入できるように特例的な承認規定を設けています。

医薬品医療機器等法

（特例承認）

第14条の3　第14条の承認の申請者が製造販売をしようとする物が，次の各号のいずれにも該当する医薬品として政令で定めるものである場合には，厚生労働大臣は，同条第2項，第5項，第6項及び第8項の規定にかかわらず，薬事・食品衛生審議会の意見を聴いて，その品目に係る同条の承認を与えることができる。

一　国民の生命及び健康に重大な影響を与えるおそれがある疾病のまん延その他の健康被害の拡大を防止するため緊急に使用されることが必要な医薬品であり，かつ，当該医薬品の使用以外に適当な方法がないこと。
二　その用途に関し，外国（医薬品の品質，有効性及び安全性を確保する上で本邦と同等の水準にあると認められる医薬品の製造販売の承認の制度又はこれに相当する制度を有している国として政令で定めるものに限る。）において，販売し，授与し，又は販売若しくは授与の目的で貯蔵し，若しくは陳列することが認められている医薬品であること。

条文にあるように，そのような特例承認を認められる医薬品とは，次のようなものです。

・国民の生命及び健康に重大な影響を与えるおそれがある疾病など緊急に使用されることが必要な医薬品であって，その医薬品以外に適当な治療方法がないこと。
・承認審査制度が，日本と同等の水準の審査体制があると認められる国（米国や欧州諸国）で製造，販売が認められているものであること。

そして，これらの医薬品については，承認申請に必要な資料を大幅に省略することが認められ，また，GLP，GCP，GMP，GQP等の諸基準に適合していることを確認する手続きを省略するなど，審査手続きが簡素化されることになっています。

この条文に基づき，平成22年1月，新型インフルエンザ（A/H1N1）ワクチンが承認されました（平成23年3月承認整理）。

(6) 原薬等登録原簿

医薬品は，粉末，あるいは液体などそのままの形で人に使用される場合もありますが，その医薬品を飲みやすくするため，作用を発揮しやすくするため，あるいは安全性を高めるためなどの理由で，通常，錠剤，カプセル剤，注射剤，軟膏などいろいろな形で使用されます。そのような錠剤，カプセル剤，注射剤などの製剤の有効成分として使用される医薬品の原末や原液を原料医薬品という意味で「原薬」と呼び，最終剤形の製品とは区別して規制しています。

医薬品医療機器等法の第2条第12項の「製造販売」の定義をもう一度みてみましょう。

条文のように，医薬品の製造販売には，「原薬たる医薬品を除く」こととされています。ですから，原薬の製造販売には，第14条の製造販売承認は必要ない，ということになります。ただし，「製造」行為については，「原薬を除く」という規定とはなっていません。つまり，原薬の製造には，第12条の許可は必要ということになります。

原薬の製造販売に承認が必要とされていない理由ですが，それは，まず，「原薬たる医薬品」は，医薬品メーカーに販売されるわけで，そのままでは医療機関で使用されたり薬局や薬店で一般消費者などに販売されることはないこと，また，結局は，錠剤やカプセル剤など，最終剤形の成分として審査されることとなるわけですので，原薬そのものでの審査は必要ないという判断からです。

とはいうものの，原薬は医薬品の有効成分であり，医薬品の有効性や安全性に直接関わるものですから，その品質が確保されていなければなりません。そこで，医薬品の製造販売の承認申請にあたっては，その医薬品に使用される原薬の「性状，製造方法，規格，品質の試験方法，貯法，有効期間」など品質に関する資料を提出しなければならないこととされています。

しかし，多くのジェネリック医薬品の製造販売業者は，それぞれの製品の原薬を，その原薬の専門のメーカーから仕入れたり，外国から輸入しています。その場合，製造販売業者が違っても，その製造する医薬品に用いる原薬は，同じメーカーのものであることが多いのです。ということは，その場合，製造販売承認申請された医薬品の原薬の品質に関するデータは同じであるはずです。

そこで医薬品医療機器等法では，「原薬等登録原簿制度」という制度を設けています。

この制度では，原薬メーカーが，あらかじめ原薬の品質に関する資料を厚生労働大臣に登録しておきます。すると，製造販売承認申請をされた医薬品が，その登録されている原薬を使用している場合，原薬のデータは，すでに厚生労働省にファイルされていることになります。そこで，申請者は，その製造販売しようとする医薬品の原薬は，「原薬等登録原簿に登録されている」ということを申請書に記載することで，原薬に関する資料を省略することができるのです。

この制度は，欧米では「マスターファイル」（MF）と呼ばれています（図5-1）。MFの本来的な目的は，原薬メーカーの企業秘密に係る情報が，他企業に知られることを防ぐことを目的として設けられた制度です。しかし，同時に，承認申請者も申請資料を簡略化できるわけですから，申請者にとっても便利な制度であるわけです。

（7）製造販売承認の承継制度

ある製薬企業が医薬品等の製造販売承認を取得した場合，その製造販売の権利はその企業

図5-1　マスターファイル

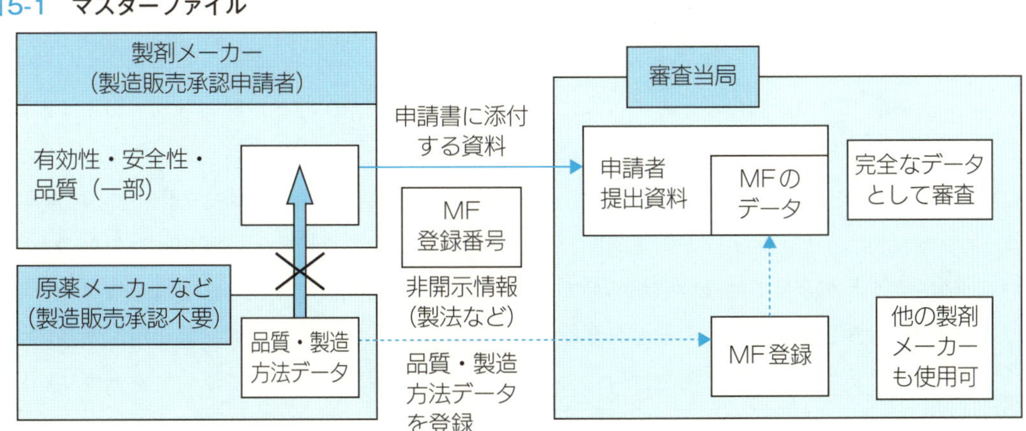

の固有のものとなるのは当然ですが，ではその会社が他の会社と合併したり，あるいは吸収されたりして別会社となり，もとの製薬企業がなくなってしまった場合，その製造販売承認はどうなるのでしょうか。あるいは，個人企業で後継者に事業を引き継いだ場合などはどうなるのでしょうか。

医薬品医療機器等法では，このような企業の合併や吸収，相続，企業の分割等に対して，「製造販売承認の承継」を認めています。

医薬品医療機器等法

（承継）

第14条の8　第14条の承認を受けた者（以下この条において「医薬品等承認取得者」という。）について相続，合併又は分割（当該品目に係る厚生労働省令で定める資料及び情報（以下この条において「当該品目に係る資料等」という。）を承継させるものに限る。）があつたときは，相続人（相続人が2人以上ある場合において，その全員の同意により当該医薬品等承認取得者の地位を承継すべき相続人を選定したときは，その者），合併後存続する法人若しくは合併により設立した法人又は分割により当該品目に係る資料等を承継した法人は，当該医薬品等承認取得者の地位を承継する。

2　医薬品等承認取得者がその地位を承継させる目的で当該品目に係る資料等の譲渡しをしたときは，譲受人は，当該医薬品等承認取得者の地位を承継する。

3　前2項の規定により当該医薬品等承認取得者の地位を承継した者は，相続の場合にあつては相続後遅滞なく，相続以外の場合にあつては承継前に，厚生労働省令で定めるところにより，厚生労働大臣にその旨を届け出なければならない。

つまり，製造販売承認は，合併や相続等によって事業を引き継いだ新しい企業や個人に対して承継させることが認められているのです。今日，1つの新薬の開発には数百億円もの研究開発費が必要といわれています。国際競争力のある製薬企業となるためには，相当の規模の企業でなければなりません。このため，最近，国内大手企業同士の合併も行われるようになっています。「承認の承継」という特例的な措置を医薬品医療機器等法で認めているのも，医薬品市場が激しさを増していることの証左です。

(8) 輸出用医薬品の届出制度

医薬品市場の国際化が進み，日本には，外国から優れた医薬品が輸入されていますが，一方，日本オリジナルの新薬や，品質に優れた医薬品がたくさん輸出されています。

その，輸出用医薬品であっても，もちろん日本の医薬品医療機器等法の規制を受けますが，ラベル表示など，相手国の薬事制度に適合しなければならないなど，国内向けのものと同一に扱うことが適当ではない点があります。そこで，医薬品医療機器等法では，法律の一部の適用を除外し，また，その他の必要な特例が定められています。まず，輸出用医薬品については，医薬品医療機器等法施行令により，あらかじめ機構を経由して厚生労働大臣に届け出なければならない，とされています。

医薬品医療機器等法

（輸出用医薬品等に関する特例）

第74条　医薬品（体外診断用医薬品を除く。以下この条において同じ。），医薬部外品又は化粧品を輸出するためにその製造等（法第２条第１３項に規定する製造等をいう。以下同じ。）をし，又は輸入をしようとする者（以下この項において「医薬品等輸出業者」という。）は，あらかじめ機構（専ら動物のために使用されることが目的とされている医薬品又は医薬部外品にあつては，医薬品等輸出業者の住所地（法人の場合にあつては，主たる事務所の所在地）の都道府県知事）を経由して当該医薬品，医薬部外品又は化粧品の品目その他厚生労働省令で定める事項を厚生労働大臣に届け出なければならない。

輸出用医薬品に関する届出事項は医薬品医療機器等法施行規則第265条で定められています。

そして，輸出用医薬品については，医薬品医療機器等法の規定の一部の適用を除外する旨の特例を定めることができるとされています。

医薬品医療機器等法

（適用除外等）

第80条　輸出用の医薬品（体外診断用医薬品を除く。以下この項において同じ。），医薬部外品又は化粧品の製造業者は，その製造する医薬品，医薬部外品又は化粧品が政令で定めるものであるときは，その物の製造所における製造管理又は品質管理の方法が第１４条第２項第４号に規定する厚生労働省令で定める基準に適合しているかどうかについて，製造をしようとするとき，及びその開始後３年を下らない政令で定める期間を経過するごとに，厚生労働大臣の書面による調査又は実地の調査を受けなければならない。

６　第１項から第３項までに規定するほか，輸出用の医薬品，医薬部外品，化粧品，医療機器又は再生医療等製品については，政令で，この法律の一部の適用を除外し，その他必要な特例を定めることができる。

上の条文では，次のようにいっています。

(1)　輸出用医薬品については，その製造所の製造管理または品質管理の方法が厚生労働省令で定める基準（つまりGMP）に適合しているかどうか，厚生労働省が実地または書面調査を行う。

輸出先の薬事制度の状況によりますが，輸出医薬品の製造所がGMP適合施設であるかどうか，公的な証明を求められる場合があります。

(2)　輸出用医薬品については，医薬品医療機器等法の規定の一部を適用しないという特例を定めることができる。

この（2）の規定に従って，政令第74条第２項で，次のように定めています。

医薬品医療機器等法施行令

第74条

2　医薬品，医薬部外品又は化粧品の輸出のための製造，輸入，販売，授与，貯蔵又は陳列については，法第43条，第9章（法第47条，第48条，第55条第2項（法第60条及び第62条において準用する場合を含む。），第56条（第6号から第8号までに係る部分に限り，法第60条及び第62条において準用する場合を含む。），第57条（法第60条及び第62条において準用する場合を含む。）及び第57条の2の規定を除く。），第68条の17，第68条の18，第68条の19（法第42条第1項の規定を準用する部分を除く。）及び第68条の20の規定は，適用しない。ただし，輸出のため業として行う医薬品，医薬部外品若しくは化粧品の製造若しくは輸入又は業として製造され，若しくは輸入された医薬品，医薬部外品若しくは化粧品の輸出のための販売，授与，貯蔵若しくは陳列については，前項の規定による届出の内容に従つて医薬品，医薬部外品若しくは化粧品を製造し，若しくは輸入し，又は同項の規定による届出の内容に従つて製造され，若しくは輸入された医薬品，医薬部外品若しくは化粧品を販売し，授与し，貯蔵し，若しくは陳列する場合に限る。

この規定によれば，輸出用医薬品については，例えば次のような規定の適用が除外されています。

国家検定の規定（第43条）
処方箋医薬品の規定（第49条）
医薬品の直接の容器への記載事項の規定（第50条）
添付文書の記載事項の規定（第52条）
添付文書の記載事項の届出規定（第52条の2）

(9) ICHによる医薬品規制の国際調和

①ICHとは

ICHとは，International Council for Harmonisation of Technical Requirements for Pharmaceuticals for Human Use（医薬品規制調和国際会議）の略称です。

日本・米国・欧州は，医薬品の販売開始前に政府による承認・許可を行うため，それぞれ独自に医薬品に関する規制を整備してきました。特に1960年代から1970年代にかけては，各国でガイドラインなどが整備され，新医薬品の品質，有効性，安全性を評価する体制が整えられました。

しかし，新医薬品の品質，有効性，安全性を評価するという基本は共通であったものの，具体的な規制要件は地域により異なっていました。このため，各地域の規制要件を満たすため，時間とコストのかかる，実質的には重複した試験を数多く行う必要がありました。

そこで，医薬品のグローバル化と拡大する開発コストへの懸念などを背景に，必要な患者に安全で有効な新医薬品をより早く提供することを目的として，各地域の医薬品承認審査の基準の合理化・標準化を目指し，1990年4月，日本・米国・欧州各医薬品規制当局とそれぞれの業界団体の計6者によりICHが発足しました。

②ICHの活動

ICHは発足以降，毎年2回会合を続けています。新医薬品の品質・有効性・安全性の評価にかかわる技術的なガイドラインだけでなく，承認申請資料の形式，市販後安全体制などの調和も進めており，またICHにはいろいろな国が新たに参加するとともに，ICHに参加していない国・地域との交流，情報の共有化も進んでいます。

ICHは，医薬品規制当局と製薬業界の代表者が協働して，医薬品規制に関するガイドラインを科学的・技術的な観点から作成する国際会議で，他に類がない場となっています。

2015年10月，ICHはスイス法人化に伴い，組織再編をしました。その結果，現在のICHは，すべての参加メンバーで構成され法人の主体となる総会，総会での議論の準備や法人の運営を担う管理委員会，専門家がガイドラインの議論を行う各作業部会等から成り立っています。

わが国は，ICH発足以来，日米欧の3極の1つとして，中心的な役割を果たしています。

2 承認審査の流れ

(1) 薬事・食品衛生審議会

承認申請資料の項でもみたように，申請される医薬品はさまざまです。これまで，日本では市販されたことのないまったく新しい成分の医薬品，つまり新薬から，既に承認されているものと，有効成分も，その含有量，剤形，効能効果，使用方法もまったく同じ医薬品（後発医薬品，ジェネリック医薬品とも呼ばれる）まで，いろいろです。

医薬品の承認審査に関して，医薬品医療機器等法第14条第8項で規定されています。

医薬品医療機器等法

第14条

8　厚生労働大臣は，第1項の承認の申請があつた場合において，申請に係る医薬品，医薬部外品又は化粧品が，既にこの条又は第19条の2の承認を与えられている医薬品，医薬部外品又は化粧品と有効成分，分量，用法，用量，効能，効果等が明らかに異なるときは，同項の承認について，あらかじめ，薬事・食品衛生審議会の意見を聴かなければならない。

医薬品医療機器等法は，医学や薬学などの学問的な検討を必要とする技術的な要素のたいへん多い法律です。新薬の審査は医学，薬学の高度な知識や経験を必要とする仕事です。行政や法律的な知識だけでできる仕事ではありません。このため，厚生労働大臣の諮問機関として，厚生労働省設置令によって，医薬品や食品行政に係る重要事項について医学，薬学等の専門的な立場から審議する「薬事・食品衛生審議会」が設置されています。

薬事・食品衛生審議会の業務については，厚生労働省設置法及び薬事・食品衛生審議会令で次のように定められています。

厚生労働省設置法

第11条　薬事・食品衛生審議会は，医薬品，医療機器等の品質，有効性及び安全性の確保等に関する法律（昭和35年法律第145号），独立行政法人医薬品医療機器総合機構法（平成14年法律第192号），毒物及び劇物取締法（昭和25年法律第303号），安全な血液製剤の安定供給の確保等に関する法律（昭和31年法律第160号），有害物質を含有する家庭用品の規制に関する法律（昭和48年法律第112号）及び食品衛生法の規定によりその権限に属させられた事項を処理する。

2　前項に定めるもののほか，薬事・食品衛生審議会の組織，所掌事務及び委員その他の職員その他薬事・食品衛生審議会に関し必要な事項については，政令で定める。

この規定に基づいて，薬事・食品衛生審議会令では次のように定めています。

薬事・食品衛生審議会令

（所掌事務）

第1条　薬事・食品衛生審議会（以下「審議会」という。）は，厚生労働省設置法第11条第1項に規定するもののほか，化学物質の審査及び製造等の規制に関する法律（昭和48年法律第117号），エネルギーの使用の合理化等に関する法律（昭和54年法律第49号），資源の有効な利用の促進に関する法律（平成3年法律第48号），容器包装に係る分別収集及び再商品化の促進等に関する法律（平成7年法律第112号）及び特定化学物質の環境への排出量の把握等及び管理の改善の促進に関する法律（平成11年法律第86号）の規定に基づきその権限に属させられた事項を処理する。

医薬品関係の主な審議事項としては以下のようなものがあります。

①第14条第8項	新医薬品などの審査
②第14条の3	特例承認
③第14条の4	新医薬品などの再審査
④第14条の6	医薬品などの再評価
⑤第41条	日本薬局方の制定及び改定
⑥第42条	医薬品等の基準の設定
⑦第67条	大衆への広告を制限すべき特定疾病の指定
⑧第68条の12	医薬品などの副作用等安全性審査等
⑨第77条の2	希少疾病用医薬品等の指定

審議会は，薬事分科会と食品分科会に分けられ，薬事に関することは薬事分科会で審議されます。広範な事項を審議するために，部会，調査会には臨床の場や研究施設などの第一線で活躍する医師や薬剤師等，医学・薬学などの関係分野の専門家が委員として任命されてい

ます。この薬事・食品衛生審議会での審査は，原則的には厚生労働大臣の諮問によって行われます。図5-2は，その薬事分科会の組織を示したものです。

①薬事・食品衛生審議会で審査されるもの

医薬品の承認審査は，すべての申請されたものが薬事・食品衛生審議会で審査されるわけではありません。初めて多くの人に使用されることとなる新しい成分を含む新薬と，既に人に使用されてきた実績のある成分からなる後発医薬品では，申請に必要な資料も，そして審査の手順も違います。

医薬品の承認審査は，①薬事・食品衛生審議会に諮問されるもの，②事務局で審査されるもの，に大きく2つに分けられます。

薬事・食品衛生審議会に諮問されるものは，「既に製造販売承認が与えられている医薬品と，有効成分，分量，用法，用量，効能，効果等が明らかに異なるもの」とされています。

「有効成分，分量，用法用量等が既に製造承認が与えられているもの」と一口にいっても，いろいろなものがあります。

まず第1に，日本ではまったく承認されたことのない有効成分を含む医薬品，つまり，新薬があります。

一方，その有効成分を含む医薬品は既に承認されているものであって，剤形や使用方法などが異なるものがあります。たとえば，錠剤やカプセル剤など，飲み薬として使用されてきたものが，新たに注射薬として開発されたというような場合です。

それから有効成分は同じでも，新しい薬理作用が確認され，新しい効能効果の医薬品として開発されたというようなものもあります。たとえば，解熱鎮痛剤として有名なアスピリンは，血液の凝固を抑制する作用があることがわかり，今日では脳血栓や心筋梗塞の治療薬としても有名です。これらも新薬の一種といえますが，有効成分については既に知られているものですから，人に対する副作用などについてはある程度までわかっています。

そこで，まったく新しい成分の医薬品と，既に知られている成分の医薬品とでは，同じ「薬事・食品衛生審議会」で審査するものでも次のようにその手順が異なってきます。

① 部会で審査し，さらに上部機構である薬事分科会で審査されるもの
- 従来承認されたことのないまったく新しい有効成分を含む医薬品
- 既に知られている有効成分の医薬品であっても，その医薬品の適用の仕方や，毒性，副作用から慎重な審査が必要なもの

② 部会で審査し，薬事分科会には報告されるもの
- 新しい有効成分の医薬品であるが，その有効成分が既承認の成分の塩類，誘導体など化学構造的に近似しているもの
- 新しい医療用配合剤
- 新しい投与経路の医薬品（これまで内服薬であったが，新たに注射薬としたものなど）
- 異なる薬理作用を利用し，これまでとは異なる効能効果を追加しようとするもの

図5-2　薬事・食品衛生審議会 組織図

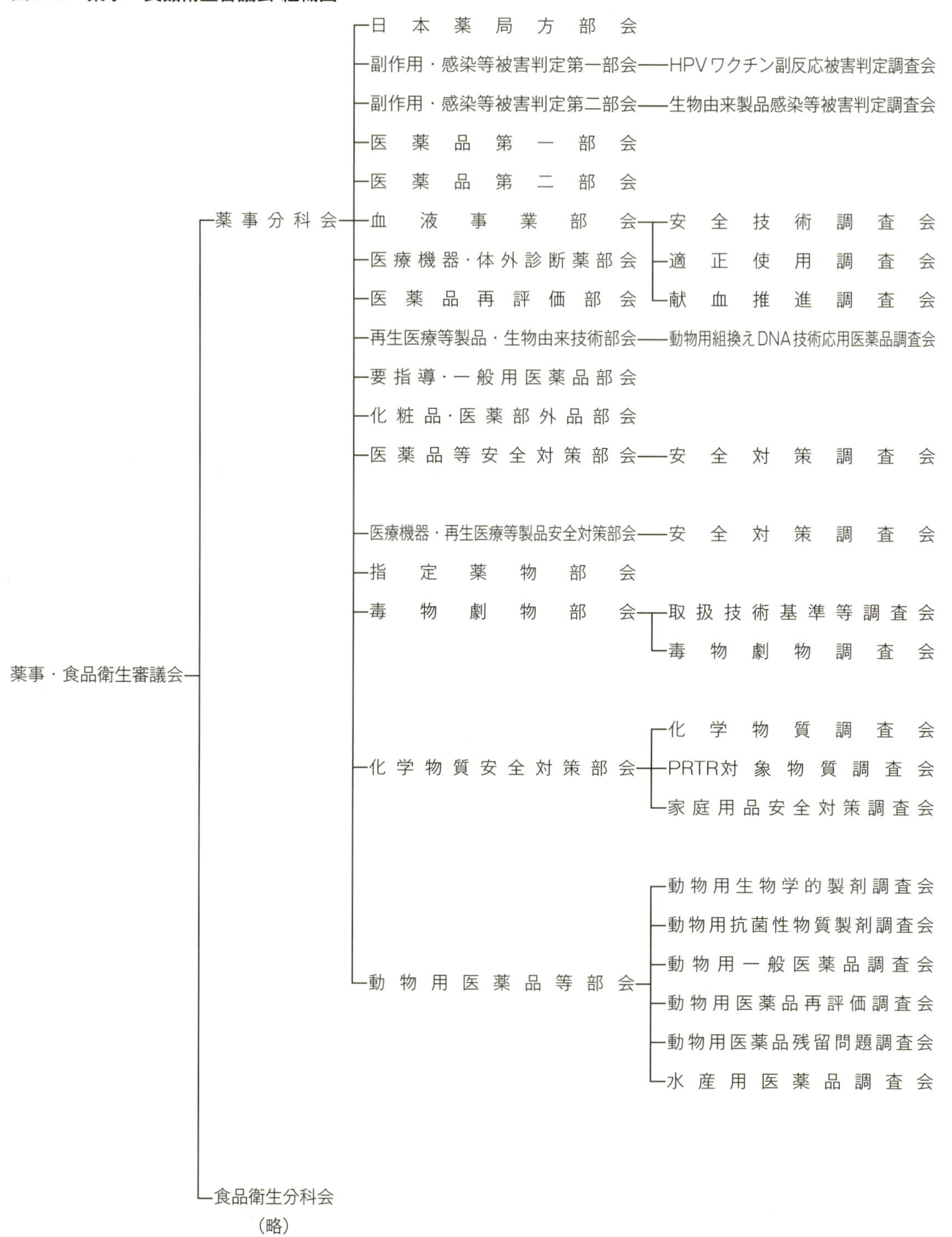

・用量を大幅に増量し，新しい作用機序や新しい効能を追加しようとするもの
・徐放剤（徐々に有効成分が溶け出すように加工した製剤）など新しい剤形の医薬品

②事務局で処理するもの

薬事・食品衛生審議会に諮られるものに対し，次のように事務局，つまり行政官の審査のみで終える医薬品があります。

・新効能医薬品（たとえば，それまで頭痛に使用されていた解熱鎮痛剤に，同じ薬理作用で想定される歯痛を追加するような場合）
・新用量医薬品（たとえば，通常の使用量を一定の範囲で増量するもの）
・類似処方医療用配合剤（輸液製剤，消化剤など）
・既承認の医薬品と有効成分，用法，用量，効能が同一のもの（後発医薬品，ジェネリック医薬品）

●一般用医薬品の場合

一般用医薬品の場合は，表5-3で説明した申請区分に従い，(1)～(6)の区分に該当するものについては，機構で審査した後，基本的に薬事・食品衛生審議会に諮問されます。ダイレクトOTC医薬品は医療用医薬品の新薬と同様に，またスイッチOTC医薬品は新一般用医薬品として薬事・食品衛生審議会で審査されます。

また，区分(7)および区分(8)のその他の医薬品で，まだ承認基準が定められていないものは薬事・食品衛生審議会での審査ではなく，事務局で審査されます。

●都道府県で承認，審査される医薬品

製造販売の承認は，原則的に厚生労働大臣が審査して承認することとなっていますが，一部，都道府県知事に承認権限が委任されているものがあります。

医薬品医療機器等法

（都道府県が処理する事務）

第81条　この法律に規定する厚生労働大臣の権限に属する事務の一部は，政令で定めるところにより，都道府県知事，保健所を設置する市の市長又は特別区の区長が行うこととすることができる。

この規定に基づいて政令により次のように定められています。

医薬品医療機器等法施行令

第80条第2項

五　法第14条第1項，第9項及び第10項に規定する権限に属する事務のうち，風邪薬，健胃消化薬，駆虫薬その他の厚生労働大臣の指定する種類に属する医薬品であつて，その有効成分の種類，配合割合及び分量，用法及び用量，効能及び効果その他その品質，有効性及び安全性に係る事項につき当該厚生労働大臣の指定する種類ごとに厚生労働大臣の定める範囲内のもの（注射剤であるものを除く。）並びに厚生労働大臣の指定する医薬部外品に係るもの

「風邪薬，健胃消化薬，駆虫薬その他の厚生労働大臣の指定する種類に属する医薬品であつて，その有効成分の種類，配合割合及び分量，用法及び用量，効能及び効果その他その品質，有効性及び安全性に係る事項につき当該厚生労働大臣の指定する種類ごとに厚生労働大臣の定める範囲」とは，一般用医薬品の承認基準のことを指しています（医療用医薬品である医療ガスを除く）。

令和元年6月現在，かぜ薬，解熱鎮痛薬，鎮咳去痰薬，胃腸薬，瀉下薬，鎮暈薬，点眼液及び洗眼液，ビタミン主薬製剤，浣腸薬，駆虫薬，鼻炎用点鼻薬，鼻炎用内服薬，外用痔疾用薬，みずむし・たむし用薬，鎮痒消炎薬，漢方製剤，生薬製剤の17薬効群について基準が定められています。

これらの基準が定められている医薬品と同じ薬効群の医薬品であっても，基準に定められた成分規格等に従っていないものについては，都道府県ではなく，厚生労働大臣の承認を受けなければならないことになります。

(2) 承認申請から承認審査までの流れ

それでは，以上のような審査区分を頭に入れて，医薬品の承認，許可の申請と審査，審査を終え，承認書や許可書が申請者に届くまでの手続きについてみてみましょう（図5-3）。

①医薬品医療機器総合機構による審査

医薬品医療機器等法では，「厚生労働大臣」の製造販売の許可や承認を受けなければならないと定めていますが，実はその承認のための審査実務は厚生労働省ではなく，「独立行政法人医薬品医療機器総合機構」で行われています。次の第14条の2第1項をみてください。

医薬品医療機器等法

（機構による医薬品等審査等の実施）

第14条の2　厚生労働大臣は，機構に，医薬品（専ら動物のために使用されることが目的とされているものを除く。以下この条において同じ。），医薬部外品（専ら動物のために使用されることが目的とされているものを除く。以下この条において同じ。）又は化粧品のうち政令で定めるものについての前条の承認のための審査並びに同条第5項及び第6項（これらの

図 5-3　承認審査業務のフローチャート

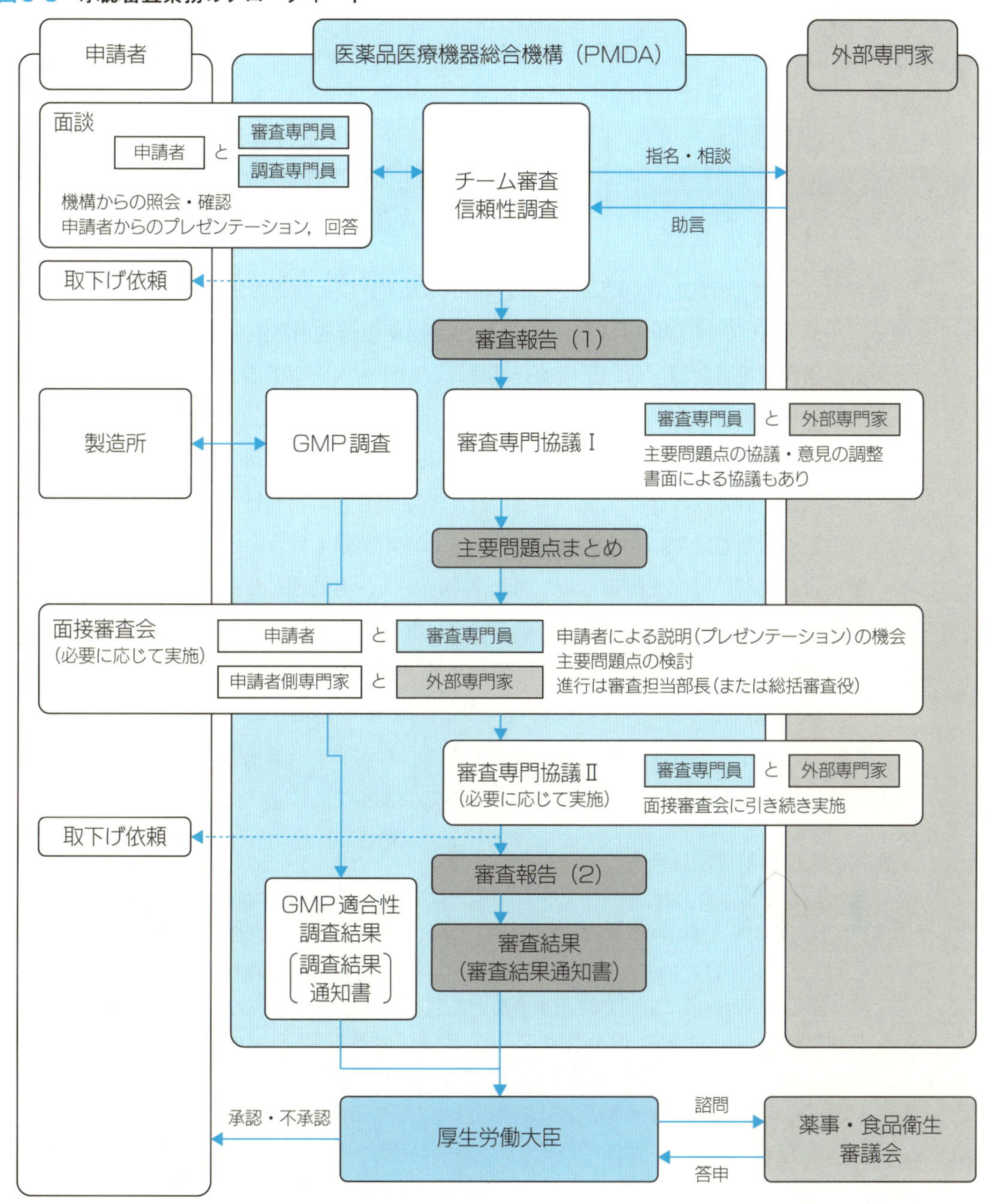

規定を同条第 9 項において準用する場合を含む。）の規定による調査（以下「医薬品等審査等」という。）を行わせることができる。

厚生労働大臣は，医薬品等の製造販売承認のための審査や調査を，「機構」に行わせることができると書いてあります。ここでいう「機構」とは，「独立行政法人医薬品医療機器総合機構」のことです。

図5-4　独立行政法人医薬品医療機器総合機構

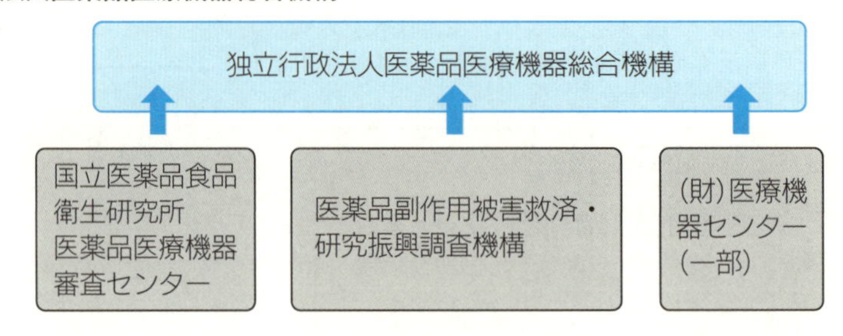

機構は，「独立行政法人医薬品医療機器総合機構法」によりその設置が定められている機関で，平成16（2004）年4月に，国立医薬品食品衛生研究所医薬品医療機器審査センターと医薬品副作用被害救済・研究振興調査機構及び財団法人医療機器センターの一部の業務が統合され，独立行政法人として設立されました（図5-4）。機構法では，その業務を，「医薬品の副作用又は生物由来製品を介した感染等による健康被害の迅速な救済を図り，並びに医薬品等の品質，有効性及び安全性の向上に資する審査等の業務を行う」と定めています。医薬品等の副作用や感染等による健康被害に対する救済業務を行うとともに，医薬品や医療機器の承認審査体制の強化を図るため，医薬品等の品質，有効性及び安全性について，治験前から承認まで一貫した体制での指導・承認審査，また，市販後における安全性に関する情報の収集，分析，提供等の安全対策も行っています（図5-5）。

医薬品医療機器等法では，上の条文のように，「政令で指定したものについて，機構に承認のための審査及び調査を行わせることができる」と定めていますが，その政令，つまり医薬品医療機器等法施行令では，次のように定めています。

医薬品医療機器等法施行令

（機構による医薬品等審査等に係る医薬品，医薬部外品及び化粧品の範囲）

第27条　法第14条の2第1項（法第19の2第5項及び第6項において準用する場合を含む。以下この条において同じ。）の規定により機構に法第14条第1項若しくは第9項（法第19条の2第5項において準用する場合を含む。）又は第19条の2第1項の承認のための審査及び法第14条第5項（同条第9項（法第19条の2第5項において準用する場合を含む。）及び法第19条の2第5項において準用する場合を含む。）の規定による調査を行わせる場合における法第14条の2第1項の政令で定める医薬品（専ら動物のために使用されることが目的とされているものを除く。），医薬部外品（専ら動物のために使用されることが目的とされているものを除く。）又は化粧品は，法第14条第1項に規定する医薬品（専ら動物のために使用されることが目的とされているものを除く。），医薬部外品（専ら動物のために使用されることが目的とされているものを除く。）又は化粧品のうち，次に掲げる医薬品，医薬部外品又は化粧品以外のものとする。

一　薬局製造販売医薬品

二　第80条第2項第5号に規定する医薬品及び医薬部外品

わかりにくい条文ですが，要するに次のような意味です。

図5-5　医薬品医療機器総合機構の組織図

平成31年1月1日現在

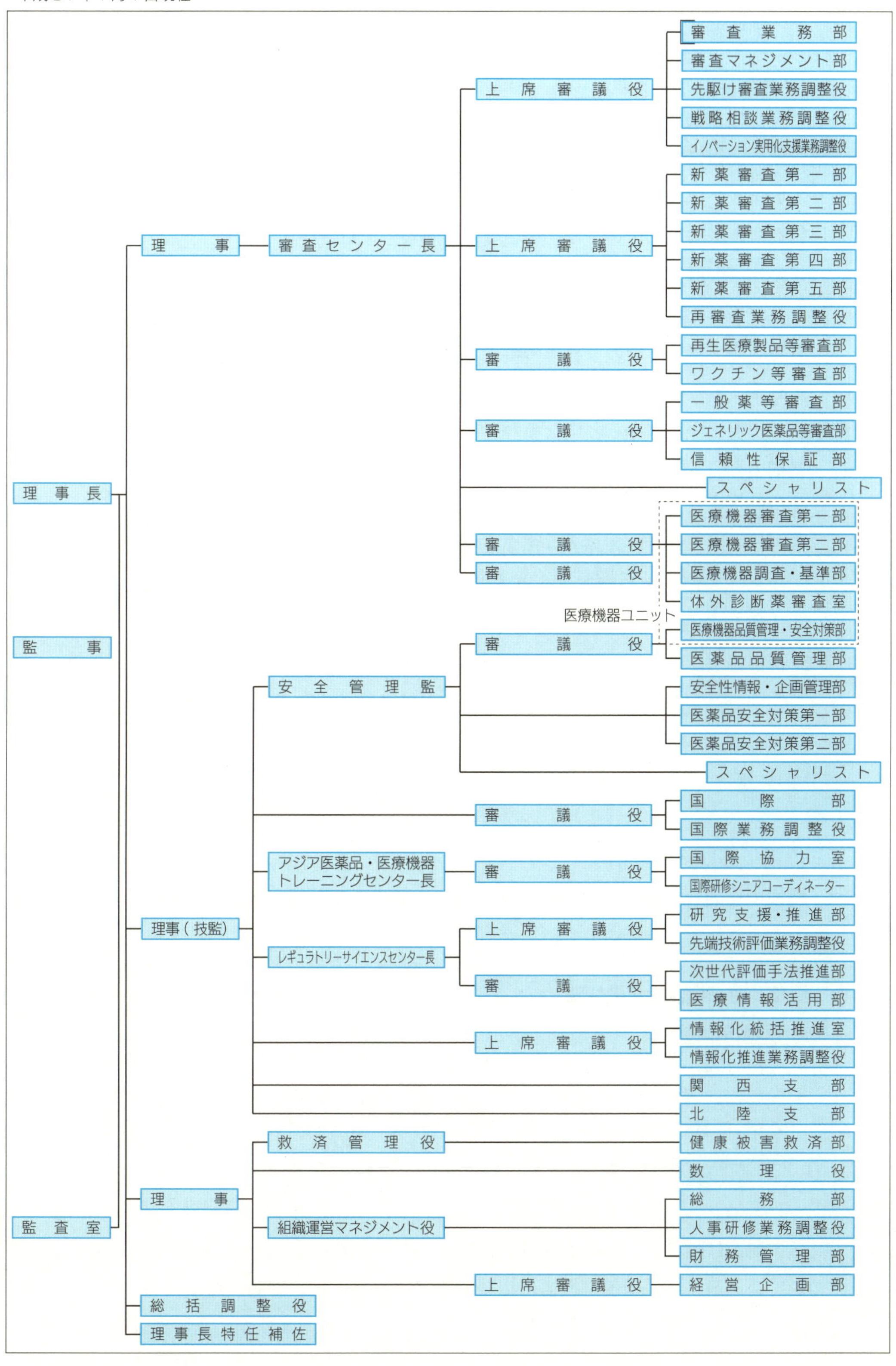

「政令で定めることになっている機構が審査する医薬品の範囲は，薬局製造販売医薬品と，都道府県知事に承認権限が委任されている医薬品以外のすべての医薬品とする」。

「薬局製造販売医薬品」とは，薬局が調剤用の機器を用いて調剤室内で製造し，販売することを認められている医薬品です。その場合，使用できる成分等の範囲は限られますが，製薬企業と同様に薬局が「製造販売承認」を受けることになります。通常「薬局製剤」と呼ばれています。病院内の薬局の「院内製剤」と混同されますが，まったく異なるものです。薬局製造販売医薬品については，第2章を参照してください。

また，「第80条第2項第5号に規定する医薬品及び医薬部外品」とは，既に述べた厚生労働大臣が基準を定め，都道府県知事に承認権限が委任されている医薬品及び医薬部外品です。

厚生労働大臣は，その「機構の審査・調査の結果」の報告に基づいて，前述した区分に従い，必要なものについては薬事・食品衛生審議会の意見を聴いて，あるいは事務局で検討し，承認の可否を決定することになるわけです。

機構の行う承認審査に関わる業務をあげてみると，次のようなものです。

①申請データに基づく承認審査

②既に承認された医薬品の一部変更審査（効能効果の追加など）

③法第14条第5項の調査（申請資料がGLP，GCPに適合する資料であるかどうか）

④法第14条第6項の調査（申請された医薬品を製造する製造所の製造管理または品質管理の方法がGMPに適合しているかどうか）

この中で，③と④については，書面審査だけではなく，工場への実地調査も行うとされています。また，④は医薬品の承認の条件として，製造所の製造管理，品質管理の方法がGMPに適合していることが含まれているということは既に説明しました。

②機構における事前相談

機構の重要な役割に，医薬品の承認申請に関する事前相談があります。機構法第15条に次のように規定されています。

医薬品医療機器総合機構法

第15条第5号

ロ　民間において行われる治験その他医薬品等の安全性に関する試験その他の試験の実施，医薬品等の使用の成績その他厚生労働省令で定めるものに関する調査の実施及び医薬品，医療機器等の品質，有効性及び安全性の確保等に関する法律の規定による承認の申請に必要な資料の作成に関し指導及び助言を行うこと。

この規定に基づき，製薬企業等が医薬品の承認申請を行うための治験や，安全性試験等について，あらかじめ事前に機構に相談できるよう事前相談の制度が設けられているのです。医薬品の承認審査には平均して1年という長い時間を要しますが，承認審査で，治験や安全性試験をやり直すよう指示が出たり，追加の試験を求められる場合も少なくなく，その場合さらに時間がかかってしまうことになります。そこで，対面，もしくは書面による「事前相談」の制度が設けられました。機構の事前相談については，「医薬品医療機器総合機構が行う対面助言，証明確認調査等の実施要綱」が通知されています。

③申請書の受付と受理

以上の規定により，医薬品を製造販売しようとする者は，図5-6に示す製造販売承認申請書を，実際には厚生労働省ではなく，機構に提出することになります。都道府県知事の承認医薬品は，都道府県に提出します。

申請書を受け付けると，まず機構は，前に述べた申請に必要な資料がきちんとそろっているか，事務的な確認を行います。

④チーム審査

資料が確認されると，機構はいよいよ有効性，安全性の審査に入ります。

審査はチーム審査により行われます。審査チームは，品質試験，非臨床試験，臨床試験や統計などの分野の専門の担当者で構成されます。

審査の専門員は申請資料に基づき審査を進めますが，必要に応じ申請者と面談し，チーム内で協議を進めます。また，大学や研究所など機構の外部の専門家を専門委員として任命し，この外部専門委員に申請資料の評価を依頼し，意見を求め，必要に応じて審査専門協議を行います。

審査専門協議で議論した結果，問題点，疑問点等があると，機構は面接審査会を開いて，それらを申請者に示し，回答を求めます。申請者から回答が出ると，必要に応じて申請者，審査チーム，外部専門家がさらに協議を進めます。

申請されている医薬品を実際に製造する製造所の製造管理，品質管理がGMPに適合しているかの調査についても機構が行います。

⑤薬事・食品衛生審議会の審査

審査が終わると，審査チームは「審査報告書」をまとめ，審査結果を厚生労働省に報告します。

報告を受けた厚生労働省は，医薬品の申請区分に従って，薬事・食品衛生審議会に諮ることが必要なものは同審議会に諮問し，報告でよいものは報告します。

審議会は，機構の審査結果に基づいて審査を行い，承認の可否についての意見をまとめ，厚生労働大臣に答申します。厚生労働大臣はその答申を基に，承認または承認不可を決定します（図5-7）。

なお，「審査報告書」は100ページから200ページにわたるもので，機構のホームページに掲載されています。

図5-6　製造販売承認申請書

様式第二十二（一）〈第38条関係〉

収入 用紙

医薬品
医薬部外品　製造販売承認申請書
化粧品

名称	一般的名称	
	販売名	
成分及び分量又は本質		
製造方法		
用法及び用量		
効能又は効果		
貯蔵方法及び有効期間		
規格及び試験方法		

	名称	所在地	許可区分又は認定区分	許可番号又は認定番号
製造販売する品目の製造所	名称	所在地	許可区分又は認定区分	許可番号又は認定番号
原薬の製造所	名称	所在地	許可区分又は認定区分	許可番号又は認定番号
備考				

　　　　医薬品
上記により，医薬部外品の製造販売の承認を申請します．
　　　　化粧品

　　　　年　　月　　日

住所（法人にあつては，主たる事務所の所在地）

氏名（法人にあつては，名称及び代表者の氏名）㊞

厚生労働大臣
都道府県知事　殿

〈注意〉

1　用紙の大きさは，日本工業規格A4とすること．

2　この申請書は，厚生労働大臣に提出する場合にあつては正本1通及び副本2通，都道府県知事に提出する場合にあつては正副2通提出すること．

3　字は，墨，インク等を用い，楷(かい)書ではつきりと書くこと．

4　収入用紙は，令第80条第1項第1号及び第2項第5号に規定する医薬品並びに同号に規定する厚生労働大臣が指定する医薬部外品の承認の申請所以外の申請書の正本にのみはり，消印をしないこと．

5　製造販売品目が外国から輸入される細胞組織医薬品であるときは，製造方法欄に当該品目の輸入先の国名，製造販売業者又は製造業者の氏名及び輸入先における販売名を記載すること．

6　製造方法欄にそのすべてを記載することができないときは，同欄に「別紙のとおり」と記載し，別紙を添付すること．

7　貯蔵方法及び有効期間欄には，特定の貯蔵方法によらなければその品質を確保することが困難である医薬品又は特に有効期間を定める必要のある医薬品についてのみ記載すること．

8　化粧品にあつては，規格及び試験方法の記載を要しないこと．

9　製造販売する品目の製造所欄又は原薬の製造所欄について，当該製造所が複数あるときは，それぞれについて記載すること．

10　許可区分又は認定区分欄については，第26条第1項，第3項若しくは第4項又は第36条第1項若しくは第3項の各号いずれに該当するかを記載すること．

11　薬局開設者にあつては，備考欄にその薬局の名称，許可番号及び許可年月日を記載すること．

12　法第14条の3第1項の規定により法第14条第1項の承認を申請しようとするときは，備考欄にその旨を記載すること．

図5-7　承認審査の流れ

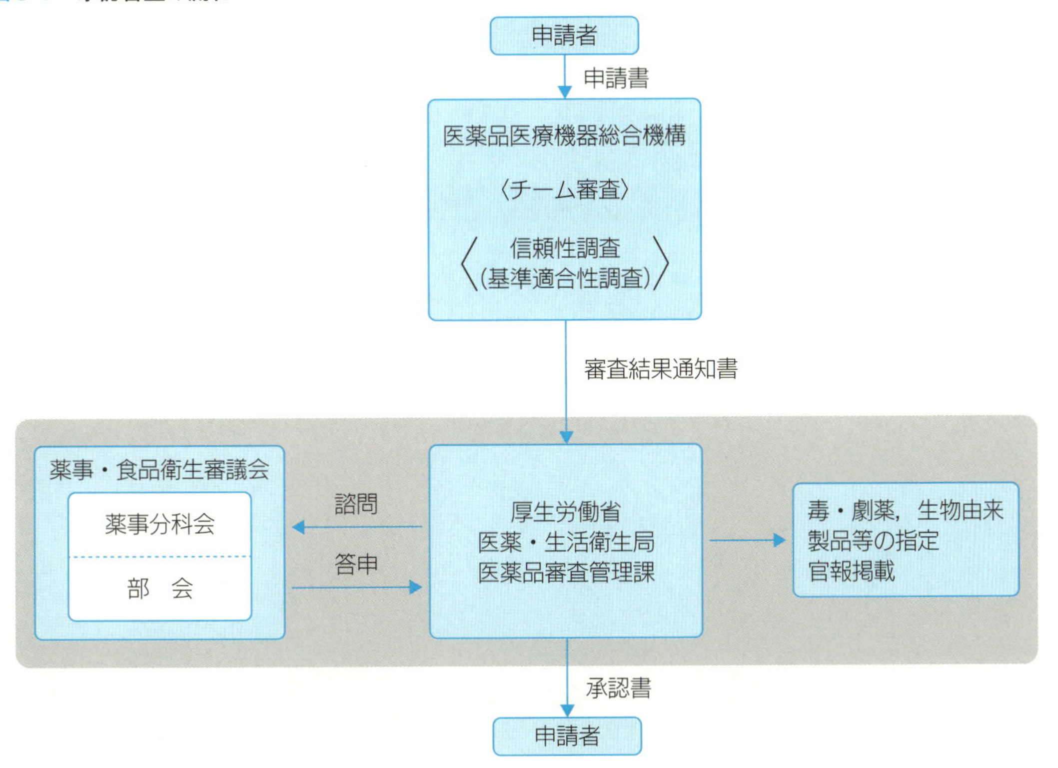

⑥事務局審査のものの取扱い

一方，薬事・食品衛生審議会で審査される以外の医薬品については，機構の事務局のみで審査を行うものと，専門委員も参加して審査を行うものとに分けられます。

事務局のみで審査されるものは，既存の医薬品と有効成分，用法，用量，効能効果がまったく同じか，その範囲のもの（後発医薬品）です。審査は，GLP，GCP，GMPなどに適合しているか，そして申請資料に基づく品質，有効性，安全性に関する審査が行われます。

なお，後発医薬品は，他メーカーが臨床試験や動物試験によって開発した先発医薬品をもとに製造されたものですから，有効性や安全性は確認されているものとして申請資料は大幅に軽減されていますが，代わりに，その先発医薬品との同一性が重要です。そこで，申請資料には，その先発医薬品との「生物学的同等性試験」が要求され，同等性調査が行われることになっています。

(3) 承認・許可の手数料

医薬品の製造販売の承認・許可を受けるためには，手数料を支払う必要があります。医薬品医療機器等法第78条に基づく政令，医薬品，医療機器等の品質，有効性及び安全性の確保に関する法律関係手数料令によって，手数料の額が定められています。主なものを拾ってみると次のとおりです。

○医薬品の製造販売承認手数料　（平成31年4月1日改訂）

・新規製造販売業許可	159,900円（実地調査の場合）
	120,400円（書面調査の場合）
・新医薬品承認（希疾病用医薬品以外）	46,901,700円
・新医薬品（希疾病医薬品）承認	35,810,400円
・後発医療用医薬品（ジェネリック医薬品）承認（適合性調査あり）	995,800円
・スイッチOTC医薬品承認（適合性調査あり，先の申請品目）	1,974,000円

第6章

医薬品の製造と製造販売の管理

1 医薬品の製造・品質管理の基準

医薬品が本当に期待されている効能効果を発揮できるかどうかは，まず医薬品の品質にかかってきます。錠剤の形状がきれいでも，有効成分の含有量が定められているより少なかったら効果も弱くなってしまいますし，反対に多すぎたら副作用が出てしまうかもしれません。

そこで，医薬品医療機器等法では，製造販売業及び製造業における製造管理，品質管理が適切に行われるよういろいろな制度が設けられています。

GQPとGMP

第3章で，製造販売業者の許可を受けるためには，「医薬品の品質管理の方法が厚生労働大臣が定める基準に適合していなければならない」と定められていること，そして，その「品質管理の方法の基準」がGQPと呼ばれていることを説明しました。

そしてもう1つ，第4章の製造販売承認審査のところで，GMPについて説明しました。GMPへの適合性は，製造承認審査の審査項目の1つであり，同時にGMPは製造業者が守るべき医薬品の製造管理及び品質管理の基準です。

医薬品医療機器等法ではGCPやGLPなどいろいろな「G○○P」基準が設けられていますが，GMPはそのGPシリーズのハシリとなったもので，1960年代にアメリカで提唱されました。日本では，昭和40年代の終わりに厚生省の通知で定められ，その後，昭和54(1979) 年の薬事法改正で正式に法律に基づく規則となりました。

一方，先に述べたように，GQPは，「品質管理の方法に関する基準」です。では，GMPが「製造管理又は品質管理の方法に関する基準」だとしたら，両者は一体どこがどう違うのか，もう一度，確認しておきましょう。

まず，いえることは，

GQPが「製造販売業者が遵守すべき基準」，そして，GMPは「製造業者が遵守すべき基準」だということです。

つまり，次のように考えればいいでしょう。

GMPというのは，実際に医薬品を製造する「製造所」が守るべき基準です。ですから，医薬品の製造工程にミスが起きないようしっかり管理し，製品の品質を守るべき基準といえます。

なお，医薬品のうち，体外診断用医薬品については，医療機器とともに「医療機器及び体外診断用医薬品の製造管理及び品質管理の基準に関する省令（厚生労働省令第169号）」が，別に定められています。医療機器及び体外診断用医薬品版では，GMPではなく，「QMS」（Quality Management System）と呼ばれています。

一方，GQPは製造販売業者が守るべき基準ですから，医薬品の製造から出荷，そして市販後まで一貫した品質管理の基準です。ことに，医薬品の製造所がGMPをしっかり守って，製造工程，品質管理を適切に行っているかを管理，監督するための基準でもあります。製造をアウトソーシングした場合にも重要です。もし，不良品が出た場合，外注したからといって製造販売業者には責任がないというわけにはいかないのです。また製造販売業者として，製品の出荷後の品質管理にも責任を持たなければなりません。出荷後も，なにか品質上の問題が起きていないかを管理し，また必要があれば回収等の対策を速やかに講ずるための基準です。

GMPとGQPとはこのように，「医薬品の品質を守るため」という目的は同じでも，その役割は異なるのです。それでは，2つの基準の内容をみていきましょう。

①GMP

品質管理には2つの側面があります。1つは，医薬品の製造所の構造設備，機器などのハードウェアと，もう1つは，製造作業や品質管理を行うための手順など，ソフトウェアです。

GMPといった場合，通常，後者のソフト面での基準を指していいますが，ハード面の基準も含めてという場合もあります。ここでは，ソフト面の基準をみていきましょう。

GMPは，厚生労働省令「医薬品及び医薬部外品の製造管理及び品質管理の基準に関する省令」によって定められています。一口でいえば，これは，医薬品の製造作業や品質管理のための作業をマニュアル化すること，そして，それらの作業がマニュアルの手順どおりに実施されているかを管理するための基準です。

主な事項をあげてみましょう。

① 製造業者等は，製造所ごとに，製造管理者の監督の下に，「製造部門」および「品質部門」を置かなければならない。

製造管理者
製造部門　品質部門

② 品質部門は，製造部門から独立していなければならない。

③ 製造管理者は，次に掲げる業務を行わなければならない。

・「製造・品質管理業務」を統括し，管理監督すること。

・品質不良その他製品の品質に重大な影響が及ぶおそれがある場合においては，所要の措置の状況を確認し，必要に応じ，改善等所要の措置を採るよう指示すること。

④ 製造業者等は，製品ごとに製品標準書を製造所ごとに作成し，保管するとともに，品質部

門の承認を受けなければならない。
⑤ 製造業者等は，製造・品質管理業務を適正かつ円滑に実施しうる能力を有する責任者を，製造所の組織，規模および業務の種類等に応じて置かなければならない。
⑥ 製造業者等は，製造所ごとに，製品等の保管，製造工程の管理その他必要な事項について記載した製造管理基準書を作成し，保管しなければならない。
⑦ 製造業者等は，製造所ごとに，検体の採取方法，試験検査結果の判定方法その他必要な事項を記載した品質管理基準書を作成し，保管しなければならない。
⑧ 製造業者等は，品質部門に，手順書等に基づき，製造管理および品質管理の結果を適切に評価し，製品の製造所からの出荷の可否を決定する業務を行わせなければならない。
⑨ 製造業者等は，あらかじめ指定した者に，バリデーション（手順書等に基づき，製造所の構造設備ならびに手順，工程その他の製造管理および品質管理の方法が期待される結果を与えることを検証し，文書としておくこと）を行わせなければならない。

医薬品の品質確保のためには，以前は，日本薬局方やその他の品質基準を作ったり，国家検定制度，製造業者に対する製品試験実施の指導など，できあがった製品についての抜き取り検査などに重きがおかれていました。しかし，近年は，プロセス・バリデーションという考え方が重視されるようになってきました。つまり，できあがった製品をチェックすることで品質を確保するという考え方にとどまらず，製品の製造過程を厳格に管理することで品質管理を徹底するという考え方です。GMP は，まさにプロセス・バリデーションの考え方で作られたものです。

なお，GMPはすべての医薬品に適用されるのではなく，政令で指定されたものに対して適用されます。政令第20条では，次の医薬品にはGMPを適用しない。つまり，これら以外の医薬品に適用すると定めています。

GMPが適用されない医薬品

①専らねずみ，はえ，蚊，のみその他これらに類する生物の駆除または防止のために使用されることが目的とされている医薬品のうち，人または動物の身体に直接使用されることのないもの
②専ら殺菌または消毒に使用されることが目的とされている医薬品のうち，人または動物の身体に直接使用されることのないもの
③専ら前の①②に掲げる医薬品の製造の用に供されることが目的とされている原薬たる医薬品
④生薬を粉末にし，または刻む工程のみを行う製造所において製造される医薬品
⑤薬局製造販売医薬品
⑥医療または獣医療の用に供するガス類のうち，厚生労働大臣が指定するもの
⑦日本薬局方に収められている物のうち，人体に対する作用が緩和なものとして厚生労働大臣が指定するもの

⑧専ら動物の疾病の診断に使用されることが目的とされている医薬品のうち，動物の身体に直接使用されることのないもの

⑨専ら動物のために使用されることが目的とされているカルシウム剤のうち，石灰岩または貝殻その他のカルシウム化合物を物理的に粉砕選別して製造されるもの

●管理薬剤師制度

それから，GMPの中で，「製造管理者」という言葉が出てきました。これは，医薬品医療機器等法の第17条第3項によって定められています。

> **医薬品医療機器等法**
>
> **第17条**
>
> 3　医薬品の製造業者は，自ら薬剤師であつてその製造を実地に管理する場合のほか，その製造を実地に管理させるために，製造所ごとに，薬剤師を置かなければならない。ただし，その製造の管理について薬剤師を必要としない医薬品を製造する製造所又は第13条の2の2の登録を受けた保管のみを行う製造所においては，厚生労働省令で定めるところにより，薬剤師以外の技術者をもつてこれに代えることができる。
>
> （注）下線部は令和元年12月4日から2年以内に施行

医薬品の製造管理のために薬剤師の設置を義務づけた規定です。この「医薬品製造管理者」は，通常，「管理薬剤師」と呼ばれていますが，薬局の管理薬剤師とともに，薬剤師にとってきわめて重要な職責です。医薬品製造業者は，管理薬剤師を製造所ごとに置かなくてはなりません。

ただし，総括製造販売責任者と同様，例外があります。「生薬」および「医療用ガス」については必ずしも薬剤師でなくてもよく，一定の年限以上の経験や実績をもつ技術者をもって代えることができることとされています（医薬品医療機器等法施行規則第88条)。生薬では，その外形や味などからものの見事に品種や品質レベル，産地などを鑑別する名人級の人がよくいますが，こうした技術をもつ5年以上の経験者であれば製造管理者となることができるのです。

製造管理者についても，令和元年の法改正（令和元年12月4日から2年以内に施行）によって，第4章で説明した製造販売管理者と同様に，一定の従事経験を有し，製造管理業務に関する総合的な理解力及び適正な判断力を有する者でなければならないとする要件が定められました。また，その業務についても，製造管理者が製造管理を公正にかつ適正に行うために必要があるときは製造業者に書面で意見を述べること，製造業者は製造管理者の意見を尊重するとともに，法令遵守のために必要な措置を実施すること，その内容（実施しない場合はその理由）を記録すること等が義務づけられています。また，保管のみを行う製造所についても特例が定められました。

なお，生物由来製剤の製造所の「製造管理者」は，上掲の第17条ではなく，第68条の

16で,「医師，細菌学的知識を有する者」と定められています。

②GQP

次に，製造販売業者が守るべきGQPをみてみましょう。

前にも述べたように，GQPは,「医薬品，医薬部外品，化粧品又は医療機器の品質管理の基準に関する省令（平成16年9月22日，省令第136号)」によって公示されています。

GQPには2つの目的があります。

1つは医薬品の製造所において，GMPを遵守して，医薬品の製造が適切に管理され，品質管理が行われているかをチェックすること。製造を自分の製造所で行うのではなく，他のメーカーに外注して行う場合，このGQPはより重要です。

2つ目は，製造され，出荷された医薬品が流通の場にあって，何か品質上の問題が起きて

(1) 製造販売業者は，総括製造販売責任者に次の業務を行わせなければならない。
① 品質保証責任者を監督すること。
② 品質保証責任者からの報告等に基づき，所要の措置を決定し，品質保証部門その他品質管理業務に関係する部門または責任者に指示すること。
③ 品質保証部門と製造販売後安全管理基準（後の項で説明します）に規定する安全管理統括部門その他の品質管理業務に関係する部門との密接な連携を図らせること。
(2) 医薬品の製造販売業者は，品質管理業務の統括に係る部門として，次に掲げる要件を満たす品質保証部門を置かなければならない。
・品質保証部門は，医薬品等の販売に係る部門等から独立していること。
(3) 製造販売業者は,「品質保証責任者」を置かなければならない。
(4) 製造販売業者は，医薬品の品目ごとに，製造販売承認事項等を含む「品質標準書」を作成しなければならない。
(5) 製造販売業者は,「品質管理業務手順書」を作成しなければならない。
(品質管理業務手順書の内容)
i）市場への出荷の管理に関する手順
ii）適正な製造管理及び品質管理の確保に関する手順
iii）品質等に関する情報及び品質不良等の処理に関する手順
iv）回収処理に関する手順
v）自己点検に関する手順
vi）教育訓練に関する手順
vii）医薬品の貯蔵等の管理に関する手順
viii）文書及び記録の管理に関する手順
ix）安全管理統括部門その他の品質管理業務に関係する部門又は責任者との相互の連携に関する手順
(6) 医薬品の製造販売業者は，製品の製造業者等と次に掲げる事項を取り決め，これを品質管理業務手順書等に記載しなければならない。
i）製造業者等における製造業務の範囲並びに当該製造業務に係る製造管理及び品質管理並びに出荷に関する手順

ⅱ）製造方法，試験検査方法等に関する技術的条件
ⅲ）当該製品の運搬及び受渡し時における品質管理の方法
ⅳ）製品について得た次の情報の製造販売業者に対する速やかな連絡の方法及び責任者
・製品に係る製造，輸入又は販売の中止，回収，廃棄その他保健衛生上の危害の発生又は拡大を防止するために講ぜられた措置に関する情報
・製品の品質等に関する情報

⑺ 医薬品の製造販売業者は，製造管理及び品質管理の結果が適正に評価され，市場への出荷の可否の決定が適正かつ円滑に行われていることを確保するとともに，適正に当該決定が行われるまで医薬品を市場へ出荷してはならない。

⑻ 医薬品の製造販売業者は，品質保証部門に，製造業者等における製造，品質管理が適正かつ円滑に実施されていることを定期的に確認し，その結果に関する記録を作成すること。

⑼ 医薬品の製造販売業者は，品質に関する情報を得たときは，品質保証責任者に次に掲げる業務を行わせなければならない。
ⅰ）医薬品の品質，有効性及び安全性に与える影響並びに人の健康に与える影響を適正に評価すること。
ⅱ）原因を究明すること。必要な場合には，所要の措置を講じること。

⑽ 製造販売業者は，品質不良又はそのおそれが判明した場合には，総括製造販売責任者及び品質保証責任者に，次に掲げる業務を行わせなければならない。
ⅰ）品質保証責任者は，品質不良又はそのおそれに係る事項を速やかに総括製造販売責任者に対して報告し，それを記録すること。
ⅱ）総括製造販売責任者は，速やかに，危害発生防止等のため回収等の所要の措置を決定し，品質保証責任者及びその他関係する部門に指示すること。
ⅲ）品質保証責任者は，総括製造販売責任者の指示を受けたときは，速やかに所要の措置を講じること。
ⅳ）品質保証責任者は，安全管理統括部門その他関係する部門との密接な連携を図ること。

⑾ 製造販売業者は，あらかじめ指定した者に，品質管理業務について定期的に自己点検を行い，その結果の記録を作成させること。

いないか絶えず注意し，もし問題が起きていればただちに必要な対策を講ずることです。これらの目的を果たすために，GQPには次のような規定が設けられています。

図6-1に品質管理業務に係る組織図例を示します。

以上が主な内容ですが，GMP，GQPそれぞれの役割分担を実感できると思います。

2 医薬品の品質確保

医薬品の効果と副作用は裏腹だといわれます。つまり，よく効く薬は副作用も強いということです。ですから，医薬品は，効果が期待できる量で，かつできるだけ副作用が少なくて済むように飲む量が検討され，1錠当たり50mgとか100mgというように厳密に設定され

図6-1　**品質管理業務に係る組織図（例）**　東京都福祉保健局作成

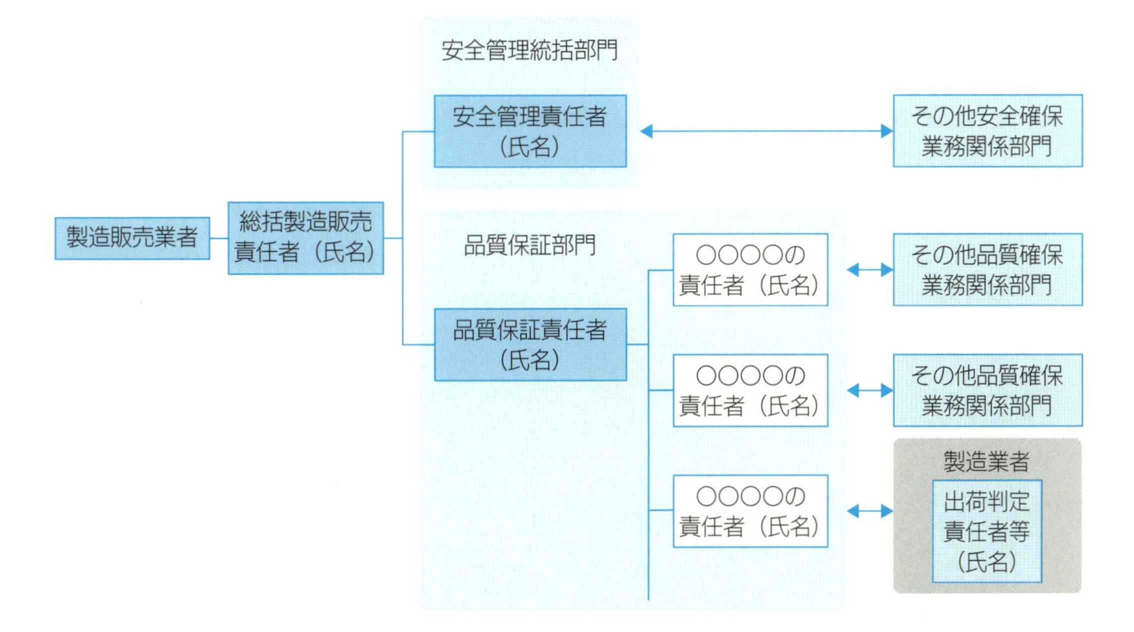

ています。実際に薬を飲む場合にも，1回1錠とか2錠と医師の指示どおりに服用することが求められます。

では，もし，この錠剤に成分が余計に入っていたらどういうことが起こるでしょうか。薬の成分が多すぎて副作用が起きてしまうかもしれない。反対に成分が少なすぎたら薬はまったく効かないかもしれません。医薬品とは，まさにハイテクノロジーのいっぱい詰まった精密工業製品です。ですから，その品質管理は他のどんな商品よりも重要です。そのために，医薬品医療機器等法の中にはさまざまな品質確保のための規定が設けられています。医薬品の公定の品質規格書である「日本薬局方」の制度もその1つですが，日本薬局方については第2章を参照していただくとして，ここではその他の制度について紹介しましょう。

（1）医薬品の国家検定制度

医薬品の国家検定制度は，国が医薬品の品質のチェックをしようという制度（図6-2）で，医薬品医療機器等法により次のように規定されています。

医薬品医療機器等法

（検定）

第43条　厚生労働大臣の指定する医薬品又は再生医療等製品は，厚生労働大臣の指定する者の検定を受け，かつ，これに合格したものでなければ，販売し，授与し，又は販売若しくは授与の目的で貯蔵し，若しくは陳列してはならない。ただし，厚生労働省令で別段の定めをしたときは，この限りでない。

国家検定の制度は，厚生労働大臣が指定した医薬品について国の試験検査に合格しなければ販売してはならないという制度です。医薬品の出荷の前，メーカーが自分で品質試験を実施して品質をチェックしておくことは当然の義務ですが，国家検定の対象となる医薬品の場合は，その上に国の検査を受けることが義務づけられているわけです。

国家検定を義務づけられている医薬品は告示によって示されています。「薬事法第43条第1項等の規定による検定を要するものとして厚生労働大臣が指定する医薬品等」（昭和38年6月24日，告示第279号）という告示によって，次のような医薬品約100品目が国家検定を義務づけられています。

・ワクチン類

例：インフルエンザワクチン，ツベルクリン，BCG，破傷風トキソイド，ポリオワクチン

・血液製剤

例：人免疫グロブリン，人血清アルブミン

●検定の手順

i）検定品目に該当する医薬品の製造販売業者は製造ロットごとに，製品の備蓄場所の所在する都道府県を通じて，検定機関に検定申請を行う。検定機関は現在は，国立感染症研究所が指定されている。

ii）都道府県では，薬事監視員が検定品目の製品備蓄場所で試験品を採取し，残りの製品を封印し，保管させる。

iii）採取された試験品，検定機関に送付

iv）検定基準により試験実施

v）検定に合格した製品には，検定機関から都道府県を通じて「検定合格証明書」を製造

図6-2　国家検定の制度

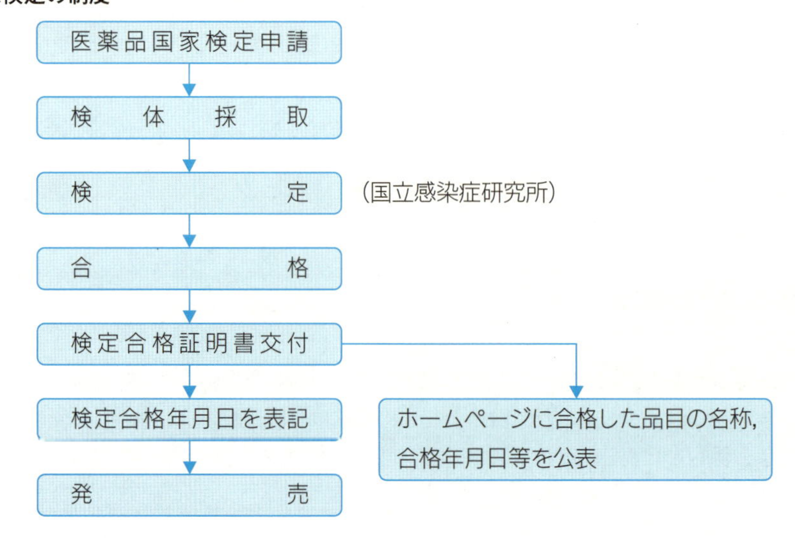

販売業者に交付。

vi）国立感染症研究所は，ホームページで当該品目の品名，合格年月日等を公表

vii）製造販売業者は，合格した製造ロットの製品の直接の容器・被包に「合格した旨」及び「検定合格年月日」を記載。

viii）薬事監視員が記載を確認

ix）製品の出荷

検定合格の表示

検定合格年月日 2019. 11. 25

国家検定という制度は，終戦後の昭和23（1948）年に薬事法に取り込まれた制度ですが，当時は医薬品にも粗悪品が多く，メーカーの品質管理技術も低い時代でしたから，国家検定制度は多くの医薬品にとってたいへん重要な品質管理システムでした。しかし，戦後も70年を経て，メーカーの品質管理に対する技術も試験設備も，そして意識もたいへん向上してきました。このため，現在では，上記にあげた医薬品の例でもわかりますように，ワクチンや血液製剤のように，微生物を使って製造したり，人の血液から製造する医薬品のように，製造方法に特殊な技術が必要であり，また品質試験にも高度な技術を必要とする医薬品が国家検定品目に指定されています。

（2）医薬品の品質基準

医薬品の品質を守るために医薬品医療機器等法ではいろいろな品質基準を制定することができるようになっています。日本薬局方もその1つですが，医薬品医療機器等法第42条では次のように医薬品の品質基準を作成することが定められています。

医薬品医療機器等法

（医薬品等の基準）

第42条　厚生労働大臣は，保健衛生上特別の注意を要する医薬品又は再生医療等製品につき，薬事・食品衛生審議会の意見を聴いて，その製法，性状，品質，貯法等に関し，必要な基準を設けることができる。

厚生労働大臣は，「特別の注意を要する医薬品」について品質などに関する基準を作ることを規定しています。この規定に基づいて，現在，2つの基準が告示されています。まず，生物学的製剤基準です。

生物学的製剤基準

厚生労働省告示第155号（平成16年3月30日）

薬事法（昭和35年法律第145号）第42条第1項の規定に基づき，生物学的製剤基準を次のように定め，生物学的製剤基準（平成5年厚生省告示第217号）は廃止する。ただし，平成16年12月31日までに製造され，又は輸入されるものについては，なお従前の例によることができる。

内容は省略しますが，生物学的製剤といいますと，ウイルスを使用した医薬品（つまり，ワクチンのようなもの）や血液から製造する血液製剤（アルブミンやグロブリン，赤血球，白血球などの血液の成分を医薬品化したもの）などがあります。

これらの医薬品は，いってみれば生物や人の臓器（血液）を原料として作られるわけですが，化学薬品と違って変質しやすい医薬品ですから保存管理がたいへん重要です。さらに，その効果も，生体の中での免疫反応などに関係するものですから，化学薬品のように何mgあればどれだけ熱が下がる，痛みがとまるというように絶対量でその効き目を評価できるものではありません。したがって，この種の医薬品では，常に一定の品質や効果のあるものを製造するために，特殊な製剤技術や品質管理の技術が必要になります。このため，上述のように，医薬品医療機器等法により，国家検定を受けることが義務づけられると同時に，国が基準を作ることとされているわけです。

もう1つの基準は放射性医薬品基準です。この基準では放射線測定法等の試験法，各医薬品ごとの基準などが定められています。

(3) 不良医薬品の規制

次は不良医薬品についての規制です。

医薬品医療機器等法

（販売，製造等の禁止）

第56条　次の各号のいずれかに該当する医薬品は，販売し，授与し，又は販売若しくは授与の目的で製造し，輸入し，貯蔵し，若しくは陳列してはならない。

一　日本薬局方に収められている医薬品であつて，その性状又は品質が日本薬局方で定める基準に適合しないもの

二　第41条第3項の規定によりその基準が定められた体外診断用医薬品であつて，その性状，品質又は性能がその基準に適合しないもの

三　第14条，第19条の2，第23条の2の5若しくは第23条の2の17の承認を受けた医薬品又は第23条の2の23の認証を受けた体外診断用医薬品であつて，その成分若しくは分量（成分が不明のものにあつては，その本質又は製造方法）又は性状，品質若しくは性能がその承認又は認証の内容と異なるもの（第14条第14項（第19条の2第5項

において準用する場合を含む。)，第23条の2の5第16項（第23条の2の17第5項において準用する場合を含む。）又は第23条の2の23第8項の規定に違反していないものを除く。)

四　第14条第1項又は第23条の2の5第1項の規定により厚生労働大臣が基準を定めて指定した医薬品であつて，その成分若しくは分量（成分が不明のものにあつては，その本質又は製造方法）又は性状，品質若しくは性能がその基準に適合しないもの

五　第42条第1項の規定によりその基準が定められた医薬品であつて，その基準に適合しないもの

六　その全部又は一部が不潔な物質又は変質若しくは変敗した物質から成つている医薬品

七　異物が混入し，又は付着している医薬品

八　病原微生物その他疾病の原因となるものにより汚染され，又は汚染されているおそれがある医薬品

九　着色のみを目的として，厚生労働省令で定めるタール色素以外のタール色素が使用されている医薬品

(注) 下線部は令和元年12月4日より1年以内に施行

第56条では次のような医薬品は，販売も授与も，そして製造・輸入も，さらに貯蔵や陳列もしてはならないとしています。

第1に，日本薬局方医薬品であるのに局方の品質基準に合わない医薬品。局方には，医薬品の成分の純度や含量など品質が規定されており，その基準に合わない医薬品は販売してはいけない。

第2は，承認を受けた医薬品で，承認どおりに製造されていない医薬品も販売してはいけない。承認書には，もちろんその医薬品の品質について厳しい規格が書いてあります。錠剤1錠に含まれている医薬品の成分の種類や含量，医薬品を製剤にするために使用される添加物の種類や添加量などのすべての成分について承認書に書いてあります。その承認書に違反して，たとえば成分を多めに入れたり，少なめに入れたりした医薬品は不良品。

第3に，「厚生労働大臣が基準を定めて指定する医薬品」で，その基準に適合しない医薬品。厚生労働大臣が定めた品質基準に適合するものでなければ不良品となります。

第4に，医薬品のうち，医薬品医療機器等法第42条で基準を作ることが決められているワクチンのような生物学的な医薬品で，この第42条の基準に違反して製造されたものは不

良品。

第5に，医薬品が不潔なものでできていたり，医薬品そのものが変質してしまっていたりした場合です。医薬品の変質，腐敗は医薬品の保管の仕方などで起こります。承認申請に必要な資料の中に「安定性に関する資料」がありましたが，医薬品は日光や湿度，温度などの影響を受けて成分が分解したり，あるいは時間が経つにつれて変質してしまったりする可能性があるからです。

第6に，医薬品の中に何か異物が混入したり，くっついているようなものです。だいぶ前の話ですが，錠剤のヒートシールの中に蠅が入っていたということで，回収を命じられたメーカーがありました。

第7に，病原微生物により汚染されているか，またはそのおそれのある医薬品。医薬品のなかには，注射剤のように完全な無菌性が要求される医薬品がありますし，注射剤以外にも目薬のように粘膜に使用される医薬品などでは細菌管理が重要な事項になっています。

第8は，色素の規定です。医薬品は種類が多く，服用するとき間違いを起こしかねません。そこで，錠剤やカプセル剤などの医薬品では他の医薬品と区別をつけやすいようにタール色素で色がつけられていることも多々あります。

医薬品医療機器等法

第57条　医薬品は，その全部若しくは一部が有毒若しくは有害な物質からなつているためにその医薬品を保健衛生上危険なものにするおそれがある物とともに，又はこれと同様のおそれがある容器若しくは被包（内袋を含む。）に収められていてはならず，また，医薬品の容器又は被包は，その医薬品の使用方法を誤らせやすいものであつてはならない。

2　前項の規定に触れる医薬品は，販売し，授与し，又は販売若しくは授与の目的で製造し，輸入し，貯蔵し，若しくは陳列してはならない。医薬品は，その全部若しくは一部が有毒若しくは有害な物質からなつているためにその医薬品を保健衛生上危険なものにするおそれがある物とともに，又はこれと同様のおそれがある容器若しくは被包（内袋を含む。）に収められていてはならず，また，医薬品の容器又は被包は，その医薬品の使用方法を誤らせやすいものであつてはならない。

そして第57条では，医薬品を危険なものとしてしまう次のような事例を禁じています。

①毒物など有害なものが含まれているもの

②医薬品の容器や被包が有害なもの

③医薬品の容器が，使用方法を誤らせるようなもの

③の例では，「目薬」と「水虫の薬」がよく似ていて，患者が間違えて使用してしまったというような事例もありました。また，子供がお菓子と間違えるような容器などが考えられます。

いろいろな不良品の例が出てきましたが，現在のわが国の医薬品メーカーは，品質管理についていえば，たいへんレベルが高いといわれています。品質確保は医薬品の生命ですから，メーカーはGMPやGQPに従って血のにじむような努力をしているのです。

第7章

医薬品の表示と添付文書

1 医薬品の容器等への表示

IT化が進み，パソコンやiPad，スマホなどがなければ仕事にならない，という時代になりました。しかし，こういうハイテク機器を上手に使いこなすのには，まず，そのマニュアルを十分頭の中に入れておかないといけません。高齢者にはそのマニュアルの解読がまた大変ですが。

それはともかく，医薬品にとっても，いや，むしろ医薬品はそれら以上に，その正しい使い方や，どんな有効成分が入っているか，使用量，あるいは副作用はないのかなどの情報が重要です。誤った使い方をした場合，その人の生命・健康にかかわることになるかもしれないのですから。

そこで医薬品医療機器等法では，医薬品の容器のラベルや外箱などに用法用量など必要な表示を義務づけ，また，添付文書，いわゆる“能書”に，副作用などの使用上の注意や，取扱上の注意などの詳しい情報を記載することを義務づけています。

まず，医薬品の容器のラベルや外箱などに対する表示についての規定です。

医薬品医療機器等法

（直接の容器等の記載事項）

第50条 医薬品は，その直接の容器又は直接の被包に，次に掲げる事項が記載されていなければならない。ただし，厚生労働省令で別段の定めをしたときは，この限りでない。

一 製造販売業者の氏名又は名称及び住所

二 名称（日本薬局方に収められている医薬品にあつては日本薬局方において定められた名称，その他の医薬品で一般的名称があるものにあつてはその一般的名称）

三 製造番号又は製造記号

四 重量，容量又は個数等の内容量

五 日本薬局方に収められている医薬品にあつては，「日本薬局方」の文字及び日本薬局方において直接の容器又は直接の被包に記載するように定められた事項

六 要指導医薬品にあつては，厚生労働省令で定める事項

七 一般用医薬品にあつては，第36条の7第1項に規定する区分ごとに，厚生労働省令で定める事項

八　第41条第３項の規定によりその基準が定められた体外診断用医薬品にあつては，その基準において直接の容器又は直接の被包に記載するように定められた事項
九　第42条第１項の規定によりその基準が定められた医薬品にあつては，貯法，有効期間その他その基準において直接の容器又は直接の被包に記載するように定められた事項
十　日本薬局方に収められていない医薬品にあつては，その有効成分の名称（一般的名称があるものにあつては，その一般的名称）及びその分量（有効成分が不明のものにあつては，その本質及び製造方法の要旨）
十一　習慣性があるものとして厚生労働大臣の指定する医薬品にあつては，「注意―習慣性あり」の文字
十二　前条第１項の規定により厚生労働大臣の指定する医薬品にあつては，「注意―医師等の処方箋により使用すること」の文字
十三　厚生労働大臣が指定する医薬品にあつては，「注意―人体に使用しないこと」の文字
十四　厚生労働大臣の指定する医薬品にあつては，その使用の期限
十五　前各号に掲げるもののほか，厚生労働省令で定める事項

医薬品は，普通，ガラス瓶やプラスチック瓶，紙箱，アンプル，バイアル，チューブなどに入っていて，それぞれにラベルが貼ってあります。なかには，ディスポーザブルの注射筒にそのまま医薬品が入っていることもあり，また，ラベルでなくガラス瓶に直接印刷してあるものもあります。

このような医薬品の「直接の容器」（医薬品に直接触れる容器）には，上記のような表示が義務づけられています。1つひとつみていきましょう。

1の「製造販売業者の氏名・住所」は，その製品に対する責任の所在を明らかにするものです。

2の「名称」は，医薬品の名称です。日本薬局方に収められているものは局方の名称，その他については一般的名称を記載します。

3は「製造番号又は製造記号」。ロット番号，ロット記号などともいわれ，ある日1日，あるいは，原料の仕込みから，製剤，包装表示まで一連の作業工程が同時に行われたグルー

包装・容器には表示事項の記載が義務づけられている

プを1単位として付けた記号，番号です。この製造記号から，その製品がいつ，どこで製造された物かを区別することができます。もし不良品が出たような場合は，医療機関や薬局に，その製造番号を知らせ，使用しないよう要請することができます。

4は，100錠入りとか1mL入りアンプルとか，その容器に入っている医薬品の量についての記載です。

5は，日本薬局方に収載されている医薬品の場合は「日本薬局方」と書きなさいという規定です。日本薬局方は，ご承知のように厚生労働省が定めた医薬品の品質基準ですから，たとえば，「日本薬局方アスピリン」と書いてあれば，それは国の定めた品質基準に合格した製品であるはずです。局方医薬品の品質を守る重要な表示です。条文に「その他，日本薬局方で記載するよう定められた事項」とありますが，これには，たとえば有効期限などがあります。

6は，「要指導医薬品」に区分されているものは「要指導医薬品」の文字（施行規則第209条の2）。

「要指導医薬品」については，第2章「医薬品とは何か」の章で説明しました。

7は，一般用医薬品の第1類医薬品から第3類医薬品までの区分についての表示です。

8は，基準が定められた体外診断用医薬品について，その基準において直接の容器または直接の被包に記載するように定められた事項。

9は，生物学的製剤などについては医薬品の品質基準を作ることになっていますが，その基準で，有効期間や貯法（保管方法）などを記載するように義務づけている場合があります。それらの記載についての規定です。

10は，まだ日本薬局方に載っていない医薬品については，有効成分の名前とその含有量を記載しなさいという規定です。日本薬局方に載っている医薬品は約2,000品目で，それ以外に新薬などがありますから，われわれが目にする医薬品の多くは日本薬局方に収載されていない医薬品ということになります。有効成分は全部表示しなくてはなりません。医薬品添加物の一部についても表示されています。

11は，習慣性のある医薬品についての注意記載です。たとえば，睡眠薬を毎日使用し続けますと，その睡眠薬がないと眠れなくなったりします。トランキライザーなどもそういう傾向が知られています。そうした医薬品について，「注意－習慣性あり」と記載することを義務づけています。習慣性のある医薬品は厚生労働大臣が指定し，告示しています。

なお，麻薬にも習慣性がありますが，麻薬の場合にはもっと強い身体的・精神的依存性，耽溺性があり，医薬品医療機器等法でいう習慣性医薬品よりはるかに強い規制が「麻薬及び向精神薬取締法」によって行われていますから，それらと混同しないようにしてください。

12は，「処方箋医薬品」についての記載。

13は，「人体に使用しないこと」という注意記載で，現在，次のものが指定されています。

「ねずみ，はえ，蚊，のみその他これらに類する生物の防除の目的のために使用される医薬品のうち，人の身体に直接使用されることのないもの」

14は，「使用期限」です。これは，保管中に医薬品の成分が変質したり，分解しやすいと思われる医薬品のなかから，特に注意が必要なものを厚生労働大臣が指定して有効期限を記載するように義務づけたものです。これも，厚生労働省告示で示されています。たとえば，アスピリン，アスコルビン酸，インスリンなどが指定されています。

15は，その他の事項として，次のような記載が義務づけられています（施行規則第210条）。

i　専ら他の医薬品の製造の用に供されることを目的として医薬品の製造販売業者又は製造業者に販売し，又は授与される医薬品（以下「製造専用医薬品」という。）にあっては，「製造専用」の文字

ii　外国製造医薬品等の製造販売の承認を受けた医薬品にあっては，外国製造医薬品等特例承認取得者の氏名及びその住所地の国名並びに選任外国製造医薬品等製造販売業者の氏名及び住所

iii　外国製造医療機器等の製造販売の承認を受けた体外診断用医薬品にあっては，外国製造医療機器等特例承認取得者の氏名及びその住所地の国名並びに選任外国製造医療機器等製造販売業者の氏名及び住所

iv　基準適合性認証を受けた指定高度管理医療機器等（体外診断用医薬品に限る。）であって本邦に輸出されるものにあっては，外国製造医療機器等特例認証取得者の氏名及びその住所地の国名並びに選任外国製造指定高度管理医療機器等製造販売業者の氏名及び住所

v　配置販売医薬品として厚生労働大臣の定める基準に適合するもの以外の一般用医薬品にあっては，「店舗専用」の文字

vi　指定第2類医薬品にあっては，枠の中に「2」の数字

上記のiii，ivの医療機器，体外診断用医薬品については本書の「医療機器・体外診断用医薬品・再生医療等製品編」で説明するとともに，vの「配置販売医薬品」及び「店舗専用」，viの「指定第2類医薬品」については本書の第2章で説明しました。

なお，「生物由来製品」については特に記載事項が定められています。それについては第11章で説明します。

以上のような表示を，直接の容器に表示することになると，注射薬のアンプルなどにはとても記載しきれません。そこで，表示面積が狭い場合は，その外箱などに表示義務事項が記載されていれば，一部の事項（品名等）を記載すればよいこととされています（施行規則第211条）。

また，最近はPTPと呼ばれている台紙やアルミ箔で包装されているものが普通ですし，粉薬は1包ずつ薬包紙や袋に分包してあるものもあります。そういう台紙やアルミ箔，薬包紙にそんなにいろいろな表示がしてあるだろうかといいますと，そうとは限りません。それらの包装は，医薬品医療機器等法でいう「直接の容器」ではなく，薬を服用しやすくするた

めの道具（いってみればスプーンみたいなものですね）であるとみなし，このような場合は「内袋」といって表示しなくてもよい扱いになっています。

2 容器等へのバーコードの表示（令和元年12月4日から3年以内に施行）

医療安全の確保の観点から，製造，流通から医療現場に至るまでの一連の過程において，医薬品，医療機器及び再生医療等製品の情報管理，使用記録の追跡，取り違えの防止など，バーコードの活用によるトレーサビリティの向上が重要になっています。このような取組みによる安全対策を推進するため，医薬品等の直接の容器・被包や小売用包装に，国際的な標準規格に基づくバーコードの表示を求めることとなりました。具体的には，条文をみてみましょう。

医薬品医療機器等法

（医薬品，医療機器又は再生医療等製品を特定するための符号の容器への表示等）

第68条の2の5　医薬品，医療機器又は再生医療等製品の製造販売業者は，厚生労働省令で定める区分に応じ，医薬品，医療機器又は再生医療等製品の特定に資する情報を円滑に提供するため，医薬品，医療機器又は再生医療等製品を特定するための符号のこれらの容器への表示その他の厚生労働省令で定める措置を講じなければならない。

厚生労働省令が発出されないと具体的な表示の対象や方法については明らかではありませんが，既に行政指導として，医療用医薬品などについてはバーコード表示が進められていることから，これを法制化することによってその徹底が図られるものと考えられます。このバーコードの表示によって，製薬会社，卸，医療機関などの販売，納入，在庫などの管理の合理化，効率化が期待できるとともに，医療の現場においても，投薬，服薬などの管理に利用することも期待されています。

3 添付文書

医師や薬剤師などの医療関係者だけでなく，一般の人々の間でも医薬品の安全性や有効性に対する関心はたいへん高いものとなっていますが，それだけに医薬品の説明書である添付文書はたいへん重要なものになっています。

製薬企業もこの添付文書の作成にはたいへん力を入れており，医薬品の開発から実際の使用まで，たくさんの情報がこの1枚にコンパクトに集約されているということで，医療関係者にとっても，また一般消費者にとっても医薬品についての最も重要な情報源ということができます。

“能書きばっかりくどくど並べやがって”などというセリフがありますが，昔は薬の能書（ノーガキ）というと，オーバーな，まるでその薬を服用すればすべての病気が治ってしまいそうな印象を与えるものもあったようです。しかし，医薬品医療機器等法によって，添付文書は，厚生労働省への届出が義務化されており，また，その記載内容についての通知が出されています。

（1）添付文書の記載事項

添付文書については，令和元年12月の法改正によって，その電子化が導入されるなど，全面的に改正されましたが，記載内容等には大きな変更はないと考えられますので，まずは現行の規制をみていきましょう。

次の医薬品医療機器等法の規定は，この添付文書への記載事項について定めたものです。この規定は，正確には，薬の使い方や使用上の注意などについて，添付文書か，あるいは添付文書を付けないときは容器や外箱にそれらの事項を書いておきなさいというものです。実際には使用上の注意などを容器のラベルのような狭い場所に書ききれるものではありませんから，ほとんどの医薬品に添付文書が付いています。したがってこの条文は，事実上，添付文書への記載についての規定ということになります。

医薬品医療機器等法

（添付文書等の記載事項）

第52条　医薬品は，これに添付する文書又はその容器若しくは被包（以下この条において「添付文書等」という。）に，当該医薬品に関する最新の論文その他により得られた知見に基づき，次に掲げる事項（次項及び次条において「添付文書等記載事項」という。）が記載されていなければならない。ただし，厚生労働省令で別段の定めをしたときは，この限りでない。

一　用法，用量その他使用及び取扱い上の必要な注意

二　日本薬局方に収められている医薬品にあつては，日本薬局方において添付文書等に記載するように定められた事項

三　第41条第3項の規定によりその基準が定められた体外診断用医薬品にあつては，その基準において添付文書等に記載するように定められた事項

四　第42条第1項の規定によりその基準が定められた医薬品にあつては，その基準において添付文書等に記載するように定められた事項

五　前各号に掲げるもののほか，厚生労働省令で定める事項

1は，「用法・用量」と「使用及び取扱い上の注意」についての記載についてです。

用法・用量は，1回何錠服用するか，何mL注射するかというような医薬品の使用量です。取扱い上の注意というのは，たとえば，水に溶かして服用する場合の溶かし方とか，よく振ってから使ってくださいとか，喘息薬の吸入器の使い方というように，その医薬品の使い方についての説明などです。

大切なのは使用上の注意です。これは，副作用の説明を中心とするその医薬品の安全性にかかわる記載です。添付文書の最も核心といえる部分です。

製薬企業は，医薬品の承認申請にあたって，治験データを提出しなくてはなりませんが，

その治験の過程でみられた副作用を使用上の注意として添付文書に記載することになります。また，動物実験でみられた副作用と関係があると思われる重要な事項についても使用上の注意の欄に記載します。たとえば，マウスによる慢性毒性試験の結果，腎臓になんらかの影響がみられたというような場合，それが人間の腎臓にも関係するかもしれないということで使用上の注意の欄に記載します。その他，使用上の注意には，たとえば，血圧の高い人や心臓に障害のある人は使用しないようにとか，妊娠している女性は使用しないことという禁忌についての記載もあります。

大切なことは，この使用上の注意の記載内容は，医薬品の市販後の情報によって絶えず見直しされる必要があるということです。市販後，その医薬品が大勢の患者に使用されるようになりますと，治験ではわからなかった副作用が起こることも少なくありません。そういった市販後の情報を的確に集めることが重要ですし，それを正しく評価し，ユーザーに伝えていくことも不可欠です。

このため，医薬品医療機器等法は，製造販売業者に市販後の副作用情報を集めること，そしてそれを厚生労働大臣に報告することを義務づけています。また，医療機関や薬局も，重要な副作用などを知ったときは厚生労働省への報告が義務づけられています（第10章参照）。学会や専門誌などに発表される動物などによる毒性データについても，添付文書に記載されることがあります。

2は，日本薬局方で表示が義務づけられている事項についての規定です。

たとえば，注射剤などで，使用するときに溶かして使うものがあります。普通は注射用水などに溶かすのですが，特別の溶剤を使用するような場合はその溶剤の名前を書きなさい，と局方で規定されています。

3は，基準が定められた体外診断用医薬品について，その基準において添付文書等に記載するように定められた事項。

4は，生物学的製剤基準などに定められている事項について記載することを求めています。

5は，その他で，厚生労働省令で定める事項です。

(2) 医療用医薬品の添付文書記載要領

法律の条文に明示された添付文書の記載事項は上述のとおりですが，さらに厚生労働省は，添付文書の内容をより的確なものにするために，その記載の仕方などについて「記載要領」について通知をしています。

その場合，医療用医薬品の添付文書は医師や薬剤師などの医療の専門家が対象ですが，一般用医薬品は一般の消費者が対象です。したがって専門家向けには専門用語で記載されますが，一般用医薬品では，一般消費者でも理解できるよう平易な言葉でわかりやすいものとするよう求められています。

添付文書は医薬品の最も重要な情報源

①添付文書記載要領

平成29年6月8日付けで，厚生労働省医薬・生活衛生局長通知「医療用医薬品の添付文書等の記載要領について」が発出され，従来の平成9年通知に基づく記載要領が全面的に改正されました。主な変更点は次のとおりです。

・平成9年通知に含まれる「原則禁忌」及び「慎重投与」の廃止，ならびに「特定の背景を有する患者に関する注意」の新設など，添付文書の項目・構造が見直されたこと。
・記載項目に通し番号を設定し，「警告」以降のすべての項目に番号を付与し，該当がない場合は欠番とすることにされたこと。
・添付文書等に記載されるべき内容について全体的な整理が行われたこと。

同通知には，添付文書に記載すべき事項及びその順序が次のように定められています。記載は，この項目番号とともに記載することとされており，記載すべき内容がない項目については繰り上げるのでなく，欠番とすることとされています。

また，使用上の注意は，「記載項目及び記載順序」のうち，「3. 組成・性状」，「4. 効能又は効果」及び「6. 用法及び用量」を除く「1. 警告」から「15. その他の注意」までの項目とするとされました。

医療用医薬品添付文書の記載項目及び記載順序

ア．作成又は改訂年月
イ．日本標準商品分類番号
ウ．承認番号，販売開始年月
エ．貯法，有効期間
オ．薬効分類名
カ．規制区分
キ．名称

1. 警告
2. 禁忌（次の患者には投与しないこと）
3. 組成・性状　3.1　組成　3.2　製剤の性状
4. 効能又は効果
5. 効能又は効果に関連する注意
6. 用法及び用量
7. 用法及び用量に関連する注意
8. 重要な基本的注意
9. 特定の背景を有する患者に関する注意　9.1　合併症・既往歴等のある患者　9.2　腎機能障害患者　9.3　肝機能障害患者　9.4　生殖能を有する者　9.5　妊婦　9.6　授乳婦　9.7　小児等　9.8　高齢者
10. 相互作用　10.1　併用禁忌（併用しないこと）　10.2　併用注意（併用に注意すること）
11. 副作用　11.1　重大な副作用　11.2　その他の副作用
12. 臨床検査結果に及ぼす影響
13. 過量投与
14. 適用上の注意
15. その他の注意　15.1　臨床使用に基づく情報　15.2　非臨床試験に基づく情報
16. 薬物動態　16.1　血中濃度　16.2　吸収　16.3　分布　16.4　代謝　16.5　排泄　16.6　特定の背景を有する患者　16.7　薬物相互作用　16.8　その他
17. 臨床成績　17.1　有効性及び安全性に関する試験　17.2　製造販売後調査等　17.3　その他
18. 薬効薬理　18.1　作用機序
19. 有効成分に関する理化学的知見
20. 取扱い上の注意
21. 承認条件
22. 包装
23. 主要文献
24. 文献請求先及び問い合わせ先
25. 保険給付上の注意
26. 製造販売業者

本通知は，平成31年4月1日施行ですが，令和6年3月31日までの5年間の経過措置が設けられていますので，その間は，従来の通知に基づく添付文書も存在することになります。従来の通知との記載項目及び項目の変更は次のとおりです。

図7-1　旧記載要領と改正記載要領での添付文書の項目比較

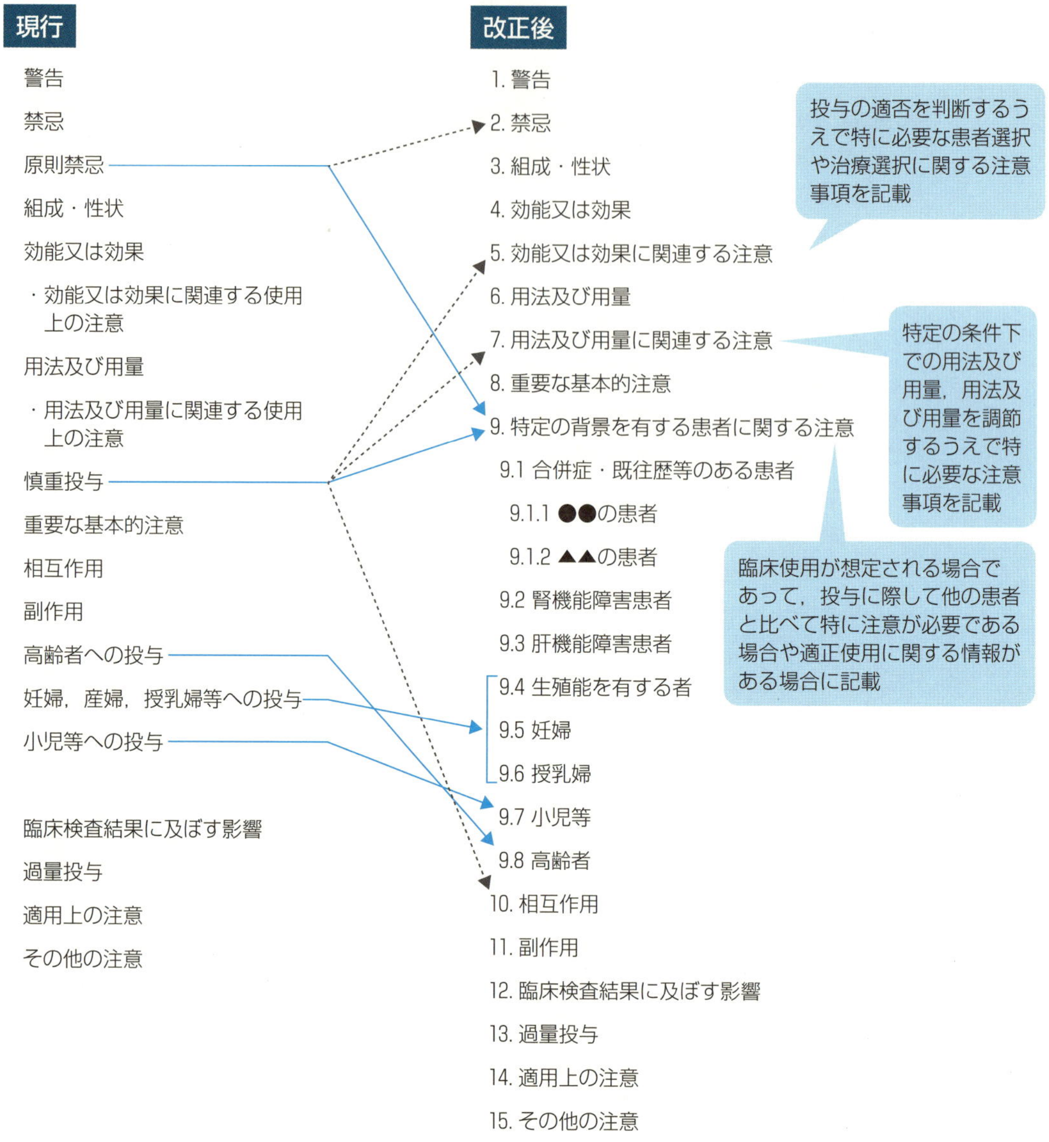

現行

- 警告
- 禁忌
- 原則禁忌
- 組成・性状
- 効能又は効果
  - ・効能又は効果に関連する使用上の注意
- 用法及び用量
  - ・用法及び用量に関連する使用上の注意
- 慎重投与
- 重要な基本的注意
- 相互作用
- 副作用
- 高齢者への投与
- 妊婦，産婦，授乳婦等への投与
- 小児等への投与
- 臨床検査結果に及ぼす影響
- 過量投与
- 適用上の注意
- その他の注意

改正後

1. 警告
2. 禁忌
3. 組成・性状
4. 効能又は効果
5. 効能又は効果に関連する注意
6. 用法及び用量
7. 用法及び用量に関連する注意
8. 重要な基本的注意
9. 特定の背景を有する患者に関する注意
   - 9.1 合併症・既往歴等のある患者
     - 9.1.1 ●●の患者
     - 9.1.2 ▲▲の患者
   - 9.2 腎機能障害患者
   - 9.3 肝機能障害患者
   - 9.4 生殖能を有する者
   - 9.5 妊婦
   - 9.6 授乳婦
   - 9.7 小児等
   - 9.8 高齢者
10. 相互作用
11. 副作用
12. 臨床検査結果に及ぼす影響
13. 過量投与
14. 適用上の注意
15. その他の注意

投与の適否を判断するうえで特に必要な患者選択や治療選択に関する注意事項を記載

特定の条件下での用法及び用量，用法及び用量を調節するうえで特に必要な注意事項を記載

臨床使用が想定される場合であって，投与に際して他の患者と比べて特に注意が必要である場合や適正使用に関する情報がある場合に記載

②各記載項目の記載要領

ア．作成又は改訂年月

(1)　作成又は改訂の年月及び版数を記載すること。

(2)　再審査結果又は再評価結果の公表，効能又は効果の変更又は用法及び用量の変更に伴う改訂の場合は，その旨を併記すること。

イ．日本標準商品分類番号

日本標準商品分類番号は，日本標準商品分類により中分類以下詳細分類まで記載すること。

ウ．承認番号，販売開始年月

(1)　承認番号を記載すること。承認を要しない医薬品にあっては，承認番号に代えて許可番号を記載すること。

(2)　販売開始年月を記載すること。

エ．貯法，有効期間

⑴ 貯法及び有効期間は，製剤が包装された状態での貯法及び有効期間を製造販売承認書に則り記載すること。

⑵ 日本薬局方又は医薬品医療機器法第42条第1項の規定に基づく基準（以下「法定の基準」という。）の中で有効期間が定められたものは，その有効期間を記載すること。

オ．薬効分類名

当該医薬品の薬効又は性質を正しく表すことのできる分類名を記載すること。使用者に誤解を招くおそれのある表現は避けること。

カ．規制区分

毒薬，劇薬，麻薬，向精神薬，覚せい剤，覚せい剤原料，習慣性医薬品，特例承認医薬品及び処方箋医薬品の区分を記載すること。

キ．名称

⑴ 日本薬局方外医薬品にあっては，承認を受けた販売名を記載すること。販売名の英字表記がある場合は，併記すること。

⑵ 法定の基準が定められている医薬品にあっては，基準名を併せて記載すること。それ以外の医薬品であって，一般的名称がある場合には，その一般的名称を併記すること。

⑶ 日本薬局方に収められている医薬品にあっては，日本薬局方で定められた名称を記載し，販売名がある場合は併記すること。

1．警告

致死的又は極めて重篤かつ非可逆的な副作用が発現する場合，又は副作用が発現する結果極めて重大な事故につながる可能性があって，特に注意を喚起する必要がある場合に記載すること。

2．禁忌（次の患者には投与しないこと）

⑴ 患者の症状，原疾患，合併症，既往歴，家族歴，体質，併用薬剤等からみて投与すべきでない患者を記載すること。なお，投与してはならない理由が異なる場合は，項を分けて記載すること。

⑵ 原則として過敏症以外は設定理由を［ ］内に簡潔に記載すること。

3．組成・性状

⑴「3.1　組成」

①有効成分の名称（一般的名称があるものにあっては，その一般的名称）及びその分量（有効成分が不明なものにあっては，その本質及び製造方法の要旨）を，原則として製造販売承認書の「成分及び分量又は本質」欄に則り記載すること。

②医薬品添加剤については，原則として製造販売承認書の「成分及び分量又は本質」欄における有効成分以外の成分について，注射剤（体液用剤，人工灌流用剤，粉末注射剤を含む。）にあっては名称及び分量，その他の製剤にあっては名称をそれぞれ記載すること。

③細胞培養技術又は組換えDNA技術を応用して製造されるペプチド又はタンパク質を有効成分とする医薬品にあっては，産生細胞の名称を記載すること。

⑵「3.2　製剤の性状」

①識別上必要な色，形状（散剤，顆粒剤等の別），識別コードなどを記載すること。

②放出速度を調節した製剤にあっては，その機能を製造販売承認書の「剤形分類」に則り記載すること。

③水性注射液にあっては，pH及び浸透圧比を，無菌製剤（注射剤を除く）にあっては，その旨を記載すること。

4．効能又は効果

⑴ 承認を受けた効能又は効果を正確に記載すること。

⑵ 承認を要しない医薬品にあっては，医学薬学上認められた範囲の効能又は効果であって，届出された効能又は効果を正確に記載すること。

⑶ 再審査・再評価の終了した医薬品にあっては，再審査・再評価判定結果に基づいて記載すること。

5．効能又は効果に関連する注意

承認を受けた効能又は効果の範囲における患者選択や治療選択に関する注意事項を記載すること。なお，原則として，「2．禁忌」に該当するものは記載不要であること。

6．用法及び用量

⑴ 承認を受けた用法及び用量を正確に記載すること。

⑵ 承認を要しない医薬品にあっては，医学薬学上認められた範囲の用法及び用量であって，届出さ

れた用法及び用量を正確に記載すること。

(3) 再審査・再評価の終了した医薬品にあっては，再審査・再評価判定結果に基づいて記載すること。

7. 用法及び用量に関連する注意

承認を受けた用法及び用量の範囲であって，特定の条件下での用法及び用量並びに用法及び用量を調節する上で特に必要な注意事項を記載すること。

8. 重要な基本的注意

重大な副作用又は事故を防止する上で，投与に際して必要な検査の実施，投与期間等に関する重要な注意事項を簡潔に記載すること。

9. 特定の背景を有する患者に関する注意

(1) 特定の背景を有する患者に関する注意について，効能又は効果等から臨床使用が想定される場合であって，投与に際して他の患者と比べて特に注意が必要である場合や，適正使用に関する情報がある場合に記載すること。

(2) 投与してはならない場合は「2. 禁忌」にも記載すること。

(3) 特定の背景を有する患者に関する注意事項を記載した上で，使用者がリスクを判断できるよう，臨床試験，非臨床試験，製造販売後調査，疫学的調査等で得られている客観的な情報を記載すること。

(4) 「9.1　合併症・既往歴等のある患者」

合併症，既往歴，家族歴，遺伝的素因等からみて，他の患者と比べて特に注意が必要な患者であって，「9.2　腎機能障害患者」から「9.8　高齢者」までに該当しない場合に記載すること。

(5) 「9.2　腎機能障害患者」

①薬物動態，副作用発現状況から用法及び用量の調節が必要である場合や，特に注意が必要な場合にその旨を，腎機能障害の程度を考慮して記載すること。

②透析患者及び透析除去に関する情報がある場合には，その内容を簡潔に記載すること。

(6) 「9.3　肝機能障害患者」

薬物動態，副作用発現状況から用法及び用量の調節が必要である場合や，特に注意が必要な場合にその旨を，肝機能障害の程度を考慮して記載すること。

(7) 「9.4　生殖能を有する者」

①患者及びそのパートナーにおいて避妊が必要な場合に，その旨を避妊が必要な期間とともに記載すること。

②投与前又は投与中定期的に妊娠検査が必要な場合に，その旨を記載すること。

③性腺，受精能，受胎能等への影響について注意が必要な場合に，その旨を記載すること。

(8) 「9.5　妊婦」

①胎盤通過性及び催奇形性のみならず，胎児曝露量，妊娠中の曝露期間，臨床使用経験，代替薬の有無等を考慮し，必要な事項を記載すること。

②注意事項は，「投与しないこと」，「投与しないことが望ましい」又は「治療上の有益性が危険性を上回ると判断される場合にのみ投与すること」を基本として記載すること。

(9) 「9.6　授乳婦」

①乳汁移行性のみならず，薬物動態及び薬理作用から推察される哺乳中の児への影響，臨床使用経験等を考慮し，必要な事項を記載すること。

②母乳分泌への影響に関する事項は，哺乳中の児への影響と分けて記載すること。

③注意事項は，「授乳を避けさせること」，「授乳しないことが望ましい」又は「治療上の有益性及び母乳栄養の有益性を考慮し，授乳の継続又は中止を検討すること」を基本として記載すること。

(10) 「9.7　小児等」

低出生体重児，新生児，乳児，幼児又は小児（以下「小児等」という。）に用いられる可能性のある医薬品であって，小児等に特殊な有害性を有すると考えられる場合や薬物動態から特に注意が必要と考えられる場合にその旨を，年齢区分を考慮して記載すること。

(11) 「9.8　高齢者」

薬物動態，副作用発現状況から用法及び用量の調節が必要である場合や特に注意が必要な場合に，その内容を簡潔に記載すること。

10. 相互作用

(1) 他の医薬品を併用することにより，当該医薬品又は併用薬の薬理作用の増強又は減弱，副作用の増強，新しい副作用の出現又は原疾患の増悪等が生じる場合で，臨床上注意を要する組合せを記載すること。これには物理療法，飲食物等との相互作用についても重要なものを含むものであること。

⑵ 血中濃度の変動により相互作用を生じる場合であって，その発現機序となる代謝酵素等に関する情報がある場合は，前段にその情報を記載すること。

⑶「10.1 併用禁忌」は「2.禁忌」にも記載すること。併用禁忌にあっては，相互作用を生じる医薬品が互いに禁忌になるよう整合性を図ること。

⑷ 記載に当たっては，まず相互作用を生じる薬剤名又は薬効群名を挙げ，次いで相互作用の内容として，臨床症状・措置方法，機序・危険因子等を簡潔に記載すること。また，相互作用の種類（機序等）が異なる場合には項を分けて記載すること。

⑸「10.1 併用禁忌」の記載に当たっては，薬剤名として一般的名称及び代表的な販売名を記載すること。

⑹「10.2 併用注意」の記載に当たっては，薬剤名として一般的名称又は薬効群名を記載すること。薬効群名を記載する場合は，原則として，代表的な一般的名称を併記すること。

11．副作用

⑴ 医薬品の使用に伴って生じる副作用を記載すること。

⑵ 副作用の発現頻度を，精密かつ客観的に行われた臨床試験等の結果に基づいて記載すること。

⑶「11.1 重大な副作用」の記載に当たっては次の点に注意すること。

①副作用の転帰や重篤性を考慮し，特に注意を要するものを記載すること。

②副作用の事象名を項目名とし，初期症状（臨床検査値の異常を含む。），発現機序，発生までの期間，リスク要因，防止策，特別な処置方法等が判明している場合には，必要に応じて記載すること。

③海外のみで知られている重大な副作用についても，必要に応じて記載すること。

④類薬で知られている重大な副作用については，同様の注意が必要と考えられる場合に限り記載すること。

⑷「11.2 その他の副作用」の記載に当たっては次の点に注意すること。

①発現部位別，投与方法別，薬理学的作用機序，発現機序別等に分類し，発現頻度の区分とともに記載すること。

②海外のみで知られているその他の副作用についても，必要に応じて記載すること。

12．臨床検査結果に及ぼす影響

当該医薬品を使用することによって，臨床検査値が見かけ上変動し，かつ明らかに器質障害又は機能障害と結びつかない場合に記載すること。

13．過量投与

過量投与時（自殺企図，誤用，小児等の偶発的曝露を含む。）に出現する中毒症状を記載すること。観察すべき項目や処置方法（特異的な拮抗薬，透析の有用性を含む。）がある場合には，併せて記載すること。

14．適用上の注意

⑴ 投与経路，剤形，注射速度，投与部位，調製方法，患者への指導事項など，適用に際して必要な注意事項を記載すること。

⑵ 記載に当たっては，「薬剤調製時の注意」，「薬剤投与時の注意」，「薬剤交付時の注意」又はその他の適切な項目をつけて具体的に記載すること。

15．その他の注意

⑴「15.1 臨床使用に基づく情報」

評価の確立していない報告であっても，安全性の懸念や有効性の欠如など特に重要な情報がある場合はこれを正確に要約して記載すること。

⑵「15.2 非臨床試験に基づく情報」

ヒトへの外挿性は明らかではないが，動物で認められた毒性所見であって，特に重要な情報を簡潔に記載すること。

16．薬物動態

⑴ 原則として，ヒトでのデータを記載すること。ヒトでのデータが得られないものについては，これを補足するために非臨床試験の結果を記載すること。

⑵ 非臨床試験の結果を記載する場合には動物種を，またin vitro試験の結果を記載する場合にはその旨をそれぞれ記載すること。

⑶「16.1 血中濃度」

①健康人又は患者における血中薬物濃度及び主要な薬物動態パラメータを記載すること（ただし，「16.6　特定の背景を有する患者」に該当するものを除く。)。

②単回投与・反復投与の区別，投与量，投与経路，症例数等を明示すること。

(4)「16.2　吸収」

ヒトでのバイオアベイラビリティ，食事の影響等の吸収に関する情報を記載すること。

(5)「16.3　分布」

組織移行，蛋白結合率等の分布に関する情報を記載すること。

(6)「16.4　代謝」

代謝酵素，その寄与等の薬物代謝に関する情報を記載し，主要な消失経路が代謝による場合は，その旨がわかるように記載すること。

(7)「16.5　排泄」

未変化体及び代謝物の尿中又は糞便中の排泄率等の排泄に関する情報を記載し，主要な消失経路が排泄による場合は，その旨がわかるように記載すること。

(8)「16.6　特定の背景を有する患者」

①特定の背景を有する患者における血中薬物濃度，主要な薬物動態パラメータ等を記載すること。

②腎機能障害・肝機能障害・小児等・高齢者等の区分を記載すること。

(9)「16.7　薬物相互作用」

①原則として，「10．相互作用」に注意喚起のある薬物相互作用について，臨床薬物相互作用試験の結果を記載すること。必要に応じて，相互作用の機序・危険因子について，ヒト生体試料を用いたin vitro試験等のデータを補足すること。

②臨床薬物相互作用試験の結果を記載する場合には，相互作用の程度が定量的に判断できるよう，血中濃度や主要な薬物動態パラメータの増減等の程度を数量的に記載すること。

③「10．相互作用」に注意喚起のない薬物相互作用については，併用される可能性の高い医薬品など特に重要な場合に限り，その概要を記載すること。

(10)「16.8　その他」

「16.1　血中濃度」から「16.7　薬物相互作用」までの項目に該当しないが，TDM（therapeutic drug monitoring）が必要とされる医薬品の有効血中濃度及び中毒濃度域，薬物動態（PK）と薬力学（PD）の関係等の薬物動態に関連する情報を記載すること。

17．臨床成績

(1)「17.1　有効性及び安全性に関する試験」

①精密かつ客観的に行われ，信頼性が確保され，有効性及び安全性を検討することを目的とした，承認を受けた効能又は効果の根拠及び用法及び用量の根拠となる主要な臨床試験の結果について，記載すること。

②試験デザイン（投与量，投与期間，症例数を含む。)，有効性及び安全性に関する主要な結果を，承認を受けた用法及び用量に従って簡潔に記載すること。

③副次的評価項目については，特に重要な結果に限り簡潔に記載することができる。

(2)「17.2　製造販売後調査等」

①希少疾病医薬品等の承認時までの臨床試験データが極めて限定的であって，「17.1　有効性・安全性に関する試験」を補完する上で特に重要な結果に限り，記載すること。

②原則として，医薬品の製造販売後の調査及び試験の実施の基準に関する省令（平成　16　年厚生労働省令第171号）に準拠して実施された結果を記載すること。

(3)「17.3　その他」

①「17.1　有効性・安全性に関する試験」及び「17.2　製造販売後調査等」の項目に該当しないが，精密かつ客観的に行われた，有効性評価指標以外の中枢神経系，心血管系，呼吸器系等の評価指標を用いた特に重要な臨床薬理試験（QT/QTc評価試験等）等の結果について，記載すること。

②投与量，症例数，対象の区別（健康人・患者，性別，成人・小児等）を記載すること。

18．薬効薬理

(1)　承認を受けた効能又は効果の範囲であって，効能又は効果を裏付ける薬理作用及び作用機序を記載すること。

(2)「18.1　作用機序」として，作用機序の概要を簡潔に記載すること。作用機序が明確でない場合は，その旨を記載して差し支えない。

(3)「18.2」以降として，効能又は効果を裏付ける薬理作用を適切な項目をつけて記載すること。

(4) ヒトによる薬効薬理試験等の結果を記載する場合には，対象の区別（健康人・患者，性別，成人・小児等）を記載すること。
(5) 非臨床試験の結果を記載する場合には動物種を記載すること。また，in vitro試験の結果を記載する場合にはその旨を記載すること。
(6) 配合剤における相乗作用を表現する場合には，十分な客観性のあるデータがある場合に限り記載すること。

19. 有効成分に関する理化学的知見
一般的名称，化学名，分子式，化学構造式，核物理学的特性（放射性物質に限る。）等を記載すること。ただし，輸液等の多数の有効成分を配合する医薬品にあっては，主たる有効成分を除き，記載を省略して差し支えない。

20. 取扱い上の注意
(1) 開封後の保存条件及び使用期限，使用前に品質を確認するための注意事項など，「エ．貯法及び有効期間」以外の管理，保存又は取扱い上の注意事項を記載すること。
(2) 日本薬局方に収められている医薬品又は法定の基準が定められている医薬品であって，取扱い上の注意事項が定められているものは，その注意事項を記載すること。

(3) 医療用医薬品添付文書の電子化（令和元年12月4日から2年以内に施行）

医療用医薬品や医療機器については，その適正使用のための最新の情報を速やかに医療現場に提供するとともに，納品されるたびに同じ添付文書が提供されるという事態を解消するため，添付文書の製品への同梱を廃止し，電子的な方法による提供を基本とすることになりました。

これにあわせ，同梱に代わる確実な情報提供の方法として，医薬品等の初回納品時や情報改定時には紙媒体による提供を行うこと，最新の添付文書情報へアクセスを可能とする情報を製品の外箱に表示することも決められました。

令和元年の法改正によって，(1) で引用した第52条については全面的に改正され，見出しについても「添付文書等の記載事項」から「容器等への符号等の記載」に変更されました。あわせて，医薬品等の安全対策の章に，新たに第68条の2「注意事項等情報の公表」のほか体制整備や届出に関する条文が整備されたところです。それでは，関係の条文をみてみましょう。

医薬品医療機器等法
（容器等への符号等の記載）
第52条 医薬品（次項に規定する医薬品を除く。）は，その容器又は被包に，電子情報処理組織を使用する方法その他の情報通信の技術を利用する方法であつて厚生労働省令で定めるものにより，第68条の2第1項の規定により公表された同条第2項に規定する注意事項等情報を入手するために必要な番号，記号その他の符号が記載されていなければならない。ただし，厚生労働省令で別段の定めをしたときは，この限りでない。

（注意事項等情報の公表）

第68条の2　医薬品（第52条第2項に規定する厚生労働省令で定める医薬品を除く。以下この条及び次条において同じ。），医療機器（第63条の2第2項に規定する厚生労働省令で定める医療機器を除く。以下この条及び次条において同じ。）又は再生医療等製品の製造販売業者は，医薬品，医療機器又は再生医療等製品の製造販売をするときは，厚生労働省令で定めるところにより，当該医薬品，医療機器又は再生医療等製品に関する最新の論文その他により得られた知見に基づき，注意事項等情報について，電子情報処理組織を使用する方法その他の情報通信の技術を利用する方法により公表しなければならない。ただし，厚生労働省令で別段の定めをしたときは，この限りでない。

2　前項の注意事項等情報とは，次の各号に掲げる区分に応じ，それぞれ当該各号に定める事項をいう。

一　医薬品　次のイからホまでに掲げる事項

イ　用法，用量その他使用及び取扱い上の必要な注意

ロ　日本薬局方に収められている医薬品にあつては，日本薬局方において当該医薬品の品質，有効性及び安全性に関連する事項として公表するように定められた事項

ハ　第41条第3項の規定によりその基準が定められた体外診断用医薬品にあつては，その基準において当該体外診断用医薬品の品質，有効性及び安全性に関連する事項として公表するように定められた事項

ニ　第42条第1項の規定によりその基準が定められた医薬品にあつては，その基準において当該医薬品の品質，有効性及び安全性に関連する事項として公表するように定められた事項

ホ　イからニまでに掲げるもののほか，厚生労働省令で定める事項

二　医療機器　次のイからホまでに掲げる事項

イ　使用方法その他使用及び取扱い上の必要な注意

ロ　厚生労働大臣の指定する医療機器にあつては，その保守点検に関する事項

ハ　第41条第3項の規定によりその基準が定められた医療機器にあつては，その基準において当該医療機器の品質，有効性及び安全性に関連する事項として公表するように定められた事項

ニ　第42条第2項の規定によりその基準が定められた医療機器にあつては，その基準において当該医療機器の品質，有効性及び安全性に関連する事項として公表するように定められた事項

ホ　イからニまでに掲げるもののほか，厚生労働省令で定める事項

三　再生医療等製品　次のイからホまでに掲げる事項

イ　用法，用量，使用方法その他使用及び取扱い上の必要な注意

ロ　再生医療等製品の特性に関して注意を促すための厚生労働省令で定める事項

ハ　第41条第3項の規定によりその基準が定められた再生医療等製品にあつては，その基準において当該再生医療等製品の品質，有効性及び安全性に関連する事項として公表するように定められた事項

ニ　第42条第1項の規定によりその基準が定められた再生医療等製品にあつては，その基準において当該再生医療等製品の品質，有効性及び安全性に関連する事項として公表するように定められた事項

ホ　イからニまでに掲げるもののほか，厚生労働省令で定める事項

（注意事項等情報の提供を行うために必要な体制の整備）

第68条の2の2　医薬品，医療機器又は再生医療等製品の製造販売業者は，厚生労働省令で定めるところにより，当該医薬品，医療機器若しくは再生医療等製品を購入し，借り受け，若しくは譲り受け，又は医療機器プログラムを電気通信回線を通じて提供を受けようとする者に対し，前条第２項に規定する注意事項等情報の提供を行うために必要な体制を整備しなければならない。

（注意事項等情報の届出等）

第68条の2の3　医薬品，医療機器又は再生医療等製品の製造販売業者は，厚生労働大臣が指定する医薬品若しくは医療機器又は再生医療等製品の製造販売をするときは，あらかじめ，厚生労働省令で定めるところにより，当該医薬品の第52条第２項各号に掲げる事項若しくは第68条の２第２項第１号に定める事項，当該医療機器の第63条の２第２項各号に掲げる事項若しくは第68条の２第２項第２号に定める事項又は当該再生医療等製品の同項第３号に定める事項のうち，使用及び取扱い上の必要な注意その他の厚生労働省令で定めるものを厚生労働大臣に届け出なければならない。これを変更しようとするときも，同様とする。

2　医薬品，医療機器又は再生医療等製品の製造販売業者は，前項の規定による届出をしたときは，厚生労働省令で定めるところにより，直ちに，当該医薬品の第52条第２項各号に掲げる事項若しくは第68条の２第２項第１号に定める事項，当該医療機器の第63条の２第２項各号に掲げる事項若しくは第68条の２第２項第２号に定める事項又は当該再生医療等製品の同項第３号に定める事項について，電子情報処理組織を使用する方法その他の情報通信の技術を利用する方法により公表しなければならない。

このように医療用医薬品等の添付文書は電子化が基本とされたことから，法律においても，「注意事項等情報」という用語が用いられることになりました。記載事項や厚生労働省への事前の届出などについては法律上の大きな変更はありませんが，添付文書という用語自体が辞書から消える日がくるかもしれません。

(4) 一般用医薬品の添付文書の記載

一般用医薬品の添付文書の書き方についても通知（医薬発第984号，平成11年8月12日，医薬局長通知）が出ています。一般用医薬品は，一般の消費者が自分の判断で薬局や薬店で購入し，自分で使用方法や注意事項をチェックするために読むものですから，あまり専門的な添付文書では困ります。この通知もそのような趣旨で作られています。

記載項目と記載順序

1. 改訂年月
2. 添付文書の必読及び保管に関する事項
3. 販売名，薬効名及びリスク区分

4. 製品の特徴
5. 使用上の注意
6. 効能又は効果
7. 用法及び用量
8. 成分及び分量
9. 保管及び取扱い上の注意
10. 消費者相談窓口
11. 製造販売業者等の氏名又は名称及び住所

以上のうち，特に使用上の注意については，ただ副作用が書き並べてあっても，一般消費者にはどうしてよいかわかりませんので，通知（薬食発1014第6号，平成23年10月14日）により，次のように理解しやすいよう工夫して記載するよう求めています。

⑴ してはいけないこと
①次の人は使用しないこと
②次の部位には使用しないこと
③他剤を使用している間は，次のいずれの医薬品も使用しないこと
④その他
⑵ 相談すること
①次の人は使用前に医師，歯科医師又は薬剤師に相談すること（歯科医師については，歯科医師が関係する場合にのみ記載すること。）
②次の場合は，直ちに使用を中止し，この文書を持って医師，歯科医師又は薬剤師に相談すること。
③その他
⑶ その他の注意
⑷ 保管及び取扱い上の注意

このうち，「してはいけないこと」及び「相談すること」について，さらに次のような記載要領が示されています。

1 してはいけないこと
⑴次の人は使用しないこと
ア．効能又は効果の範囲であっても，疾病の種類，症状，合併症，既往歴，家族歴，体質，妊娠の可能性の有無，授乳の有無，年齢，性別等からみて使用すべきでない人について，一般使用者が自らの判断で確認できる事項を記載すること。
イ．効能又は効果の範囲以外で，誤って使用されやすい類似の疾病や症状がある場合には，その内容を記載すること
⑵ 次の部位には使用しないこと
⑴に準じて記載すること。
⑶ 本剤を使用している間は，次のいずれの医薬品も使用しないこと
同種同効の医薬品又は相互作用を起こしやすい医薬品との併用に関する注意事項を記載す

ること。

(4)その他

ア．当該医薬品の乳汁への移行性等から乳児に対する危険性がある場合には，当該医薬品の使用期間中は授乳しない又は授乳期間中に当該医薬品を使用しない旨の注意を記載すること。

イ．副作用が発現すると重大な事故につながるおそれがある作業等に関する注意事項がある場合には，その副作用の内容及びそのような作業に従事しない旨の注意を記載すること。

ウ．アルコール等の食品と相互作用を起こす可能性がある場合には，当該医薬品の使用中には，その食品を摂取しない旨の注意を記載すること。

エ．その他，重大な副作用又は事故を防止する目的で当該項目に記載することが適当であると判断される事項があれば記載すること。

2　相談すること

(1)　次の人は使用前に医師，歯科医師又は薬剤師に相談すること

疾病の種類，症状，合併症，既往歴，家族歴，体質，妊娠の可能性の有無，授乳の有無，年齢，性別等からみて，副作用による危険性が高い場合若しくは医師又は歯科医師の治療を受けている人であって，一般使用者の判断のみで使用することが不適当な場合について記載すること。

(2)　使用後次の症状が現れた場合は副作用の可能性があるので，直ちに使用を中止し，この文書を持って医師，歯科医師又は薬剤師に相談すること

ア．副作用のうち，本剤の使用を続けると症状が重くなったり，症状が長く続く恐れのあるものについて記載することとし，一般使用者が判断できる初期症状を主に記載すること。

イ．副作用の内容は一般的な副作用とまれに発生する重篤な副作用に分けて，表形式にする等わかりやすいよう工夫して記載すること。

ウ．副作用の記載に当たっては，最初に，一般的な副作用について発現部位別に症状を記載し，次に，まれに発生する重篤な副作用について副作用名毎に症状を記載すること。なお，重篤な副作用の発現時には医療機関を受診する旨を記載すること。

(3)　使用後，次の症状の持続又は増強がみられた場合は，使用を中止し，この文書を持って医師，歯科医師，薬剤師又は登録販売者に相談すること。本剤の薬理作用等から発現が予想され，容認される軽微な症状であるが，症状の持続又は増強がみられた場合は，医師，歯科医師，薬剤師又は登録販売者に相談する旨を記載する。

(4)　一定の期間又は一定の回数を使用しても症状の改善がみられない場合は，この文書を持って医師，歯科医師，薬剤師又は登録販売者に相談すること。一定の期間又は一定の回数を使用しても症状の改善がみられない場合は，医師，歯科医師，薬剤師又は登録販売者に相談する旨を記載する。この場合，期間又は回数は，可能な限り具体的な数値で記載する。

(5)　その他 上記(1)から(4)に分類されない相談すべき注意事項があれば記載する。

● 外箱への表示

添付文書は，医薬品の箱などの容器の中に入っています。しかし，使用上の注意の中には，「消費者」が買って封を開けてしまってからでは遅い，買う前に知りたい情報があります。

そこで記載要領では，以下の事項は外箱にも記載するよう求めています。

外箱への記載事項

(1) 「次の人は使用しないこと」
(2) 「次の部位には使用しないこと」
(3) 乳汁への移行性等から乳児に対する危険性がある医薬品に関する注意事項
(4) 副作用が発現すると重大な事故につながるおそれがある作業等に関する事項
(5) 専門家への相談の勧奨に関する事項
(6) 添付文書の必読に関する事項
(7) 医薬品の保管に関する事項
(8) 以下の項目等，その他外部の容器又は外部の被包に記載することが適当と考えられる事項
  (1) リスク区分表示
  リスク区分の表示を記載すること。
  (2) 医薬品副作用被害救済制度に関する表示

4 不正表示品の販売禁止

以上のように，医薬品の容器や包装，添付文書には医薬品医療機器等法によって，医薬品を正しく，また安全に使用するためのたくさんの記載義務事項があります。では，このような記載義務事項の記載を怠った場合，どうなるのでしょうか。次の条文をみてください。

医薬品医療機器等法

(記載禁止事項)

第54条 医薬品は，これに添付する文書，その医薬品又はその容器若しくは被包（内袋を含む。）に，次に掲げる事項が記載されていてはならない。
一 当該医薬品に関し虚偽又は誤解を招くおそれのある事項
二 第14条，第19条の2，第23条の2の5又は第23条の2の17の承認を受けていない効能，効果又は性能（第14条第1項，第23条の2の5第1項又は第23条の2の23第1項の規定により厚生労働大臣がその基準を定めて指定した医薬品にあつては，その基準において定められた効能，効果又は性能を除く。）
三 保健衛生上危険がある用法，用量又は使用期間

(販売，授与等の禁止)

第55条 第50条から前条まで，第68条の2第1項，第68条の2の3又は第68条の2の4第1項の規定に違反する医薬品は，販売し，授与し，又は販売若しくは授与の目的で貯蔵し，若しくは陳列してはならない。ただし，厚生労働省令で別段の定めをしたときは，こ

の限りでない。
（注）下線部は令和元年12月4日から2年以内に施行

直接の容器や包装の記載事項については法第50条で定められていました。また，添付文書の記載事項は第52条でした。ですからもし医薬品医療機器等法で定められた記載義務事項が記載されていない医薬品は，この第55条により販売はできません。もし，そのような記載不備の医薬品（不正表示品）が市場に出回った場合は，医薬品医療機器等法違反となり，回収しなければなりません。

こうした記載不備だけでなく，上掲の第54条では，虚偽の記載や誤解を招くような記載，承認されていない効能効果や，保健衛生上の危険がある用法用量，使用期間を記載したものについての販売も禁止しています。

医薬品は適切，正確な情報があって，はじめてその効果を発揮できるものです。中身の錠剤やカプセルだけでなく，容器の表示や添付文書も含めて医薬品なのです。

5 添付文書の届出

添付文書は，基本的にはその医薬品の製造販売業者が，自らのデータに基づいて作成するものですが，使用上の注意などたいへん重要な情報が記載されています。そこで，医薬品医療機器等法では，添付文書の記載事項のうち使用上の注意等の事項について，製造販売に先立ち，及び記載事項を変更する場合，あらかじめ厚生労働大臣に届け出るよう義務を課しています。実際には，機構に届け出ることとされています（法第52条の2)。

医薬品医療機器等法
（添付文書等記載事項の届出等）
第52条の2　医薬品の製造販売業者は，厚生労働大臣が指定する医薬品の製造販売をするときは，あらかじめ，厚生労働省令で定めるところにより，当該医薬品の添付文書等記載事項のうち使用及び取扱い上の必要な注意その他の厚生労働省令で定めるものを厚生労働大臣に届け出なければならない。これを変更しようとするときも，同様とする。

届出事項については，次の事項が定められています（施行規則第216条の6)。なお届出は，書面または電子メールでもよいこととされています。

1　当該医薬品の名称
2　当該医薬品に係る使用及び取扱い上の必要な注意

添付文書等記載事項の提供

また，届け出た添付文書の記載事項については，医師，薬剤師，その他使用者が閲覧できるよう公表することが義務づけられています。公表の方法は，「機構のホームページ」を利用することとされています（施行規則第216条の4）。機構ホームページには「医薬品の添付文書情報」のページが設けられており，誰でも閲覧ができるようになっています。

医薬品医療機器等法

第52条の2

2　医薬品の製造販売業者は，前項の規定による届出をしたときは，直ちに，当該医薬品の添付文書等記載事項について，電子情報処理組織を使用する方法その他の情報通信の技術を利用する方法であつて厚生労働省令で定めるものにより公表しなければならない。

なお，令和元年の法改正により，先に説明したとおり，添付文書の記載事項に関しては大きな改正が行われたところですが，その一環として，「添付文書の届出」についても「注意事項等情報の届出」に変更したうえで，法第68条の2の3，第68条の2の4が整備されました。これらの規定は令和元年12月4日から2年以内に施行されますが，事前の届出，機構のホームページを通じた情報提供については大きな変更はありません。

第8章

医薬品の販売

1 医薬品販売の許可制度

(1) 薬局と医薬品販売業

製造販売業者から出荷された医薬品は，医療用医薬品であれば，卸売販売業者を通して医療機関に販売され，医療機関で使用されるか，または患者に投与され，もしくは薬局で処方箋により調剤されて患者に投薬されます。また，一般用医薬品であれば，卸売販売業者から薬局，薬店に販売され，一般消費者に小売販売されます。この医薬品の販売について，医薬品医療機器等法に許可制度が設けられています。

数年前，一般用医薬品については作用の緩和なものであれば許可を受けた薬局薬店ではなく，コンビニなど一般の小売店でも自由に販売することを可能とするよう規制を緩和すべき，という議論がありました。

しかし，一般用医薬品は，基本的に作用が緩和なものとされていますが，それでも副作用という厄介なデメリットを完全に排除することはできません。また，医薬品の使用方法を誤ったり，過剰に使用したり，同種の成分の医薬品を重複して使用したり，長期にわたって使用したり，その使われ方はさまざまであり，それによって副作用などが出てしまう場合もまれではありません。

したがって，一般用医薬品の販売時には，医薬品の選び方や使用上の注意など適切なアドバイスができる専門知識を持った者が介在することが不可欠である，として許可制度は維持されました。ただ，一般用医薬品と一括りにいっても，その作用の強さや，副作用等は医薬品によってさまざまであり，画一的な販売規制は見直すべきとされ，第2章で説明したように，医薬品のリスク等による区分が行われました。そして平成21年，同26年の二度の薬事法改正により，医薬品の販売体制は大きく改正されました。本章では，その医薬品販売制度について説明することにします。

医薬品医療機器等法

（医薬品の販売業の許可）

第24条 薬局開設者又は医薬品の販売業の許可を受けた者でなければ，業として，医薬品を販売し，授与し，又は販売若しくは授与の目的で貯蔵し，若しくは陳列（配置することを含む。以下同じ。）してはならない。ただし，医薬品の製造販売業者がその製造等をし，又は輸入した医薬品を薬局開設者又は医薬品の製造販売業者，製造業者若しくは販売業者に，医薬品の製造業者がその製造した医薬品を医薬品の製造販売業者又は製造業者に，それぞれ販売し，授与し，又はその販売若しくは授与の目的で貯蔵し，若しくは陳列するときは，この限りでない。

2 前項の許可は，6年ごとにその更新を受けなければ，その期間の経過によつて，その効力を失う。

医薬品の販売は，「薬局又は医薬品販売業」の許可を受けた者でなければ行ってはならない，とされています。

なお，医薬品製造販売業者が，薬局，医薬品製造販売業者，製造業者または販売業者に販売することは，製造販売業の許可の範囲で認められ，医薬品販売業の許可を受ける必要はありません。また，医薬品の製造業者についても，その製造した医薬品を医薬品の製造販売業者または製造業者に販売する場合も医薬品販売業の許可を受ける必要はありません。もちろん，製造販売業者，製造業者が，直接，一般の消費者に売ったり，病院や診療所に販売する場合，つまり“最終のユーザー”に売る場合は医薬品販売業の許可が必要ということになります。

①「業として」の意味

注意してほしいのは，第12条の製造販売業の許可のときと同様に，販売についても「業として」という言葉がついているということです。

第2章で説明したように，医薬品販売の場合も「業として」というのは「営業行為として」ということ，つまり商売としてということです。「業」とみなすかどうかは，それが「反復」し，「継続」されているかどうか，そして「量」や「販売額」が重要になります。一度でも医薬品を売ったら「業」にあたるといわれることだってあります。たとえば，多量の医薬品を売った場合，あるいは量的にはそんなに多くなくても高い価格のものを売り，利益を上げた場合などが考えられます。

②「授与」も許可の対象

次に，この許可の規定は，「販売」だけではなく，「授与」も規制の対象となります。「授与」，つまり「無償」でということ，人に医薬品をただであげるというのなら医薬品医療機器等法とは関係ないんじゃないかと思われがちです。しかし，場合によっては「ただ」であげることも違反になります。“場合によっては”といったのは，ここでもやはり「業として」

という言葉がかかるからです。たとえば，ある人が薬局から買ってきたかぜ薬を，同じように咳をしている友人にあげたって，それだけで医薬品医療機器等法違反といわれることはないでしょう。「業」としてではありませんから。

つまり，商売の一環としての「授与」かどうかということが問題になります。新しい商品について，薬局でサンプルをただで配布することがあります。サンプルですから，1つひとつの量は少なくてもトータルすれば大量です。無料サンプルでも医薬品は医薬品ですから大量に配布されるのであれば，どこでどんな副作用事故が起こるかもしれません。このようなケースは「授与」であっても，販売業の許可を持っているところでやってくださいということで，「授与」でも医薬品医療機器等法で規制する必要がある場合があるということです。

このため，医薬品医療機器等法の販売に関連する条文では，常に，「販売又は授与」と規定しています。ですから，本書で「販売」とだけ書いてあっても，それは「授与」も含むのだと理解してください。また，販売または授与だけでなく，販売または授与を目的とした「陳列」，「貯蔵」も許可の対象となります。

(2) 3種類の医薬品販売業

「医薬品販売業」については次のように規定されています。

医薬品医療機器等法

（医薬品の販売業の種類）

第25条 医薬品の販売業の許可は，次の各号に掲げる区分に応じ，当該各号に定める業務について行う。

一 店舗販売業の許可 要指導医薬品（第4条第5項第3号に規定する要指導医薬品をいう。以下同じ。）又は一般用医薬品を，店舗において販売し，又は授与する業務

二 配置販売業の許可 一般用医薬品を，配置により販売し，又は授与する業務

三 卸売販売業の許可 医薬品を，薬局開設者，医薬品の製造販売業者，製造業者若しくは販売業者又は病院，診療所若しくは飼育動物診療施設の開設者その他厚生労働省令で定める者（第34条第5項において「薬局開設者等」という。）に対し，販売し，又は授与する業務

医薬品販売業として3種類の販売業が規定されています。

① 店舗販売業

② 配置販売業

③ 卸売販売業

①及び②は一般用医薬品の小売販売業です。また③は，卸売販売業です。

「店舗販売業」は，街でみられるいわゆる「薬店」です。

「配置販売業」は，「置き薬屋さん」などと呼ばれ，家庭を訪問して医薬品を販売する販売

業です。

「薬局」は，これらの「医薬品販売業」には含まれていません。

私たちが街角でみかける薬屋さんは，しばしばひとからげにして「薬局」と呼ばれています。しかし，「薬屋」さんには2種類あります。一般用医薬品のテレビコマーシャルでも，「薬局薬店でお求めください」といっています。薬局と薬店とは，法的にいえば，「薬局」と「店舗販売業」です。医薬品医療機器等法では，「薬局」を次のように定義しています。

医薬品医療機器等法

（定義）

第2条

12　この法律で「薬局」とは，薬剤師が販売又は授与の目的で調剤の業務並びに薬剤及び医薬品の適正な使用に必要な情報の提供及び薬学的知見に基づく指導の業務を行う場所（その開設者が併せ行う医薬品の販売業に必要な場所を含む。）をいう。ただし，病院若しくは診療所又は飼育動物診療施設の調剤所を除く。

（注）下線部は令和元年12月4日から1年以内に施行

「薬局」とは，「薬剤師が販売又は授与の目的で調剤の業務を行う場所」なのです。

調剤というのは，医師の処方箋に従って，医薬品を調合したり，取り揃えることです。

その薬局に対し，医薬品医療機器等法では，上掲の第24条で「医薬品の販売」を認めています。つまり，薬局は，①医療用医薬品の調剤を行う場所であり，そして②一般用医薬品の小売販売を行うこともできる，という2つの顔を持っているのです。

ですから，薬局には「調剤室」があり，その薬局には，「販売業に必要な場所を含む」とされています。また，その調剤は，薬剤師でなければ行うことができません。したがって，薬局には，薬剤師が配置されていなければなりません。

ただ，最近は，医薬分業が進み，多くの病院や診療所が院外処方箋を交付するようになりました。このため，処方箋調剤を専門にする「調剤薬局」が増え，一般用医薬品を扱わない薬局が多くみられるようになりました。このような「調剤薬局」は，これまでの小売販売業としての薬局とはずいぶんイメージが変わりました。

医薬品医療機器等法第6条では，次のように「薬局」という名称を薬局以外のものに使用してはならない，と規定しています。

医薬品医療機器等法

（名称の使用制限）

第6条　医薬品を取り扱う場所であつて，第4条第1項の許可を受けた薬局（以下単に「薬局」という。）でないものには，薬局の名称を付してはならない。ただし，厚生労働省令で定める場所については，この限りでない。

ですから，街の薬屋さんには，「○○薬局」という名前のところと，店舗販売業であるため，「○○薬品」とか「○○薬舗」，「ドラッグストア」などというように“薬局”という名称をつけていないところとがあるのです。

なお，街の薬局だけでなく病院や診療所などにも「薬局」があります。法律的にいうと，街の薬局は医薬品医療機器等法によって規定されていますが，病院や診療所の薬局は医療法という別の法律の対象となっています。医療法第21条では院内の薬局は「調剤所」と呼ばれています。この「調剤所」も「薬局」と呼ばれていますが，それは医薬品医療機器等法施行規則第10条で「病院又は診療所の調剤所」も「薬局」といっていい，という特例が定められているからです。

2 薬局及び医薬品販売業の許可

（1）薬局の許可

①薬局の開設

薬局を開設するためには許可が必要です。

医薬品医療機器等法

（開設の許可）

第4条　薬局は，その所在地の都道府県知事（その所在地が保健所を設置する市又は特別区の区域にある場合においては，市長又は区長。次項，第7条3項及び第10条（第38条第1項において準用する場合を含む。）において同じ。）の許可を受けなければ，開設してはならない。

次の第5条はその許可の基準です。

医薬品医療機器等法

（許可の基準）

第5条　次の各号のいずれかに該当するときは，前条第1項の許可を与えないことができる。

一　その薬局の構造設備が，厚生労働省令で定める基準に適合しないとき。

二　その薬局において調剤及び調剤された薬剤の販売又は授与の業務を行う体制並びにその薬局において医薬品の販売業を併せ行う場合にあつては医薬品の販売又は授与の業務を行う体制が厚生労働省令で定める基準に適合しないとき。

三　申請者（申請者が法人であるときは，薬事に関する業務に責任を有する役員を含む。第6条の4第1項，第19条の2第2項，第23条の2の17第2項及び第23条の37第2項において同じ。）が，次のイからトまでのいずれかに該当するとき。

イ　第75条第1項の規定により許可を取り消され，取消しの日から3年を経過していない者

ロ　第75条の2第1項の規定により登録を取り消され，取消しの日から3年を経過して

いない者
ハ　禁錮以上の刑に処せられ，その執行を終わり，又は執行を受けることがなくなつた後，3年を経過していない者
ニ　イからハまでに該当する者を除くほか，この法律，麻薬及び向精神薬取締法，毒物及び劇物取締法（昭和25年法律第303号）その他薬事に関する法令で政令で定めるもの又はこれに基づく処分に違反し，その違反行為があつた日から2年を経過していない者
ホ　成年被後見人又は麻薬，大麻，あへん若しくは覚醒剤の中毒者
ヘ　心身の障害により薬局開設者の業務を適正に行うことができない者として厚生労働省令で定めるもの
ト　薬局開設者の業務を適切に行うことができる知識及び経験を有すると認められない者
（注）下線部は令和元年12月4日より2年以内に施行

薬局の許可要件を整理してみると次のとおりです。

① 構造設備が厚生労働省で定める基準に適合していること。
② 調剤及び調剤された薬剤の販売または授与の業務を行う体制ならびにその薬局において医薬品の販売業を併せ行う場合にあっては医薬品の販売または授与の業務を行う体制が厚生労働省令で定める基準に適合していること。
③ 薬局開設者（法人の場合は，代表者だけでなく役員も）が医薬品医療機器等法など薬事に関連する法律に違反し，処分等を受けてから一定の期間を経過していない者でないこと。

① 第1号の「厚生労働省令で定める基準」としては，「薬局等構造設備規則」（昭和36年2月1日厚生省令第2号）があり，この省令で薬局の構造設備の基準が定められています。

たとえば，薬局は調剤をする場所ですから，調剤に必要な調剤室，必要な器具機械の整備が義務づけられています。また，一般用医薬品を販売するための構造設備の基準も規定されています。詳しいことは後でまた説明します。

なお，この「薬局等構造設備規則」は，薬局だけでなく，他の販売業や製造業者等の設備についての基準も定められているたいへん重要な規則です。

② 第2号の「薬局並びに店舗販売業及び配置販売業の業務を行う体制を定める省令」が公布されています。薬局に配置する薬剤師の人数など販売体制について定めています。「体制省令」と呼ばれています。これも，後の項でみることとします。

②薬局と医薬分業（医療提供施設としての薬局）

医薬品医療機器等法では，薬局とは「調剤を実施する場所」と定義されていると説明しました。「調剤」とは，簡単にいえば，医師の処方箋に従って薬剤師が医薬品を取り揃え，あるいは患者の飲みやすいように剤形を整えて（たとえば，錠剤やカプセル剤，シロップ，軟

膏にしたり，あるいは何種類かの粉薬を配合したり），投薬することです。病院内の薬局からお薬をもらうのと同じですね。

医薬分業が進んでいる今日では，街の薬局での処方箋調剤は日常的になっています。日本薬剤師会の調査によれば，平成30年度の処方箋受取率（病院や診療所で投薬を受ける者が処方箋を受け取った割合）は，全国平均で74.0%，処方箋の枚数で約8億1,000万枚に達しています。このような状況の変化から平成18（2006）年に行われた医療法の改正で，薬局は，病院や診療所と並んで，「医療提供施設」と位置づけられました。

医療法

（医療の基本理念）

第１条の２

２　医療は，国民自らの健康の保持増進のための努力を基礎として，医療を受ける者の意向を十分に尊重し，病院，診療所，介護老人保健施設，調剤を実施する薬局その他の医療を提供する施設（以下「医療提供施設」という。），医療を受ける者の居宅等において，医療提供施設の機能（以下「医療機能」という。）に応じ効率的に，かつ，福祉サービスその他の関連するサービスとの有機的な連携を図りつつ提供しなければならない。

以前は，薬局はどちらかといえば，「医薬品の小売販売業」という印象が強く，医療法上の医療施設としての位置づけがあいまいでした。しかし，医薬分業の進展によって薬局のイメージは大きく変わりました。

薬局，薬剤師という制度は明治のはじめに生まれました。当時，明治政府は，日本の医療制度の近代化のためドイツの医療制度を導入することを決め，ドイツから専門家を招聘しました。その専門家の医師が，「日本政府は，ドイツの医療制度を導入し，医師制度をつくるのであれば，薬剤師制度を合わせてつくり，医薬分業を定着させるべき」と勧告しました。

この勧告に従って，明治7年，わが国の初めての医療法令である「医制」が定められ，今日の医師・薬剤師制度の基礎がつくられました。しかし，漢方医療の慣行と伝統が残るわが国では，医薬分業はなかなか普及しませんでした。いまさら説明するまでもありませんが，医薬分業とは，患者に対して薬剤を交付するにあたって「医師は，処方箋を患者に交付」し，「薬剤師は，その処方箋に従って調剤する」こと，つまり「投薬」という行為を「医師」と「薬剤師」とに分離して行うことをいいます。この医薬分業の目的は，おおむね次の3点に集約されます。

① 処方箋による医師の処方内容の情報開示

② 医師と薬剤師による処方のダブルチェックによる安全確保

③ 医薬品による収益（いわゆる薬価差益）によって処方が左右されることのないよう，処方と患者に対する投薬を分離すること

今日，医薬分業はほぼ国民の間に定着しつつありますが，一方で，国民の健康意識が高まっている中で，一般用医薬品の供給もまた薬局の大きな役割といえましょう。

③薬局の機能に関する認定（令和元年12月4日から2年以内に施行）

患者が自身に適した機能を有する薬局を主体的に選択できるよう，薬局開設許可に加え，特定の機能を有する薬局を法令上明確にし，その名称の表示を可能とすることとされました。具体的には，地域連携薬局と専門医療機関連携薬局の2つです。これらの薬局については，厚生労働省令で基準が作られ，都道府県知事が認定する仕組みになっています。なお，認定された薬局以外のものは，これらの名称や紛らわしい名称を用いることは禁止されています（いわゆる名称独占の制度）。それでは，まず，地域連携薬局から条文をみてみましょう。

医薬品医療機器等法

（地域連携薬局）

第6条の2　薬局であつて，その機能が，医師若しくは歯科医師又は薬剤師が診療又は調剤に従事する他の医療提供施設と連携し，地域における薬剤及び医薬品の適正な使用の推進及び効率的な提供に必要な情報の提供及び薬学的知見に基づく指導を実施するために必要な機能に関する次に掲げる要件に該当するものは，その所在地の都道府県知事の認定を受けて地域連携薬局と称することができる。

一　構造設備が，薬剤及び医薬品について情報の提供又は薬学的知見に基づく指導を受ける者（次号及び次条第1項において「利用者」という。）の心身の状況に配慮する観点から必要なものとして厚生労働省令で定める基準に適合するものであること。

二　利用者の薬剤及び医薬品の使用に関する情報を他の医療提供施設と共有する体制が，厚生労働省令で定める基準に適合するものであること。

三　地域の患者に対し安定的に薬剤を供給するための調剤及び調剤された薬剤の販売又は授与の業務を行う体制が，厚生労働省令で定める基準に適合するものであること。

四　居宅等（薬剤師法（昭和35年法律第146号）第22条に規定する居宅等をいう。以下同じ。）における調剤並びに情報の提供及び薬学的知見に基づく指導を行う体制が，厚生労働省令で定める基準に適合するものであること。

すなわち，地域連携薬局とは，地域において，在宅医療への対応や入退院時をはじめとす

る他の医療機関，薬局等との服薬情報の一元的・継続的な情報連携において役割を担うことが期待されています。次に，専門医療機関連携薬局の関係条文は次のとおりです。

医薬品医療機器等法
（専門医療機関連携薬局）
第６条の３　薬局であつて，その機能が，医師若しくは歯科医師又は薬剤師が診療又は調剤に従事する他の医療提供施設と連携し，薬剤の適正な使用の確保のために専門的な薬学的知見に基づく指導を実施するために必要な機能に関する次に掲げる要件に該当するものは，厚生労働省令で定めるがんその他の傷病の区分ごとに，その所在地の都道府県知事の認定を受けて専門医療機関連携薬局と称することができる。
一　構造設備が，利用者の心身の状況に配慮する観点から必要なものとして厚生労働省令で定める基準に適合するものであること。
二　利用者の薬剤及び医薬品の使用に関する情報を他の医療提供施設と共有する体制が，厚生労働省令で定める基準に適合するものであること。
三　専門的な薬学的知見に基づく調剤及び指導の業務を行う体制が，厚生労働省令で定める基準に適合するものであること。

専門医療機関連携薬局は，がん等の薬物療法を受けている患者に対し，医療機関との密な連携を行いつつ，より丁寧な薬学管理や高い専門性を求められる特殊な調剤に対応できることが期待されています。このため，がん等の傷病の区分ごとに認定される仕組みが導入されました。

この2つの薬局について，法律の条文上では1号と2号は同じ表現となっていますが，それぞれの機能に応じて，厚生労働省令で示される基準は異なってくると考えられます。また，地域連携薬局の3号及び4号，専門医療機関連携薬局の3号がそれぞれの特徴を表しています。

この認定制度は患者が自分に適した薬局を選ぶために設けられたものであることから，認定された薬局がきちんとその機能を果たし，選んでくれた患者に適切に対応することがなによりも重要であると考えられます。

(2) 医薬品販売業の許可

①店舗販売業の許可

店舗販売業は，その名のとおり，薬局同様，店舗を構えて医薬品の販売を行う業態です。個人商店としての薬店だけでなく，処方箋を扱っておらず，一般用医薬品の販売のみを行っているスーパーやコンビニなども，店舗販売業ということになります。

これに対し，後で出てくる配置販売業は，店舗販売は認められておらず，家庭を訪問して医薬品を配置し，販売する業態です。

店舗販売業の許可は，都道府県知事，保健所政令市，または特別区の市長または区長によって行われます。そして，許可の要件として次のように定められています。

医薬品医療機器等法
（店舗販売業の許可）
第26条
4　次の各号のいずれかに該当するときは，第１項の許可を与えないことができる。
一　その店舗の構造設備が，厚生労働省令で定める基準に適合しないとき。
二　薬剤師又は登録販売者を置くことその他その店舗において医薬品の販売又は授与の業務を行う体制が適切に医薬品を販売し，又は授与するために必要な基準として厚生労働省令で定めるものに適合しないとき。
5　第5条（第３号に係る部分に限る。）の規定は，第１項の許可について準用する。
（注）下線部は令和元年12月4日から２年以内に施行

3つの許可要件があります。
①　店舗の構造設備が厚生労働省令（薬局等構造設備規則）で定める基準に適合していること。構造設備規則については後の項で説明します。
②　薬剤師または登録販売者（後で説明します）を配置し，また販売体制が厚生労働省の定める基準（薬局並びに店舗販売業及び配置販売業の業務を行う体制を定める省令，いわゆる体制省令）に適合していること。省令については後で説明します。
③　店舗販売業の許可申請者が，第5条第3号イ～トに該当するものでないこと。
第5条第3号イ～トとは，薬局の許可要件と同じです。上述の薬局の項を参照してください。

②配置販売業の許可

配置販売業というのは日本独特の薬の販売方法で，400年という古い歴史をもっています。「越中富山の置き薬」といわれるように，その発祥は富山県ともいわれています。販売方法は，配置員が家々を訪れて胃腸薬，風邪薬などの入った薬箱を置いていきます。そして，半年から1年ぐらい後にまたやってきて，箱の中からその間に使った分だけ薬代をもらい，新しい薬を補填して帰っていきます。このような販売方法を，「先用後利」（せんようこうり）と呼びます。人と人との信頼関係が強い社会だけでしかできない販売方法であり，そのような配置販売が400年も続いてきたことは驚きです。このような販売方法が成り立つのは日本だけかもしれません。

昔は，年に何回か訪れてくる置き薬屋の伯父さん（配置員）は，子供たちにとってはたいへん楽しみな存在でした。子供たちに紙風船やコマなどのお土産を持って現れて，遠くのまだ見たことのない街の話をおもしろおかしく話してくれるサンタクロースのような存在だったといってよいでしょう。テレビは無論，電話も新聞もなかった時代には，村々の大切な情報源だったかもしれません。

配置販売業も都道府県知事が許可を行うこととなっています。次のような許可要件が定められています。

医薬品医療機器等法

（配置販売業の許可）

第30条 配置販売業の許可は，配置しようとする区域をその区域に含む都道府県ごとに，その都道府県知事が与える。

3 薬剤師又は登録販売者が配置することその他当該都道府県の区域において医薬品の配置販売を行う体制が適切に医薬品を配置販売するために必要な基準として厚生労働省令で定めるものに適合しないときは，第1項の許可を与えないことができる。

4 第5条（第3号に係る部分に限る。）の規定は，第1項の許可について準用する。

（注）下線部は令和元年12月4日から2年以内に施行

配置販売業は，店舗を持ちませんから，「配置しようとする地域」ごとに，その区域が所属する都道府県知事の許可を受けることになります。配置しようとする地域が2つ以上の県にまたがるときは，それぞれの県で許可を受けなければなりません。

次に，許可の要件は，

① 薬剤師または登録販売者が配置すること（なお，配置販売業については，平成21年施行の改正薬事法以前に許可を得た既存配置販売業については，附則により経過措置が定められています)。

② また，配置販売の在り方が，厚生労働省が定めた基準（薬局並びに店舗販売業及び配置販売業の業務を行う体制を定める省令，いわゆる体制省令）に適合していること。

③ 第4項は，薬局の規定に準じています。

また，配置販売を行うためには，その配置従事者（配置員）についてあらかじめ，配置販売をしようとする区域の都道府県知事に届け出る必要があります。

医療品医療機器等法

（配置従事の届出）

第32条 配置販売業者又はその配置員は，医薬品の配置販売に従事しようとするときは，その氏名，配置販売に従事しようとする区域その他厚生労働省令で定める事項を，あらかじめ，配置販売に従事しようとする区域の都道府県知事に届け出なければならない。

(3) 販売方法の制限

ここで，次の条文に触れておきたいと思います。

医薬品医療機器等法

（販売方法等の制限）

第37条　薬局開設者又は店舗販売業者は店舗による販売又は授与以外の方法により，配置販売業者は配置以外の方法により，それぞれ医薬品を販売し，授与し，又はその販売若しくは授与の目的で医薬品を貯蔵し，若しくは陳列してはならない。

薬局，店舗販売業と，配置販売業の販売方法とを明確に区別しています。つまり，薬局及び店舗販売業は，店舗を構えて医薬品小売業を営むという許可を得るわけです。一方，配置販売業は，店舗を持ちません。そこで，医薬品医療機器等法では店舗販売業は，店舗による販売または授与以外の方法で販売または授与してはならない，一方，配置販売業者は配置以外の方法で販売してはならないと制限しています。

なお，厚生労働省は配置販売は訪問販売とは異なるもの，であるとしています。通常の訪問販売は，商品を持って家庭を訪問し，その場で代金を受け取る，いわゆる「現金販売」です。配置販売のように，後日，その家をもう一度訪問するかどうかはわかりません。したがって，"行きずり"に品質不良品や無許可医薬品を販売するなどの不正な販売を行う可能性もあることから，"行商"や"訪問販売は認めない"こととされているのです。

(4) 特定販売（医薬品のインターネット等郵通信販売）

平成26年施行の薬事法改正により，一般用医薬品のインターネット販売が解禁されました。

改正前の薬事法では，医薬品の販売は，薬局，店舗販売業という実店舗において，来店した消費者に対面販売すること，及び「先用後利」による配置販売業による販売を前提としていました。したがって，インターネットやテレビ，カタログなどで知った消費者が，薬局，薬店の電話や郵便，eメールなどで注文し，商品は郵便や宅配で配送される，といった通信販売については，リスクの比較的低い第3類医薬品のみにしか認めないとしていました。しかし，一般商品でのインターネットやカタログ販売等が普及している現状から，政府の規制緩和の一環として，インターネット等による一般用医薬品の通信販売を解禁することが決まりました。次の条文は，薬局の許可申請に必要な資料を定めた規定です。

医薬品医療機器等法

（開設の許可）

第4条第3項第4

ロ　その薬局においてその薬局以外の場所にいる者に対して一般用医薬品を販売し，又は授与する場合にあつては，その者との間の通信手段その他の厚生労働省令で定める事項を記載した書類

「その薬局以外の場所にいる者に対して一般用医薬品を販売し，又は授与する場合」とは，つまり，薬局や薬店には来店せず，インターネットやテレビのコマーシャル，カタログなど

で商品の存在を知り，電話やメールなどで注文してくる消費者に医薬品を販売する場合，つまり通信販売，いわゆる“ツーハン”です。

医薬品医療機器等法施行規則では，次のようにこれを，「特定販売」と呼んでいます。

医薬品医療機器等法施行規則

（開設の申請）

第１条第２項

四　特定販売（その薬局又は店舗におけるその薬局又は店舗以外の場所にいる者に対する一般用医薬品又は薬局製造販売医薬品（毒薬及び劇薬であるものを除く。第４項第２号ホ及び第１５条の６において同じ。）の販売又は授与をいう。以下同じ。）の実施の有無

後述するように，「特定販売」は，薬局医薬品及び要指導医薬品については認められず，一般用医薬品及び薬局製造販売医薬品のみに認められます。

一般の商品の通信販売と異なるのは，医薬品医療機器等法では，「特定販売」は，実店舗を持つ薬局，店舗販売業に限り認めることとしている点です。ですから，店舗を持たず，コンピュータ画面上の“バーチャル薬局”のみで医薬品の販売をすることは認められません。医薬品という人の生命，健康に影響を与える医薬品の安全性を担保するため，実店舗による特定販売に限ることとされたのです。したがって，以下，医薬品医療機器等法による医薬品販売に関する規制を説明していきますが，特定販売によって医薬品を販売する場合にも，すべてそれらの規定が適用されます。その上で，「特定販売」固有の規定が追加規定されています。その内容については後の項で説明します。

3　登録販売者制度

許可要件のところでみたように，店舗販売業者，配置販売業者は，薬剤師または「登録販売者」を置くことを義務づけられています。

この登録販売者制度は，平成21年施行の薬事法改正によって設けられました。

その改正以前は，「一般販売業」，「薬種商販売業」，「特例販売業」という業種があり，一般販売業の場合は薬剤師を配置することが必要であり，また，「薬種商販売業」は都道府県知事が行う薬種商販売業の開設者試験に合格していることが必要でした。また，「特例販売業」及び配置販売業は許可は必要でしたが，何らかの試験を受けた者を配置する義務はありませんでした。

（1）登録販売者とは

「登録販売者」とはなにか。まず第４条第５項第１号です。

医薬品医療機器等法

第4条第5項

一　登録販売者　第36条の8第2項の登録を受けた者をいう。

そこで，その第36条の8をみますと，次のように規定されています。

医薬品医療機器等法

（資質の確認）

第36条の8　都道府県知事は，一般用医薬品の販売又は授与に従事しようとする者がそれに必要な資質を有することを確認するために，厚生労働省令で定めるところにより試験を行う。

2　前項の試験に合格した者又は第2類医薬品及び第3類医薬品の販売若しくは授与に従事するために必要な資質を有する者として政令で定める基準に該当する者であつて，医薬品の販売又は授与に従事しようとするものは，都道府県知事の登録を受けなければならない。

つまり，登録販売者とは，

①　一般用医薬品の販売または授与するのに必要な資質を持っているか確認するための試験（登録販売者試験）に合格した者であって，

②　医薬品の販売または授与に従事する者として都道府県知事の登録を受けた者

です。

なお，上記条文では，試験に合格した者に加え，「第2類医薬品及び第3類医薬品を販売するために必要な資質を有する者として政令で定める基準に該当する者」とあります。平成21年施行の薬事法改正前の「薬種商販売業」の開業試験，「薬種商販売業試験」に合格した者については，登録販売者試験に合格した者として，登録することが認められています。

(2) 登録販売者試験

登録販売者試験は，各都道府県で実施され，受験者は自分の希望する都道府県で申請し，受験することができます（医薬品医療機器等法施行規則第159条の5）。

試験の内容，受験手続等については，医薬品医療機器等法施行規則第159条の3及び平成19年8月8日薬食総発第0808001号医薬食品局総務課長通知「登録販売者試験実施要領」により定められています。

医薬品医療機器等法施行規則

（登録販売者試験）

第159条の3　法第36条の8第1項に規定する試験（以下「登録販売者試験」という。）は，筆記試験とする。

2　筆記試験は，次の事項について行う。

一　医薬品に共通する特性と基本的な知識
二　人体の働きと医薬品
三　主な医薬品とその作用
四　薬事に関する法規と制度
五　医薬品の適正使用と安全対策

第159条の4　登録販売者試験は，毎年少なくとも1回，都道府県知事が行う。
2　試験を施行する期日及び場所並びに受験願書の提出期間は，あらかじめ，都道府県知事が公示する。

また，登録販売者試験の試験問題について，具体的にどのような内容について試験されるのか，厚生労働省から「登録販売者試験実施要領」や「試験問題作成の手引き」が示されています（医薬品の販売制度ホームページ（https://www.mhlw.go.jp/stf/seisakunitsuite/bunya/0000082514.html））。

(3) 販売従事登録

無事に試験に合格すると，次に，実際に販売に従事する先の登録（販売従事登録）をしなければなりません。登録については，医薬品医療機器等法施行規則で次のように規定されています。

医薬品医療機器等法施行規則

（販売従事登録の申請）

第159条の7　法第36条の4第2項の規定による登録（以下「販売従事登録」という。）を受けようとする者は，様式第86の2による申請書を医薬品の販売又は授与に従事する薬局又は医薬品の販売業の店舗の所在地の都道府県知事（配置販売業にあつては，配置しようとする区域をその区域に含む都道府県知事。以下，この条において同じ。）に提出しなければならない。

登録は，これから勤めようとする薬局，店舗販売業の所在地の都道府県に申請します。

配置販売業の場合は，配置販売業者の勤務する予定の配置販売区域のある都道府県に申請します。

受験した都道府県以外のところでも登録することができます。また，一度ある薬局や店舗販売業に勤めることで登録しても，他店に変わろうという場合は，新たに販売従事登録を行わなければなりません。

登録を済ませると，都道府県から，「販売従事登録証」が交付されます。

その他，勤務先を変更する場合等，登録販売者に関する諸手続きについて医薬品医療機器等法施行規則第159条の8～159条の13に規定されています。

4 医薬品の区分による販売

(1) 医薬品の販売従事者

薬局医薬品から一般用医薬品まで，その区分に応じて医薬品医療機器等法では，その販売に従事する者が定められています。

医薬品医療機器等法

（薬局医薬品の販売に従事する者等）

第36条の3 薬局開設者は，厚生労働省令で定めるところにより，薬局医薬品につき，薬剤師に販売させ，又は授与させなければならない。

（要指導医薬品の販売に従事する者等）

第36条の5 薬局開設者又は店舗販売業者は，厚生労働省令で定めるところにより，要指導医薬品につき，薬剤師に販売させ，又は授与させなければならない。

（一般用医薬品の販売に従事する者等）

第36条の9 薬局開設者，店舗販売業者又は配置販売業者は，厚生労働省令で定めるところにより，一般用医薬品につき，次の各号に掲げる区分に応じ，当該各号に定める者に販売させ，又は授与させなければならない。

一 第1類医薬品 薬剤師

二 第2類医薬品及び第3類医薬品 薬剤師又は登録販売者

整理してみると次のとおりです。

薬局医薬品	薬剤師
要指導医薬品	薬剤師
一般用医薬品	
第1類医薬品	薬剤師
第2類医薬品	薬剤師または登録販売者
第3類医薬品	薬剤師または登録販売者

(2) 薬局，医薬品販売業の販売品目

医薬品医療機器等法では，薬局，店舗販売業そして配置販売業それぞれが販売できる品目範囲を規定しています。

①薬局の販売品目

薬局については，薬局医薬品（医療用医薬品及び薬局製造販売医薬品），要指導医薬品及

び一般用医薬品（第1類医薬品，第2類医薬品，第3類医薬品）のいずれも販売ができます。

ただし，薬局医薬品のうち，医療用医薬品については，医師の処方箋により販売することが原則です。特に，処方箋医薬品については，処方箋に基づかなければ販売することができません。

②店舗販売業の販売品目

店舗販売業者は，要指導医薬品及び一般用医薬品のみ販売できます。薬局医薬品，つまり医療用医薬品及び薬局製造販売医薬品を販売することはできません。

医薬品医療機器等法

（店舗販売品目）

第27条　店舗販売業者は，薬局医薬品（第４条第５項第２号に規定する薬局医薬品をいう。以下同じ。）を販売し，授与し，又は販売若しくは授与の目的で貯蔵し，若しくは陳列してはならない。

③配置販売業の販売品目

配置販売業の配置販売品目は，次のように規定されています。

医薬品医療機器等法

（配置販売品目）

第31条　配置販売業の許可を受けた者（以下「配置販売業者」という。）は，一般用医薬品のうち経年変化が起こりにくいことその他の厚生労働大臣の定める基準に適合するもの以外の医薬品を販売し，授与し，又は販売若しくは授与の目的で貯蔵し，若しくは陳列してはならない。

一般用医薬品のうち，厚生労働大臣が基準を定めて指定するもの以外の医薬品は配置販売してはならないとされています。その基準は，平成21年2月6日厚生労働省告示第26号により次のように定められています。

配置販売品目基準

①　経年変化が起こりにくいこと。
②　剤型，用法，用量等からみて，その使用方法が簡易であること。
③　容器又は被包が，壊れやすく，または破れやすいものでないこと。

なお，医薬品医療機器等法施行規則第210条第3号により，医薬品製造販売業者は，この配置品目基準に適合しない医薬品については，「店舗専用」という文字を，直接の容器，被包等に記載しなければならない，こととされています。

(3) 区分に応じた医薬品の販売

医薬品の区分が設けられたのは，医薬品等による健康被害等のリスクはそれぞれ医薬品によって異なり，その販売方法等の規制は一律ではなく個々の医薬品に応じた規制にすべき，ということが理由でした。そこで，前出の「医薬品の販売従事者」に関する規定の中で，次のように定められています。同じ条文ですが再掲してみます。

医薬品医療機器等法

(調剤された薬剤の販売に従事する者)

第9条の2 薬局開設者は，厚生労働省令で定めるところにより，医師又は歯科医師から交付された処方箋により調剤された薬剤につき，薬剤師に販売させ，又は授与させなければならない。

(薬局医薬品の販売に従事する者等)

第36条の3 薬局開設者は，厚生労働省令で定めるところにより，薬局医薬品につき，薬剤師に販売させ，又は授与させなければならない。

(要指導医薬品の販売に従事する者等)

第36条の5 薬局開設者又は店舗販売業者は，厚生労働省令で定めるところにより，要指導医薬品につき，薬剤師に販売させ，又は授与させなければならない。

(一般用医薬品の販売に従事する者)

第36条の9 薬局開設者，店舗販売業者又は配置販売業者は，厚生労働省令で定めるところにより，一般用医薬品につき，次の各号に掲げる区分に応じ，当該各号に定める者に販売させ，又は授与させなければならない。

このように，医薬品の販売は，「厚生労働省令に定めるところ」によって販売しなければならない，と定められています。以下，その内容をみていきましょう。

①薬局医薬品の販売の方法

薬局医薬品の販売の方法については，医薬品医療機器等法施行規則によって次のように定められています。なお，薬局医薬品には，「医療用医薬品」と「薬局製造販売医薬品」が含まれますが，薬局製造販売医薬品については，その販売方法，及び次の項で説明する情報提供のあり方等について「特例」が設けられており，医療用医薬品とは別の規定となっています。したがって，ここでは医療用医薬品について説明しています。薬局製造販売医薬品については本章の「薬局製造販売医薬品の特例」の項でまとめて説明します。

医薬品医療機器等法施行規則

（薬局医薬品の販売等）

第158条の7 薬局開設者は，法第36条の3第1項の規定により，薬局医薬品につき，次に掲げる方法により，その薬局において医薬品の販売又は授与に従事する薬剤師に販売させ，又は授与させなければならない。

一 当該薬局医薬品を購入し，又は譲り受けようとする者が，当該薬局医薬品を使用しようとする者であることを確認させること。この場合において，当該薬局医薬品を購入し，又は譲り受けようとする者が，当該薬局医薬品を使用しようとする者でない場合は，当該者が法第36条の3第2項に規定する薬剤師等である場合を除き，同項の正当な理由の有無を確認させること。

二 当該薬局医薬品を購入し，又は譲り受けようとする者及び当該薬局医薬品を使用しようとする者の他の薬局開設者からの当該薬局医薬品の購入又は譲受けの状況を確認させること。

三 前号の規定により確認した事項を勘案し，適正な使用のために必要と認められる数量に限り，販売し，又は授与させること。

四 法第36条の4第1項の規定による情報の提供及び指導を受けた者が当該情報の提供及び指導の内容を理解したこと並びに質問がないことを確認した後に，販売し，又は授与させること。

五 当該薬局医薬品を購入し，又は譲り受けようとする者から相談があつた場合には，法第36条の4第4項の規定による情報の提供又は指導を行つた後に，当該薬局医薬品を販売し，又は授与させること。

六 当該薬局医薬品を販売し，又は授与した薬剤師の氏名，当該薬局の名称及び当該薬局の電話番号その他連絡先を，当該薬局医薬品を購入し，又は譲り受けようとする者に伝えさせること。

整理してみます。

(1) 購入しようとする者が，当該薬局医薬品を使用しようとする本人であることを確認すること。購入しようとする者が，その薬局医薬品の使用者本人ではない場合は，「正当な理由」によるものかどうか確認すること。

この規定は，前出の医薬品医療機器等法第36条の3第2項に基づいています。

医薬品医療機器等法

第36条の3

2 薬局開設者は，薬局医薬品を使用しようとする者以外の者に対して，正当な理由なく，薬局医薬品を販売し，又は授与してはならない。ただし，薬剤師，薬局開設者，医薬品の製造販売業者，製造業者若しくは販売業者，医師，歯科医師若しくは獣医師又は病院，診療所若しくは飼育動物診療施設の開設者（以下「薬剤師等」という。）に販売し，又は授与するときは，この限りでない。

⑵ 薬局医薬品を購入しようとする者が他の薬局から同じ薬局医薬品を購入していないか確認すること。確認した場合，適正な使用のために必要と認められる数量に限り，販売し，または授与すること。

「適正な使用のために必要と認められる数量」とは，「薬事法施行規則の一部を改正する省令の施行について」（平成26年3月20日，薬食発0310第4号）（施行通知）では，「販売せざるを得ない必要最小限の数量である」としている。

⑶ 情報の提供及び指導を受けた者が，その内容を理解したこと，ならびに質問がないことを確認した後に，販売すること。

⑷ 相談があった場合には，情報の提供または指導を行った後に，当該薬局医薬品を販売すること。

⑸ 販売した薬剤師の氏名，当該薬局の名称及び当該薬局の電話番号その他連絡先を購入しようとする者に伝えること。

処方箋医薬品の販売

医療用医薬品は，既に説明したように，処方箋医薬品と非処方箋医薬品があります。「処方箋医薬品」は，第49条の規定により，医師等からの処方箋の交付を受けた者以外の者に対して「正当な理由」がなく処方箋医薬品を販売することはできませんが，通知では，まず，処方箋医薬品について次のような場合を「正当な理由」としてあげています。

薬食発0318 第4号　平成26 年3月18 日

1　処方箋医薬品について

⑴ 原則

薬局医薬品のうち，処方箋医薬品については，薬剤師，薬局開設者，医薬品の製造販売業者，製造業者若しくは販売業者，医師，歯科医師若しくは獣医師又は病院，診療所若しくは飼育動物診療施設の開設者（以下「薬剤師等」という。）が業務の用に供する目的で当該処方箋医薬品を購入し，又は譲り受けようとする場合に販売（授与を含む。以下同じ。）する場合を除き，新法第49 条第１項の規定に基づき，医師等からの処方箋の交付を受けた者以外の者に対して，正当な理由なく，販売を行ってはならない。

⑵ 正当な理由について

新法第36 条の3第2項に規定する正当な理由とは，次に掲げる場合によるものであり，この場合においては，薬局医薬品を使用しようとする者以外の者に対して販売を行っても差し支えない。

① 大規模災害時等において，本人が薬局又は店舗を訪れることができない場合であって，医師等の受診が困難又は医師等からの処方箋の交付が困難な場合に，現に患者の看護に当たっている者に対し，必要な薬局医薬品を販売する場合

② 地方自治体の実施する医薬品の備蓄のために，地方自治体に対し，備蓄に係る薬局医薬品を販売する場合

③ 市町村が実施する予防接種のために，市町村に対し，予防接種に係る薬局医薬品を販売する場合

④　⑷助産師が行う臨時応急の手当等のために，助産所の開設者に対し，臨時応急の手当等に必要な薬局医薬品を販売する場合

⑤　救急救命士が行う救急救命処置のために，救命救急士が配置されている消防署等の設置者に対し，救急救命処置に必要な薬局医薬品を販売する場合

⑥　船員法施行規則第53条第1項の規定に基づき，船舶に医薬品を備え付けるために，船長の発給する証明書をもって，同項に規定する薬局医薬品を船舶所有者に販売する場合

⑦　医学，歯学，薬学，看護学等の教育・研究のために，教育・研究機関に対し，当該機関の行う教育・研究に必要な薬局医薬品を販売する場合

⑧　在外公館の職員等の治療のために，在外公館の医師等の診断に基づき，現に職員等の看護に当たっている者に対し，必要な薬局医薬品を販売する場合

⑨　臓器の移植に関する法律第12条第1項に規定する業として行う臓器のあっせんのために，同項の許可を受けた者に対し，業として行う臓器のあっせんに必要な薬局医薬品を販売する場合

⑩　新法その他の法令に基づく試験検査のために，試験検査機関に対し，当該試験検査に必要な薬局医薬品を販売する場合

⑪　医薬品，医薬部外品，化粧品又は医療機器の原材料とするために，これらの製造業者に対し，必要な薬局医薬品を販売する場合

⑫　動物に使用するために，獣医療を受ける動物の飼育者に対し，獣医師が交付した指示書に基づき薬局医薬品（専ら動物のために使用されることが目的とされているものを除く。）を販売する場合

⑬　その他①から⑫に準じる場合

非処方箋医薬品の販売

次に，医療用医薬品のうち，「非処方箋医薬品」の販売についてです。

「非処方箋医薬品」は，法第49条第1項が適用されませんから，法的には，非処方箋医薬品を処方箋を持たない一般の消費者に販売しても違反にはならないことになります。しかし，非処方箋医薬品であっても，医師の処方箋に基づいて使用することを前提とした医療用医薬品ですので，通知では，非処方箋医薬品（「処方箋薬以外の医療用医薬品」）について，次のように規定しています。

薬食発0318第4号　平成26年3月18日

2．処方箋医薬品以外の医療用医薬品について

薬局医薬品のうち，処方箋医薬品以外の医療用医薬品（薬局製造販売医薬品以外の薬局医薬品をいう。以下同じ。）についても，処方箋医薬品と同様に，医療用医薬品として医師，薬剤師等によって使用されることを目的として供給されるものである。

このため，処方箋医薬品以外の医療用医薬品についても，効能・効果，用法・用量，使用上の注意等が医師，薬剤師などの専門家が判断・理解できる記載となっているなど医療において用いられることを前提としており，1．⑵に掲げる場合（筆者注：前出の1．処方箋医薬品について，⑵正当な理由について）を除き，薬局においては，処方箋

に基づく薬剤の交付が原則である。

なお，1．⑵に掲げる場合以外の場合であって，一般用医薬品の販売による対応を考慮したにもかかわらず，やむを得ず販売を行わざるを得な場合などにおいては，必要な受診勧奨を行った上で，第3の事項を遵守するほか，販売された処方箋医薬品以外の医療用医薬品と医療機関において処方された薬剤等との相互作用・重複投薬を防止するため，患者の薬歴管理を実施するよう努めなければならない。

つまり，非処方箋医薬品も，販売は処方箋を交付された者に限って販売するのが原則であるとし，処方箋を交付された者以外の者に販売するのは，処方箋医薬品の「正当な理由」に準ずることとしています。

ただ，そうはいっても，非処方箋医薬品の場合，処方箋を持たない一般の購入者に販売することを法で禁じているわけではありませんので，「なお書き」で，「一般用医薬品の販売による対応を考慮したにもかかわらず」，処方箋を持たない者に販売せざるを得ない場合は，

i　必要な受診勧奨を行うこと

ii　患者の薬歴管理を実施するよう努めること

としたうえで，次の点に留意すること，としています。

留意事項

1．販売数量の限定

医療用医薬品を処方箋の交付を受けている者以外の者に販売する場合には，その適正な使用のため，改正省令による改正後の薬事法施行規則（昭和36年厚生省令第1号。以下「新施行規則」という。）第158条の7の規定により，当該医療用医薬品を購入し，又は譲り受けようとする者及び当該医療用医薬品を使用しようとする者の他の薬局開設者からの当該医療用医薬品の購入又は譲受けの状況を確認した上で，販売を行わざるを得ない必要最小限の数量に限って販売しなければならない。

2．販売記録の作成

薬局医薬品を販売した場合は，新施行規則第14条第2項の規定により，品名，数量，販売の日時等を書面に記載し，2年間保存しなければならない。

また，同条第5項の規定により，当該薬局医薬品を購入し，又は譲り受けた者の連絡先を書面に記載し，これを保存するよう努めなければならない。

3．調剤室での保管・分割

医療用医薬品については，薬局においては，原則として，医師等の処方箋に基づく調剤に用いられるものであり，通常，処方箋に基づく調剤に用いられるものとして，調剤室又は備蓄倉庫において保管しなければならない。

また，処方箋の交付を受けている者以外の者への販売に当たっては，薬剤師自らにより，調剤室において必要最小限の数量を分割した上で，販売しなければならない。

4．その他

⑴広告の禁止

患者のみの判断に基づく選択がないよう，引き続き，処方箋医薬品以外の医療用医薬品

を含めた全ての医療用医薬品について，一般人を対象とする広告は行ってはならない。

(2)服薬指導の実施

処方箋医薬品以外の医療用医薬品についても，消費者が与えられた情報に基づき最終的にその使用を判断する一般用医薬品とは異なり，処方箋医薬品と同様に医療において用いられることを前提としたものであるので，販売に当たっては，これを十分に考慮した服薬指導を行わなければならない。

(3)添付文書の添付等

医療用医薬品を処方箋に基づかずに3．により分割して販売を行う場合は，分割販売に当たることから，販売に当たっては，外箱の写しなど新法第50条に規定する事項を記載した文書及び同法第52条に規定する添付文書又はその写しの添付を行うなどしなければならない。

②調剤された薬剤の販売方法

「調剤された薬剤」も医療用医薬品ですので，その販売についての基本は，前述の「処方箋医薬品」の扱いと同じです。そのうえで，「調剤された薬剤の販売方法」について，医薬品医療機器等法施行規則では次のように定めています。

医薬品医療機器等法施行規則

（調剤された薬剤の販売等）

第15条の11　薬局開設者は，法第9条の2の規定により，調剤された薬剤につき，次に掲げる方法により，その薬局において薬剤の販売又は授与に従事する薬剤師に販売させ，又は授与させなければならない。

一　法第9条の3第1項の規定による情報の提供及び指導を受けた者が当該情報の提供及び指導の内容を理解したこと並びに質問がないことを確認した後に，販売し，又は授与させること。

二　当該薬剤を購入し，又は譲り受けようとする者から相談があつた場合には，法第9条の3第4項の規定による情報の提供又は指導を行つた後に，当該薬剤を販売し，又は授与させること。

三　当該薬剤を販売し，又は授与した薬剤師の氏名，当該薬局の名称及び当該薬局の電話番号その他連絡先を，当該薬剤を購入し，又は譲り受けようとする者に伝えさせること。

(1)　情報の提供及び指導を受けた者が，その内容を理解したこと，及び質問がないことを確認した後に，販売すること。

(2)　相談があった場合には，情報の提供または指導を行った後に，当該薬剤を販売すること。

(3)　販売した薬剤師の氏名，当該薬局の名称及び当該薬局の電話番号その他連絡先を購入しようとする者に伝えること。

③要指導医薬品の販売方法

要指導医薬品の販売方法については，医薬品医療機器等法施行規則では次のように定められています。

医薬品医療機器等法施行規則

（要指導医薬品の販売等）

第158条の11　薬局開設者又は店舗販売業者は，法第36条の5第1項の規定により，要指導医薬品につき，次に掲げる方法により，その薬局又は店舗において医薬品の販売又は授与に従事する薬剤師に販売させ，又は授与させなければならない。

一　当該要指導医薬品を購入し，又は譲り受けようとする者が，当該要指導医薬品を使用しようとする者であることを確認させること。この場合において，当該要指導医薬品を購入し，又は譲り受けようとする者が，当該要指導医薬品を使用しようとする者でない場合は，当該者が法第36条の5第2項の薬剤師等である場合を除き，同項の正当な理由の有無を確認させること。

二　当該要指導医薬品を購入し，又は譲り受けようとする者及び当該要指導医薬品を使用しようとする者の他の薬局開設者又は店舗販売業者からの当該要指導医薬品の購入又は譲受けの状況を確認させること。

三　前号の規定により確認した事項を勘案し，適正な使用のために必要と認められる数量に限り，販売し，又は授与させること。

四　法第36条の6第1項の規定による情報の提供及び指導を受けた者が当該情報の提供及び指導の内容を理解したこと並びに質問がないことを確認した後に，販売し，又は授与させること。

五　当該要指導医薬品を購入し，又は譲り受けようとする者から相談があつた場合には，法第36条の6第4項の規定による情報の提供又は指導を行つた後に，当該要指導医薬品を販売し，又は授与させること。

六　当該要指導医薬品を販売し，又は授与した薬剤師の氏名，当該薬局又は店舗の名称及び当該薬局又は店舗の電話番号その他連絡先を，当該要指導医薬品を購入し，又は譲り受けようとする者に伝えさせること。

⑴　購入しようとする者が，その薬局医薬品の使用者本人ではない場合は，「正当な理由」によるものかどうか確認すること。

この規定は，次の医薬品医療機器等法の規定に基づいています。

医薬品医療機器等法

第36条の5

2　薬局開設者又は店舗販売業者は，要指導医薬品を使用しようとする者以外の者に対して，正当な理由なく，要指導医薬品を販売し，又は授与してはならない。ただし，薬剤師等に販売し，又は授与するときは，この限りでない。

この規定の「正当な理由」については，厚生労働省医薬食品局長の通知で，次のような場合をあげています。

「薬事法第36条の5第2項の「正当な理由」等について」（抜粋）
（薬食発0318第6号　平成26年3月18日）

1．使用者本人への販売

⑴原則

要指導医薬品については，薬剤師，薬局開設者，医薬品の製造販売業者，製造業者若しくは販売業者，医師，歯科医師若しくは獣医師又は病院，診療所若しくは飼育動物診療施設の開設者（以下「薬剤師等」という。）が業務の用に供する目的で当該要指導医薬品を購入し，又は譲り受けようとする場合に販売（授与を含む。以下同じ。）する場合を除き，新法第36条の5第2項の規定に基づき，要指導医薬品を使用しようとする者以外の者に対して，正当な理由なく，販売を行ってはならない。

⑵正当な理由について

新法第36条の5第2項に規定する正当な理由とは，次に掲げる場合によるものであり，この場合においては，要指導医薬品を使用しようとする者以外の者に対して販売を行っても差し支えない。

① 大規模災害時等において，本人が薬局又は店舗を訪れることができない場合であって，医師等の受診が困難，かつ，代替する医薬品が供給されない場合

② 医学，歯学，薬学，看護学等の教育・研究のために，教育・研究機関に対し，当該機関の行う教育・研究に必要な要指導医薬品を販売する場合

③ 新法その他の法令に基づく試験検査のために，試験検査機関に対し，当該試験検査に必要な要指導医薬品を販売する場合

④ 医薬品，医薬部外品，化粧品又は医療機器の原材料とするために，これらの製造業者に対し，必要な要指導医薬品を販売する場合

⑤ 動物に使用するために，獣医療を受ける動物の飼育者に対し，獣医師が交付した指示書に基づき要指導医薬品を販売する場合

⑥ その他①から⑤に準じる場合

2．留意事項

⑴販売数量の限定

要指導医薬品を使用しようとする者以外の者に販売する場合には，その適正な使用のため，改正省令による改正後の薬事法施行規則（昭和36年厚生省令第1号。以下「新施行規則」という。）第158条の11の規定により，当該要指導医薬品を購入し，又は譲り受けようとする者及び当該要指導医薬品を使用しようとする者の他の薬局開設者からの当該要指導医薬品の購入又は譲受けの状況を確認した上で，適正な使用のために必要と認められる数量（原則として一人包装単位（一箱，一瓶等））に限って販売しなければならない。

⑵販売記録の作成

要指導医薬品を販売した場合は，新施行規則第14条第2項又は第146条第2項の規定により，品名，数量，販売の日時等を書面に記載し，2年間保存しなければならない。

また，新施行規則第14条第5項又は新施行規則第146条第5項の規定により，当該要指導医薬品を購入し，又は譲り受けた者の連絡先を書面に記載し，これを保存するよう努めなければならない。

⑵　要指導医薬品を購入しようとする者が他の薬局から同じ医薬品を購入していないか確認

すること。確認した場合，適正な使用のために必要と認められる数量に限り，販売し，または授与すること。

「適正な使用のために必要と認められる数量」とは，原則として，1人1包単位（1箱，1瓶等）までとすることとされています。

(3) 情報の提供及び指導を受けた者が，その内容を理解したこと，ならびに質問がないことを確認した後に，販売すること。

(4) 相談があった場合には，情報の提供または指導を行った後に，当該薬局医薬品を販売すること。

(5) 販売した薬剤師の氏名，当該薬局の名称及び当該薬局の電話番号その他連絡先を購入しようとする者に伝えること。

④一般用医薬品の販売方法

一般用医薬品については，第1類医薬品，第2類医薬品，第3類医薬品の区分ごとに販売の方法が定められています。

●第１類医薬品

まず，第1類医薬品です。

医薬品医療機器等法

（一般用医薬品の販売等）

第159条の14 薬局開設者，店舗販売業者又は配置販売業者は，法第36条の9の規定により，第1類医薬品につき，次に掲げる方法により，その薬局，店舗又は区域において医薬品の販売若しくは授与又は配置販売に従事する薬剤師に販売させ，又は授与させなければならない。

一 法第36条の10第1項（同条第7項において準用する場合を含む。）の規定による情報の提供を受けた者が当該情報の提供の内容を理解したこと及び質問がないことを確認した後に，販売し，又は授与させること。

二 当該第1類医薬品を購入し，又は譲り受けようとする者から相談があつた場合には，法第36条の10第5項（同条第7項において準用する場合を含む。）の規定による情報の提供を行つた後に，当該第1類医薬品を販売し，又は授与させること。

三 当該第1類医薬品を販売し，又は授与した薬剤師の氏名，当該薬局又は店舗の名称及び当該薬局，店舗又は配置販売業者の電話番号その他連絡先を，当該第1類医薬品を購入し，又は譲り受けようとする者に伝えさせること。

整理してみます。

① 情報の提供を受けた者が当該情報の内容を理解したこと及び質問がないことを確認した後に，販売し，または授与させること。

② 相談があった場合には，情報の提供を行った後に，当該第1類医薬品を販売し，または授与させること。

③　第1類医薬品を販売し，または授与した薬剤師の氏名，薬局または店舗の名称及び電話番号その他連絡先を，当該第1類医薬品を購入し，または譲り受けようとする者に伝えさせること。

第1類医薬品については，購入者がその医薬品を使用する本人であるかの確認についての規定はありません。ただ，後述するように第1類医薬品については「情報提供の義務」が課されており，①の情報の内容について理解したか否かの確認が義務づけられています。

第2類医薬品及び第3類医薬品

第2類医薬品及び第3類医薬品の販売については同じ規定が適用されています。

医薬品医療機器等法施行規則

第159条の14

2　薬局開設者，店舗販売業者又は配置販売業者は，法第36条の9の規定により，第2類医薬品又は第3類医薬品につき，次に掲げる方法により，その薬局，店舗又は区域において医薬品の販売若しくは授与又は配置販売に従事する薬剤師又は登録販売者に販売させ，又は授与させなければならない。

一　当該第2類医薬品又は第3類医薬品を購入し，又は譲り受けようとする者から相談があつた場合には，法第36条の10第5項（同条第7項において準用する場合を含む。）の規定による情報の提供を行つた後に，当該第2類医薬品又は第3類医薬品を販売し，又は授与させること。

二　当該第2類医薬品又は第3類医薬品を販売し，又は授与した薬剤師又は登録販売者の氏名，当該薬局又は店舗の名称及び当該薬局，店舗又は配置販売業者の電話番号その他連絡先を，当該第2類医薬品又は第3類医薬品を購入し，又は譲り受けようとする者に伝えさせること。

①　第2類医薬品または第3類医薬品を購入し，または譲り受けようとする者から相談があった場合には，情報の提供を行った後に，販売し，または授与させること。

②　販売した薬剤師または登録販売者の氏名，薬局または店舗の名称及び電話番号その他連絡先を，第2類医薬品または第3類医薬品を購入し，または譲り受けようとする者に伝えさせること。

5　医薬品の区分に応じた情報提供・指導等の方法

前項では医薬品の区分に応じた販売方法についての規定を紹介しましたが，医薬品の安全性等に関する情報提供や，服薬指導についても，画一的に行えばいいというものではなく，医薬品それぞれの作用の強さや副作用の程度に応じて適切に行われるべきという考え方から，情報提供や指導，相談応需のあり方等について，次のように定められています。

(1) 薬局医薬品の情報提供，指導等とその方法

薬局医薬品の情報提供，指導及び相談応需について，薬局医薬品はその主たるものは医療用医薬品であるので，最も厳しい規定となっています。

医薬品医療機器等法

（薬局医薬品に関する情報提供及び指導等）

第36条の4 薬局開設者は，薬局医薬品の適正な使用のため，薬局医薬品を販売し，又は授与する場合には，厚生労働省令で定めるところにより，その薬局において医薬品の販売又は授与に従事する薬剤師に，対面により，厚生労働省令で定める事項を記載した書面（当該事項が電磁的記録に記録されているときは，当該電磁的記録に記録された事項を厚生労働省令で定める方法により表示したものを含む。）を用いて必要な情報を提供させ，及び必要な薬学的知見に基づく指導を行わせなければならない。ただし，薬剤師等に販売し，又は授与するときは，この限りでない。

2　薬局開設者は，前項の規定による情報の提供及び指導を行わせるに当たつては，当該薬剤師に，あらかじめ，薬局医薬品を使用しようとする者の年齢，他の薬剤又は医薬品の使用の状況その他の厚生労働省令で定める事項を確認させなければならない。

3　薬局開設者は，第1項本文に規定する場合において，同項の規定による情報の提供又は指導ができないとき，その他薬局医薬品の適正な使用を確保することができないと認められるときは，薬局医薬品を販売し，又は授与してはならない。

4　薬局開設者は，薬局医薬品の適正な使用のため，その薬局において薬局医薬品を購入し，若しくは譲り受けようとする者又はその薬局において薬局医薬品を購入し，若しくは譲り受けた者若しくはこれらの者によつて購入され，若しくは譲り受けられた薬局医薬品を使用する者から相談があつた場合には，厚生労働省令で定めるところにより，その薬局において医薬品の販売又は授与に従事する薬剤師に，必要な情報を提供させ，又は必要な薬学的知見に基づく指導を行わせなければならない。

5※　第1項又は前項に定める場合のほか，薬局開設者は，薬局医薬品の適正な使用のため必要がある場合として厚生労働省令で定める場合には，厚生労働省令で定めるところにより，その薬局において医薬品の販売又は授与に従事する薬剤師に，その販売し，又は授与した薬局医薬品を購入し，又は譲り受けた者の当該薬局医薬品の使用の状況を継続的かつ的確に把握させるとともに，その薬局医薬品を購入し，又は譲り受けた者に対して必要な情報を提供させ，又は必要な薬学的知見に基づく指導を行わせなければならない。

※　令和元年12月4日から1年以内に施行

薬局医薬品を販売し又は授与する場合には，「厚生労働省令で定めるところ」により，

① 対面により，

② 厚生労働省令で定める事項を記載した書面を用いて，

③ 必要な情報を提供させ，

④ 及び必要な薬学的知見に基づく指導を行うこと。

とされています。

この，「対面による販売」が義務づけられたことから，薬局医薬品については，インター

ネット販売等の「特定販売」は認められないこととされています。

なお，後で説明するように，薬局医薬品のうち薬局製造販売医薬品（毒薬，劇薬を除く）は特例により，対面販売，薬学的知見に基づく指導については除外されています。

また，第36条の4第5項として，薬剤の服用期間を通じて継続的に服薬状況の把握や指導を行う義務があることが明確にされました。同時に，第1条の5第2項として，薬局薬剤師が，患者の薬剤の使用に関する情報を他の医療提供施設の医師等に提供することによって，施設相互間の連携の推進に努めなければならない旨の努力義務も設けられました。これらの規定は令和元年12月4日から1年以内に施行されます。

「厚生労働省令で定めるところ」については，施行規則により次のように定められています。

医薬品医療機器等法施行規則

第158条の8

（薬局医薬品の情報提供の方法）

一　当該薬局内の情報の提供及び指導を行う場所（薬局等構造設備規則第1条第1項第12号に規定する情報を提供し，及び指導を行うための設備がある場所をいう。）において行わせること。

二　当該薬局医薬品の用法，用量，使用上の注意，当該薬局医薬品との併用を避けるべき医薬品その他の当該薬局医薬品の適正な使用のために必要な情報を，当該薬局医薬品を購入し，若しくは譲り受けようとする者又は当該薬局医薬品を使用しようとする者の状況に応じて個別に提供させ，及び必要な指導を行わせること。

三　当該薬局医薬品の副作用その他の事由によるものと疑われる症状が発生した場合の対応について説明させること。

四　情報の提供及び指導を受けた者が当該情報の提供及び指導の内容を理解したこと並びに質問の有無について確認させること。

五　必要に応じて，当該薬局医薬品に代えて他の医薬品の使用を勧めさせること。

六　必要に応じて，医師又は歯科医師の診断を受けることを勧めさせること。

七　当該情報の提供及び指導を行つた薬剤師の氏名を伝えさせること。

①情報提供の場所

第1号に，情報提供は，「当該薬局内の情報の提供及び指導を行う場所で行うこと」とされています。つまり，薬局医薬品を販売するためには，薬局は「情報提供の場所」を設置しなければなりません。「情報提供の場所」については，「薬局等構造設備規則」に規定されています。

②書面による情報提供

情報提供は，書面を用いて行わなければならないとされていますが，その書面に記載すべき事項については，医薬品医療機器等法施行規則第158条の8第2項に次のように定められています。

一　当該薬局医薬品の名称
二　当該薬局医薬品の有効成分の名称及びその分量
三　当該薬局医薬品の用法及び用量
四　当該薬局医薬品の効能又は効果
五　当該薬局医薬品に係る使用上の注意のうち，保健衛生上の危害の発生を防止するために必要な事項
六　その他当該薬局医薬品を販売し，又は授与する薬剤師がその適正な使用のために必要と判断する事項

なお，この書面に代えてコンピュータ（映像面，もしくはプリントアウトしたもの）を利用することができます（医薬品医療機器等法施行規則第158条の8第3項）。

③販売に当たり事前確認の義務

薬局医薬品を販売する際，あらかじめ購入者に確認する事項については，医薬品医療機器等法施行規則第158条の8第4項で次のように定められています。

一　年齢
二　他の薬剤又は医薬品の使用の状況
三　性別
四　症状
五　前号の症状に関して医師又は歯科医師の診断を受けたか否かの別及び診断を受けたことがある場合にはその診断の内容
六　現にかかつている他の疾病がある場合は，その病名
七　妊娠しているか否かの別及び妊娠中である場合は妊娠週数
八　授乳しているか否かの別
九　当該要指導医薬品に係る購入，譲受け又は使用の経験の有無
十　調剤された薬剤又は医薬品の副作用その他の事由によると疑われる疾病にかかつたことがあるか否かの別並びにかかつたことがある場合はその症状，その時期，当該薬剤又は医薬品の名称，有効成分，服用した量及び服用の状況
十一　その他法第36条の4第1項の規定による情報の提供及び指導を行うために確認が必要な事項

④購入者等からの相談に対する応需の義務

薬局医薬品を使用する者から相談があった場合には，次のようにその薬局において医薬品の販売または授与に従事する薬剤師に，必要な情報を提供させ，または必要な薬学的知見に基づく指導を行わせなければならない，とされています（医薬品医療機器等法施行規則第158条の9）。この相談応需の義務は薬局医薬品だけでなく，要指導医薬品，一般用医薬品すべての医薬品について規定されています。

一　当該薬局医薬品の使用に当たり保健衛生上の危害の発生を防止するために必要な事項について説明を行わせること。
二　当該薬局医薬品の用法，用量，使用上の注意，当該薬局医薬品との併用を避けるべき医薬品その他の当該薬局医薬品の適正な使用のために必要な情報を，その薬局において当該薬局医薬品を購入し，若しくは譲り受けようとする者又はその薬局において当該薬局医薬品を購入し，若しくは譲り受けた者若しくはこれらの者によつて購入され，若しくは譲り受けられた当該薬局医薬品を使用する者の状況に応じて個別に提供させ，又は必要な指導を行わせること。
三　必要に応じて，当該薬局医薬品に代えて他の医薬品の使用を勧めさせること。
四　必要に応じて，医師又は歯科医師の診断を受けることを勧めさせること。
五　当該情報の提供又は指導を行つた薬剤師の氏名を伝えさせること。

● **薬局製造販売医薬品の特例**

薬局製造販売医薬品は薬局医薬品に含まれていますが，医薬品医療機器等法施行令第74条の4，同施行規則第158条の10により，特例として以下のような扱いとなっています。

○　医薬品医療機器等法第36条の4に規定する対面による販売を義務とせず，「特定販売」を認める。

○　同条の「書面を用いた情報の提供」は義務とするが，「薬学的知見に基づく指導」は義務づけない。

○　第36条の2の薬局医薬品を使用する者以外の者への販売の禁止，第36条の4第3項の情報の提供や指導ができない場合の販売の禁止規定は適用しない。

○　つまり，薬局製造販売医薬品の販売，情報提供は，第1類医薬品と同じ扱いとされる。ただし，毒薬劇薬に該当する物は，特例とはされず，薬局医薬品と同じ上記の規定が適用される。

○　また，薬局製造販売医薬品の特定販売を行う場合においては，薬局製造販売医薬品を購入しようとする者または使用する者が，情報の提供を対面または電話により行うことを希望する場合は，薬剤師に，対面または電話により，当該情報の提供を行わせなければならない（医薬品医療機器等法施行規則第158条の10第3項）。

(2) 調剤された薬剤の情報提供，指導等の方法

調剤された薬剤の情報提供，指導等については次のように定められています。

医薬品医療機器等法

（調剤された薬剤に関する情報提供及び指導等）

第9条の3　薬局開設者は，医師又は歯科医師から交付された処方箋により調剤された薬剤の適正な使用のため，当該薬剤を販売し，又は授与する場合には，厚生労働省令で定めるところにより，その薬局において薬剤の販売又は授与に従事する薬剤師に，対面（映像及び

音声の送受信により相手の状態を相互に認識しながら通話をすることが可能な方法その他の方法により薬剤の適正な使用を確保することが可能であると認められる方法として厚生労働省令で定めるものを含む。）※により，厚生労働省令で定める事項を記載した書面（当該事項が電磁的記録（電子的方式，磁気的方式その他人の知覚によつては認識することができない方式で作られる記録であつて，電子計算機による情報処理の用に供されるものをいう。以下第36条の10までにおいて同じ。）に記録されているときは，当該電磁的記録に記録された事項を厚生労働省令で定める方法により表示したものを含む。）を用いて必要な情報を提供させ，及び必要な薬学的知見に基づく指導を行わせなければならない。

2　薬局開設者は，前項の規定による情報の提供及び指導を行わせるに当たつては，当該薬剤師に，あらかじめ，当該薬剤を使用しようとする者の年齢，他の薬剤又は医薬品の使用の状況その他の厚生労働省令で定める事項を確認させなければならない。

3　薬局開設者は，第１項に規定する場合において，同項の規定による情報の提供又は指導ができないとき，その他同項に規定する薬剤の適正な使用を確保することができないと認められるときは，当該薬剤を販売し，又は授与してはならない。

4　薬局開設者は，医師又は歯科医師から交付された処方箋により調剤された薬剤の適正な使用のため，当該薬剤を購入し，若しくは譲り受けようとする者又は当該薬局開設者から当該薬剤を購入し，若しくは譲り受けた者から相談があつた場合には，厚生労働省令で定めるところにより，その薬局において薬剤の販売又は授与に従事する薬剤師に，必要な情報を提供させ，又は必要な薬学的知見に基づく指導を行わせなければならない。

5※　第１項又は前項に定める場合のほか，薬局開設者は，医師又は歯科医師から交付された処方箋により調剤された薬剤の適正な使用のため必要がある場合として厚生労働省令で定める場合には，厚生労働省令で定めるところにより，その薬局において薬剤の販売又は授与に従事する薬剤師に，その調剤した薬剤を購入し，又は譲り受けた者の当該薬剤の使用の状況を継続的かつ的確に把握させるとともに，その調剤した薬剤を購入し，又は譲り受けた者に対して必要な情報を提供させ，又は必要な薬学的知見に基づく指導を行わせなければならない。

6※　薬局開設者は，その薬局において薬剤の販売又は授与に従事する薬剤師に第１項又は前２項に規定する情報の提供及び指導を行わせたときは，厚生労働省令で定めるところにより，当該薬剤師にその内容を記録させなければならない。

※　令和元年12月4日から1年以内に施行。なお，同日から2年以内に「第9条の3」を「第9条の4」に改正する条文も施行。

調剤された薬剤の情報提供，指導等は，薬局医薬品である医療用医薬品と基本的に同じ取扱いとなっています。

(1)　対面による，書面を用いた情報提供及び必要な薬学的知見に基づく指導を実施しなければならない。

(2)　薬剤師は，あらかじめ，薬剤を使用しようとする者の年齢，他の薬剤または医薬品の使用の状況その他の厚生労働省令で定める事項を確認しなければならない。

(3)　情報の提供または指導ができないとき，その他薬剤の適正な使用を確保することができないと認められるときは，薬剤を販売し，または授与してはならない。

(4) 薬剤を使用する者から相談があった場合には，厚生労働省令で定めるところにより，その薬局において医薬品の販売または授与に従事する薬剤師に，必要な情報を提供させ，または必要な薬学的知見に基づく指導を行わなければならない。

医療の場では，医師法第20条の規定をはじめとする無診察治療等の禁止を原則としつつも，情報通信機器を活用した健康増進や医療に関する行為（遠隔医療）のうち，医師・患者間において，情報通信機器を通して，患者の診察及び診断を行い診断結果の伝達や処方等の診療行為をリアルタイムにより行う行為をオンライン診療と定義し，一定のルールの下で，その実施が認められています。このような状況を踏まえ，調剤された医薬品についても，令和元年の法改正によって，遠隔服薬指導が導入されることとなりました。

すなわち，「対面」でなくともテレビ電話等を用いることにより適切な服薬指導が行われると考えられる場合については，「対面」の概念に含まれるものとして，医薬品医療機器等法第9条の3における「対面」を改正し，「対面（映像及び音声の送受信により相手の状態を相互に認識しながら通話をすることが可能な方法その他の方法により薬剤の適正な使用を確保することが可能であると認められる方法として厚生労働省令で定めるものを含む。)」とされたところです。

この遠隔服薬指導については，服薬指導を行う薬剤師の資質，品質確保などの医薬品特有の事情などを含め，厚生労働省令で具体化されるものと考えられます。

(5)※ 薬剤師は，調剤時のみならず，薬剤の服用期間を通じて，継続的かつ的確に，一般用医薬品等を含む必要な服薬状況を把握し，薬学的知見に基づく指導を行わなければならない。

(6)※ 薬剤師は，必要な情報提供や指導を行ったときは，その内容を記録しなければならない。

※ 令和元年12月4日から1年以内に施行。

「調剤された薬剤」については，以上の医薬品医療機器等法の規定の一方，薬剤師法に次のような規定があります。

薬剤師法

（処方せんによる調剤）

第23条 薬剤師は，医師，歯科医師又は獣医師の処方せんによらなければ，販売又は授与の目的で調剤してはならない。

2 薬剤師は，処方せんに記載された医薬品につき，その処方せんを交付した医師，歯科医師又は獣医師の同意を得た場合を除くほか，これを変更して調剤してはならない。

（処方せん中の疑義）

第24条　薬剤師は，処方せん中に疑わしい点があるときは，その処方せんを交付した医師，歯科医師又は獣医師に問い合わせて，その疑わしい点を確かめた後でなければ，これによつて調剤してはならない。

（情報の提供）

第25条の2　薬剤師は，販売又は授与の目的で調剤したときは，患者又は現にその看護に当たっている者に対し，調剤した薬剤の適正な使用のために必要な情報の提供，及び必要な薬学的知見に基づく指導を行わなければならない。

2※　薬剤師は，前項に定める場合のほか，調剤した薬剤の適正な使用のため必要があると認める場合には，患者の当該薬剤の使用の状況を継続的かつ的確に把握するとともに，患者又は現にその看護に当たつている者に対し，必要な情報を提供し，及び必要な薬学的知見に基づく指導を行わなければならない。

※　令和元年12月4日から1年以内に施行。

(3) 要指導医薬品の情報提供，指導等の方法

要指導医薬品の情報提供，指導等については次のように定められています。

医薬品医療機器等法

（要指導医薬品に関する情報提供及び指導等）

第36条の6　薬局開設者又は店舗販売業者は，要指導医薬品の適正な使用のため，要指導医薬品を販売し，又は授与する場合には，厚生労働省令で定めるところにより，その薬局又は店舗において医薬品の販売又は授与に従事する薬剤師に，対面により，厚生労働省令で定める事項を記載した書面（当該事項が電磁的記録に記録されているときは，当該電磁的記録に記録された事項を厚生労働省令で定める方法により表示したものを含む。）を用いて必要な情報を提供させ，及び必要な薬学的知見に基づく指導を行わせなければならない。ただし，薬剤師等に販売し，又は授与するときは，この限りでない。

2　薬局開設者又は店舗販売業者は，前項の規定による情報の提供及び指導を行わせるに当たつては，当該薬剤師に，あらかじめ，要指導医薬品を使用しようとする者の年齢，他の薬剤又は医薬品の使用の状況その他の厚生労働省令で定める事項を確認させなければならない。

3　薬局開設者又は店舗販売業者は，第1項本文に規定する場合において，同項の規定による情報の提供又は指導ができないとき，その他要指導医薬品の適正な使用を確保することができないと認められるときは，要指導医薬品を販売し，又は授与してはならない。

4　薬局開設者又は店舗販売業者は，要指導医薬品の適正な使用のため，その薬局若しくは店舗において要指導医薬品を購入し，若しくは譲り受けようとする者又はその薬局若しくは店舗において要指導医薬品を購入し，若しくは譲り受けた者若しくはこれらの者によつて購入され，若しくは譲り受けられた要指導医薬品を使用する者から相談があつた場合には，厚生労働省令で定めるところにより，その薬局又は店舗において医薬品の販売又は授与に従事する薬剤師に，必要な情報を提供させ，又は必要な薬学的知見に基づく指導を行わせなければならない。

要指導医薬品については，

① 薬剤師に対面により，

② 厚生労働省令で定める事項を記載した書面を用いて，

③ 必要な情報を提供させ，

④ 必要な薬学的知見に基づく指導を行うこと，

とされています。

要指導医薬品も対面販売が義務づけられており，インターネット販売など特定販売はできません。

医薬品医療機器等法施行規則

（要指導医薬品の情報提供，指導の方法）

第158条の12第1項

一 当該薬局又は店舗内の情報の提供及び指導を行う場所（薬局等構造設備規則第1条第1項第11号若しくは第2条第11号に規定する情報を提供し，及び指導を行うための設備がある場所又は同令第1条第1項第5号若しくは第2条第5号に規定する医薬品を通常陳列し，若しくは交付する場所をいう。）において行わせること。

二 当該要指導医薬品の特性，用法，用量，使用上の注意，当該要指導医薬品との併用を避けるべき医薬品その他の当該要指導医薬品の適正な使用のために必要な情報を，当該要指導医薬品を購入し，若しくは譲り受けようとする者又は当該要指導医薬品を使用しようとする者の状況に応じて個別に提供させ，及び必要な指導を行わせること。

三 当該要指導医薬品の副作用その他の事由によるものと疑われる症状が発生した場合の対応について説明させること。

四 情報の提供及び指導を受けた者が当該情報の提供及び指導の内容を理解したこと並びに質問の有無について確認させること。

五 必要に応じて，当該要指導医薬品に代えて他の医薬品の使用を勧めさせること。

六 必要に応じて，医師又は歯科医師の診断を受けることを勧めさせること。

七 当該情報の提供及び指導を行つた薬剤師の氏名を伝えさせること。

●情報提供の場所

要指導医薬品についても，「情報提供を行う場所」で行わなければならないと定められています。

●書面による情報提供

情報提供も，書面を用いて（コンピュータ画面もしくはプリントアウトした書面でも可）行うこととされています。書面への記載事項は，薬局医薬品と同様です（医薬品医療機器等法施行規則第158条の12第2項）。

●販売に当たり事前確認の義務

薬剤師に，あらかじめ要指導医薬品を使用しようとする者の年齢，他の薬剤または医薬品の使用の状況その他の厚生労働省令で定める事項を確認させなければならないこととされています。その内容は，薬局医薬品と同様です（医薬品医療機器等法施行規則第158条の12第4項）。

●購入者等からの相談に対する応需の義務

購入者から相談があった場合，薬剤師は相談に応じることが義務づけられています。その方法等については，薬局医薬品と同様です（医薬品医療機器等法施行規則第159条）。

（4）一般用医薬品の情報提供，指導等の方法

一般用医薬品については，第1類医薬品，第2類医薬品，第3類医薬品の区分に応じて，それぞれ，医薬品の情報提供，相談応需のあり方，その方法について定めています。

①第１類医薬品の情報提供

第1類医薬品については，次のように定められています。

医薬品医療機器等法

（一般用医薬品に関する情報提供等）

第36条の10　薬局開設者又は店舗販売業者は，第１類医薬品の適正な使用のため，第１類医薬品を販売し，又は授与する場合には，厚生労働省令で定めるところにより，その薬局又は店舗において医薬品の販売又は授与に従事する薬剤師に，厚生労働省令で定める事項を記載した書面（当該事項が電磁的記録に記録されているときは，当該電磁的記録に記録された事項を厚生労働省令で定める方法により表示したものを含む。）を用いて必要な情報を提供させなければならない。ただし，薬剤師等に販売し，又は授与するときは，この限りでない。

2　薬局開設者又は店舗販売業者は，前項の規定による情報の提供を行わせるに当たつては，当該薬剤師に，あらかじめ，第１類医薬品を使用しようとする者の年齢，他の薬剤又は医薬品の使用の状況その他の厚生労働省令で定める事項を確認させなければならない。

（3，4は後述）

5　薬局開設者又は店舗販売業者は，一般用医薬品の適正な使用のため，その薬局若しくは店舗において一般用医薬品を購入し，若しくは譲り受けようとする者又はその薬局若しくは店舗において一般用医薬品を購入し，若しくは譲り受けた者若しくはこれらの者によつて購入され，若しくは譲り受けられた一般用医薬品を使用する者から相談があつた場合には，厚生労働省令で定めるところにより，その薬局又は店舗において医薬品の販売又は授与に従事する薬剤師又は登録販売者に，必要な情報を提供させなければならない。

6　第１項の規定は，第１類医薬品を購入し，又は譲り受ける者から説明を要しない旨の意思の表明があつた場合（第１類医薬品が適正に使用されると認められる場合に限る。）には，適用しない。

●書面による情報提供義務

第1類医薬品については，

① 購入者等への書面（コンピュータ画面もしくはプリントアウトした書面でも可）を用いた情報提供

が義務づけられています。

すなわち，薬局医薬品，要指導医薬品で義務とされた，「対面」による販売，「薬学的知見に基づく指導」は第1類医薬品には，義務づけられていません。したがって，第1類医薬品については，インターネット販売等の特定販売を行うことができることとされています。

●情報提供の方法

医薬品医療機器等法施行規則

第159条の15

一　当該薬局又は店舗内の情報の提供を行う場所（薬局等構造設備規則第1条第1項第12号若しくは第2条第11号に規定する情報を提供するための設備がある場所若しくは同令第1条第1項第5号若しくは第2条第5号に規定する医薬品を通常陳列し，若しくは交付する場所又は特定販売を行う場合にあつては，当該薬局若しくは店舗内の場所をいう。次条において同じ。）において行わせること。

二　当該第1類医薬品の用法，用量，使用上の注意，当該第1類医薬品との併用を避けるべき医薬品その他の当該第1類医薬品の適正な使用のために必要な情報を，当該第1類医薬品を購入し，若しくは譲り受けようとする者又は当該第1類医薬品を使用しようとする者の状況に応じて個別に提供させること。

三　当該第1類医薬品の副作用その他の事由によるものと疑われる症状が発生した場合の対応について説明させること。

四　情報の提供を受けた者が当該情報の提供の内容を理解したこと及び質問の有無について確認させること。

五　必要に応じて，医師又は歯科医師の診断を受けることを勧めさせること。

六　当該情報の提供を行つた薬剤師の氏名を伝えさせること。

●情報提供の場所

第1類医薬品の情報提供についても，「情報提供の場所」と定めた場所で行うことが義務づけられています。

●書面による情報提供の義務

書面に記載すべき事項は，薬局医薬品，要指導医薬品と同様です（医薬品医療機器等法施行規則第159条の15第2項）。

●販売に当たり事前確認の義務

第1類医薬品についても，情報提供の際，あらかじめ確認することが義務づけられています。確認すべき事項は，薬局医薬品，要指導医薬品と同様です（医薬品医療機器等法施行規則第159条の15第4項）。

● 購入者等からの相談に対する応需の義務

第1類医薬品についても購入者から相談があった場合，薬剤師は相談に応じることが義務とされています。その方法等については，薬局医薬品と同様です（医薬品医療機器等法施行規則第159条）。

②第２類医薬品の情報提供

第2類医薬品の情報提供については，次のように定められています。

医薬品医療機器等法

第36条の10

3　薬局開設者又は店舗販売業者は，第２類医薬品の適正な使用のため，第２類医薬品を販売し，又は授与する場合には，厚生労働省令で定めるところにより，その薬局又は店舗において医薬品の販売又は授与に従事する薬剤師又は登録販売者に，必要な情報を提供させるよう努めなければならない。ただし，薬剤師等に販売し，又は授与するときは，この限りでない。

4　薬局開設者又は店舗販売業者は，前項の規定による情報の提供を行わせるに当たつては，当該薬剤師又は登録販売者に，あらかじめ，第２類医薬品を使用しようとする者の年齢，他の薬剤又は医薬品の使用の状況その他の厚生労働省令で定める事項を確認させるよう努めなければならない。

5　薬局開設者又は店舗販売業者は，一般用医薬品の適正な使用のため，その薬局若しくは店舗において一般用医薬品を購入し，若しくは譲り受けようとする者又はその薬局若しくは店舗において一般用医薬品を購入し，若しくは譲り受けた者若しくはこれらの者によつて購入され，若しくは譲り受けられた一般用医薬品を使用する者から相談があつた場合には，厚生労働省令で定めるところにより，その薬局又は店舗において医薬品の販売又は授与に従事する薬剤師又は登録販売者に，必要な情報を提供させなければならない。

● 情報提供の努力義務

第2類医薬品については，薬剤師または登録販売者に，

①　厚生労働省令で定めるところにより情報提供をさせるよう努めなければならない，

と定められています。また，指導なども義務とはされていません。

● 情報提供の方法

医薬品医療機器等法施行規則

第159条の16

一　当該薬局又は店舗内の情報の提供を行う場所において行わせること。

二　次に掲げる事項について説明を行わせること。

⑴当該第２類医薬品の名称

⑵当該第２類医薬品の有効成分の名称及びその分量

⑶当該第２類医薬品の用法及び用量

⑷当該第２類医薬品の効能又は効果
⑸当該第２類医薬品に係る使用上の注意のうち，保健衛生上の危害の発生を防止するために必要な事項
⑹その他当該第２類医薬品を販売し，又は授与する薬剤師がその適正な使用のために必要と判断する事項
三　当該第２類医薬品の用法，用量，使用上の注意，当該第２類医薬品との併用を避けるべき医薬品その他の当該第２類医薬品の適正な使用のために必要な情報を，当該第２類医薬品を購入し，若しくは譲り受けようとする者又は当該第２類医薬品を使用しようとする者の状況に応じて個別に提供させること。
四　当該第２類医薬品の副作用その他の事由によるものと疑われる症状が発生した場合の対応について説明させること。
五　情報の提供を受けた者が当該情報の提供の内容を理解したこと及び質問の有無について確認させること。
六　必要に応じて，医師又は歯科医師の診断を受けることを勧めさせること。
七　当該情報の提供を行つた薬剤師又は登録販売者の氏名を伝えさせること。

●情報提供の場所

第2類医薬品は，情報提供は努力義務とされていますが，その情報提供は，「情報提供の場所」で行うことと定められています。

●販売に当たり事前確認の努力義務

第2類医薬品の販売に当たり，あらかじめ他の薬剤の使用状況等について，購入者等に確認するよう努めることとされています。確認事項については，第1類医薬品と同様です（医薬品医療機器等法施行規則第159条の16第2項）。

●購入者等からの相談に対する応需の義務

第2類医薬品についても，購入者から相談があった場合，薬剤師は相談に応じることが義務づけられています。その方法等については，薬局医薬品と同様です（医薬品医療機器等法施行規則第159条）。

●指定第２類医薬品の情報提供

第2類医薬品には情報提供義務はありません。しかし，第2類医薬品のうち指定第2類医薬品については，医薬品医療機器等法施行規則に次のような規定があります。

医薬品医療機器等法施行規則
（指定第２類医薬品の販売等）
第１５条の７

薬局開設者は，指定第2類医薬品を販売し，又は授与する場合は，当該指定第2類医薬品を購入し，又は譲り受けようとする者が別表第1の2第2の6※に掲げる事項を確実に認識できるようにするために必要な措置を講じなければならない。

※別表第1の2の第2の6
6　指定第2類医薬品を購入し，又は譲り受けようとする場合は，当該指定第2類医薬品の禁忌を確認すること及び当該指定第2類医薬品の使用について薬剤師又は登録販売者に相談することを勧める旨

つまり，指定第2類医薬品には，医薬品医療機器等法上の情報提供の義務はありませんが，購入者に，「指定第2類医薬品を選ぶときは薬剤師，登録販売者に，相談してください」という呼びかけをするよう定めています。例えば，薬剤師が直接購入者に声をかけるとか，店内にわかりやすい掲示をして呼びかけたり，インターネット販売では，ポップアップ表示などして，購入者の注意を引くよう配慮することということです（店舗販売業，配置販売業についても同様の措置を求めている（医薬品医療機器等法施行規則第147条の8及び第149条の11））。

③第3類医薬品について相談があった場合の応需義務

第3類医薬品は，一般用医薬品のうちでも，副作用等のリスクが比較的低い区分と位置づけられています。したがって，情報提供，指導，販売に際しての事前確認等の義務または努力義務は課されていません。

ただし，購入者等から相談があった場合の応需は他の一般用医薬品と同様，義務とされています。

医薬品医療機器等法
第36条の10
5　薬局開設者又は店舗販売業者は，一般用医薬品の適正な使用のため，その薬局若しくは店舗において一般用医薬品を購入し，若しくは譲り受けようとする者又はその薬局若しくは店舗において一般用医薬品を購入し，若しくは譲り受けた者若しくはこれらの者によつて購入され，若しくは譲り受けられた一般用医薬品を使用する者から相談があつた場合には，厚生労働省令で定めるところにより，その薬局又は店舗において医薬品の販売又は授与に従事する薬剤師又は登録販売者に，必要な情報を提供させなければならない。

6　薬局，店舗販売業及び配置販売業の業務体制

次は，以上のような医薬品の販売，及び情報提供，指導などを適切に行うための薬局，医薬品販売業者の販売体制に関する規定です。

薬局，店舗販売業及び配置販売業の許可の要件として，共通した次のような要件があります。

医薬品医療機器等法

（薬局の許可の基準）

第５条　次の各号のいずれかに該当するときは，前条第１項の許可を与えないことができる。

二　その薬局において調剤及び調剤された薬剤の販売又は授与の業務を行う体制並びにその薬局において医薬品の販売業を併せ行う場合にあつては医薬品の販売又は授与の業務を行う体制が厚生労働省令で定める基準に適合しないとき。

（店舗販売業の許可）

第26条

４　次の各号のいずれかに該当するときは，第１項の許可を与えないことができる。

二　薬剤師又は登録販売者を置くことその他その店舗において医薬品の販売又は授与の業務を行う体制が適切に医薬品を販売し，又は授与するために必要な基準として厚生労働省令で定めるものに適合しないとき。

（配置販売業の許可）

第30条

２　次の各号のいずれかに該当するときは，前項の許可を与えないことができる。

一　薬剤師又は登録販売者が配置することその他当該都道府県の区域において医薬品の配置販売を行う体制が適切に医薬品を配置販売するために必要な基準として厚生労働省令で定めるものに適合しないとき。

この「医薬品の販売又は授与の業務を行う体制が適切に医薬品を販売し，又は授与するために必要な基準」として，次のような省令が公布されています。「体制省令」と通称されています。

薬局並びに店舗販売業及び配置販売業の業務を行う体制を定める省令
（昭和39年２月３日厚生省令第３号）

では，「体制省令」をみていきましょう。

（1）薬局の業務を行う体制

①薬剤師，登録販売者の配置

（ｉ）薬局の開店時間内は，常時，当該薬局において調剤に従事する薬剤師が勤務していること。

薬局は，「調剤の業務を行う場所」です。薬剤師法では，薬剤師は正当な理由がない限り調剤を拒否してはならない（調剤応需義務）と定めています。したがって，開局時間中は常時，薬剤師を配置し，いつでも調剤に応じられるような体制をとっておかなければならないということです。

調剤業務を行う薬剤師の員数については次のように定められています。

「当該薬局において，調剤に従事する薬剤師の員数が当該薬局における1日平均取扱処方箋数（眼科，耳鼻咽喉科及び歯科の処方箋については，枚数に3分の2を乗じた数）を40で除して得た数（端数は切り上げ）以上であること」。

（計算例）

処方箋枚数130枚/日　の場合　130÷40＝3.25　→　薬剤師4名が必要

（ii）要指導医薬品または第1類医薬品を販売し，または授与する営業時間内は，常時，当該薬局において医薬品の販売または授与に従事する薬剤師が勤務していること。

（iii）第2類医薬品または第3類医薬品を販売し，または授与する営業時間内は，常時，当該薬局において医薬品の販売または授与に従事する薬剤師または登録販売者が勤務していること。

（iv）営業時間または営業時間外で相談を受ける時間内は，調剤された薬剤もしくは医薬品を購入し，もしくは当該薬剤または医薬品を使用する者から相談があった場合に，情報の提供または指導を行うための体制を備えていること。

②薬剤師，登録販売者の勤務体制

（i）当該薬局において，調剤に従事する薬剤師の週当たり勤務時間数（特定販売のみに従事する勤務時間数を除く）の総和が，当該薬局の開店時間の1週間の総和以上であること。

（ii）要指導医薬品又は一般用医薬品の販売又は授与に従事する薬剤師及び登録販売者の週当たり勤務時間数の総和を，その薬局の要指導医薬品の情報の提供及び指導を行う場所並びに一般用医薬品の情報の提供を行う場所の数で除して得た数が，医薬品を販売する開店時間の1週間の総和以上であること。

つまり，情報提供の場所ごとに，常時，薬剤師又は登録販売者が対応できる体制をとっておくこと，ということです。

（iii）要指導医薬品又は第1類医薬品の販売又は授与に従事する薬剤師の週当たり勤務時間

数の総和を，その薬局の要指導医薬品の情報の提供及び指導を行う場所並びに第1類医薬品の情報の提供を行う場所の数で除して得た数が，要指導医薬品又は第1類医薬品を販売し，又は授与する開店時間の1週間の総和以上であること。

つまり，情報提供の場所ごとに，常時，薬剤師が対応できる体制がとられていること，ということです。

③薬局の開店時間

（ｉ）要指導医薬品又は一般用医薬品を販売し，又は授与する薬局にあっては，要指導医薬品又は一般用医薬品を販売し，又は授与する開店時間の1週間の総和が，当該薬局の開店時間の1週間の総和の2分の1以上であること。

（ⅱ）要指導医薬品を販売し，又は授与する薬局にあっては，要指導医薬品を販売し，又は授与する開店時間の1週間の総和が，要指導指導医薬品又は一般用医薬品を販売し，又は授与する開店時間の1週間の総和の2分の1以上であること。

（ⅲ）第1類医薬品を販売し，又は授与する薬局にあっては，第1類医薬品を販売し，又は授与する開店時間の1週間の総和が，要指導医薬品又は一般用医薬品を販売し，又は授与する開店時間の1週間の総和の2分の1以上であること。

④医薬品を陳列する場所等の閉鎖

以上のように，医薬品の販売時間帯は，薬剤師，登録販売者が配置されていることが規定されていますが，施行規則ではさらに次のように定めています。

（ｉ）要指導医薬品又は一般用医薬品を販売し，又は授与しない時間は，要指導医薬品又は一般用医薬品を通常陳列し，又は交付する場所を閉鎖しなければならない（施行規則第14条の3)。

（ⅱ）要指導医薬品又は第1類医薬品を販売し，又は授与しない時間は，要指導医薬品陳列区画又は第1類医薬品陳列区画を閉鎖しなければならない。ただし，鍵をかけた陳列設備に要指導医薬品又は第1類医薬品を陳列している場合は，この限りでない。

その他，体制省令では次のような事項を定めています。

・調剤の業務に係る指針の策定，従事者に対する研修の実施その他必要な措置が講じられていること。
・情報の提供及び指導その他の調剤の業務に係る指針の策定，従事者に対する研修の実施その他必要な措置が講じられていること。
・医薬品を販売し，又は授与する薬局にあっては，情報の提供その他の医薬品の販売又は授与の業務に係る適正な管理を確保するための指針の策定，従事者に対する研修（特定販売を行う薬局にあっては，特定販売に関する研修を含む。）の実施その他必要な措置が講じられていること。

・上記には，次に掲げる事項を含むこと。

☆医薬品の使用に係る安全な管理のための責任者の設置

☆従事者から薬局開設者への事故報告の体制の整備

☆医薬品の安全使用並びに調剤された薬剤及び医薬品の情報提供のための業務に関する手順書の作成及び当該手順書に基づく業務の実施

☆医薬品の安全使用並びに調剤された薬剤及び医薬品の情報提供及び指導のために必要となる情報の収集その他調剤の業務に係る医療の安全及び適正な管理並びに医薬品の販売又は授与の業務に係る適正な管理の確保を目的とした改善のための方策の実施

(2) 店舗販売業の業務を行う体制

①薬剤師または登録販売者の配置

(i) 要指導医薬品又は第1類医薬品を販売し，又は授与する店舗にあっては，要指導医薬品又は第1類医薬品を販売し，又は授与する営業時間内は，常時，当該店舗において薬剤師が勤務していること。

(ii) 第2類医薬品又は第3類医薬品を販売し，又は授与する営業時間内は，常時，当該店舗において薬剤師又は登録販売者が勤務していること。

(iii) 営業時間又は営業時間外で相談を受ける時間内は，医薬品を購入し，若しくは譲り受けようとする者若しくは当該医薬品を使用する者から相談があった場合に，情報の提供又は指導を行うための体制を備えていること。

②薬剤師，登録販売者の勤務体制

(i) 要指導医薬品又は一般用医薬品の販売又は授与に従事する薬剤師及び登録販売者の週当たり勤務時間数の総和を，店舗内の要指導医薬品並びに一般用医薬品の情報の提供を行う場所の数で除して得た数が，要指導医薬品又は一般用医薬品を販売し，又は授与する開店時間の1週間の総和以上であること。

(ii) 要指導医薬品又は一般用医薬品を販売し，又は授与する開店時間の1週間の総和が，当該店舗の開店時間の1週間の総和の2分の1以上であること。

(iii) 要指導医薬品又は第1類医薬品を販売し，又は授与する店舗にあっては，当該店舗において要指導医薬品又は第1類医薬品の販売又は授与に従事する薬剤師の週当たり勤務時間数の総和を当該店舗内の要指導医薬品の情報の提供，指導を行う場所並びに第1類医薬品の情報の提供を行う場所の数で除して得た数が，要指導医薬品又は第1類医薬品を販売し，又は授与する開店時間の1週間の総和以上であること。

③店舗販売業の開店時間

（ⅰ）要指導医薬品を販売し，又は授与する店舗にあっては，要指導医薬品を販売し，又は授与する開店時間の1週間の総和が，要指導医薬品又は一般用医薬品を販売し，又は授与する開店時間の1週間の総和の2分の1以上であること。

（ⅱ）第1類医薬品を販売し，又は授与する店舗にあっては，第1類医薬品を販売し，又は授与する開店時間の1週間の総和が，要指導医薬品又は一般用医薬品を販売し，又は授与する開店時間の1週間の総和の2分の1以上であること。

店舗販売業の業務体制については，調剤された薬剤，薬局医薬品以外は，薬局の薬剤師または登録販売者の配置，その勤務体制，開店時間などの業務体制と同じ内容の規定となっています。したがって，薬局の項を参照してください。

④医薬品販売の指針の策定，従事者の研修の実施等

店舗販売業についても，医薬品の販売業務等の指針の策定，従事者の研修の実施等について定めています。

（ⅰ）情報の提供及び指導その他の要指導医薬品及び一般用医薬品の販売又は授与の業務に係る適正な管理を確保するため，指針の策定，従事者に対する研修（特定販売を行う店舗にあっては，特定販売に関する研修を含む。）の実施その他必要な措置が講じられていること。

（ⅱ）上記には，次に掲げる事項を含むこと。

・従事者から店舗販売業者への事故報告の体制の整備
・要指導医薬品等の適正販売等のための業務に関する手順書の作成及び当該手順書に基づく業務の実施
・要指導医薬品等の適正販売等のために必要となる情報の収集その他要指導医薬品等の適正販売等の確保を目的とした改善のための方策の実施

(3) 配置販売業の業務を行う体制

配置販売業は，店舗を持たない，「配置販売」です。したがって，その特性を踏まえ，「店舗における」ではなく，「都道府県の配置区域」における医薬品の配置販売の業務を行う体

制に関する基準が定められています。

①　薬剤師または登録販売者の配置

（ⅰ）第1類医薬品を配置販売する配置販売業にあっては，第1類医薬品を配置販売する時間内は，常時，当該区域において薬剤師が勤務していること。

（ⅱ）第2類医薬品又は第3類医薬品を配置販売する時間内は，常時，当該区域において薬剤師又は登録販売者が勤務していること。

②　薬剤師，登録販売者の勤務体制

（ⅰ）当該配置区域において，薬剤師及び登録販売者が一般用医薬品を配置する勤務時間数の1週間の総和が，当該区域における薬剤師及び登録販売者の週当たり勤務時間数の総和の2分の1以上であること。

（ⅱ）第1類医薬品を配置販売する配置販売業にあっては，当該区域において第1類医薬品の配置販売に従事する薬剤師の週当たり勤務時間数の総和が，当該区域において一般用医薬品の配置販売に従事する薬剤師及び登録販売者の週当たり勤務時間数の総和の2分の1以上であること。

薬局，店舗販売業の販売業務体制に関する規定は，「店舗」が基本単位ですが，配置販売業の許可は，おおむね「都道府県」を1単位とする「配置区域」を基本として行われています。配置販売業の業務体制の基準はその「配置区域」を単位として定められています。

配置販売業においても，第1類医薬品については薬剤師が，また第2類医薬品，第3類医薬品については薬剤師または登録販売者が配置販売しなければなりません。

③医薬品販売の指針の策定，配置販売従事者の研修の実施等

配置販売業についても，適正な配置販売を確保するための指針の策定，従事者の研修の実施等必要な措置を講ずるよう定めています。

一　従事者から配置販売業者への事故報告の体制の整備

二　一般用医薬品の適正配置のための業務に関する手順書の作成及び当該手順書に基づく業務の実施

三　一般用医薬品の適正配置のために必要となる情報の収集その他一般用医薬品の適正配置の確保を目的とした改善のための方策の実施

(4) 薬剤師，登録販売者の身分の明示

薬局，店舗販売業，配置販売業にはそれぞれ薬剤師または登録販売者が販売に従事しているわけですが，一般消費者からみれば，みな一様に白衣を着ていると，どの人が薬剤師か，登録販売者か，あるいは一般従事者か判別できません。

そこで，医薬品医療機器等法施行規則では，薬剤師，登録販売者，そして一般従事者の区別がわかるよう，名札を付けることなどの措置をとるよう定めています（医薬品医療機器等法施行規則第15条第1項，第147条の2，第149条の6）。

また，過去5年間のうち，薬剤師または登録販売者の下で一般従事者及び登録販売者として働いた通算期間が2年に満たない登録販売者は，その名札にその旨がわかるような表記をすることとされています（いわば，“若葉マーク”ですね）。その表記をした登録販売者は，また，薬剤師またはベテランの登録販売者の管理及び指導の下に実務に従事しなければなりません（同条第2項，第3条）。

配置従事者の身分証明書

以上に加え，配置販売は店舗を持たず，家庭を訪問して営業する販売業ですので，責任の所在を明らかにするために，配置員の身分を明らかにする必要があります。そこで配置員は，身分証明書の携帯が義務づけられています（医薬品医療機器等法第33条）。

7 薬局，店舗販売業の構造設備基準

薬局，店舗販売業の許可要件として，もう1つ，薬局，店舗の「構造設備が，厚生労働省令で定める基準に適合していること」という要件がありました。

その厚生労働省令で定める基準は，「薬局等構造設備規則」（昭和36年2月1日厚生省令第2号）によって定められています。薬局，店舗販売業の構造設備規則からそのポイントをみていきましょう。

(1) 薬局の構造設備基準の要点

以下に薬局の構造設備基準の要点をあげてみます。

① 「調剤を行う場所」である薬局は，調剤室を持っていること，その面積は6.6平米以上であること。また，薬局の外観は，一目見て薬局であることがわかる構造であること，とされている。

② 要指導医薬品及び一般用医薬品を販売する場合，その場所を含め13.2平米以上であること。その陳列場所は，使用しないときは閉鎖できる構造であること。要指導医薬品及び一般用医薬品は薬剤師が販売することとされており，薬剤師が不在の時は，その陳列場所

一般用医薬品の陳列（薬局等レイアウト例）

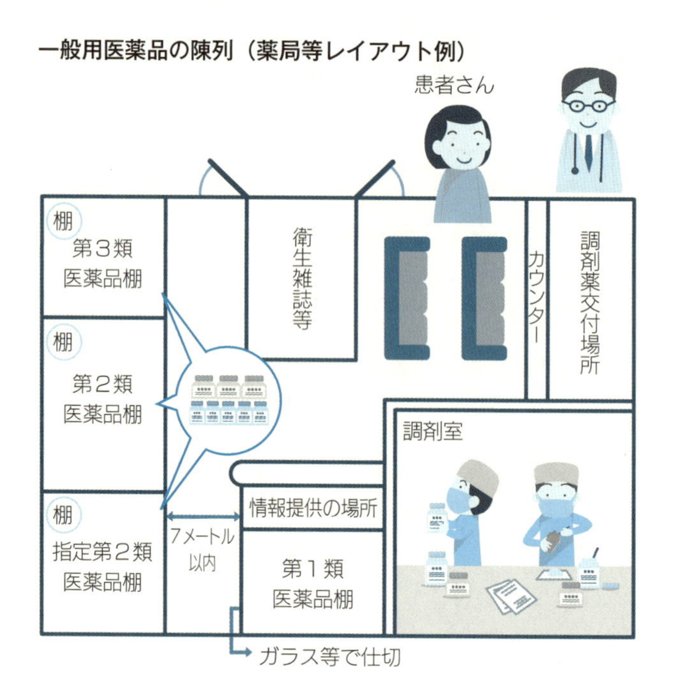

を閉鎖しなければならない。

要指導医薬品を陳列する場所を設け，その陳列設備からから1.2メートル以内（要指導医薬品陳列区画）の範囲に医薬品を購入し，もしくは譲り受けようとする者もしくは当該医薬品を使用する者が進入することができないよう措置がとられていること。ただし，購入する者が直接触れることができない設備であればこの限りではないこと。要指導医薬品を消費者が直接手に取り，そのままレジに直行することなく，必ずその医薬品について薬剤師の情報提供や指導が行われるよう担保するための措置である。

第1類医薬品を陳列する場所を設け，その陳列設備から1.2メートル以内の範囲（第1類医薬品陳列区画）に医薬品を購入し，もしくは譲り受けた者，当該医薬品を使用する者が進入することができないよう必要な措置がとられていること。ただし，購入する者が直接触れることができない設備であればこの限りではない。

第1類医薬品も情報提供が義務とされており，要指導医薬品と同様の規定となっている。

③ 薬局医薬品，調剤された医薬品，要指導医薬品，及び第1類医薬品は，情報提供が義務化されており，決められた「情報提供の場所」で行うこととされており，上記のように薬局等構造設備規則で定められている。その最も重要な要件は，「それぞれの区分の医薬品の陳列場所に近接していること」という点である。

夜間など，特定販売だけを行う時間がある場合，都道府県知事，特別区区長，保健所政令市の市長や厚生労働大臣が，特定販売について，監督を行うことができるよう必要な設備を備えていることとされている。この「監督を行うために必要な設備」については，都道府県等の監督官庁が認めるものであるが，たとえば，①映像を撮影するためのデジタルカメラ，②撮影した映像を電子メールで送信するためのパソコンやインターネット回線等，

③特定販売を行っている現状についてリアルタイムでやり取りができる電話機及び電話回線のすべてを組み合わせたもの，などが想定されている。

(2) 店舗販売業の店舗の構造設備基準の要点

以下に店舗販売業の店舗の構造設備基準の要点をあげてみます。

① 店舗販売業は，薬剤師が従事していても，処方箋の調剤や薬局医薬品の販売を行うことはできない。

② 店舗の構造設備基準については，要指導医薬品及び一般用医薬品を販売し，情報提供するための施設について定められており，その内容，基準の要点，趣旨等は薬局の場合と同じである。

8 薬局，店舗販売業，配置販売業の業務管理

(1) 薬局，店舗販売業，配置販売業における管理者の配置

薬局等の業務を適切に実施し運営していくためには，しっかりした業務の管理が行われなければなりません。そこで，医薬品医療機器等法では，次のように，それぞれ，薬局，店舗等に，専任の「管理者」を置くよう定めています。

医薬品医療機器等法

（薬局の管理）

第7条 薬局開設者が薬剤師（薬剤師法（昭和35年法律第146号）第8条の2第1項の規定による厚生労働大臣の命令を受けた者にあつては，同条第2項の規定による登録を受けた者に限る。以下この項及び次項，第28条第2項，第31条の2第2項，第35条第1項並びに第45条において同じ。）であるときは，自らその薬局を実地に管理しなければならない。ただし，その薬局において薬事に関する実務に従事する他の薬剤師のうちから薬局の管理者を指定してその薬局を実地に管理させるときは，この限りでない。

2 薬局開設者が薬剤師でないときは，その薬局において薬事に関する実務に従事する薬剤師のうちから薬局の管理者を指定してその薬局を実地に管理させなければならない。

3 薬局の管理者（第1項の規定により薬局を実地に管理する薬局開設者を含む。次条第1項において同じ。）は，その薬局以外の場所で業として薬局の管理その他薬事に関する実務に従事する者であつてはならない。ただし，その薬局の所在地の都道府県知事の許可を受けたときは，この限りでない。

（店舗の管理）

第28条 店舗販売業者は，その店舗を，自ら実地に管理し，又はその指定する者に実地に管理させなければならない。

2 前項の規定により店舗を実地に管理する者（以下「店舗管理者」という。）は，厚生労働省

令で定めるところにより，薬剤師又は登録販売者でなければならない。
3　店舗管理者は，その店舗以外の場所で業として店舗の管理その他薬事に関する実務に従事する者であつてはならない。ただし，その店舗の所在地の都道府県知事の許可を受けたときは，この限りでない。

（都道府県ごとの区域の管理）
第31条の2　配置販売業者は，その業務に係る都道府県の区域を，自ら管理し，又は当該都道府県の区域内において配置販売に従事する配置員のうちから指定したものに管理させなければならない。
2　前項の規定により都道府県の区域を管理する者（以下「区域管理者」という。）は，厚生労働省令で定めるところにより，薬剤師又は登録販売者でなければならない。

整理してみると次のとおりです。

①薬局の場合（管理薬剤師）

⑴　薬局開設者が薬剤師である場合は，自ら薬局を実地に管理するか，その薬局に勤務する薬剤師の中から管理者を指名しなければならない。
⑵　薬局開設者が薬剤師ではない場合は，その薬局に勤務する薬剤師の中から管理者を指名しなければならない。
⑶　管理者は，その薬局以外の場所で業として薬局の管理その他薬事に関する実務に従事する者であってはならない。ただし，その薬局の所在地の都道府県知事の許可を受けた場合は認められる。

②店舗販売業の場合（店舗管理者）

⑴　店舗販売業者は，自らその店舗を実地に管理するか，その店舗に勤務する者の中から，管理者を指名しなければならない。
⑵　ただし管理者は，厚生労働省令で定めるところにより，薬剤師または登録販売者でなければならない。

医薬品医療機器等法施行規則第140条第1項及び第141条第1項ですが，同項では，要指導医薬品または第1類医薬品を販売し，または授与する店舗販売業の管理者は薬剤師でなければならないとしています。

ただし，薬局，薬剤師が店舗管理者である店舗販売業または薬剤師が区域管理者である第1類医薬品を配置販売する配置販売業において，登録販売者として3年以上業務に従事した登録販売者であれば，要指導医薬品または第1類医薬品を販売する店舗販売業においても店舗管理者とすることができることとされています。その場合，店舗管理者を補佐する者として薬剤師を置かなければなりません。

第2類医薬品または第3類医薬品を販売し，または授与する店舗は，薬剤師または登録販売者を管理者とすることができます。なお，登録販売者を管理者に指定する場合については，次の条件を満たすことが必要です。

薬局，店舗販売業又は配置販売業において，過去５年間のうち，下記に該当する登録販売者を第２類または第３類医薬品を販売する店舗の管理者とすることができる。
「一般従事者として薬剤師又は登録販売者の管理及び指導の下に実務に従事した期間」＋「登録販売者として業務に従事した期間」≧２年

③配置販売業の場合（区域管理者）

⑴　配置販売業者はその業務に係る都道府県の区域を，自ら管理するか，またはその区域内において配置販売に従事する配置員のうちから指定した者に管理させなければならない。

⑵　区域管理者は，厚生労働省令で定めるところにより，薬剤師または登録販売者でなければならない。

医薬品医療機器等法施行規則第149条の２では，次のように定めています。

第１類医薬品を販売し，または授与する区域	薬剤師
第２類医薬品または第３類医薬品を販売し，または授与する区域	薬剤師または登録販売者

ただし，第1類医薬品を配置販売する区域において薬剤師を区域管理者とすることができない場合には，薬局，薬剤師が店舗管理者である要指導医薬品もしくは第1類医薬品を販売し，もしくは授与する店舗販売業または薬剤師が区域管理者である第1類医薬品を配置販売する配置販売業において登録販売者として3年以上業務に従事した者を区域管理者とすることができる，とされています（区域管理者の指定についても，店舗販売業の管理者の指定と同じ基準です）。

(2) 管理者の義務と要件

管理者の義務は，それぞれ次のように定められています。

⑴　管理薬剤師の義務（医薬品医療機器等法第８条）

i）薬局の管理者は，保健衛生上支障を生ずるおそれがないように，その薬局に勤務する薬剤師その他の従業者を監督し，その薬局の構造設備及び医薬品その他の物品を管理し，その他その薬局の業務につき，必要な注意をしなければならない。

ii）薬局の管理者は，保健衛生上支障を生ずるおそれがないように，その薬局の業務につき，薬局開設者に対し必要な意見を書面により述べなければならない。

iii）薬局の管理者が行う薬局の管理に関する業務及び薬局の管理者が遵守すべき事項については，厚生労働省令で定める。

⑵　店舗管理者の義務（医薬品医療機器等法第29条）

i）店舗管理者は，保健衛生上支障を生ずるおそれがないように，その店舗に勤務する薬剤師，登録販売者その他の従業者を監督し，その店舗の構造設備及び医薬品その他の物品を管理し，その他その店舗の業務につき，必要な注意をしなければならない。

ⅱ）店舗管理者は，保健衛生上支障を生ずるおそれがないように，その店舗の業務につき，店舗販売業者に対し必要な意見を書面により述べなければならない。

ⅲ）店舗管理者が行う店舗の管理に関する業務及び店舗管理者が遵守すべき事項については，厚生労働省令で定める。

⑶　区域管理者の義務（医薬品医療機器等法第31条の3）

ⅰ）区域管理者は，保健衛生上支障を生ずるおそれがないように，その業務に関し配置員を監督し，医薬品その他の物品を管理し，その他その区域の業務につき，必要な注意をしなければならない。

ⅱ）区域管理者は，保健衛生上支障を生ずるおそれがないように，その区域の業務につき，配置販売業者に対し必要な意見を書面により述べなければならない。

ⅲ）区域管理者が行う区域の管理に関する業務及び区域管理者が遵守すべき事項については，厚生労働省令で定める。

（注）下線部については令和元年12月4日から2年以内に施行

また，令和元年の法改正により，管理薬剤師，店舗管理者，区域管理者については，その要件として，法に定める義務や業務を適切に遂行し，法に定める事項を遵守するために必要な能力及び経験を有する者でなければならない旨の規定が設けられました（第7条第3項，第28条第3項，第31条の2第3項）。

（3）開設者の義務

（2）のような管理者の業務に対し，医薬品医療機器等法では，薬局，医薬品販売業者は，管理薬剤師，店舗管理者，区域管理者の意見を尊重するとともに，法令遵守のために必要な措置を実施すること，その内容（実施しない場合はその理由）を記録すること等が義務づけられています。このうち，記録については令和元年12月4日から2年以内の施行です（医薬品医療機器等法第9条第2項，第29条の2第2項，第31条の4第2項）。

（4）薬局，店舗販売業，配置販売業の法令遵守体制の整備（令和元年12月4日から2年以内に施行）

医薬品を取り扱う者に求められている基本的な責務が果たされていなかったことを要因とするような不正事案が少なからず発生しています。これらの再発の防止に向けて，医薬品医療機器等法が求める責務を果たすことを担保するために，令和元年の法改正により，法令遵守体制の整備が定められました。

薬局（第9条の2），店舗販売業（第29条の2），配置販売業（第31条の5）とも条文自体はほぼ同じですので，薬局を例にとって条文をみてみましょう。

医薬品医療機器等法

(薬局開設者の法令遵守体制)

第9条の2 薬局開設者は，薬局の管理に関する業務その他の薬局開設者の業務を適正に遂行することにより，薬事に関する法令の規定の遵守を確保するために，厚生労働省令で定めるところにより，次の各号に掲げる措置を講じなければならない。

一 薬局の管理に関する業務について，薬局の管理者が有する権限を明らかにすること。

二 薬局の管理に関する業務その他の薬局開設者の業務の遂行が法令に適合することを確保するための体制，当該薬局開設者の薬事に関する業務に責任を有する役員及び従業者の業務の監督に係る体制その他の薬局開設者の業務の適正を確保するために必要なものとして厚生労働省令で定める体制を整備すること。

三 前二号に掲げるもののほか，薬局開設者の従業者に対して法令遵守のための指針を示すことその他の薬局開設者の業務の適正な遂行に必要なものとして厚生労働省令で定める措置

2 薬局開設者は，前項各号に掲げる措置の内容を記録し，これを適切に保存しなければならない。

薬局，店舗販売業，配置販売業の法令遵守（ガバナンス）を強化するため，管理者の要件の明確化や必要な場合の書面での意見提出の義務づけとその意見を受ける業者側の尊重義務の明記とともに，この条文では，管理者の権限の明記，法令適合体制の確保，薬事に関する業務に責任を有する役員や業務監督体制の整備，法令遵守のための指針の策定とその遂行，これらの措置の内容の記録などが義務づけられました。

これらの規定によって，業務監督体制の整備，経営陣と現場責任者の責任の明確化等を柱とする法令遵守体制の整備が図られたものといえます。

9 医薬品の販売記録

(1) 薬局における販売の記録

①薬局医薬品，要指導医薬品及び第1類医薬品

薬局医薬品，要指導医薬品，第1類医薬品の販売について，次のような事項を記録し，記載の日から2年間，保存しなければならないこととされています。

医薬品医療機器等法施行規則

第14条第2項

一 品名

二 数量

三 販売又は授与の日時

四 販売し，又は授与した薬剤師の氏名並びに情報の提供及び指導を行つた薬剤師の氏名

五 薬局医薬品等を購入し，又は譲り受けようとする者が，情報の提供及び指導の内容を理解したことの確認の結果

また，薬局開設者は，要指導医薬品または一般用医薬品を販売し，または授与したときは，それらを購入し，または譲り受けた者の連絡先を書面に記載し，これを保存するよう努めなければならないとされています（医薬品医療機器等法第14条第5項）。

②第２類医薬品及び第３類医薬品

第2類医薬品及び第3類医薬品については，以下の事項を記録し，保存するよう努めなければならないと定められています。

医薬品医療機器等法施行規則

第14条第2項

一　品名

二　数量

三　販売又は授与の日時

四　販売し，又は授与した薬剤師又は登録販売者の氏名及び情報の提供を行つた薬剤師又は登録販売者の氏名

五　第2類医薬品を購入し，又は譲り受けようとする者が，情報の提供の内容を理解したことの確認の結果

（2）店舗販売業における販売の記録

①要指導医薬品，第１類医薬品

店舗販売業については要指導医薬品，第1類医薬品の販売記録を作成し，2年間保存することと定めています。内容は，薬局の場合と同じです（医薬品医療機器等法施行規則第146条第2項）。

②第２類医薬品及び第３類医薬品

第2類医薬品及び第3類医薬品の場合も，記録を作成し，保存するよう努めなければならないと定めています。記載内容は薬局の場合と同じです（医薬品医療機器等法施行規則第146条第4項）。

また，店舗販売業者は，要指導医薬品または一般用医薬品を販売し，または授与したときは，それらを購入し，または譲り受けた者の連絡先を書面に記載し，これを保存するよう努めなければならないとされています。

（3）配置販売業における販売記録

①第１類医薬品

配置販売業者は，第1類医薬品について次の事項を記録し，2年間保存することと定めら

れています。記録内容は，薬局の場合と同じです（医薬品医療機器等法施行規則第149条の5第2項）。

②第２類医薬品及び第３類医薬品

第2類医薬品及び第3類医薬品については，次の事項を記載し，保存するよう努めなければならないと定められています。記録内容は薬局の場合と同じです（医薬品医療機器等法施行規則第149条の5第4項）。

配置販売業者は，一般用医薬品を配置したときは，当該一般用医薬品を配置販売によって購入し，または譲り受けようとする者の連絡先を書面に記載し，これを保存するよう努めなければならないとされています。

10 薬局，店舗販売業，配置販売業の掲示

医薬品医療機器等法では，その薬局，店舗販売業でどのような医薬品を扱っているのか，また，開店時間など，その薬局，店舗を選ぶのに必要な情報（業務内容など）を，一般消費者にわかりやすく店頭などに掲示するよう定めています。配置販売業については，店舗を持たないため，配置販売に際して，書面等を添えるよう定めています。

医薬品医療機器等法

（薬局における掲示）

第９条の４　薬局開設者は，厚生労働省令で定めるところにより，当該薬局を利用するために必要な情報であつて厚生労働省令で定める事項を，当該薬局の見やすい場所に掲示しなければならない。

（店舗における掲示）

第29条の３　店舗販売業者は，厚生労働省令で定めるところにより，当該店舗を利用するために必要な情報であつて厚生労働省令で定める事項を，当該店舗の見やすい場所に掲示しなければならない。

医薬品医療機器等法施行規則

（配置販売に関する文書の添付）

第149条の10　配置販売業者は，一般用医薬品を配置するときは，別表第1の4に掲げる事項を記載した書面を添えて配置しなければならない。

これらの規定に基づいて，薬局における店頭の掲示については，医薬品医療機器等法施行規則第15条の14により，また店舗販売業における店頭の掲示については，同施行規則第147条の12により，掲示板を用いて行うこと，また,その内容については施行規則別表第1，別表第1の2でそれぞれ定められています。

また，配置販売業の書面については，同施行規則第149条の10に基づく別表第1の4に

より，その記載内容が定められています。

薬局情報の公表

上記の薬局等の掲示とは別に，薬局については，処方箋調剤に関連する情報の公表が，医薬品医療機器等法によって義務づけられています。

医薬品医療機器等法

（薬局開設者による薬局に関する情報の提供等）

第8条の2　薬局開設者は，厚生労働省令で定めるところにより，医療を受ける者が薬局の選択を適切に行うために必要な情報として厚生労働省令で定める事項を当該薬局の所在地の都道府県知事に報告するとともに，当該事項を記載した書面を当該薬局において閲覧に供しなければならない。

この規定は下記の医療法との関連により定められているもので，同法では，診療を受けようとする人が病院，診療所を選択するために必要な情報の公表について定めています。

医療法

第6条の3　病院，診療所又は助産所（以下この条において「病院等」という。）の管理者は，厚生労働省令で定めるところにより，医療を受ける者が病院等の選択を適切に行うために必要な情報として厚生労働省令で定める事項を当該病院等の所在地の都道府県知事に報告するとともに，当該事項を記載した書面を当該病院等において閲覧に供しなければならない。

この薬局に関する情報の公表は，書面による，またはコンピュータに記録された情報をプリントアウトしたもの，またはコンピュータ画面に表示する方法やCDを提供するなどでもよいとされています（医薬品医療機器等法施行規則第11条の6）。

都道府県知事は，薬局，医療機関から報告された内容をインターネットを利用して公表することになっています。

11 卸売販売業の許可

卸売販売業は，薬局や店舗販売業，配置販売業のように小売販売業ではありませんが，医薬品販売業の1つですので，ここで取り上げておきます。

医薬品医療機器等法では，卸売販売業を次のように位置づけています。

(1) 卸売販売業の許可

医薬品医療機器等法

第25条

三　卸売販売業（の区分）　医薬品を，薬局開設者，医薬品の製造販売業者，製造業者若しくは販売業者又は病院，診療所若しくは飼育動物診療施設の開設者その他厚生労働省令で定める者（第34条第3項において「薬局開設者等」という。）に対し，販売し，又は授与する業務（の区分）

そして，第34条では次のように定めています。

医薬品医療機器等法

第34条　卸売販売業の許可は，営業所ごとに，その営業所の所在地の都道府県知事が与える。

3　営業所の構造設備が，厚生労働省令で定める基準に適合しないときは，第1項の許可を与えないことができる。

4　第5条（第3号に係る部分に限る。）の規定は，第1項の許可について準用する。

（注）下線部は令和元年12月4日から2年以内に施行

許可要件は，

①　構造設備が，厚生労働省令で定める基準（薬局等構造設備規則）に適合していること。

②　第5条第3号イ～トに該当するものでないこと。これは薬局の許可要件に準じています。

令和元年の法改正によって，上記の許可要件②に，第5条第3号ト（申請者（法人にあつては薬事に関する業務に責任を有する役員を含む）が業務を適切に行うことができる知識及び経験を有すると認められない者であるとき）が追加になりました。

(2) 卸売販売業の営業所の管理

また，卸売販売業の営業所ごとに管理者を置かなければならないこととされています。

その場合，卸売販売業者自身が薬剤師である場合は自ら管理者となるか，もしくは勤務者である薬剤師のうちから管理者を指名することとされています。

医薬品医療機器等法

（営業所の管理）

第35条　卸売販売業者は，営業所ごとに，薬剤師を置き，その営業所を管理させなければならない。ただし，卸売販売業者が薬剤師の場合であつて，自らその営業所を管理するときは，この限りでない。

2　卸売販売業者が，薬剤師による管理を必要としない医薬品として厚生労働省令で定めるもののみを販売又は授与する場合には，前項の規定にかかわらず，その営業所を管理する者（以下「医薬品営業所管理者」という。）は，薬剤師又は薬剤師以外の者であつて当該医薬品の品目に応じて厚生労働省令で定めるものでなければならない。

3　医薬品営業所管理者は，次条第１項及び第２項に規定する義務並びに同条第３項に規定する厚生労働省令で定める業務を遂行し，並びに同項に規定する厚生労働省令で定める事項を遵守するために必要な能力及び経験を有する者でなければならない。

4　医薬品営業所管理者は，その営業所以外の場所で業として営業所の管理その他薬事に関する実務に従事する者であつてはならない。ただし，その営業所の所在地の都道府県知事の許可を受けたときは，この限りでない。

（注）下線部は令和元年12月４日から２年以内に施行

（3）卸売販売業の法令遵守体制の整備（令和元年12月４日から２年以内に施行）

卸売販売業についても，医薬品製造販売業や薬局などと同様に，医薬品医療機器等法が求める責務を果たすことを担保するために，令和元年の法改正により，上記の第35条第3号の規定とともに法令遵守体制の整備が定められました。

具体的には，卸売販売業の法令遵守（ガバナンス）を強化するため，医薬品営業所管理者の要件の明確化や必要な場合の書面での意見提出の義務づけとその意見を受ける業者側の尊重義務の明記とともに，管理者の権限の明記，法令適合体制の確保，薬事に関する業務に責任を有する役員や業務監督体制の整備，法令遵守のための指針の策定とその遂行，これらの措置の内容の記録などが義務づけられています。

これらの規定によって，業務監督体制の整備，経営陣と現場責任者の責任の明確化等を柱とする法令遵守体制の整備が図られたものといえます。

（4）卸売販売先の指定

ところで，卸売販売業については，その性格上，法により販売先が定められています。

医薬品医療機器等法

第34条

3　卸売販売業の許可を受けた者（以下「卸売販売業者」という。）は，当該許可に係る営業所については，業として，医薬品を，薬局開設者等以外の者に対し，販売し，又は授与してはならない。

この規定でいう「薬局開設者等」というのは，「薬局開設者，医薬品の製造販売業者，製造業者若しくは販売業者又は病院，診療所若しくは飼育動物診療施設の開設者，そして，厚生労働省令で定める者」です。

最後の「厚生労働省令で定める者」は，医薬品医療機器等法施行規則第138条で次のような者が指定されています。

医薬品医療機器等法施行規則

第138条

一　国，都道府県知事又は市町村長（特別区の区長を含む。）

二　助産所の開設者であつて助産所で滅菌消毒用医薬品その他の医薬品を使用するもの

三　救急用自動車等により業務を行う事業者であつて救急用自動車等に医薬品を備え付けるもの

四　臓器の移植に関する法律の許可を受けた者であつて同項に規定する業として行う臓器のあつせんに使用する滅菌消毒用医薬品その他の医薬品を使用するもの

五　施術所（あん摩マツサージ指圧師，はり師，きゆう師等に関する法律の届出に係る同項の施術所及び柔道整復師法（に規定する施術所をいう。以下同じ。）の開設者であつて施術所で滅菌消毒用医薬品その他の医薬品を使用するもの

六　歯科技工所の開設者であつて歯科技工所で滅菌消毒用医薬品その他の医薬品を使用するもの

七　滅菌消毒（医療法施行規則に規定する滅菌消毒をいう）の業務を行う事業者であつて滅菌消毒の業務に滅菌消毒用医薬品その他の医薬品を使用するもの

八　ねずみ，はえ，蚊，のみその他これらに類する生物の防除の業務を行う事業者であつて防除の業務に防除用医薬品その他の医薬品を使用するもの

九　浄化槽，貯水槽，水泳プールその他これらに類する設備の衛生管理を行う事業者であつて浄化槽等で滅菌消毒用医薬品その他の医薬品を使用するもの

十　登録試験検査機関その他検査施設の長であつて検査を行うに当たり必要な体外診断用医薬品その他の医薬品を使用するもの

十一　研究施設の長又は教育機関の長であつて研究又は教育を行うに当たり必要な医薬品を使用するもの

十二　医薬部外品，化粧品，医療機器又は再生医療等製品の製造業者であつて製造を行うに当たり必要な医薬品を使用するもの

十三　航空法に規定する航空運送事業を行う事業者であつて航空法施行規則の規定に基づく医薬品を使用するもの

十四　船員法の適用を受ける船舶所有者であつて船員法施行規則の規定に基づく医薬品を使用するもの

十五　前各号に掲げるものに準ずるものであつて販売等の相手方として厚生労働大臣が適当と認めるもの

卸売販売業者は，薬局や店舗販売業のように，医薬品を直接一般消費者に「小売販売」することはできません。

また，卸売販売業者は，店舗販売業者に対し要指導医薬品または一般用医薬品以外の医薬品を，配置販売業者に対し一般用医薬品以外の医薬品を販売し，または授与してはならないこととされています（医薬品医療機器等法施行規則第158条の2）。

（5）指定卸売販売業

卸売販売業は，その実務の管理のため薬剤師を配置することとされていますが，次の特定の医薬品だけを専門的に扱う卸売販売業については，薬剤師以外の者を管理者とすることが認められています。これらの卸売販売業は平成21年薬事法改正前までは，「特例販売業」に区分されていました。

「指定卸売医療用ガス類の卸売販売業」：医療用に用いられる，酸素，笑気ガス等の販売業で，ガスボンベを医療機関に納めています。「指定卸売医療用ガス類の販売又は授与に関する業務に5年以上従事した者」等を管理者とすることができます。

「指定卸売歯科用医薬品の卸売販売業」：歯科専門に使用される医薬品（局所麻酔剤，殺菌消毒剤など）の卸売販売業です。「指定卸売歯科用医薬品の販売又は授与に関する業務に5年以上従事した者」等を管理者とすることができます。

12 医薬品販売制度の経過措置

医薬品の販売制度改正は平成21（2009）年6月から施行されました。改正の前までは，一般販売業，薬種商販売業，配置販売業，そして特例販売業の4つの業種があり，また，一般販売業には，小売一般販売業と卸売一般販売業がありました。

この4つの医薬品販売業を見直し，医薬品小売販売業が店舗販売業と配置販売業の3つの業種となりました。

整理してみると，医薬品販売業は次のとおりとなっています。

①店舗販売業　←　従来の小売一般販売業，薬種商販売業，特例販売業
②配置販売業　←　従来の配置販売業
③卸売販売業　←　従来の卸売一般販売業，特例販売業（卸業）

平成21年施行の改正薬事法では，それまでの販売業を一定期間認める経過期間を設けました。現在，残存している旧医薬品販売業は次のとおりです。

●小売販売業関係

①　旧薬種商販売業（みなし店舗販売業）

平成21年施行の改正薬事法において薬種商販売業制度は店舗販売業制度に移行しました。その際，改正法施行から3年間（つまり平成25年5月31日まで）の経過期間において，薬種商販売業は店舗販売業として変更手続きを取るか，ないしは新規の店舗販売業の許可を取

ることで店舗販売業に移行しました。

ただし，現在，なお，「旧薬種商」という制度が法律上，経過的に残っています。

現行医薬品医療機器等法（薬事法）は，昭和35年（1960年）に制定されたものですが，薬種商販売業は，それ以前の旧薬事法（昭和23年施行）でも存在していました。このため，昭和35年薬事法制定に際して，その旧薬事法により登録を受けていた薬種商販売業について，新法においてもそのまま許可を受けたものとされてきました（昭和36年2月1日施行の薬事法附則第6条）。これが「旧薬種商」です。この旧薬種商については，現行医薬品医療機等法においても，そのまま更新して「旧薬種商」として営業が認められています（平成21年6月施行の附則第8条）。ただし，その許可取得者が死亡等したため代替わりして継続営業しようとしても，それは認められません。新規に店舗販売業の許可を受けることになります。

なお，改正前の「特例販売業」のうち，観光地，船上等で，特例的に一般の小売店で医薬品の種類を限定して販売が認められていた特例販売業については，同様に営業の継続が認められています。

②（既存）配置販売業

平成21年改正薬事法施行以前に許可を受け，改正時に現に営業していた配置販売業者は，改正後も，従来どおり，配置販売業として業務を行うことができることとされました。これを「(既存）配置販売業」と呼びます。(既存）配置販売業の配置販売医薬品は，薬事法改正前に都道府県知事が定めた品目とされています。また，改正薬事法による配置販売業の許可を受けたものとみなし，医薬品のリスク分類，情報提供等新制度の規定が適用されます。その場合，登録販売者を配置する必要はありませんが，配置員が登録販売者の業務を行うこととされています。

13 特定販売（一般用医薬品のインターネットなどによる販売）のあり方

平成26年6月1日，一般用医薬品のインターネットによる販売が解禁されました。医薬品医療機器等法では，インターネットによる一般用医薬品販売だけでなく，郵便やメール，電報，カタログ，チラシ等により医薬品販売広告を行い，購入者に郵送，あるいは託送して販売する方法を，下記のように「特定販売」と名づけて規制しています。

医薬品医療機器等法施行規則

（開設の申請）

第１条第２項

四　特定販売（その薬局又は店舗におけるその薬局又は店舗以外の場所にいる者に対する一般用医薬品又は薬局製造販売医薬品（毒薬及び劇薬であるものを除く。第４項第２号ホ及び第１５条の６において同じ。）の販売又は授与をいう。以下同じ。）の実施の有無この項では，その特定販売に関連する規定をまとめて紹介しましょう。

(1) 一般用医薬品の特定販売を行うための薬局等の許可

「特定販売」を行うためには，薬局の許可，または医薬品販売業の許可を得なければなりません。特定販売も「医薬品の販売」にほかなりません。

医薬品医療機器等法

(医薬品の販売業の許可)

第24条 薬局開設者又は医薬品の販売業の許可を受けた者でなければ，業として，医薬品を販売し，授与し，又は販売若しくは授与の目的で貯蔵し，若しくは陳列（配置することを含む。以下同じ。）してはならない。

医薬品の小売販売が可能な業種には，薬局，店舗販売業及び配置販売業がありますが，「特定販売」が認められるのは薬局と店舗販売業のみで，配置販売業は「配置販売以外の販売方法は認められない」とされており，特定販売はできません。

また，医薬品医療機器等法では，バーチャル店舗だけの薬局，店舗販売業の特定販売は認めていないだけでなく，たとえば，形式的に“倉庫”を“薬局”として許可を受けるような，実態のない薬局，店舗は認められません。薬局等構造設備規則には次のように規定されています。

薬局等構造設備規則

第1条第1号 調剤された薬剤又は医薬品を購入し，又は譲り受けようとする者が容易に出入りできる構造であり，薬局であることがその外観から明らかであること。

(2) 特定販売を行う旨の届出

薬局，店舗販売業の許可の申請に当たっては，定められた事項を記載した「許可申請書」を提出しなければなりませんが，その許可申請書の記載事項（法第4条第2項）として，次のように，特定販売を行う場合，その旨記載するよう定めています。

①許可申請書の記載事項

医薬品医療機器等法施行規則

(開設の申請)

第1条 医薬品医療機器等法（以下「法」という。）第4条第2項の申請書は，様式第一によるものとする。

2 法第4条第2項第6号の厚生労働省令で定める事項は，次のとおりとする。

一　申請者（申請者が法人であるときは，その業務を行う役員を含む。）が法第５条第３号イからハまで及びニ（麻薬，大麻，あへん又は覚醒剤の中毒者に係る部分を除く。）に該当するか否かの別
二　通常の営業日及び営業時間
三　相談時及び緊急時の電話番号その他連絡先
四　特定販売（その薬局又は店舗におけるその薬局又は店舗以外の場所にいる者に対する一般用医薬品又は薬局製造販売医薬品（毒薬及び劇薬であるものを除く。第４項第２号ホ及び第１５条の６において同じ。）の販売又は授与をいう。以下同じ。）の実施の有無

つまり，特定販売を行おうとする者は，薬局または店舗販売業の許可を申請する際，「特定販売」を行うか否か，届け出ておかなければなりません。

②既に許可を受けている薬局または店舗販売業の場合

既に許可を受けている薬局または店舗販売業者が新たに「特定販売」を行おうとする場合，医薬品医療機器等法第10条第2項で，「許可申請時に申請書に記載した事項を変更する場合は変更届を提出しなければならない」と定められており，許可を得た都道府県知事，保健所政令市長または特別区区長に，その旨変更届を提出しなければなりません。

③許可申請の際の届出事項

許可申請の際に届け出る事項について，医薬品医療機器等法施行規則第1条第4項では次のように定めています。

医薬品医療機器等法施行規則
第１条第４項
４　法第４条第３項第４号ロの厚生労働省令で定める事項は，次のとおりとする。
一　特定販売を行う際に使用する通信手段
二　次のイからホまでに掲げる特定販売を行う医薬品の区分
イ　第１類医薬品
ロ　指定第２類医薬品
ハ　第２類医薬品
ニ　第３類医薬品
ホ　薬局製造販売医薬品
三　特定販売を行う時間及び営業時間のうち特定販売のみを行う時間がある場合はその時間
四　特定販売を行うことについての広告に，法第４条第２項の申請書に記載する薬局の名称と異なる名称を表示するときは，その名称
五　特定販売を行うことについてインターネットを利用して広告をするときは，主たるホームページアドレス及び主たるホームページの構成の概要
六　都道府県知事（その所在地が地域保健法（昭和２２年法律第１０１号）第５条第１項の政令で定める市（以下「保健所を設置する市」という。）又は特別区の区域にある場合においては，市長又は区長。第６項，第６条及び第１５条の６第４号において同じ。）又は

厚生労働大臣が特定販売の実施方法に関する適切な監督を行うために必要な設備の概要（その薬局の営業時間のうち特定販売のみを行う時間がある場合に限る。）

これらの規定は，店舗販売業についても医薬品医療機器等法第26条第3項第5号，医薬品医療機器等法施行規則第139条第2項及び第4項において，同じ内容で定められています。

以下は，これらの規定を説明した施行通知「薬事法及び薬剤師法の一部を改正する法律等の施行等について」からの抜粋です。

○　主たるホームページアドレスとは，販売・授与しようとする一般用医薬品を広告しているホームページのうち，購入者等が通常最初に閲覧するホームページのアドレス（いわゆる「トップページ」や「メインページ」）をいうこと。なお，当該ホームページの閲覧に必要なパスワード等がある場合には，併せてそのパスワード等を提出すること。

○　一つの店舗が複数のホームページを開設している場合には，それらの全ての主たるホームページアドレスの提出が必要であること。ただし，それら全てのホームページへのリンクをまとめたホームページを開設している場合は，そのホームページアドレスを提出することで差し支えないこと。

○　ホームページを開設せず，アプリケーションソフト等を利用して特定販売を行う場合には，当該ソフトの入手方法等に関する資料を代わりに提出する必要があること。

○　主たるホームページの構成の概要については，ホームページでの医薬品の表示内容や表示すべき事項の表示の状況等が分かるようなホームページのイメージ等の書類を添付すること。一つの店舗が複数のホームページを開設している場合には，それらの全てについて関連する書類の添付が必要であること。カタログ等を用いて特定販売を行う場合においても，同様にその概要が分かる資料を提出すること。

○　都道府県知事等が適切な監督を行うために必要な設備とは，開店時間外に特定販売のみを行う営業時間がある場合に，都道府県知事等が特定販売の実施方法に関し適切に監督する観点から，テレビ電話のほか，画像又は映像をパソコン等により都道府県等の求めに応じて直ちに電送できる設備（都道府県知事等が認めるものに限る。）をいうこと。なお，開店時間外に特定販売のみを行う営業時間がない場合には，関連する書類の添付は不要。

（3）特定販売が認められる医薬品

特定販売は，一般用医薬品及び「薬局製造販売医薬品」（ただし毒薬または劇薬であるものを除く）のみが認められます。

「薬局製造販売医薬品」については，毒薬・劇薬指定品目を除いて，特例（医薬品医療機器等法第80条第4項，医薬品医療機器等法施行令第74条の2，医薬品医療機器等法施行規則第158条の10）により，医薬品医療機器等法第36条の4に規定する対面による情報の提供以外の方法（インターネット，郵便等）を認め，また，同条の「薬学的知見に基づく指導」は義務づけないこととされており，特定販売が認められることとなっています。

(4) 薬剤師または登録販売者による特定販売

特定販売についても，第1類医薬品の特定販売には薬剤師，第2類医薬品及び第3類医薬品の特定販売には薬剤師または登録販売者が対応しなければなりません。

(5) 行政が特定販売を監督するための設備の整備

営業時間のうち，特定販売のみを行う時間がある場合には，都道府県知事（その所在地が地域保健法の政令で定める市または特別区の区域にある場合においては，市長または区長）または厚生労働大臣が，特定販売の実施方法に関する適切な監督を行うために必要な設備を備えていることとされています。

多くの場合，夜間，薬局や店舗販売業の店頭販売が終わっても，インターネット販売では継続して注文を受け付け，業務を行っているものと考えられます。そうした場合においても，その薬局，店舗販売業は「営業状態」にあるものとして，行政官庁が常に監督できるようこのような義務を課しているわけです。

(6) 特定販売の方法

医薬品医療機器等法施行規則に次のように，薬局における「特定販売の方法」が定められています。店舗販売業についても，医薬品医療機器等法施行規則第147条の7により，同じ規定が定められています。

医薬品医療機器等法施行規則

（特定販売の方法等）

第15条の6　薬局開設者は，特定販売を行う場合は，次に掲げるところにより行わなければならない。

一　当該薬局に貯蔵し，又は陳列している一般用医薬品又は薬局製造販売医薬品を販売し，又は授与すること。

二　特定販売を行うことについて広告をするときは，インターネットを利用する場合はホームページに，その他の広告方法を用いる場合は当該広告に，別表第1の2及び別表第1の3に掲げる情報を，見やすく表示すること。

三　特定販売を行うことについて広告をするときは，第1類医薬品，指定第2類医薬品，第2類医薬品，第3類医薬品及び薬局製造販売医薬品の区分ごとに表示すること。

四　特定販売を行うことについてインターネットを利用して広告をするときは，都道府県知事及び厚生労働大臣が容易に閲覧することができるホームページで行うこと。

①　特定販売を行うことができるのは，許可を得た薬局または店舗販売業に貯蔵または陳列されている医薬品であること

②　特定販売を行うことを広告するときは，インターネットのホームページその他の広告媒体に，下記のような医薬品医療機器等法施行規則の別表第１の２及び別表第１の３に掲げる次の事項を見やすく表示しなければならないこと

医薬品医療機器等法施行規則

別表第１の２

第一　薬局又は店舗の管理及び運営に関する事項

一　許可の区分の別

二　薬局開設者又は店舗販売業者の氏名又は名称その他の薬局開設の許可証又は店舗販売業の許可証の記載事項

三　薬局の管理者又は店舗管理者の氏名

四　当該薬局又は店舗に勤務する薬剤師又は登録販売者の別，その氏名及び担当業務

五　取り扱う要指導医薬品及び一般用医薬品の区分

六　当該薬局又は店舗に勤務する者の名札等による区別に関する説明

七　営業時間，営業時間外で相談できる時間及び営業時間外で医薬品の購入又は譲受けの申込みを受理する時間

八　相談時及び緊急時の電話番号その他連絡先

第二　要指導医薬品及び一般用医薬品の販売に関する制度に関する事項

一　要指導医薬品，第１類医薬品，第２類医薬品及び第３類医薬品の定義並びにこれらに関する解説

二　要指導医薬品，第１類医薬品，第２類医薬品及び第３類医薬品の表示に関する解説

三　要指導医薬品，第１類医薬品，第２類医薬品及び第３類医薬品の情報の提供及び指導に関する解説

四　要指導医薬品の陳列に関する解説

五　指定第２類医薬品の陳列（特定販売を行うことについて広告をする場合にあつては，当該広告における表示。七において同じ。）等に関する解説

六　指定第２類医薬品を購入し，又は譲り受けようとする場合は，当該指定第２類医薬品の禁忌を確認すること及び当該指定第２類医薬品の使用について薬剤師又は登録販売者に相談することを勧める旨

七　一般用医薬品の陳列に関する解説

八　医薬品による健康被害の救済に関する制度に関する解説

九　個人情報の適正な取扱いを確保するための措置

十　その他必要な事項

医薬品医療機器等法施行規則
別表第１の３

一　薬局又は店舗の主要な外観の写真
二　一般用医薬品の陳列の状況を示す写真
三　現在勤務している薬剤師又は登録販売者の別及びその氏名
四　開店時間と特定販売を行う時間が異なる場合にあつては，その開店時間及び特定販売を行う時間
五　特定販売を行う薬局製造販売医薬品（毒薬及び劇薬であるものを除く。）又は一般用医薬品の使用期限

このホームページによる特定販売の広告について，施行通知「薬事法及び薬剤師法の一部を改正する法律等の施行等について」では次のように規定しています。

○　ホームページ上の薬局，店舗販売業の名称については，許可証に記載した正式の名称を表示すること。ただし，その略称やインターネットモール事業者の名称を併記することは差し支えないこと。

○　勤務している薬剤師または登録販売者については次のいずれかでよい。
・ホームページの閲覧時点での勤務状況を表示
・薬剤師または登録販売者の１週間の勤務シフト表を表示

○　特定販売について広告するときは，第１類医薬品，指定第２類医薬品，第２類医薬品，第３類医薬品及び薬局製造販売医薬品の区分ごとに，医薬品を区分して表示しなければならない。

○　相談時及び緊急時の電話番号その他連絡先については，その薬局の連絡先をわかりやすく表示すること。

○　使用期限については，次のいずれかでよい。
・薬局に貯蔵，陳列等している品目のすべての使用期限を表示させる方法
・使用期限までの期間が最短の品目の使用期限を表示させる方法

○　インターネットで広告する場合，そのホームページから，厚生労働省のホームページの主たるホームページ一覧のページにリンクを張ることが望ましいこと。

○　ホームページに上記の情報が記載されている場合は，いわゆる「バナー広告」は特定販売の広告には当たらないこと。

③　特定販売を行うことについてインターネットを利用して広告をするときは，都道府県知事及び厚生労働大臣が容易に閲覧することができるホームページで行うこと

ホームページを閲覧するために，パスワード等が必要な場合には，薬局開設者は，所管する都道府県等及び厚生労働省がホームページを閲覧することができるよう，当該パスワード等を，許可申請において特定販売を届け出る際に，所管する都道府県等へ届け出ること。これは，行政当局が，「特定販売」の広告について監視を的確に行えるよう定めて

いるものです。厚生労働省，都道府県は，インターネット販売により，薬局，店舗販売業の許可を得ていない実態の不明な業者や，無許可無承認の医薬品の不正販売が行われることを強く警戒しているのです。

(7) 競売による医薬品の販売等の禁止

医薬品の競売については，医薬品医療機器等法施行規則により，次のようにこれを禁止しています。

これは薬局だけでなく，店舗販売業についても同様です（施行規則第147条の5）。

医薬品医療機器等法施行規則

（競売による医薬品の販売等の禁止）

第15条の4　薬局開設者は，医薬品を競売に付してはならない。

インターネットモールでは，さまざまな商品の“ネット・オークション”が流行しており，そこでは，新品から，中古品，アンティークまでオークションが行われています。しかし，医薬品については，品質，有効性，安全性の確保が不可欠であり，オークション販売は適当ではないとの考え方から，競売は禁止されています。

配置販売については特定販売は認められておらず，個別に家庭を訪問して配置販売する方法であることもあり競売に関する規定はありません。

(8) 使用の期限を超過した医薬品の販売等の禁止

医薬品医療機器等法では，医薬品の容器，包装の記載事項として，「有効期限」を記載事項の1項に定めていますが，その有効期限を超過したものを販売してはならないという，当然の規定です。

薬局や店舗販売業の店頭では，医薬品の購入者は，直接，現物を手にとって購入するかしないかの判断が可能です。しかし，特定販売では，商品が購入者の手元に届いてはじめて商品を確認することになります。

したがって，この規定も，特定販売のみに適用されるものではありませんが，特に特定販売を意識した規定であると考えてよいでしょう。店舗販売業（施行規則第147条の4），配置販売業（同第149条）についても同じ内容の規定が設けられています。

医薬品医療機器等法施行規則

（使用の期限を超過した医薬品の販売等の禁止）

第15条の3　薬局開設者は，その直接の容器又は直接の被包に表示された使用の期限を超過した医薬品を，正当な理由なく，販売し，授与し，販売若しくは授与の目的で貯蔵し，若しくは陳列し，又は広告してはならない。

14 薬局，店舗販売業，配置販売業における広告

医薬品医療機器等法では，これまで医薬品広告については，製薬企業がテレビ，新聞，雑誌等で行う広告について，医薬品医療機器等法第66条（誇大広告等の禁止），第67条（特定疾病用の医薬品等の広告の制限），第68条（承認前の医薬品等の広告の禁止）等の規定を設けてきました。

したがって，医薬品の広告といえば，主として製薬企業が行うテレビのコマーシャルなどが規制の対象となってきましたが，医薬品のインターネット販売の普及に伴い，インターネット上での医薬品の広告，薬局や薬店広告等も多くなりました。そこで，医薬品医療機器等法施行規則では，薬局，店舗販売業者及び配置販売業が行う医薬品の広告に関する規定を設けています。下記の規定は薬局に係わる規定ですが，同じ趣旨の規定が，店舗販売業（医薬品医療機器等法施行規則第147条の6），配置販売業（第149条の9）についても定められています。

医薬品医療機器等法施行規則

（薬局における医薬品の広告）

第15条の5　薬局開設者は，その薬局において販売し，又は授与しようとする医薬品について広告をするときは，当該医薬品を購入し，若しくは譲り受けた者又はこれらの者によつて購入され，若しくは譲り受けられた医薬品を使用した者による当該医薬品に関する意見その他医薬品の使用が不適正なものとなるおそれのある事項を表示してはならない。

2　薬局開設者は，医薬品の購入又は譲受けの履歴，ホームページの利用の履歴その他の情報に基づき，自動的に特定の医薬品の購入又は譲受けを勧誘する方法その他医薬品の使用が不適正なものとなるおそれのある方法により，医薬品に関して広告をしてはならない。

テレビコマーシャルでは，最近は健康食品に関する広告があふれており，「個人的な感想です」とキャプションを入れたうえで，その商品の使用者による使用経験などについて意見を述べさせ，また，「あなたもすぐにお試しを」といってサンプルを無償送付するなどの勧誘広告が花盛りです。

この規定では，医薬品については，そうした使用者による使用経験談や医薬品の不必要な使用を勧奨するような広告を禁じています。

また，医薬品の自動的な継続購入を勧めるような広告を行うことも禁じています。

これらの規定は，もちろん，特定販売の場合のみに適用されるものではありません。しかし，特定販売は店舗を訪れる消費者だけを対象とするものではないことから，その広告もインターネットやテレビコマーシャルなどによる全国的規模（あるいは地域的規模）の広範な消費者を対象とした広告となるでしょう。したがって，これらの規定は，特定販売の広告を念頭において設けられた規定であるといってよいでしょう。

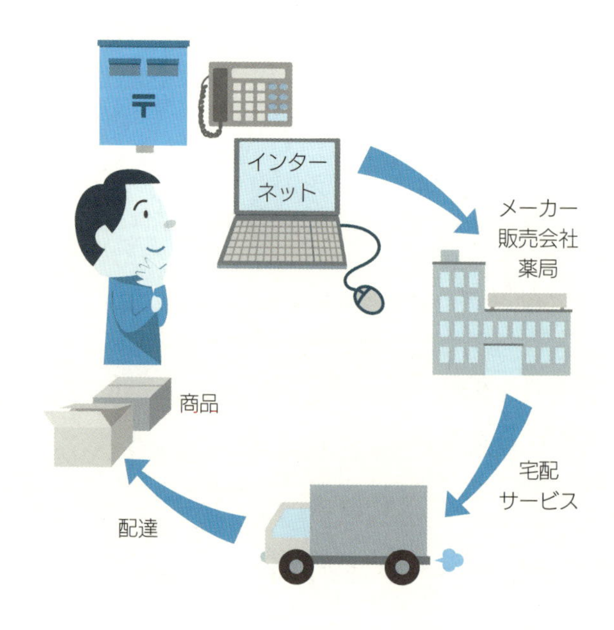

第9章

医薬品と広告

1 医薬品の広告に関する医薬品医療機器等法の規定

テレビはコマーシャルでいっぱい，コマーシャルソングの中から流行歌も生まれています。電車の中も吊り広告でいっぱいですし，新聞も雑誌も半分は広告で成り立っているともいわれます。このような広告だらけの時代ですが，なかでも医薬品の広告は目立つようです。実は，こうした医薬品の広告には，医薬品医療機器等法による厳しい規制の枠があります。

ひと昔以上も前のことですが，医薬品のテレビコマーシャルは，よくいえばアイディアいっぱい，悪くいえば行儀が悪く，医薬品の広告として品がないとか，オーバーだといわれた時期がありました。たとえば，滋養強壮剤のコマーシャルに力士や野球の選手が出てきて，それを飲めば誰もが相撲取りや野球選手のようにたくましい体になれるかのような，そんなコマーシャルがあふれていました。最近は医薬品のコマーシャルも以前ほど批判を受けることはないように思います。その分，おもしろくなくなったという声もあるようですが。

それでは，医薬品の広告に関する医薬品医療機器等法の規定をみてみましょう。

医薬品医療機器等法

（誇大広告等）

第66条 何人も，医薬品，医薬部外品，化粧品，医療機器又は再生医療等製品の名称，製造方法，効能，効果又は性能に関して，明示的であると暗示的であるとを問わず，虚偽又は誇大な記事を広告し，記述し，又は流布してはならない。

2 医薬品，医薬部外品，化粧品，医療機器又は再生医療等製品の効能，効果又は性能について，医師その他の者がこれを保証したものと誤解されるおそれがある記事を広告し，記述し，又は流布することは，前項に該当するものとする。

3 何人も，医薬品，医薬部外品，化粧品，医療機器又は再生医療等製品に関して堕胎を暗示し，又はわいせつにわたる文書又は図画を用いてはならない。

第1項は，虚偽，誇大な広告はいけないということです。

医薬品の広告は，率直にいって，昔からややオーバーというか，大げさなものというのが通り相場でした。落語に，がまの油売りの話があります。四方に鏡を貼りめぐらした箱の中にがまを閉じこめて脂汗を流させ，それを集めて作ったのががまの油。これが何にでも効く，万病に効くという売り口上が有名です。人は病気のときには弱いものですから，あれにも効く，これにも効くといわれますとつい手を出してしまいます。

しかし，医薬品の効能効果は，承認制度のところで説明したように，動物試験データから臨床試験データまでたくさんの試験データに基づいて，薬事・食品衛生審議会の専門家が審査してはじめて認められるものです。そう簡単に，あれにも効く，これにも効く，すべての病気をなおしてしまうというようなものがあるはずがありません。

くすりの効き目には限界があるのに，それをオーバーに，ときには嘘も交えて広告する。そういう虚偽や誇大にわたる広告は，はっきり明示しないにしても，暗示的でもいけないと条文では規定しています。

第2項は，医師などの専門家がその効果を保証するかのごとき広告を禁じています。

たとえば，テレビコマーシャルで医師のように白衣を着たタレントが出てきて，「これはたいへんよく効く薬ですから使いましょう」とやるような広告です。専門家がいってるんだからと消費者は信じこんでしまい，必要もない医薬品を使ってしまうことが考えられます。

第3項は，堕胎を暗示したり，わいせつにあたる広告を禁じています。

医薬品というのは，人が本当に悩み苦しみがあるからこそ使用されるものです。それを興味本位に広告することは許されないし，医薬品の信頼性にもかかわる問題です。また，堕胎については，資格のある専門の医師に限られ，場合によっては刑法に触れる可能性もあるものだけに医薬品医療機器等法でも厳しく禁じているわけです。

なお，医薬品医療機器等法は製薬企業や薬局，医薬品販売業者などに直接関係する法律ですが，条文の冒頭に「何人も」とあるように，この広告に関する規定は，製薬関係者だけに限定されるものではありません。この規定は，場合によっては広告を掲載する新聞や雑誌，放映するテレビなどの広告媒体に対してもかかってくることも考えられます。

2 承認前の広告の禁止

次に，法第68条です。

医薬品医療機器等法

（承認前の医薬品，医療機器及び再生医療等製品の広告の禁止）

第68条　何人も，第14条第1項，第23条の2の5第1項若しくは第23条の2の23第1項に規定する医薬品若しくは医療機器又は再生医療等製品であつて，まだ第14条第1項，第19条の2第1項，第23条の2の5第1項，第23条の2の17第1項，第23条の25第1項若しくは第23条の37第1項の承認又は第23条の2の23第1項の認証を受けていないものについて，その名称，製造方法，効能，効果又は性能に関する広告をしてはならない。

どんな商品でも，発売前の早い時期から広告をはじめて，できるだけ知名度を高めておいたうえで商品を売り出すというのが商売の常法です。“先んずればひとを制す”です。しかし，医薬品の場合は，できるだけ早くから広告をといっても，医薬品医療機器等法の承認を得ないうちは広告をしてはいけないというのがこの規定です。

医薬品は厚生労働大臣の承認を得なければ販売できません。医薬品の効能効果については，それを立証するきちんとした医学的・薬学的データがあるかどうか，専門家による厳しい審査を受けたうえで承認されます。学問的にきちんと評価を受けた，根拠のあるデータに基づくものでなければ広告してはいけない。そのための手続きとしての医薬品医療機器等法の承認を経なければ，医薬品として認められたものではなく，広告もしてはいけないという規定です。ときどき，新聞のちらし広告などで，あたかも万病に効くかのような文句を並べたてて宣伝している怪しげな健康食品がありますが，そうした種類の広告もその内容が医薬品の定義に合致するものであれば，もちろんこの医薬品医療機器等法の規制の対象になります。

以上の医薬品医療機器等法第66条誇大広告等，および第68条承認前の医薬品等の広告の禁止の規定を踏まえ，厚生労働省では，さらに細かな広告の在り方について，「医薬品等適正広告基準」という通知を定めています（平成29年9月29日薬生発0929第4号）。ここでは内容は掲載しませんが，インターネットでも検索できますので参照してみてください。

3 特定の疾病用薬の一般への広告の禁止

次は法第67条です。この条文は，医薬品のうち，特定の疾患に関する医薬品の一般への広告を禁ずる規定です。

医薬品医療機器等法

（特定疾病用の医薬品及び再生医療等製品の広告の制限）

第67条 政令で定めるがんその他の特殊疾病に使用されることが目的とされている医薬品又は再生医療等製品であつて，医師又は歯科医師の指導の下に使用されるのでなければ危害を生ずるおそれが特に大きいものについては，厚生労働省令で，医薬品又は再生医療等製品を指定し，その医薬品又は再生医療等製品に関する広告につき，医薬関係者以外の一般人を対象とする広告方法を制限する等，当該医薬品又は再生医療等製品の適正な使用の確保のために必要な措置を定めることができる。

2 厚生労働大臣は，前項に規定する特殊疾病を定める政令について，その制定又は改廃に関する閣議を求めるには，あらかじめ，薬事・食品衛生審議会の意見を聴かなければならない。ただし，薬事・食品衛生審議会が軽微な事項と認めるものについては，この限りでない。

今日では，「がん」は患者に告知されることが多くなりましたが，しかし，なお，がんを告知されることによって精神的なダメージを受ける人は少なくありません。そして，告知されなくても，自分が使用している医薬品が「抗がん剤」であることを知ったことから，絶望的な思いに陥ってしまう人もいます。そのような事情への配慮から，この規定が設けられました。現在，政令で指定されている疾患は，「がん」，「肉腫」および「白血病」です。

実は，一般への医薬品の広告に関する規定は，医薬品医療機器等法ではがんなどの特定疾病の治療薬の禁止規定しかありませんが，厚生労働省は，すべての医療用医薬品について，行政指導（通達）によって，一般への広告を禁止しています。医薬品の広告は，その広告の仕方によっては，重大な病気を持つ人が，医薬品の使用を誤ったり，また過大に期待して治療の機会を失して手遅れになったり，思わぬ副作用の被害にあったりしかねません。このため，医薬品医療機器等法ではこのような医薬品の広告に厳しい規制の枠をはめているのです。

なお，平成26年の医薬品医療機器等法の改正で，インターネット等による一般用医薬品の販売が認められるようになりました。

このインターネットによる一般用医薬品販売では当然，インターネットが広告ツールとなります。「インターネット販売＝インターネットによる医薬品広告販売」といってよいでしょう。このため以上の広告規制に加え，インターネットによる医薬品の広告についてはその広告内容等について，別途規制があります。それらについては第8章で説明しました。

4 虚偽・誇大広告に関する課徴金制度の創設（令和元年12月4日から2年以内に施行）

先にみた医薬品医療機器等法第66条第1項に違反する行為（虚偽・広大広告）があるときは，その行為を行った者に課徴金の納付を義務づける制度が設けられました。その背景には，経済的利得を主たる目的とするものと考えられる虚偽・誇大広告について，行政処分のみによっては抑止効果が機能しにくいという実態があります。まずは条文をみてみましょう。

医薬品医療機器等法

（課徴金納付命令）

第75条の5の2　第66条第1項の規定に違反する行為（以下「課徴金対象行為」という。）をした者（以下「課徴金対象行為者」という。）があるときは，厚生労働大臣は，当該課徴金対象行為者に対し，課徴金対象期間に取引をした課徴金対象行為に係る医薬品等の対価の額の合計額（次条及び第75条の5の5第8項において「対価合計額」という。）に百分の四・五を乗じて得た額に相当する額の課徴金を国庫に納付することを命じなければならない。

条文は全部で18条にも及ぶものですので，他は省略しますが，要点は次のとおりです。

① 虚偽・誇大広告を行った者に対し，厚生労働大臣が，虚偽・誇大広告を行った期間における売り上げ金額の4.5％に相当する金額を課徴金として国庫へ納付することを命じること。

② 業務の改善が命じられた（保健衛生上の危害の発生又は拡大に与える影響が軽微である場合に限る。），業務の停止が命じられた等の他の行政処分が有効に機能している場合には課徴金の納付を命じないことができること。

③ 対象となる課徴金の計算額が225万円未満である場合には納付を命じられないこと。

④ 不当景品類及び不当表示防止法による課徴金納付命令があるときは，当該期間における売り上げ金額の3％に相当する金額を減額すること。

⑤　課徴金納付命令があることを予知して行った場合を除き，虚偽・誇大広告を行った者が厚生労働大臣に虚偽・誇大広告の事実を自ら報告したときは，対象となる課徴金の計算額の50％を減額すること。

これらの規定は令和元年12月4日から2年以内に施行することとされていますが，業務改善命令や業務停止命令などの処分と異なり，課徴金制度は医薬品医療機器等法ではじめて導入されたものですので，その運用が注目されます。

第10章

医薬品の製造販売後安全対策とGVP

1 製造販売後の安全対策

病気を治すという医薬品の利点の裏には，絶えず副作用という危険が潜んでいます。もちろん副作用のない医薬品が理想であり，研究者はそれを追い求めているのですが，現代の科学では，副作用のまったくない医薬品というのは今のところ夢でしかありません。

たとえば，副腎皮質ステロイドというホルモン剤が医薬品として使用されていますが，このホルモン剤は人の免疫を抑えてリウマチなどの免疫性の病気の症状を緩和してくれます。しかし一方で，免疫を抑えるということは，それを使用した人は他の感染症にかかりやすくなってしまうという問題が起こってきます。ステロイドはたいへんよく効く薬なのですが，副作用の多いことでもまた有名な医薬品です。

新しい医薬品を製造し，販売するためには，厚生労働大臣の承認を受けなくてはなりません。そのためには，毒性や薬理についての動物実験データや人による臨床試験データが必要です。これらのデータを集めるための医薬品の研究開発には，10年以上の年月と多額の研究費が必要ともいわれています。

しかし，こうして医薬品の有効性や安全性が確認されても，医薬品の効果や安全性を確認する仕事はそれでおしまいというわけにはいかないのです。

これまで，医薬品の副作用等により，大きな薬害事故が何度も発生しました。新薬の発売直後に，他の薬剤との併用により死亡者が出てしまった事故もありました。長期にわたって使用されてきた医薬品によって，重篤な副作用が発現していたことがわかった事例もありました。

治験は，通常，数百例のデータで有効性や安全性の確認が行われます。しかし，それでは，0.1%といった頻度で発生するような副作用が確認できないことは少なくありません。実際の医療の場では，医薬品は，何万，何十万という患者に使用されます。したがって，まれな副作用でも発現することがあります。また，医薬品は，いろいろな使い方がされます。複数の病気を持つ人が使用したり，他の薬剤と併用したり，長期にわたって使用されたり，治験とは異なる条件，環境で使用されることが，むしろ多いといっていいでしょう。そうしたさまざまな使われ方がされるなかで，予期しない副作用が発生する，ということは決してまれではありません。

また，医薬品や医療機器には，人や動物の臓器，組織を原料とする製品があります。こうした医薬品や医療機器を介した感染症が問題となってきました。最も有名な例としては，かつて血液凝固製剤で，HIV感染者の血液が原料として使用され，ウイルスが製剤中に混入し，これを使用した血友病患者がHIVに感染するなどの薬害事故が発生し，大きな社会問題となりました。

医薬品医療機器等法では，これらの生物由来の原料を使用する医薬品や医療機器を，「生物由来製品」として，特に，感染症情報の収集など，安全対策を講じています。これについては第11章で説明します。

副作用，感染症等に関する情報収集制度

平成26年施行の医薬品医療機器等法と名前を変えた法改正では，医薬品の製造販売後の安全対策の強化も改正の柱の1つでした。医薬品医療機器等法に，新たに「第11章　医薬品等の安全対策」の章が設けられ，製造販売後の安全対策に係る主な条文が1章にまとめられました。同章では，次のような医薬品等の安全対策に係わる義務等の制度を定めています。

①製造販売業者等の情報の収集，検討及び提供の義務
②製造販売業者などが行う情報収集への協力の努力義務
③医薬関係者の情報の活用の努力義務
④製造販売業者等の厚生労働大臣への副作用情報等の報告義務
⑤医薬関係者の厚生労働大臣への副作用，感染症等の情報の報告義務
⑥新薬の市販直後調査
⑦新一般用医薬品の製造販売後の使用成績調査

また，本書第4章の「医薬品の製造販売業の許可の基準」の項で，製造販売業許可の要件として次のような規定があることを紹介しました。

医薬品医療機器等法

第12条の2

次の各号のいずれかに該当するときは，前条第1項の許可を与えないことができる。

二　申請に係る医薬品，医薬部外品，化粧品又は医療機器の製造販売後安全管理（品質，有効性及び安全性に関する事項その他適正な使用のために必要な情報の収集，検討及びその結果に基づく必要な措置をいう。以下同じ。）の方法が，厚生労働省令で定める基準に適合しないとき。

「医薬品，医薬部外品，化粧品又は医療機器の製造販売後安全管理の方法についての厚生労働省令で定める基準」に適合していること，という規定です（再生医療等製品については，

法第23条の21に規定されています)。

この基準は,「医薬品,医薬部外品,化粧品,医療機器及び再生医療等製品の製造販売後安全管理の基準に関する省令」(平成16年9月22日厚生労働省令第135号)で定められています。基準は「Good Vigilance Practice」(GVP),省令は「GVP省令」と呼ばれています。このGVPに,医薬品等の製造販売後調査等を含む安全管理の指針が示されています(再生医療等製品については,医薬品医療機器等法第23条の21第1項第2号で規定されています)。

そのGVPに「医薬品リスク管理」という言葉がでてきます。

「医薬品リスク管理」とは,「安全確保業務のうち,医薬品の製造販売業者が,医薬品の安全性及び有効性に係る情報収集,調査,試験その他医薬品を使用することに伴うリスクの最小化を図るための活動を実施するとともに,その結果に基づく評価及びこれに基づく必要な措置を講ずることにより,当該医薬品の安全性及び有効性に係る適切なリスク管理を行うものであって,法第79条第1項の規定により法第14条第1項の規定による承認に条件として付されるものをいう」と定義されています。GVPは,この「リスク管理」のためのいろいろな基準を示しています。

法第79条第1項とは次のような条文です。

医薬品医療機器等法

第79条 この法律に規定する許可,認定又は承認には,条件又は期限を付し,及びこれを変更することができる。

本章では,医薬品に焦点を絞って,上述した医薬品医療機器等法に定められている製造販売後に関する規定及びGVPをみていきましょう。

2 製造販売後の安全性に関する情報の収集,調査,提供

(1) 製造販売業者等の情報の収集,検討及び提供の義務

医薬品の有効性,安全性等に関わる情報の収集,その検討,そして提供について次のように定めています。

医薬品医療機器等法

(情報の提供等)

第68条の2 医薬品,医療機器若しくは再生医療等製品の製造販売業者,卸売販売業者,医療機器卸売販売業者等(医療機器の販売業者又は貸与業者のうち,薬局開設者,医療機器の製造販売業者,販売業者若しくは貸与業者若しくは病院,診療所若しくは飼育動物診療施設の開設者に対し,業として,医療機器を販売し,若しくは授与するもの又は薬局開設者若しくは病院,診療所若しくは飼育動物診療施設の開設者に対し,業として,医療機器を貸与す

るものをいう。次項において同じ。），再生医療等製品卸売販売業者（再生医療等製品の販売業者のうち，再生医療等製品の製造販売業者若しくは販売業者又は病院，診療所若しくは飼育動物診療施設の開設者に対し，業として，再生医療等製品を販売し，又は授与するものをいう。同項において同じ。）又は外国製造医薬品等特例承認取得者，外国製造医療機器等特例承認取得者若しくは外国製造再生医療等製品特例承認取得者（以下「外国特例承認取得者」と総称する。）は，医薬品，医療機器又は再生医療等製品の有効性及び安全性に関する事項その他医薬品，医療機器又は再生医療等製品の適正な使用のために必要な情報（第63条の2第1項第2号の規定による指定がされた医療機器の保守点検に関する情報を含む。次項において同じ。）を収集し，及び検討するとともに，薬局開設者，病院，診療所若しくは飼育動物診療施設の開設者，医薬品の販売業者，医療機器の販売業者，貸与業者若しくは修理業者，再生医療等製提供品の販売業者又は医師，歯科医師，薬剤師，獣医師その他の医薬関係者に対し，これを提供するよう努めなければならない。

この条文には，有効性・安全性に関する情報の，「収集」，「検討」，「提供」という3つの要素が含まれています。

①医薬品の製造販売業者，卸売販売業者は，医薬品の有効性及び安全性に関する事項その適正な使用のために必要な情報を収集し，

②検討し，

③薬局開設者，病院，診療所もしくは飼育動物診療施設の開設者，医薬品の販売業者，医師，歯科医師，薬剤師，獣医師その他の医薬関係者に対し，これを提供するよう努めなければならない。

情報の収集

製造販売業者等が行う情報の収集源について，GVPでは次のようなものをあげています。

GVP

第7条

一　医療関係者からの情報
二　学会報告，文献報告その他研究報告に関する情報
三　厚生労働省その他政府機関，都道府県及び独立行政法人医薬品医療機器総合機構からの情報
四　外国政府，外国法人等からの情報
五　他の製造販売業者等からの情報
六　その他安全管理情報

医薬品の添付文書には，「当該医薬品に関する最新の論文」より得られた知見に基づき，使用上の注意等を記載していなければならない（法第52条）と定められています。ですから，製造販売業者等は，以上のようなさまざまな情報源に向けて絶えずアンテナを張り情報の収集に努めなければなりません。

●医薬情報担当者

病院や診療所，薬局，医薬品販売業者や，医師，薬剤師等の医薬関係者は，医薬品の使用者と日常的に接していますから，最も重要な情報源です。そのため，製造販売業者には，MRと呼ばれる営業担当者がおり，医薬関係者からの情報収集や情報の提供などを担当しています。

MRとは，「メディカル・レプレゼンタティブ」（Medical Representative）の略称です。直訳すれば，「企業を代表して医学的情報を伝える担当者」という意味でしょうが，このMRは，GVPで設置が規定されている「医薬情報担当者」に該当すると位置づけられています。

GVPでは，医薬情報担当者は，「医薬品の適正な使用に資するために，医療関係者を訪問すること等により安全管理情報を収集し，提供することを主な業務として行う者」と定義しています（GVP第1条第4項）。ですから，MRは単なる医薬品拡販を担当するセールスマンではなく，医薬品の医学薬学的な専門知識を有する者でなければなりません。

そこで，製薬業界では，MRの資質向上のため，「公益財団法人MR認定センター」を設けています。MR認定センターでは，製薬企業（MR派遣業含む）のMRの資質，知識を習得させるための導入教育，MRの継続教育を行うための「MR教育研修要綱」を定めています。また，MR認定試験を行い，「MR認定証」を交付するなどの活動を行っています。

(2) 製造販売業者などが行う情報収集への協力

次に，医療関係者に対しては，製造販売業者等が行う情報収集活動に対し，協力するよう求めた規定です。

医薬品医療機器等法

第68条の2

2　薬局開設者，病院，診療所若しくは飼育動物診療施設の開設者，医薬品の販売業者，医療機器の販売業者，貸与業者若しくは修理業者，再生医療等製品の販売業者又は医師，歯科医師，薬剤師，獣医師その他の医薬関係者は，医薬品，医療機器若しくは再生医療等製品の製造販売業者，卸売販売業者，医療機器卸売販売業者等，再生医療等製品卸売販売業者又は外国特例承認取得者が行う医薬品，医療機器又は再生医療等製品の適正な使用のために必要な情報の収集に協力するよう努めなければならない。

(3) 医薬関係者の情報の活用

病院や診療所，医師，歯科医師，薬剤師，その他の医薬関係者（登録販売者など）は，製造販売業者等から提供された情報を活用するよう求めています。また，それら医薬関係者自身も，情報の収集，検討，利用を行うよう求めています。

医薬品医療機器等法

第68条の2

3　薬局開設者，病院若しくは診療所の開設者又は医師，歯科医師，薬剤師その他の医薬関係者は，医薬品，医療機器及び再生医療等製品の適正な使用を確保するため，相互の密接な連携の下に第1項の規定により提供される情報の活用（第63条の2第1項第2号の規定による指定がされた医療機器の保守点検の適切な実施を含む。）その他必要な情報の収集，検討及び利用を行うことに努めなければならない。

(4) 製造販売業者等の厚生労働大臣への医薬品の副作用，感染症等の情報等の報告義務

製造販売業者等は，製造販売している医薬品によるものと疑われる副作用，感染症等の情報を知ったときは，厚生労働大臣に報告しなければならない，と報告義務が定められています。

医薬品医療機器等法

（副作用等の報告）

第68条の10　医薬品，医薬部外品，化粧品，医療機器若しくは再生医療等製品の製造販売業者又は外国特例承認取得者は，その製造販売をし，又は第19条の2，第23条の2の17若しくは第23条の37の承認を受けた医薬品，医薬部外品，化粧品，医療機器又は再生医療等製品について，当該品目の副作用その他の事由によるものと疑われる疾病，障害又は死亡の発生，当該品目の使用によるものと疑われる感染症の発生その他の医薬品，医薬部外品，化粧品，医療機器又は再生医療等製品の有効性及び安全性に関する事項で厚生労働省令で定めるものを知つたときは，その旨を厚生労働省令で定めるところにより厚生労働大臣に報告しなければならない。

● 報告すべき「厚生労働省令で定めるもの」

この規定で，「厚生労働省令で定めるものを知ったときは」，「厚生労働省令で定めるところにより」報告することとされています。安全性に係わる情報には，緊急を要するもの，あるいは比較的軽微なものなどさまざまですので，情報の重要度等に応じて報告時期及び報告事項を定めています。

医薬品医療機器等法施行規則

（副作用等報告）

第228条の20　医薬品の製造販売業者又は外国製造医薬品等特例承認取得者は，その製造販売し，又は承認を受けた医薬品について，次の各号に掲げる事項を知つたときは，それぞれ当該各号に定める期間内にその旨を厚生労働大臣に報告しなければならない。

一　次に掲げる事項　15日

イ　死亡の発生のうち，当該医薬品の副作用によるものと疑われるもの

ロ　死亡の発生のうち，当該医薬品と成分が同一性を有すると認められる外国で使用されている医薬品（以下「外国医薬品」という。）の副作用によるものと疑われるものであつて，かつ，当該医薬品の添付文書又は容器若しくは被包に記載された使用上の注意（以下「使用上の注意等」という。）から予測することができないもの又は当該医薬品の使用上の注意等から予測することができるものであつて，次のいずれかに該当するもの

⑴　当該死亡の発生数，発生頻度，発生条件等の傾向（以下「発生傾向」という。）を当該医薬品の使用上の注意等から予測することができないもの

⑵　当該死亡の発生傾向の変化が保健衛生上の危害の発生又は拡大のおそれを示すもの

ハ　次に掲げる症例等の発生のうち，当該医薬品又は外国医薬品の副作用によるものと疑われるものであつて，かつ，当該医薬品の使用上の注意等から予測することができないもの又は当該医薬品の使用上の注意等から予測することができるものであつて，その発生傾向を予測することができないもの若しくはその発生傾向の変化が保健衛生上の危害の発生又は拡大のおそれを示すもの（二及びホに掲げる事項を除く。）

⑴　障害

⑵　死亡又は障害につながるおそれのある症例

⑶　治療のために病院又は診療所への入院又は入院期間の延長が必要とされる症例（⑵に掲げる事項を除く。）

⑷　死亡又は⑴から⑶までに掲げる症例に準じて重篤である症例

⑸　後世代における先天性の疾病又は異常

二　医薬品，医療機器等の品質，有効性及び安全性の確保等に関する法律関係手数料令（平成17年政令第91号）第7条第1項第1号イ⑴に規定する既承認医薬品と有効成分が異なる医薬品として法第14条第1項の承認を受けたものであつて，承認のあつた日後2年を経過していないものに係るハ⑴から⑸までに掲げる症例等の発生のうち，当該医薬品の副作用によるものと疑われるもの

ホ　ハ⑴から⑸までに掲げる症例等の発生のうち，当該医薬品の副作用によるものと疑われるものであつて，当該症例等が市販直後調査により得られたもの（二に掲げる事項を除く。）

ヘ　当該医薬品の使用によるものと疑われる感染症による症例等の発生のうち，当該医薬品の使用上の注意等から予測することができないもの

ト　当該医薬品又は外国医薬品の使用によるものと疑われる感染症による死亡又はハ⑴から⑸までに掲げる症例等の発生（へに掲げる事項を除く。）

チ　外国医薬品に係る製造，輸入又は販売の中止，回収，廃棄その他保健衛生上の危害の発生又は拡大を防止するための措置の実施

二　次に掲げる事項　30日

イ　前号ハ⑴から⑸までに掲げる症例等の発生のうち，当該医薬品の副作用によるものと疑われるもの（前号ハ，ニ及びホに掲げる事項を除く。）

ロ　当該医薬品若しくは外国医薬品の副作用若しくはそれらの使用による感染症によりがんその他の重大な疾病，障害若しくは死亡が発生するおそれがあること，当該医薬品若しくは外国医薬品の副作用による症例等若しくはそれらの使用による感染症の発生傾向が著しく変化したこと又は当該医薬品が承認を受けた効能若しくは効果を有しないことを示す研究報告

三　次に掲げる医薬品の副作用によるものと疑われる症例等の発生（死亡又は第１号ハ⑴から⑸までに掲げる事項を除く。）のうち，当該医薬品の使用上の注意等から予測することができないもの　次に掲げる医薬品の区分に応じて次に掲げる期間ごと

イ　法第１４条の４第１項第１号に規定する新医薬品及び法第１４条の４第１項第２号の規定により厚生労働大臣が指示した医薬品　第63条第３項に規定する期間

ロ　イに掲げる医薬品以外の医薬品　当該医薬品の製造販売の承認を受けた日等から１年ごとにその期間の満了後２月以内

(5) 医薬関係者の厚生労働大臣への副作用，感染症等の情報の報告義務

医薬品によると疑われる副作用や感染症に関する厚生労働大臣への報告は，製造販売業者だけではなく，薬局，病院・診療所の開設者，医師，薬剤師，登録販売者等の医薬関係者についても，報告義務が課されています。

医薬品医療機器等法

第68条の10

２　薬局開設者，病院，診療所若しくは飼育動物診療施設の開設者又は医師，歯科医師，薬剤師，登録販売者，獣医師その他の医薬関係者は，医薬品，医療機器又は再生医療等製品について，当該品目の副作用その他の事由によるものと疑われる疾病，障害若しくは死亡の発生又は当該品目の使用によるものと疑われる感染症の発生に関する事項を知つた場合において，保健衛生上の危害の発生又は拡大を防止するため必要があると認めるときは，その旨を厚生労働大臣に報告しなければならない。

医薬品医療機器等法では，医師や薬剤師などの情報提供義務を課していますが，医薬品を使用している患者と直接接している医療機関や薬局は，何といっても最重要の情報源です。

厚生労働省は，従来，国立病院や診療所，大学病院などの中から病院をモニターに指定して，これらのモニター病院で体験した副作用を厚生労働省に報告する「医療用医薬品の副作

用モニター制度」を実施してきました。また，一般用医薬品を中心に，全国の薬局からモニター薬局を指定して副作用や苦情などを集める「薬局モニター制度」を昭和58（1982）年から実施していました。

平成9（1997）年7月からは，すべての医療機関および薬局に対象施設を拡大して，また報告対象情報も医薬品（一般用医薬品を含む）または医療機器の使用の結果みられた副作用，感染症および医療機器の不具合情報等を集める新たな「医薬品等安全性情報報告制度」を発足させました。そして現在では，上述の医療関係者の報告義務の規定に基づく「医薬品医療機器安全性情報報告制度」として，医療機関，薬局からの副作用，感染症情報の重要な収集制度を設けています。図10-1は，医療機関等からの報告様式であり，これによって，郵便，ファックスなどで情報を報告するよう医療機関等に要請しています。

なお，患者またはその家族から直接，副作用の報告を収集する患者副作用報告制度も発足しました。本制度は平成24年3月より試行してきたもので，平成31年3月から医薬品医療機器総合機構を窓口として報告が受け付けられています。

(6) 新薬に係わる市販直後調査

副作用について最も注意が必要なのは，何といっても発売されたばかりの新薬です。医師もまだ使用経験が少ないし，頼れるのは，製造販売業者から提供される治験によって得られた情報だけです。しかし，医療で実際に使用された場合，未知の副作用が発現したり，あるいは，治験では軽度だと思われていた副作用が実際にはたいへん重篤な例が出てきたり，また発生頻度が予想以上に高かったり，他の医薬品との相互作用が発現するなどのケースは少ないことではありません。

そこで，特に新薬について，製造販売の承認に際して，発売後6カ月間の副作用等の調査が承認条件として付される場合があります。GVPでは，この調査を，「市販直後調査」と呼び，「医薬品の販売を開始した後の6カ間，診療において，医薬品の適正な使用を促し，施行規則第228条の20第1項第1号イ，ハ(1)から（5）まで及び並びに第2号イに掲げる症例等の発生を迅速に把握するために行うものであって，医薬品リスク管理として行うもの」と定義しています。

(7) 新一般用医薬品の製造販売後の使用成績調査

新一般用医薬品は，スイッチOTC医薬品や，既承認の有効成分のものでも，効能が新しいものや用量が増えたものなどです。それらの新しい医薬品がはじめて一般消費者に使用されるわけですから，特に注意が必要です。そこで，第1章で説明したように，これらの新一般用医薬品には，厚生労働大臣の承認の条件として，「製造販売後の使用成績調査」が課されています。使用成績調査は，通常3年間（3,000例）行うこととされています。

(8) WHO国際医薬品モニター制度

医薬品の安全性の問題は，いうまでもなく世界のすべての国の関心事です。今から40年以上前，サリドマイドによる事故が世界のあちこちで起こり，世界の国々は，国際的な副作用に関する情報交換の重要性を切実に感じました。そこで，WHO（世界保健機関）は，国際的な医薬品の副作用情報の交換システムを作ることを提案し，昭和43（1968）年にWHO国際医薬品モニター制度を発足させました。日本も昭和47（1972）年からこの制度に参加して副作用の情報交換をしています。加盟国から集められた情報はスウェーデンにおかれているデータベースに入力され，加盟各国がいつでもオンラインでデータにアクセスし，利用できるようになっています。

(9) 機構による副作用情報等の整理及び調査

医薬品医療機器等法第68条の10では，副作用等の情報は厚生労働大臣への報告義務が課されていますが，次の条文のように，副作用等の報告に係る情報の整理及び調査を，機構（PMDA）に行わせることができると定めています。

医薬品医療機器等法

（機構による副作用等の報告に係る情報の整理及び調査の実施）

第68条の13　厚生労働大臣は，機構に，医薬品（専ら動物のために使用されることが目的とされているものを除く。以下この条において同じ。），医薬部外品（専ら動物のために使用されることが目的とされているものを除く。以下この条において同じ。），化粧品，医療機器（専ら動物のために使用されることが目的とされているものを除く。以下この条において同じ。）又は再生医療等製品（専ら動物のために使用されることが目的とされているものを除く。以下この条において同じ。）のうち政令で定めるものについての前条第3項に規定する情報の整理を行わせることができる。

2　厚生労働大臣は，前条第1項の報告又は措置を行うため必要があると認めるときは，機構に，医薬品，医薬部外品，化粧品，医療機器又は再生医療等製品についての同条第3項の規定による調査を行わせることができる。

そして，この規定に基づいて製造販売業者は，厚生労働大臣に報告すること（法第68条の10）とされている医薬品の副作用等の情報を，機構に報告することになっています。

医薬品医療機器等法

第68条の13

3　厚生労働大臣が第1項の規定により機構に情報の整理を行わせることとしたときは，同項の政令で定める医薬品，医薬部外品，化粧品，医療機器又は再生医療等製品に係る第68条の10第1項若しくは第2項又は第68条の11の規定による報告をしようとする者は，これらの規定にかかわらず，厚生労働省令で定めるところにより，機構に報告しなければならない。

図10-1　医薬品安全性情報報告書

別紙1　様式①

□	医療用医薬品
□	要指導医薬品
□	一般用医薬品

医薬品安全性情報報告書

（医薬品医療機器等法に基づいた報告制度です。）

☆記入前に裏面の「報告に際してのご注意」をお読みください。

化粧品等の副作用等は、様式②をご使用ください。健康食品等の使用によると疑われる健康被害については、最寄りの保健所へご連絡ください。

患者情報

患者イニシャル	性別	副作用等発現年齢	身長	体重	妊娠
	□男 □女	歳	cm	kg	□無 □有（妊娠　　週）□不明

原疾患・合併症	既往歴	過去の副作用歴	特記事項
1. 2.	1. 2.	□無・□有 医薬品名： 副作用名： □不明	飲酒　□有（　　）□無　□不明 喫煙　□有（　　）□無　□不明 ｱﾚﾙｷﾞｰ□有（　　）□無　□不明 その他（　　）

副作用等に関する情報

副作用等の名称又は症状、異常所見	副作用等の重篤性 「重篤」の場合、（　）に該当する重篤の判定基準の番号を記入	発現期間 （発現日　～　転帰日）	副作用等の転帰 後遺症ありの場合、（　）に症状を記入
1.	□重篤 →（　　） □非重篤	年　月　日 ～　年　月　日	□回復　□軽快　□未回復 □死亡　□不明 □後遺症あり（　　）
2.	□重篤 →（　　） □非重篤	年　月　日 ～　年　月　日	□回復　□軽快　□未回復 □死亡　□不明 □後遺症あり（　　）

<重篤の判定基準>　①：死亡　②：障害　③：死亡につながるおそれ　④：障害につながるおそれ　⑤：治療のために入院または入院期間の延長　⑥：①～⑤に準じて重篤である　⑦：後世代における先天性の疾病または異常

<死亡の場合>被疑薬と死亡の因果関係：□有　□無　□不明

<胎児への影響>　□影響あり　□影響なし　□不明

被疑薬及び使用状況に関する情報

被疑薬（可能な限り**販売名**） 最も関係が疑われる被疑薬に○		製造販売業者の名称 （業者への情報提供の有無）	投与経路	1日投与量 （1回量×回数）	投与期間 （開始日～終了日）	使用理由
		（□有□無）			～	
		（□有□無）			～	
		（□有□無）			～	
		（□有□無）			～	

その他使用医薬品（可能な限り販売名、投与期間もご記載ください）

副作用等の発生および処置等の経過（記入欄が不足する場合は裏面の報告者意見の欄等もご利用ください）

年　月　日

※被疑薬投与前から副作用等の発現後の全経過において、関連する状態・症状、検査値等の推移、診断根拠、副作用に対する治療・処置、被疑薬の投与状況等を経時的に記載してください。検査値は下記表もご利用下さい。

副作用等の発現に影響を及ぼすと考えられる上記以外の処置・診断　：□有　□無
有りの場合 →（□放射線療法　□輸血　□手術　□麻酔　□その他（　　））

再投与：□有　□無　　有りの場合　→　再発：□有　□無

一般用医薬品の場合：　□薬局等の店頭での対面販売　□インターネットによる通信販売
購入経路→　□その他（電話等）の通信販売　□配置薬　□不明　□その他（　　）

報告日：平成　　年　　月　　日（既に医薬品医療機器総合機構へ報告した症例の続報の場合はチェックください →□）
報告者　氏名：　　　　施設名：
（職種：□医師、□歯科医師、□薬剤師、□看護師、□その他（　　））
住所：〒

電話：　　　　FAX：

医薬品副作用被害救済制度及び生物由来製品感染等被害救済制度について　：□患者が請求予定　□患者に紹介済み　□患者の請求予定はない　□制度対象外（抗がん剤等、非入院相当ほか）　□不明、その他

※一般用医薬品を含めた医薬品（抗がん剤等の一部の除外医薬品を除く。）の副作用等による重篤な健康被害については、医薬品副作用被害救済制度又は生物由来製品感染等被害救済制度があります（詳細は裏面）。

➢ ファクス又は電子メールでのご報告は、下記までお願いします。両面ともお送りください。
（FAX：0120-395-390 メール：anzensei-hokoku@pmda.go.jp　医薬品医療機器総合機構安全第一部安全性情報課宛）

1／2ページ（表面）　　（裏面に続く）

報告者意見（副作用歴、薬剤投与状況、検査結果、原疾患・合併症等を踏まえ、被疑薬と副作用等との関連性についてご意見をご記載ください）

検査値（副作用等と関係のある検査値等）

検査日 検査項目(単位)	／ （投与前値）	／	／	／	／	／

「報告に際してのご注意」

- この報告制度は、医薬品、医療機器等の品質、有効性及び安全性の確保等に関する法律（昭和35年法律第145号。）第68条の10第2項に基づき、医薬品による副作用および感染症によると疑われる症例について、医薬関係者が保健衛生上の危害発生の防止等のために必要があると認めた場合にご報告いただくものです。医薬品との因果関係が必ずしも明確でない場合や一般用医薬品等の誤用による健康被害の場合もご報告ください。
- なお、医薬部外品、化粧品によると疑われる副作用等の健康被害については、任意の報告となるので、様式②をご使用ください。
- 各項目については、可能な限り埋めていただくことで構いません。
- 報告された情報については、独立行政法人医薬品医療機器総合機構（以下「機構（PMDA）」という。）は、情報の整理又は調査の結果を厚生労働大臣に通知します。また、原則として、機構（PMDA）からその医薬品を供給する製造販売業者等へ情報提供します。機構（PMDA）または製造販売業者等は、報告を行った医療機関等に対し詳細調査を行う場合があります。
- 報告された情報について、安全対策の一環として広く情報を公表することがありますが、その場合には、施設名および患者のプライバシー等に関する部分は除きます。
- 健康食品・無承認無許可医薬品による疑いのある健康被害については最寄りの保健所へご連絡ください。
- 記入欄が不足する場合は、別紙に記載し、報告書に添付いただくか、各欄を適宜拡張して記載願います。
- ファクス、郵送又は電子メールにより報告いただく場合には、所定の報告用紙のコピーを使用されるか、インターネットで用紙を入手してください。（http://www.info.pmda.go.jp/info/houkoku.html）
  「e-Gov 電子申請システム」http://shinsei.e-gov.go.jp/menu/を利用して、インターネットで報告していただくこともできます。なお、ご利用に際しては、事前に電子証明書が必要です。
- 医薬品の副作用等による健康被害については、医薬品副作用救済制度または生物由来製品感染等被害救済制度があります［お問い合わせ先 0120-149-931（フリーダイヤル）］。詳しくは機構（PMDA）のホームページ（http://www.pmda.go.jp/kenkouhigai.html）をご覧ください。また、報告される副作用等がこれらの制度の対象となると思われるときには、その患者にこれらの制度を紹介願います。ただし、使用された医薬品が抗がん剤等の対象除外医薬品である場合や、副作用等による健康被害が入院相当の治療を要さない場合には、制度の対象とはなりません。また、法定予防接種による健康被害は、予防接種後健康被害救済制度の対象となり、これらの救済制度の対象外となるため、具体的には市町村に問い合わせて頂くよう紹介下さい。
- 施設の住所は安全性情報受領確認書の送付に使用しますので、住所もご記入ください
- ご報告は**医薬品医療機器総合機構安全第一部安全性情報課宛**にお願いします。両面ともお送りください。
  郵送：〒100-0013　東京都千代田区霞が関3-3-2 新霞が関ビル
  FAX：0120-395-390　　　　　メール：anzensei-hokoku@pmda.go.jp

2／2ページ（裏面）

機構は，報告された情報について，整理し，必要に応じて調査を行い，その結果を厚生労働省に報告します。機構から報告を受けた厚生労働省は，その結果に基づいて，必要な措置を検討することになります。

（10）収集された情報に基づく措置

情報を入手した製造販売業者は，いち早く，危害の拡散，防止等の対策を講じなければなりません。

医薬品医療機器等法

（危害の防止）

第68条の9　医薬品，医薬部外品，化粧品，医療機器若しくは再生医療等製品の製造販売業者又は外国特例承認取得者は，その製造販売をし，又は第19条の2，第23条の2の17若しくは第23条の37の承認を受けた医薬品，医薬部外品，化粧品，医療機器又は再生医療等製品の使用によつて保健衛生上の危害が発生し，又は拡大するおそれがあることを知つたときは，これを防止するために廃棄，回収，販売の停止，情報の提供その他必要な措置を講じなければならない。

副作用等の情報を得た製造販売業者は，その内容を分析しどのような措置を行うか検討しなければなりません。対応としては，

・医療機関，薬局，医師，薬剤師等の医薬関係者への情報提供

・廃棄，回収，販売の停止など

がありますが，とられるべき措置は，入手した情報の内容，リスクの程度，緊急性などによって異なります。法は製造販売業者が自主的に措置をとることを求めていますので，厚生労働省からの指導や命令を待てばいいものではありません。

（11）医薬関係者等への情報提供

病院や診療所，医師，薬剤師等への情報提供にはいろいろな方法があります。

①MRによる情報提供

②文書，メール，文献等による情報提供

③添付文書の使用上の注意等の改訂

④緊急安全性情報（緊急の場合）

製造販売業者は，副作用等の情報をその内容に応じて，通常の場合は，添付文書の使用上の注意への追加記載，MRによる医療機関，医薬関係者等への直接の情報提供，メールやホー

ムページなどへの掲示などの方法をとります。

なかでも，添付文書は，医療機関，医薬関係者，そして一般の使用者にとっても最も重要な情報源です。添付文書については，第7章で詳細に触れましたので参照してください。

また副作用等の内容が，死亡例などの重篤な症例が発生した場合や発生頻度が高いなどの場合は，緊急に情報提供する必要があります。

そこで，厚生労働省から，「緊急安全性情報等の提供に関する指針について」という通知が出ています（薬食安発1031第1号，平成26年10月31日）。その概要は次のとおりです。

緊急安全性情報等の提供に関する指針の概要

⑴緊急安全性情報（イエローレター）の配布

① 医薬品等について，（国民（患者），医薬関係者に対して緊急かつ重大な注意喚起や使用制限に係る対策が必要な状況にある場合に，厚生労働省からの命令，指示，もしくは製造販売業者の自主的な決定により，「緊急安全性情報」（別掲様式）を作成する。

② イエローレターには，使用上の注意の警告欄の新設又は警告事項の追加，禁忌事項若しくは禁忌・禁止事項の新設又は追加，新たな安全対策の実施（検査の実施等）を伴う使用上の注意の改訂等について記載する。

③ 製造販売業者は，PMDA安全部門（医薬品は安全第二部，医療機器及び再生医療等製品は安全第一部）と緊急安全性情報の配布計画について事前に協議し，別掲計画書を提出する。

④ 製造造販売業者の自主的な決定であっても，製造販売業者が厚生労働省及び独立行政法人医薬品医療機器総合機構（以下「PMDA」という。）と協議し作成する。

⑤ 医薬関係者向けのみならず，原則として国民（患者）向け情報も別紙2（国民（患者）向け）をあわせて作成する。

⑥ 製造販売業者は，医療機関，薬局等に対し，緊急安全性情報及び改訂添付文書（添付文書情報）等について，直接配布，ダイレクトメール，ファックス，電子メール等を活用し，効果的に組み合わせる等により情報提供を実施する。

⑦ 医療機関，薬局等への訪問等による配布は，配布計画に従い実施し，その結果をPMDA安全部門に提出する。

⑧ 製造販売業者及び医薬食品局安全対策課は，国民（患者），医薬関係者への周知のため，緊急安全性情報配布開始後，速やかに報道発表を行う。

⑵安全性速報（ブルーレター）

① 緊急安全性情報に準じ，医薬関係者に対して一般的な使用上の注意の改訂情報よりも迅速な注意喚起や適正使用のための注意喚起が必要な状況にある場合に，厚生労働省からの命令，指示，若しくは製造販売業者の自主的な決定その他により作成する。

② 安全性速報は別掲の様式で，製造販売業者の自主的な決定であっても，製造販売業者が厚生労働省及びPMDAと協議し作成する。

③ 国民（患者）向け情報も，別掲様式により，あわせて作成する。

⑶ホームページによるPMDA，製造販売業者による情報の提供

① PMDAは，緊急安全性情報及び添付文書の改訂内容を，緊急安全性情報の配布開始後，

速やかにPMDAのホームページに掲載し，PMDAによる医薬品医療機器情報配信サービス（PMDAメディナビ）にて速やかに配信する。

② 製造販売業者においても同様の情報を速やかに自社等のホームページに掲載する。

③ 当該製品の納入が確認されている医療機関の適切な部署，薬局等に製造販売業者が自主的に配布を行うと決定した日から１か月以内に情報が到着していることを確認する。

④ 製造販売業者は，医学，薬学等の関係団体，患者団体等に対して情報提供を行い， 会員等への情報提供の協力及び関係団体のホームページ等への掲載等の効果的な広報手段での周知を依頼する。

⑤ 製造販売業者は，厚生労働省からの命令，指示，社内各部門での連絡等に関する文書，訪問記録及び配布記録を，当該製品の安全性情報に関する記録を利用しなくなった日から５年間保存する。（ただし，生物由来製品：10年，特定生物由来製品：30年）

⑷医薬品等添付文書使用上の注意等の改訂に伴う情報対応

① 厚生労働省医薬食品局安全対策課は，PMDAでの検討結果に基づき，使用上の注意等の改訂の指示又は指導の内容を文書に記し，関係製造販売業者等に対して通知する。

② PMDAは，通知をPMDAのホームページに掲載し，その情報についてPMDAメディナビを用いて配信する。

③ 製造販売業者は，改訂添付文書情報等を作成し，速やかに自社等のホームページに掲載するとともに，PMDAのホームページに掲載する。

④ 製造販売業者は通知により指示された改訂内容について，「改訂内容を明らかにした文書」を作成し，医療機関，薬局等に速やかに伝達する。

⑸PMDAが実施する情報提供

① PMDAは，「PMDAからの医薬品適正使用のお願い」，「PMDA医療安全情報」，「重篤副作用疾患別対応マニュアル」，「患者向医薬品ガイド」等，緊急安全性情報等による情報提供や使用上の注意を補完し，適正使用の向上に資する医薬関係者向け又は国民（患者）向け資材を提供する。

② 製造販売業者は，緊急安全性情報，安全性速報，添付文書の改訂に合わせて，PMDAが提供している国民（患者）向け情報提供資料等の内容も変更する必要がある場合は，PMDA安全部門と協議する。

③ PMDAは，電子版の医薬品・医療機器等安全性情報及び医薬品安全対策情報（DSU）をPMDAのホームページに定期的に掲載することとする。

④ 医薬関係者だけではなく，患者や一般国民に対してもわかりやすい情報の提供が求められていることから，「PMDAメディナビ」等の電子媒体による情報提供を活用し効果的に実施する。

（12）製品の販売停止，回収

医薬品の有効成分が変質してしまっている，あるいは異物が混入している等の品質不良の医薬品についての規制は，第6章で説明しました。そのような不良医薬品が発生した場合，その販売が中止され，そして製品の回収が行われる等の措置がとられますが，医薬品の副作用が極めて重篤な場合など，前述したような情報の提供に留まらず，製品の販売停止，回収するなどに発展する場合もないわけではありません。かつてスモンの原因といわれたキノフォルム製剤，アンプル入りピリン製剤などの例がありました。

副作用による死亡など医薬品の本質的な危険性が認められた場合，情報の提供といった措置で安全性が確保できるか，それともその製品の販売を停止し，回収などの措置をとる必要があるかは，まず，製造販売業者が判断することになります。厚生労働大臣は，機構において調査された副作用等に関する情報を，毎年度，薬事・食品衛生審議会に報告し，その意見を聴き，必要な措置をとることとされています。また，薬事・食品衛生審議会は，必要があれば厚生労働大臣に安全対策について意見を述べることとされています。

医薬品医療機器等法

第68条の12　厚生労働大臣は，毎年度，前2条の規定によるそれぞれの報告の状況について薬事・食品衛生審議会に報告し，必要があると認めるときは，その意見を聴いて，医薬品，医薬部外品，化粧品，医療機器又は再生医療等製品の使用による保健衛生上の危害の発生又は拡大を防止するために必要な措置を講ずるものとする。

2　薬事・食品衛生審議会は，前項，第68条の14第2項及び第68条の24第2項に規定するほか，医薬品，医薬部外品，化粧品，医療機器又は再生医療等製品の使用による保健衛生上の危害の発生又は拡大を防止するために必要な措置について，調査審議し，必要があると認めるときは，厚生労働大臣に意見を述べることができる。

3　厚生労働大臣は，第1項の報告又は措置を行うに当たつては，第68条の10第1項若しくは第2項若しくは前条の規定による報告に係る情報の整理又は当該報告に関する調査を行うものとする。

（13）承認の取消し，変更

医薬品は有効性と副作用などの安全性とを評価し，「医薬品が，その効能又は効果に比して著しく有害な作用を有することにより，医薬品として使用価値がないと認められるとき」は，医薬品としては承認されません。したがって，承認後に有効性を上回るような副作用が発生した場合には承認は取り消し，あるいは承認された一部の効能効果や用法などの変更を命じることになります。

医薬品医療機器等法

（承認の取消し等）

第74条の2　厚生労働大臣は，第14条，第23条の2の5又は第23条の25の承認（第23条の26第1項の規定により条件及び期限を付したものを除く。）を与えた医薬品，医薬部外品，化粧品，医療機器又は再生医療等製品が第14条第2項第3号イからハまで（同条第9項において準用する場合を含む。），第23条の2の5第2項第3号イからハまで（同条第11項において準用する場合を含む。）若しくは第23条の25第2項第3号イからハまで（同条第9項において準用する場合を含む。）のいずれかに該当するに至つたと認めるとき，又は第23条の26第1項の規定により条件及び期限を付した第23条の25の承認を与えた再生医療等製品が第23条の26第1項第2号若しくは第3号のいずれかに該当しなくなつたと認めるとき，若しくは第23条の25第2項第3号ハ（同条第9項において準用する場合を含む。）若しくは第23条の26第4項の規定により読み替えて適用される第23条の25第9項において準用する同条第2項第3号イ若しくはロのいずれかに該当するに至つたと認めるときは，薬事・食品衛生審議会の意見を聴いて，その承認を取り消さなければならない。

2　厚生労働大臣は，医薬品，医薬部外品，化粧品，医療機器又は再生医療等製品の第14条，第23条の2の5又は第23条の25の承認を与えた事項の一部について，保健衛生上の必要があると認めるに至つたときは，その変更を命ずることができる。

3 GVP

さて，以上のように，医薬品の安全情報に関する収集，情報の検討，措置の検討，措置の実施についての規定があるわけですが，その一連の製造販売後の安全管理体制を適切に行うための基準としてGVPが定められています。GVP第1条には次のようにその趣旨が定められています。

GVP

第1条　この省令は，医薬品，医療機器等の品質，有効性及び安全性の確保等に関する法律（以下「法」という。）第12条の2第2号，第23条の2の2第2号及び第23条の21第2号に規定する製造販売後安全管理（以下「製造販売後安全管理」という。）に係る厚生労働省令で定める基準を定めるものとする。

そして，GVPで定める「安全確保業務」とは，「安全管理情報の収集，検討及びその結果に基づく必要な措置（「安全確保措置」）に関する業務をいう」と定義しています（第2条第2項）。

そのうえで，以下のように製造販売後安全管理の基準，GVPを次のように定めています。

GVPの概要

GVP省令は，次の5つの章で構成されています。

第1章　総則
第2章　第1種製造販売業者の製造販売管理後の基準
第3章　第2種製造販売業者の製造販売後安全管理の基準
第4章　第3種製造販売業者の製造販売後安全管理の基準
第5章　雑則

このように省令では，第1種～第3種の製造販売業に分けています。この場合の第1種～第3種製造販売業者は，第4章で出てきた法第12条の製造販売業の許可区分とは別のもので，GVPの適用の区分であり，次のような区分けとなっています。

第１種製造販売業：処方箋医薬品の製造販売業者
高度管理医療機器の製造販売業者
再生医療等製品の製造販売業者
第２種製造販売業：処方箋医薬品以外の医薬品製造販売業
管理医療機器の製造販売業
第３種製造販売業：医薬部外品製造販売業
化粧品製造販売業
一般医療機器製造販売業

つまり，GVPは，全部の規定がすべての業種に適用されるわけではなく，第1種に対しては，最も厳しい適用となっており，第2種がそれに次ぎ，そして第3種が最も軽微な適用となっています。処方箋医薬品の製造販売業，高度管理医療機器の製造販売業及び再生医療等製品の製造販売業は，同じ第1種に区分され，厳しくGVPが適用されています。

では，最も厳しい第1種製造販売業についてGVPの基本骨格をみてみましょう。

（第１種製造販売業）
(1) 第１種製造販売業者は，「安全管理統括部門」を置かなければならない。
(2) その安全管理部門は，医薬品の販売部門等から独立したものでなければならない。
(3) 安全管理部門には「安全管理責任者」を置かなければならない。
(4) 安全管理責任者は安全確保業務を行う。安全確保業務を安全管理責任者以外のものに行わせる場合は，「安全管理実施責任者」を置かなければならない。
(5) 第１種製造販売業者は，総括製造販売責任者に安全管理責任者を統括させ，品質保証責任者（GQPで規定されています），製造販売の責任者との緊密な連携を図らせること。
(6) 第１種製造販売業者は，「製造販売後安全管理業務手順書」を作成しなければならない。
(7) 第１種製造販売業者は，次のような「安全管理情報」を，安全管理責任者又は安全管理実施責任者に収集させ，その記録を作成しなければならない。

（安全管理情報）
①医療関係者からの情報
②学会報告，文献報告その他研究報告
③厚生労働省その他政府機関，都道府県，医薬品機構からの情報
④外国政府，外国法人からの情報
⑤他の製造販売業者からの情報
⑥その他の安全管理情報

(8) 第１種製造販売業者は，次の業務を安全管理責任者に行わせること。
①収集した安全管理情報を検討し，記録すること
②品質管理に係る安全管理情報については，品質保証責任者に文書で伝達させること。

③安全管理情報の検討の結果，必要があるときは，廃棄，回収，販売停止，添付文書の改訂，医療関係者への情報提供，厚生労働大臣への報告等，安全確保措置を立案させること。その安全確保措置案を総括製造販売責任者に報告させること。

(9) 第1種製造販売業者は，総括製造販売責任者に，安全確保措置案を検討し，措置を決定させること。

(10) 第1種製造販売業者は，総括製造販売責任者の指示に基づき，安全確保措置を，安全管理責任者又は安全管理実施責任者に行わせ，記録を作成し，保存すること。

(11) 第1種製造販売業者は，市販直後調査を行う場合，総括製造販売責任者又は安全管理責任者に，市販直後調査実施計画書を作成させること。

(12) 第1種製造販売業者は，予め指定したものに，製造販売後安全管理業務について定期的に自己点検を行わせること。

(13) 第1種製造販売業者は，総括製造販売責任者に，安全管理業務従事者の教育訓練計画書を作成させること。また，その計画書に従って，予め指定した者に教育訓練を行わせること。

以上のとおりです。

第2種，第3種製造販売業者については，上記の規定がすべて適用されるわけではなく，次のような扱いとなっています。

（第2種製造販売業者）

(1) 安全管理責任者を置かなければならない。「安全管理統括部門」を置く必要はないが，安全確保業務を行う部門は，その業務の遂行に支障をきたすような部門からは独立していること。

(2) 「安全管理実施責任者」を置く必要はない。

（第3種製造販売業者）

(1) 安全管理責任者を置かなければならないが，上記の(1)の「安全管理統括部門」を置く必要はない。ただし，安全確保業務を行う部門は，その業務の遂行に支障をきたすような部門からは独立していること。

(2) 「製造販売後安全管理業務手順書」を作成する必要はない。

(3) 安全管理情報の収集については，学会報告，文献報告，研究報告及びその他の安全管理に関する情報を収集すること。

4 医薬品等の適正使用，安全確保に関する国民への啓発

医薬品を有効かつ安全に活用していくためには，製薬企業や医薬品販売業者，そして行政の品質や有効性，安全性を確保するための適切な対策が何より重要です。また，医師や薬剤師などの専門家による情報の提供や，適切な服薬指導，相談応需が欠かせません。

また，それだけでなく，医薬品とは，有効性と安全性を併せ持つ「両刃の剣」であること，

したがってその適正な使用が必要であることなど，医薬品についての正しい知識を国民が持つことが何より大切です。そのような観点から，医薬品医療機器等法には，国，都道府県，製薬企業・販売業者等の事業者，医薬関係者の責務，そして国民の役割に関するたいへん重要な次のような規定が盛り込まれています。

医薬品医療機器等法

（国の責務）

第１条の２　国は，この法律の目的を達成するため，医薬品等の品質，有効性及び安全性の確保，これらの使用による保健衛生上の危害の発生及び拡大の防止その他の必要な施策を策定し，及び実施しなければならない。

（都道府県等の責務）

第１条の３　都道府県，地域保健法（昭和22年法律第101号）第５条第１項の政令で定める市（以下「保健所を設置する市」という。）及び特別区は，前条の施策に関し，国との適切な役割分担を踏まえて，当該地域の状況に応じた施策を策定し，及び実施しなければならない。

（医薬品等関連事業者等の責務）

第１条の４　医薬品等の製造販売，製造（小分けを含む。以下同じ。），販売，貸与若しくは修理を業として行う者，第４条第１項の許可を受けた者（以下「薬局開設者」という。）又は病院，診療所若しくは飼育動物診療施設（獣医療法（平成４年法律第46号）第２条第２項に規定する診療施設をいい，往診のみによつて獣医師に飼育動物の診療業務を行わせる者の住所を含む。以下同じ。）の開設者は，その相互間の情報交換を行うことその他の必要な措置を講ずることにより，医薬品等の品質，有効性及び安全性の確保並びにこれらの使用による保健衛生上の危害の発生及び拡大の防止に努めなければならない。

（医薬関係者の責務）

第１条の５　医師，歯科医師，薬剤師，獣医師その他の医薬関係者は，医薬品等の有効性及び安全性その他これらの適正な使用に関する知識と理解を深めるとともに，これらの使用の対象者（動物への使用にあつては，その所有者又は管理者。第68条の４，第68条の７第３項及び第４項，第68条の21並びに第68条の22第３項及び第４項において同じ。）及びこれらを購入し，又は譲り受けようとする者に対し，これらの適正な使用に関する事項に関する正確かつ適切な情報の提供に努めなければならない。

（国民の役割）

第１条の６　国民は，医薬品等を適正に使用するとともに，これらの有効性及び安全性に関する知識と理解を深めるよう努めなければならない。

テレビには医療に関するドラマや医薬品に関する番組が多く，医薬品に関する一般の人々の知識は，十分あるように思えますが，意外にそうではありません。先日，筆者はこんな例を聞きました。ある消費者が，医薬品の外箱の「副腎皮質ステロイド外用薬」という記載を見て，「ステロイドというお薬は効き目は強いけれど，副作用が比較的に多いそうだ」と，ここまではなんとなく知っていたのですが，「でもこの薬は，“ステロイド外”だから，ステロイドは成分として入っていない」と考えたというのです。その他，坐薬というのは座って飲む薬，だとか，食間服用とは，食事をしながら飲む薬など冗談のような誤解もあります。また，新聞で医薬品の副作用の記事を見て，自分の飲んでいる薬はそれとは関係のないものなのに服用を止めてしまった，というような話もあります。

医薬品医療機器等法では，こうした国民に対する医薬品に関する正しい知識を普及することも定めています。

医薬品医療機器等法

（医薬品，医療機器及び再生医療等製品の適正な使用に関する普及啓発）

第68条の3　国，都道府県，保健所を設置する市及び特別区は，関係機関及び関係団体の協力の下に，医薬品，医療機器及び再生医療等製品の適正な使用に関する啓発及び知識の普及に努めるものとする。

最近は，医薬分業が進展し，薬局や病院から，医薬品の効能効果や副作用等について記載した文書が患者さんに交付されたり，また「お薬手帳」なども普及してきました。そのため，以前のように，自分が病院や薬局でもらった薬についてその名前すら知らない，というようなことも少なくなってきました。また，毎年10月，行政や都道府県薬剤師会などが中心になって，「薬と健康の週間」などのキャンペーンを行っています。国民に医薬品についての正しい知識を持ってもらうこと，それが医薬品の適正使用，安全確保の第1歩でしょう。

5　医薬品リスク管理計画（RMP）の実施

医薬品の安全性の確保を図るためには，開発の段階から市販後に至るまで常にリスクを適正に管理する方策を検討することが重要です。医薬品リスク管理計画（以下，RMP：Risk Management Plan）は，個別の医薬品ごとに，

(1)　重要な関連性が明らか，又は疑われる副作用や不足情報（安全性検討事項）

(2)　市販後に実施される情報収集活動（医薬品安全性監視活動）

(3)　医療関係者への情報提供や使用条件の設定等の医薬品のリスクを低減するための取組み（リスク最小化活動）

をまとめた文書です。

医薬品安全性監視活動とリスク最小化活動には，「通常」と「追加」の2種類の活動があります。「通常の活動」とは，すべての医薬品に共通して製造販売業者が実施する活動のことで，具体的には，副作用情報の収集，添付文書による情報提供などが該当します。

一方，「追加の活動」とは，医薬品の特性を踏まえ個別に実施される活動のことで，市販直後調査，使用成績調査，製造販売後臨床試験，適正使用のための資材による情報提供などが該当します。

承認審査等の過程で「追加の活動」の実施が必要と判断された場合には，その内容を含むRMPが作成されることになります。

平成24年4月に，従来からあった医薬品安全性監視計画に加えて，医薬品のリスクの低減を図るためのリスク最小化計画を含めた形で，RMPを策定するための指針「医薬品リスク管理計画指針について」及び具体的な計画書の様式などに関する「医薬品リスク管理計画の策定について」がとりまとめられました。

この指針の活用により医薬品の開発段階，承認審査時から製造販売後のすべての期間を通じて一貫したベネフィットとリスクの評価・見直しが行われ，これまで以上により明確な見通しを持った製造販売後の安全対策の実施が可能となることが目的とされています。また，RMPを公表すること，医療関係者と市販後のリスク管理の内容を広く共有することなどによって，市販後の安全対策の一層の充実強化が図られることも期待されます。

6 医薬品等行政評価・監視委員会の設置（令和元年12月4日から1年以内に施行）

医薬品，医療機器などの安全対策の実施状況を評価・監視し，必要に応じて，厚生労働大臣に意見を述べ，勧告することができる組織として，令和元年の法改正によって，医薬品等行政評価・監視委員会が設けられることになりました。

本委員会は，「薬害肝炎事件の検証及び再発防止のための医薬品行政のあり方検討会」が指摘した第三者組織にあたるもので，厚生労働省や医薬品医療機器総合機構における安全対策の実施状況を独立した立場で評価・監視することが期待されています。

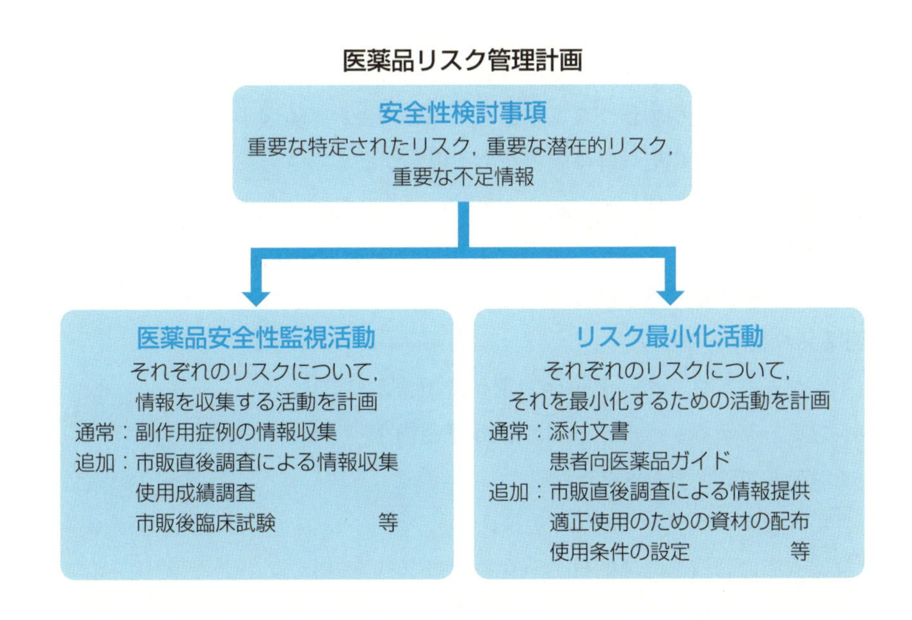

第11章

生物由来製品の安全対策

1 生物由来製品の製造管理

医薬品には，人の血液を原料とする血液製剤，動物の臓器等を原料とするものがあります。この血液等，人や動物由来の原料を使用する医薬品等は，化学合成医薬品などと比べ，本質的に，より安全に係わる側面を持っています。生物由来製剤の原料が病原性ウイルスなどに汚染されていた場合，重大な感染症の拡大を招きかねないことから，「生物由来製品」という特別な枠が設けられています。

医薬品医療機器等法

第2条

10　この法律で「生物由来製品」とは，人その他の生物（植物を除く。）に由来するものを原料又は材料として製造をされる医薬品，医薬部外品，化粧品又は医療機器のうち，保健衛生上特別の注意を要するものとして，厚生労働大臣が薬事・食品衛生審議会の意見を聴いて指定するものをいう。

生物由来製品は，

○未知の感染性因子を含有している可能性が否定できない場合がある

○不特定多数の人や動物から採取されている場合，感染因子混入のリスクが高い

○感染因子の不活化処理等に限界がある場合がある

などの問題を本質的に持っています。

令和元年9月現在，生物由来製品として厚生労働大臣が指定したものとしては，医薬品308製剤，医療機器15品目があります。

（医薬品の製剤の例）

インターフェロンベーター1a（遺伝子組換え）

インターフェロンベーター1b（遺伝子組換え）

インフルエンザHAワクチン

エポエチンアルファ（遺伝子組換え）

解凍人赤血球液　乾燥抗HBs人免疫グロブリン

下垂体性性腺刺激ホルモン

乾燥弱毒生麻しんおたふくかぜ風しん混合ワクチン

乾燥濃縮人血液凝固第Ⅷ因子

(医療機器の例)

ウシ心のう膜を含む製品

ブタ心臓弁を含む製品

ウシ血清アルブミンを含む製品

ヒトトロンビンやヘパリンカルシウムを含む製品

幼若ブタ歯胚組織由来エナメル質誘導体を含む製品

HIV感染血液製剤の場合も，非加熱製剤ではHIVウイルスを完全には不活化できなかったことから発生しました。

そうした過去の経験から，その生物由来製品のうち，特に感染症等についてその拡大の防止のための特別の注意が必要な製品について，「特定由来生物製品」という区分が設けられています。

医薬品医療機器等法

第2条

11　この法律で「特定生物由来製品」とは，生物由来製品のうち，販売し，貸与し，又は授与した後において当該生物由来製品による保健衛生上の危害の発生又は拡大を防止するための措置を講ずることが必要なものであつて，厚生労働大臣が薬事・食品衛生審議会の意見を聴いて指定するものをいう。

特定生物由来製品については，生物由来製品全般の安全確保に係わる規定に上乗せした規定が設けられています。令和元年9月現在，医薬品55品目，医療機器2品目が指定されています。

特定生物由来製品（例）：血液製剤，人細胞組織利用製剤，人臓器抽出製剤，人血漿分画製剤

では，「生物由来製品」の全般的な規定，及び「特定生物由来製品」に関する規定についてみていきましょう。

生物由来製品で最も留意すべきは，その原料，資材に起因する感染症の問題です。製品の原料が病原性ウイルスによって汚染されたものが使用されないよう，その製造管理，品質管理には，より注意が必要です。

(1) 製造管理者

まず，医薬品の製造業の製造管理者として，薬剤師を置かなければならないこととなっていますが，生物由来製品の場合は，「医師，細菌学的知識を有する者その他の技術者」を置くこととされています。

具体的には次の者が該当します。

①医師，医学の学位を持つ者

②歯科医師であって細菌学を専攻した者

③細菌学の修士課程を修めたもの

④大学等で微生物学を修得した者

⑤3年以上，生物由来製品の製造の経験を有する者

医薬品医療機器等法

（生物由来製品の製造管理者）

第68条の16　第17条第5項及び第10項並びに第23条の2の14第5項及び第10項の規定にかかわらず，生物由来製品の製造業者は，当該生物由来製品の製造については，厚生労働大臣の承認を受けて自らその製造を実地に管理する場合のほか，その製造を実地に管理させるために，製造所（医療機器又は体外診断用医薬品たる生物由来製品にあつては，その製造工程のうち第23条の2の3第1項に規定する設計，組立て，滅菌その他の厚生労働省令で定めるものをするものに限る。）ごとに，厚生労働大臣の承認を受けて，医師，細菌学的知識を有する者その他の技術者を置かなければならない。

（注）下線部は令和元年12月4日から2年以内に施行

(2) 製造所の許可

製造所の許可についても，通常の医薬品よりも慎重な規制となっています。

①厚生労働大臣（地方厚生局長）の許可を原則とする。

②製造業の区分は，施行規則第26条の規定により，「生物学的製剤，厚生労働大臣が指定した検定品目，遺伝子組換え技術を応用して製造する医薬品，又は製造管理又は品質管理に特別の注意を要する医薬品であって，厚生労働大臣の指定するものの製造工程の全部又は一部を行うもの」（いわゆる1号区分）に分類する。

(3) 製造管理・品質管理

製造業における品質管理，製造管理は，GMPが適用されますが，生物由来製品については通常の医薬品の規定に加え，次のような規定が上乗せされています。

①特定生物由来製品及び人の血液を原料とする物については製品の有効期間に30年を加算した期間，その他の生物由来製品については10年を加算した期間，記録を保存すること。

②生物由来原料の採取から，製造，出荷までの段階的経過を追跡できる記録を作成し，保管すること。
③特定生物由来製品の参考品（保存サンプル）を10年間保存すること。
④製造工程を他の製造業者に委託する場合は，情報の提供，記録や参考品の保存期間，その他製造管理または品質管理について，取り決めを行っておくこと。
⑤輸入品についても，輸入先の製造工程の管理，記録の保存などについて確認しておくこと。

(4) 表示・添付文書

医薬品の容器や被包，添付文書には，製造販売業者名など，一定の表示事項が義務づけられていることは既に説明しましたが，生物由来製品については，それらに加えて次のような記載が義務づけられています。

医薬品医療機器等法

（直接の容器等の記載事項）

第68条の17　生物由来製品は，第50条各号，第59条各号，第61条各号又は第63条第1項各号に掲げる事項のほか，その直接の容器又は直接の被包に，次に掲げる事項が記載されていなければならない。ただし，厚生労働省令で別段の定めをしたときは，この限りでない。

一　生物由来製品（特定生物由来製品を除く。）にあつては，生物由来製品であることを示す厚生労働省令で定める表示

二　特定生物由来製品にあつては，特定生物由来製品であることを示す厚生労働省令で定める表示

三　第68条の19において準用する第42条第1項の規定によりその基準が定められた生物由来製品にあつては，その基準において直接の容器又は直接の被包に記載するように定められた事項

四　前3号に掲げるもののほか，厚生労働省令で定める事項

この条文に基づいて定められた規則等によって，生物由来製品である医薬品の直接の容器への記載事項を整理してみると以下のとおりです。

●直接の容器，被包等の表示に関し，施行規則等で定める事項

①生物由来製品は「生物」，特定生物由来製品は「特生物」と記載する。
「生物」または「特生物」の文字は，白地，黒枠，黒字をもって記載する。
②ロット番号を記載する。
③特定生物由来製品については，人血液成分が使用されている場合において，原料となる血液が採取された国及び献血，非献血の区別を記載する。

添付文書記載事項

生物由来製品については，添付文書への記載事項に加え，次のような規定があります。

医薬品医療機器等法

（添付文書等の記載事項）

第68条の18 厚生労働大臣が指定する生物由来製品は，第52条第2項各号（第60条又は第62条において準用する場合を含む。）又は第63条の2第2項各号に掲げる事項のほか，これに添付する文書又はその容器若しくは被包に，次に掲げる事項が記載されていなければならない。ただし，厚生労働省令で別段の定めをしたときは，この限りでない。

一　生物由来製品の特性に関して注意を促すための厚生労働省令で定める事項

二　次条において準用する第42条第1項の規定によりその基準が定められた生物由来製品にあつては，その基準において当該生物由来製品の品質，有効性及び安全性に関連する事項として記載するように定められた事項

三　前2号に掲げるもののほか，厚生労働省令で定める事項

（注）下線部は令和元年12月4日から2年以内に施行

そして，この規定の第3号に基づいて，施行規則および平成15（2003）年5月15日付けの医薬食品局長通知によって，特に，生物由来製品については次のような事項の記載が義務づけられています。

1）法第68条の18に基づく添付文書に関する施行規則第234条による記載事項

⑴遺伝子組換え技術を応用している場合はその旨

⑵材料のうち人その他の生物に由来する成分の名称

⑶材料である人その他の生物の部位等の名称

⑷特定生物由来製品については，感染症伝播の危険性が否定できない旨

2）添付文書記載要領（局長通知）による記載事項

⑴名称の前に「生物由来製品」又は「特定生物由来製品」と記載すること

⑵遺伝子組換え製剤にあっては，名称の下に「遺伝子組換え」である旨

⑶添付文書冒頭の注意（特定生物由来製品）

添付文書本文冒頭（「警告」の項の前）に，段抜き枠囲いで，感染症伝播の危険性に関する全般的な注意を簡潔に記載すること。なお，その他製剤特有の基本的注意事項は「重要な基本的注意」の項に記載する。（8ポイント以上の文字サイズを使用する。）

①成分（主成分・添加物）にヒト血液，組織等が使用されていること。なお，原材料として臓器を使用している場合は，その臓器の名称を記載する。

②安全対策を実施していること。（具体的安全対策は使用上の注意，理化学的知見等に記載する。）

③感染症伝播の危険性がある旨

④治療上の必要性を考慮し，最小限の使用とすること。

⑷組成・性状（生物由来・特定生物由来）

①主成分（及び/又は）添加物の原料となった人，動物の名称（動物種）及び使用部位（臓器等の部位の名称）を製造・輸入承認書の記載に基づき記載する。

②製造工程において生物由来成分を使用している場合にも上記と同様にその名称及び使用部位を記載する。
③特定生物由来製品にあっては，主成分（及び/又は）添加物の原料としてヒトの血液・細胞組織由来成分を使用していることを記載する。
④特定生物由来製品のうち，血液製剤及び用法，効能及び効果について血液製剤と代替性のある医薬品であって，最終製品としてのリスクが血液製剤と同様な遺伝子組み換え製剤については，採血国，採血の区別（献血又は非献血）（採血国として承認書に記載されているすべての国について記載する。）

(5)使用上の注意（特定生物由来製品）
①重要な基本的注意として，特定生物由来製品の有効性及び安全性，その他特定生物由来製品の適正な使用のために必要な事項について，当該製品使用者に対して説明し，その理解を得るよう努めなければならない旨を記載すること。
②取扱い上の注意として，本剤を投与又は使用した場合は，医薬品名，製造業者名，製造番号，投与又は処方日，投与又は処方を受けた患者の氏名・住所等，を記録し，20年間保存する旨を記載すること。

●注意事項等情報の公表（令和元年12月4日から2年以内に施行）

生物由来製品については，通常の医薬品に加え，必要な情報を公表・提供するよう，条文が整備されています。

医薬品医療機器等法

（注意事項等情報の公表）

第68条の20の2 生物由来製品（厚生労働大臣が指定する生物由来製品を除く。以下この条において同じ。）の製造販売業者は，生物由来製品の製造販売をするときは，厚生労働省令で定めるところにより，第68条の2第2項各号に定める事項のほか，次に掲げる事項について，電子情報処理組織を使用する方法その他の情報通信の技術を利用する方法により公表しなければならない。ただし，厚生労働省令で別段の定めをしたときは，この限りでない。

一 生物由来製品の特性に関して注意を促すための厚生労働省令で定める事項

二 第68条の19において準用する第42条第1項の規定によりその基準が定められた生物由来製品にあつては，その基準において当該生物由来製品の品質，有効性及び安全性に関連する事項として公表するように定められた事項

三 前2号に掲げるもののほか，厚生労働省令で定める事項

すなわち，先にみた法第68条の18とこの第68条の20の2については，添付文書と情報通信技術の利用による公表という違いはあるものの，記載あるいは提供する情報の規定は同じものとなっています。生物由来製品の範囲が，遺伝子組換え製剤，ワクチンというように幅広いことから，それぞれの使用の状況などに応じた規制がなされるものと考えられます。

2 生物由来製品の流通から使用までの記録とその保存

生物由来製品は，その製造及び品質管理も重要ですが，さらに，製造販売後の安全対策，特に，感染症対策が重要です。生物由来製品による感染症は，副作用のように何％の確率で発生するという性格のものではありません。もし，病原性ウイルスに汚染された製品が使用された場合，それを使用したすべての人，そして場合によってはその使用者から他の人に二次感染して拡大する可能性もあります。

ですから，医薬品医療機器等法では，製造販売業者が生物由来製品を出荷し，医薬品卸売販売業者の手を経て，医療機関，薬局に販売され，そして患者に使用されるまで，全流通経路を確実に把握できる，いわゆるトレーサビリティの確保を目的として規定しています。

（1）生物由来製品を譲り渡した相手先の記録

製造販売業者は，生物由来製品を譲り渡した他の製造販売業者，販売業者，医療機関，薬局等の開設者の氏名，住所等を記録し，保管しなければなりません。保存期間は以下のように定められています。

医薬品医療機器等法

（生物由来製品に関する記録及び保存）

第68条の22　生物由来製品につき第14条若しくは第23条の2の5の承認を受けた者，選任外国製造医薬品等製造販売業者又は選任外国製造医療機器等製造販売業者（以下この条及び次条において「生物由来製品承認取得者等」という。）は，生物由来製品を譲り受け，又は借り受けた薬局開設者，生物由来製品の製造販売業者，販売業者若しくは貸与業者又は病院，診療所若しくは飼育動物診療施設の開設者の氏名，住所その他の厚生労働省令で定める事項を記録し，かつ，これを適切に保存しなければならない。

すなわち，次の事項が，医薬品医療機器等法第68条の22，施行規則第236条，通知等によって定められています。

① 生物由来製品を譲り渡した先の氏名，住所または名称
② 生物由来製品の名称，製造番号または製造記号
③ 生物由来製品の数量
④ 譲り渡し，または貸与した年月日
⑤ 使用期限
⑥ 生物由来製品による保健衛生上の危害の発生や拡大を防止するために必要な事項

記録の保存期間は次のように定められています。

医薬品医療機器等法施行規則

第240条

一　特定生物由来製品又は人の血液を原材料として製造される生物由来製品にあつては，その出荷日から起算して少なくとも30年間

二　生物由来製品（前号に掲げるものを除く。）にあつては，その出荷日から起算して少なくとも10年間

(2) 生物由来製品の販売記録の製造販売業者への提供

生物由来製品の販売業者は，販売した相手先（医療機関，薬局，他の製造販売業者，販売業者など）の記録を，その生物由来製品の製造販売業者に提供しなければなりません。

医薬品医療機器等法

第68条の22

2　生物由来製品の販売業者又は貸与業者は，薬局開設者，生物由来製品の製造販売業者，販売業者若しくは貸与業者又は病院，診療所若しくは飼育動物診療施設の開設者に対し，生物由来製品を販売し，貸与し，又は授与したときは，その譲り受け，又は借り受けた者に係る前項の厚生労働省令で定める事項に関する情報を当該生物由来製品承認取得者等に提供しなければならない。

(3) 特定生物由来製品取扱医療関係者の記録の保存

特定生物由来製品の取扱医療関係者，つまり，特定生物由来製品を患者に使用した医師等は，その製品を使用した患者の氏名，住所等を記録し，保存しなければなりません。

医薬品医療機器等法

第68条の22

3　特定生物由来製品取扱医療関係者は，その担当した特定生物由来製品の使用の対象者の氏名，住所その他の厚生労働省令で定める事項を記録するものとする。

記録すべき事項は，施行規則第237条で次のように定めています。

医薬品医療機器等法施行規則

第237条

一　特定生物由来製品の使用の対象者の氏名及び住所

二　特定生物由来製品の名称及び製造番号又は製造記号

三　特定生物由来製品の使用の対象者に使用した年月日

四　特定生物由来製品に係る保健衛生上の危害の発生又は拡大を防止するために必要な事項

保存期間は，特定生物由来製品を使用した日から起算して少なくとも20年間とされています（施行規則第240条第2項）。

(4) 医療機関等からの製造販売承認取得者への使用対象者に関する情報の提供

医療機関，薬局等の管理者は，その特定生物由来製品の製造販売業者から，その製品を使用した患者に関する記録の提供を求められた場合は，感染症による危害の発生や拡大を防止するために必要であり，かつ，患者の利益ともなる場合，その記録等の情報を提供するものとするとされています。

医薬品医療機器等法

第68条の22

4　薬局の管理者又は病院，診療所若しくは飼育動物診療施設の管理者は，前項の規定による記録を適切に保存するとともに，特定生物由来製品につき第14条若しくは第23条の2の5の承認を受けた者，選任外国製造医薬品等製造販売業者，選任外国製造医療機器等製造販売業者又は第6項の委託を受けた者（以下この条において「特定生物由来製品承認取得者等」という。）からの要請に基づいて，当該特定生物由来製品の使用による保健衛生上の危害の発生又は拡大を防止するための措置を講ずるために必要と認められる場合であつて，当該特定生物由来製品の使用の対象者の利益になるときに限り，前項の規定による記録を当該特定生物由来製品承認取得者等に提供するものとする。

(5) 生物由来製品に関する感染症定期報告

生物由来製品については，次のように，その製品やその原料，材料による感染症の発生の有無等の情報を収集し，定期的に厚生労働大臣に報告するよう求めています。

医薬品医療機器等法

（生物由来製品に関する感染症定期報告）

第68条の24　生物由来製品の製造販売業者，外国特例医薬品等承認取得者又は外国特例医療機器等承認取得者は，厚生労働省令で定めるところにより，その製造販売をし，又は第19条の2若しくは第23条の2の17の承認を受けた生物由来製品又は当該生物由来製品の原料若しくは材料による感染症に関する最新の論文その他により得られた知見に基づき当該生物由来製品を評価し，その成果を厚生労働大臣に定期的に報告しなければならない。

(6) 特定生物由来製品についての患者への説明と理解（インフォームド・コンセント）

特定生物由来製品を患者に使用する場合，医師等の医療関係者は，患者に対し適正な使用のために必要な事項について適切な説明を行い，その理解を得るよう努めなければならない，すなわち，インフォームド・コンセントを取らなければなりません。

医薬品医療機器等法

（特定生物由来製品取扱医療関係者による特定生物由来製品に係る説明）

第68条の21　特定生物由来製品を取り扱う医師その他の医療関係者（以下「特定生物由来製品取扱医療関係者」という。）は，特定生物由来製品の有効性及び安全性その他特定生物由来製品の適正な使用のために必要な事項について，当該特定生物由来製品の使用の対象者に対し適切な説明を行い，その理解を得るよう努めなければならない。

第12章

医薬品の再審査・再評価

はじめに

新薬の承認を得るためにメーカーがどれほどの苦労をするかについては既に説明しました。1つの新薬を開発し，発売までこぎつけるためには，10年以上の歳月と膨大な開発経費を必要とします。そんなにも苦労して製薬企業は新薬を開発しているのですが，医薬品医療機器等法では，厚生労働大臣の新薬の承認をもって，“ハイ，卒業ですよ”というようなわけにはいかない仕組みになっています。

医薬品は承認され，病院や診療所で実際に使用されるようになっても，新しい知見や医学・薬学の進歩を踏まえて医薬品の有効性や安全性の評価が行われ続けていきます。そのための2つの制度があります。それは再審査制度と再評価制度です。

医薬品は売りっぱなしというわけにはいかない商品です。病院や診療所で使用されていく過程で集積される情報を集めて，効き目や安全性について絶えず見直しをしながら，よりよい医薬品に育てあげていく，そんな努力が医薬品にとっては不可欠なのです。図12-1に医薬品のライフサイクルを通じて展開される評価を整理しておきました。

1 再審査制度

(1) 再審査とは

新薬の再審査制度というのは，文字どおり，いったん承認になった新薬を，ある一定期間臨床の場で使用された後，もう一度審査する，すなわち，再審査する制度で，昭和54(1979)年の薬事法改正によって設けられました。

新薬の承認申請には，臨床データや動物試験による毒性データなど膨大な資料が必要ですが，それでも十分なデータとはいえないという考え方のもとにこの制度は作られました。

たとえば，ある新薬の臨床試験を行う場合，その症例の数には限度があります。このため，仮に0.1%，つまり1,000人に1人の確率で発生する副作用があるとしますと，その副作用は1,000例以下の臨床データではみつからないということになりますし，10,000例に1つ

図12-1　再審査・再評価の流れ

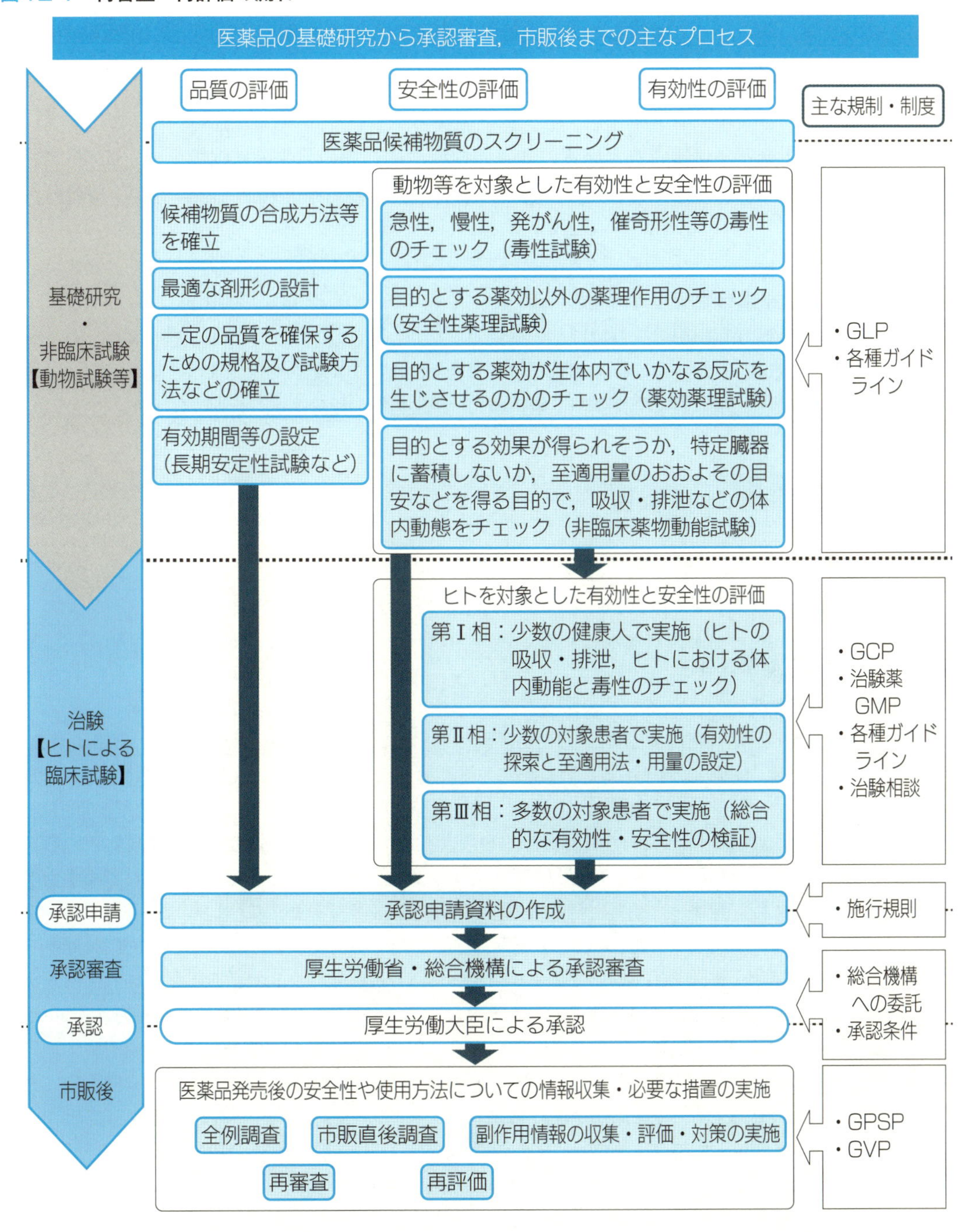

の副作用だったら，単純計算でも当然10,000例以上の症例がなければわかりません。

一方，医薬品が市場に出ますと，何万人，何十万人という人々に使用されることになり，そこでは0.1%，0.01%というような低い確率の副作用でも重大な問題となる場合があります。また，病院や診療所の現場では，新薬を他の医薬品と一緒に使ったり，厚生労働省から認められた量とは使用量を変えたり，長い期間にわたって使われたり，いろいろな使われ方がされます。実際の医療では，千差万別の患者に千差万別の使い方がされることになります。その結果，あらかじめ期待したようには効果が現れなかったり，予想以上に副作用が強かったり，臨床試験とは異なる結果となることが起こり得るのです。

そこで，医薬品医療機器等法では，いったん承認された新薬について，市販後，実際に病院や診療所などで使用された場合の効果の程度や副作用の発生の状況等を一定の期間調べ，その調査資料をもとに，もう一度，厚生労働大臣の審査を受けるようメーカーに義務づけているのです。

医薬品医療機器等法

（新医薬品等の再審査）

第14条の4　次の各号に掲げる医薬品につき第14条の承認を受けた者は，当該医薬品について，当該各号に定める期間内に申請して，厚生労働大臣の再審査を受けなければならない。

（2）再審査の対象品目

再審査は，厚生労働大臣が承認の際に指示した品目について行うことになっています。法第14条の4の第1項では，2つの再審査対象品目の範囲を示しています。

医薬品医療機器等法

第14条の4

一　既に第14条又は第19条の2の承認を与えられている医薬品と有効成分，分量，用法，用量，効能，効果等が明らかに異なる医薬品として厚生労働大臣がその承認の際指示したもの（以下「新医薬品」という。）　次に掲げる期間（以下この条において「調査期間」という。）を経過した日から起算して3月以内の期間（次号において「申請期間」という。）

イ　希少疾病用医薬品，先駆的医薬品その他厚生労働省令で定める医薬品として厚生労働大臣が薬事・食品衛生審議会の意見を聴いて指定するものについては，その承認のあつた日後6年を超え10年を超えない範囲内において厚生労働大臣の指定する期間

ロ　特定用途医薬品又は既に第14条若しくは第19条の2の承認を与えられている医薬品と効能若しくは効果のみが明らかに異なる医薬品（イに掲げる医薬品を除く。）その他厚生労働省令で定める医薬品として厚生労働大臣が薬事・食品衛生審議会の意見を聴いて指定するものについては，その承認のあつた日後6年に満たない範囲内において厚生労働大臣の指定する期間

ハ　イ又はロに掲げる医薬品以外の医薬品については，その承認のあつた日後6年

二　新医薬品（当該新医薬品につき第14条又は第19条の2の承認のあつた日後調査期間（次項の規定による延長が行われたときは，その延長後の期間）を経過しているものを除く。）と有効成分，分量，用法，用量，効能，効果等が同一性を有すると認められる医薬品として厚生労働大臣がその承認の際指示したもの　当該新医薬品に係る申請期間（同項の規定による調査期間の延長が行われたときは，その延長後の期間に基づいて定められる申請期間）に合致するように厚生労働大臣が指示する期間

（注）下線部は令和元年12月4日から1年以内に施行

再審査対象品目を整理してみましょう。

①（第１号） 既に製造販売の承認を与えられている医薬品と，有効性，分量，用法，用量，効能，効果等が異なる医薬品として厚生労働大臣がその製造販売の承認の際指示したもの

これまで承認された前例のない有効成分や効能効果等の新薬（新医薬品）であって，次に該当する医薬品です。

イ 先駆的医薬品，希少疾病用医薬品その他厚生労働省令で定める医薬品

ｉ） 先駆的医薬品

世界に先駆けてわが国で開発され，早期の治験段階で著明な有効性が見込まれる医薬品です。希少疾病用医薬品や特定用途医薬品と同様に，条件付き承認制度の対象であって，厚生労働省の審査が優先的に受けられます。

ⅱ） 希少疾病用医薬品

患者数が少ない稀な疾患を適応症とする医薬品です。希少疾病用医薬品は少ない患者で臨床試験を行わざるを得ませんが，他に適当な医薬品がなく，優先的に承認されます。

ⅲ） その他厚生労働省令で定める医薬品

厚生労働省令で定める医薬品とは，「当該医薬品の副作用によるものと疑われる疾病，傷害若しくは死亡又はその使用によるものと疑われる感染症その他の使用の成績等に関する調査が必要であると認められる医薬品」です（医薬品医療機器等法施行規則第５７条第１項）。

ロ 特定用途医薬品又は既に承認を与えられている医薬品と効能若しくは効果のみが明らかに異なる医薬品その他厚生労働省令で定める医薬品として厚生労働大臣が指定するもの

ｉ） 特定用途医薬品

小児の用法用量の設定など，医療上のニーズが充足されていない用途の解消を目指す医薬品です。先駆的医薬品や希少疾病用医薬品と同様に，条件付き承認制度の対象であって，厚生労働省の審査が優先的に受けられます。

ⅱ） 承認を与えられている医薬品と効能又は効果のみが明らかに異なる医薬品

例えば，ある医薬品についてまったく新たな薬理作用が確認され，新しい効能効果を追加した医薬品などです。

ⅲ） その他厚生労働省令で定める医薬品として厚生労働大臣が指定するもの

厚生労働省令で定める医薬品とは，「既に製造販売の承認を与えられている医薬品と用法又は用量が明らかに異なる医薬品であって有効成分及び投与経路が同一のもの，その他既に製造販売の承認を与えられている医薬品との相違が軽微であると認められる医薬品」です（医薬品医療機器等法施行規則第５７条第２項）。

ハ イ又はロ以外の医薬品 イまたはロ以外の新薬です。

（注）先駆的医薬品，特定用途医薬品については，令和元年１２月４日から１年以内に施行

②（第２号） 再審査期間中の新医薬品と，有効成分，分量，用法，用量，効能，効果が同一の医薬品として厚生労働大臣がその製造販売の承認の際指示したもの

①の新薬が再審査期間中に承認された，その先行の新薬と同じ有効成分，効能効果等の医薬品です。先行の新薬がまだ再審査期間中ですので，その後追いの医薬品も「新薬扱い」とされるのです。ですから，「後追い新薬」などと呼ばれます。

(3) 再審査の「調査期間」

再審査は，承認後，医療現場で使用されて一定期間の後，その期間にその新薬の有効性や安全性がどのように評価されているか，データを収集し，そのデータを基に行われます。その一定期間が，再審査の「調査期間」です。「調査期間」は，法第14条の4第2項で，「厚生労働大臣は，必要があると認めるときは，10年を超えない範囲で延長できる」こととなっています。具体的には医薬品によって下記のいずれかの期間とされています。

	主な再審査期間
希少疾病用医薬品	10年
長期の薬剤疫学的調査が必要なもの	同
新有効成分医薬品	8年
新医療用配合剤	6年（新規性により4年もある）
新投与経路医薬品	同
新効能・効果医薬品	4年
新用法・用量医薬品	同
後追い新薬（先行する新医薬品の再審査期間中に承認されたもの）	先行新薬の残余期間

※先駆的医薬品，特定用途医薬品については，今後，明らかにされるものと考えられます

製造販売業者は，その上記の「調査期間」の終了後，定められた期間内に厚生労働大臣に再審査の申請をしなければなりません。

(4) 使用成績調査の実施

新薬が承認され，発売されますと，製造販売業者は早速，再審査申請データを集めるための調査，つまり「使用成績調査」を開始しなければなりません。法第14条の4第6項で，次のように定めています。

医薬品医療機器等法

第14条の4

6　第1項各号に掲げる医薬品につき第14条の承認を受けた者は，厚生労働省令で定めるところにより，当該医薬品の使用の成績に関する調査その他厚生労働省令で定める調査を行い，その結果を厚生労働大臣に報告しなければならない。

使用成績調査は，その医薬品の再審査のための調査期間の終了まで実施しなければなりません（施行規則第62条）。また，使用成績調査の結果はその調査期間中，製造販売承認を受けた日から1年ごとに，その期間満了後2カ月以内に厚生労働大臣に報告しなければなりません。

医薬品医療機器等法施行規則

第62条

3　前項の報告は，当該調査に係る医薬品の製造販売の承認を受けた日から起算して1年（厚生労働大臣が指示する医薬品にあつては，厚生労働大臣が指示する期間）ごとに，その期間の満了後2月以内に行わなければならない。

つまり，再審査期間中，その新薬の使用状況，有効性，安全性に関する調査を行い，1年ごとにそれを厚生労働省に報告しなければならないわけです。新薬が実際に医療で使用された結果，問題になるような副作用はみられないかなどを1年ごとに評価してみようというわけです。

①「使用成績調査」の報告事項

厚生労働大臣への報告事項は次のように定められています（施行規則第62条第2項）。

①　当該医薬品の名称
②　承認番号及び承認年月日
③　調査期間及び調査症例数
④　当該医薬品の出荷数量
⑤　調査結果の概要及び解析結果
⑥　副作用等の種類別発現状況
⑦　副作用等の発現症例一覧

②安全性定期報告

また，施行規則第63条では使用成績調査のうち，安全性に関する調査結果を承認後，厚生労働大臣が指定した日から2年間は半年ごとに，それ以降は1年ごとに報告するよう定め

医薬品医療機器等法施行規則

（安全性定期報告等）

第63条　医療用医薬品であつて前条第1項各号に該当するものにつき法第14条の承認を受けた者が行う法第14条の4第6項の調査は，前条第1項各号に定める期間当該医療用医薬品の副作用等の発現状況その他の使用の成績等（外国で使用される物であつて当該医療用医薬品と成分が同一のもの（以下この条において「成分同一物」という。）がある場合には，当該物に係るものを含む。）について行うものとする。

2　法第14条の4第6項の規定による厚生労働大臣に対する報告又は法第14条の5第2項

前段の規定による機構に対する報告は，次に掲げる事項について行うものとする。

一　当該医療用医薬品又は成分同一物（以下この項において「当該医療用医薬品等」という。）の名称

二　承認年月日及び承認番号（成分同一物にあつては，当該外国において製造又は販売することが認められた年月日）

三　調査期間及び調査症例数

四　当該医療用医薬品等の出荷数量

五　調査結果の概要及び解析結果

六　当該医療用医薬品等の副作用等の種類別発現状況

七　当該医療用医薬品等の副作用等の発現症例一覧

八　当該医療用医薬品等による保健衛生上の危害の発生若しくは拡大の防止，又は当該医療用医薬品等の適正な使用のために行われた措置

九　当該医療用医薬品等の添付文書

十　当該医療用医薬品等の品質，有効性及び安全性に関する事項その他当該医療用医薬品の適正な使用のために必要な情報

3　前項の報告は，当該調査に係る医薬品の製造販売の承認の際に厚生労働大臣が指定した日から起算して，2年間は半年ごとに，それ以降は1年ごとに（厚生労働大臣が指示する医薬品にあつては，厚生労働大臣が指示する期間ごとに），その期間の満了後70日（第1項の調査により得られた資料が邦文以外で記載されている場合においては，3月）以内に行わなければならない。

4　前項に規定する期間の満了日（この項において「報告期限日」という。）が第1項に規定する期間の満了日後となる場合にあつては，前項の規定にかかわらず，当該報告期限日に係る調査については，当該調査開始後9月以内に報告を行わなければならない。

ています（施行規則第63条）。

(5) 再審査の申請

法第14条の4では，厚生労働大臣に再審査の申請をし，審査を受けなければならないこととされていますが，この再審査についても，厚生労働大臣は，機構に再審査の確認，調査を行わせることができるとされています（第14条の5）。したがって製造販売業者は，機構に再審査の申請を行うこととなります（施行規則第64条）。

再審査の申請は，再審査の調査期間が終了後3カ月以内に行うこととなっています。もしその申請期間内に申請されなかったり，使用成績調査等の資料が提出されなかった場合，承認が取り消されることがあります（医薬品医療機器等法第74条の4第3項第2号）。

(6) 再審査申請に必要な資料と信頼性の基準（GPSP）

この再審査の申請に必要な資料については，施行規則で次のように定められています。

医薬品医療機器等法施行規則

（再審査申請書に添付すべき資料等）

第59条　法第14条の4第4項の規定により第56条の申請書に添付しなければならない資料は，申請に係る医薬品の使用成績に関する資料，第63条第2項の規定による報告に際して提出した資料の概要その他当該医薬品の効能又は効果及び安全性に関しその製造販売の承認後に得られた研究報告に関する資料とする。

次の3つの資料です。

① 申請に係る医薬品の使用成績に関する資料

② 第63条第2項の規定による報告（上述の安全性定期報告）に際して提出した資料の概要

③ 製造販売の承認後に得られた研究報告に関する資料

具体的には次のような資料です。

・使用成績調査に関する資料

・特定使用成績調査に関する資料

（使用成績調査のうち，製造販売業者等が，診療において，小児，高齢者，妊産婦，腎機能障害または肝機能障害を有する患者，医薬品の長期使用患者その他医薬品を使用する条件が定められた患者における副作用による疾病等の種類別の発現状況ならびに品質，有効性及び安全性に関する情報の検出または確認を行う調査…GPSPより）

・製造販売後臨床試験に関する資料

・副作用・感染症報告に関する資料

・研究報告に関する資料

・国内の措置に関する事項

・国外の措置に関する事項

・重篤な有害事象の発現に関する資料

次に，再審査の申請資料の信頼性の確保についての規定です。

医薬品医療機器等法

第14条の4

4 （前段略） 当該申請に係る医薬品が厚生労働省令で定める医薬品であるときは，当該資料は，厚生労働省令で定める基準に従つて収集され，かつ，作成されたものでなければならない。

第3章で医薬品の製造販売承認の申請資料について，GCP，GLPなどの基準があることを説明しましたが，再審査の申請資料についても，次のような，信頼性の基準に従って作成されたものでなければならないと規定されています（施行規則第61条）。

① 医薬品の製造販売後の調査及び試験の実施の基準に関する省令

② 医薬品の安全性に関する非臨床試験の実施の基準に関する省令

③ 医薬品の臨床試験の実施の基準に関する省令

②と③は，製造販売承認の項で説明したGLPとGCPです。再審査の申請資料についても，動物による安全性試験などの非臨床試験データを提出する場合は，GLPに従って作成されたものであること，そして臨床試験を実施した場合には，GCPに従って実施されたものであることと定めているわけです。

そして，再審査ではもう1つ，「医薬品の製造販売後の調査及び試験の実施の基準」が設けられています。この基準は，Good post-Marketing surveillance Practice（GPSP）と呼ばれています。その概要をみてみましょう。

GPSP（医薬品の製造販売後の調査及び試験の実施の基準）

1）趣旨

この基準は，再審査及び再評価（後述）の審査を受けるために行われる製造販売後の調査及び試験に係る遵守事項を定めるものである。

2）業務手順書

次のような，製造販売後調査等業務手順書を作成すること。

一 使用成績調査に関する手順

二 製造販売後臨床試験に関する手順

三 自己点検に関する手順

四 製造販売後調査等業務に従事する者に対する教育訓練に関する手順

五 製造販売後調査等業務の委託に関する手順

六 製造販売後調査等業務に係る記録の保存に関する手順

七 その他製造販売後調査等を適正かつ円滑に実施するために必要な手順

3）製造販売後調査等管理責任者

製造販売後調査等管理責任者を置くこと。製造販売後調査等管理責任者は，販売に係る部門に属する者であってはならない。

4）製造販売後調査等業務の実施

手順書に基づき，次に掲げる製造販売後調査等の実施の業務を製造販売後調査等管理責任者に行わせること。

5）使用成績調査

使用成績調査を実施する場合には，製造販売後調査等業務手順書等に基づき，製造販売後調査等管理責任者又は製造販売業者等が指定する者にこれを行わせること。

6）製造販売後臨床試験

製造販売後臨床試験を実施する場合には，製造販売後調査等業務手順書等に基づき，製造販売後調査等管理責任者又は製造販売業者等が指定する者にこれを行わせなければならない。

7）自己点検の実施

製造販売後調査等業務手順書に基づき，自己点検を，製造販売後調査等管理責任者又は製造販売業者等が指定する者に行わせること。
8）製造販売後調査等業務に従事する者に対する教育訓練
製造販売後調査等業務手順書及び製造販売後調査等管理責任者が作成した研修計画に基づき，製造販売後調査等管理責任者又は製造販売業者等が指定する者に研修を行わせること。
9）製造販売後調査等業務に係る記録の保存
製造販売後調査等業務に係る記録を保存すること。

再審査又は再評価に係る記録	再審査又は再評価が終了した日から５年間
その他の記録	利用しなくなった日又は当該記録の最終の記載の日から５年間

（7）再審査の実施（確認，調査）

機構において再審査はどのように行われるのでしょうか。医薬品医療機器等法では次のように定めています。

医薬品医療機器等法
第１４条の４
３　厚生労働大臣の再審査は，再審査を行う際に得られている知見に基づき，第１項各号に掲げる医薬品が第１４条第２項第３号イからハまでのいずれにも該当しないことを確認することにより行う。
５　第３項の規定による確認においては，第１項各号に掲げる医薬品に係る申請内容及び前項前段に規定する資料に基づき，当該医薬品の品質，有効性及び安全性に関する調査を行うものとする。この場合において，第１項各号に掲げる医薬品が前項後段に規定する厚生労働省令で定める医薬品であるときは，あらかじめ，当該医薬品に係る資料が同項後段の規定に適合するかどうかについての書面による調査又は実地の調査を行うものとする。

①　第14条第2項第3号イからハまでのいずれにも該当しないことを確認

この第14条第2項とは，医薬品の製造販売承認の審査において，行われる確認と同じ事項です。つまり，

第3号のイは，「効能または効果を有すると認められないか」

ロは，「効能または効果に比して著しく有害な作用を有していないか」

ハは，「医薬品として不適当なものではないか」

を確認する，ということです。ただし，製造販売承認では，申請者が提出した治験データや動物試験データなどに基づいて行われますが，再審査では，主として再審査の調査期間中に得られている知見に基づいて行われます。

機構は，再審査申請品目についての調査，確認の結果について厚生労働大臣に報告し，厚生労働大臣は，その結果に基づき，

①承認の取消し

②効能効果や用法用量の削除または修正

③特に措置なし

のいずれかの措置がとられます。重篤な副作用が確認され有用性がない，と判断された場合にはその医薬品の承認取消しを行う場合がある可能性もあります（医薬品医療機器等法第74条の4第3号）。

(8) 再審査と先発権

ところで，医薬品の再審査制度はもう1つの性格を持っていると理解されています。

新薬の承認を得るためには，動物実験や臨床試験などたくさんのデータが必要なことは既に述べました。では，先発メーカーに続いて後発のメーカーが同じ有効成分の医薬品を承認申請しようとした場合はどうなるかというと，後発の医薬品（最近はジェネリック医薬品と呼ばれています）は，データの大部分を省略することができるようになっています。ただし，それは，新薬の再審査期間が過ぎた後ということになっています。逆にいえば，再審査期間中に承認申請する場合は，後発医薬品であっても先発品と同じように新薬扱いとなり，動物実験データや臨床データが必要となりますし，再審査も受けなければなりません。

つまり，新医薬品は承認されても，再審査期間中はいわば見習い期間中ということになります。再審査に合格してはじめて一人前の医薬品と認められるということですから，その期間中に後発の医薬品が出てきた場合，その後発医薬品は新薬並みのデータが要求されるわけです。しかし再審査期間が終わり，再審査に合格しますと医薬品としての地位も確立したわけですから，その新薬とまったく同じ医薬品である後発医薬品については簡単なデータでいいですよということになっています。見方を変えますと，この再審査期間中は，実質的に，後発医薬品が承認を受けることは困難だともいえます。しかし，再審査期間が過ぎると，たくさんの後発医薬品が参入してきて，激しい市場競争が繰り返されていくということになります。ですから，メーカーにとっては，いわば再審査期間は，新薬の先発期間あるいは市場独占期間ともいえるわけで，6年より10年というように，できるだけ長いほうがよいと考える向きも出てくるわけです。

このような制度は欧米にも類似のものがあって，データ保護期間と呼ばれています。

2 再評価制度

最近の科学技術の進歩の速さには本当に驚かされます。パソコンにしてもスマホにしても，今，使っている機種が明日にはもう古くなってしまうというような（メーカーの陰謀？かも知れませんが）あまりの目まぐるしさについていくのもたいへんです。

医薬品の世界もまた同じです。特に最近，バイオテクノロジー，ゲノム科学の急速な進歩等によって医薬品の関発にも新しい波が押し寄せてきています。遺伝子組換え技術をはじめとして，生物科学分野の発展はいろいろな医薬品の可能性を引き出してくれそうでたいへん楽しみです。

こういう時代になると，パソコンではありませんが，ついこの間までの新薬がもう新薬ではなくなってしまうということも考えられないことではありません。製薬企業は，さぞかしたいへんなことだろうと思います。まして，10年も20年も販売されてきた医薬品ですと，果たして今でも必要なものだろうか，もっと有効性も安全性の高いものができているので要らないんじゃないか。不整脈など心臓疾患については，以前の心電計では短時間しか測定できませんでしたが，今日では，24時間モニタリングが可能なホルター心電計が使用されています。そうした疾病の診断，検査技術の進歩によって，医薬品の薬効評価の基準も変わってきています。医療技術の進歩によって，以前なら有効と判断された医薬品が，現在では有効とはいえない，という評価になることもあります。

(1) 医薬品の再評価制度

医学も薬学もどんどん進歩しているのですから仕方のないことですが，医薬品は人の健康や命にかかわるものですから，有効性や安全性に問題が出てきた医薬品を放っておくわけにはいきません。そこで，医薬品医療機器等法では，以前に承認された医薬品をもう一度，現在の目で評価し直してみる“医薬品の再評価”という制度を設けています。

再評価制度は，米国で進められていた薬効再評価制度を参考として昭和46（1971）年から行政指導によって実施されてきました。当時は，ビタミン剤など保健薬が花盛りの頃でしたが，薬事法の承認制度がまだ十分に整っていない時代に承認された医薬品の中には，その後の医学や薬学の進歩によって，どうも効能や効果が新しい評価水準では有効とはいえないもの，新薬の登場によってその役割が小さくなってしまったものなどがあるといわれていました。そこで，一度，医薬品すべてについて，新しいデータを集めて評価し直してみたらどうか，ということで医薬品の再評価が始まりました。

そして昭和60年（1985年）1月からは，再評価制度は薬事法に基づく制度となりました。このような経緯の中で，再評価は次のように実施されてきました。

①第1次再評価

まず，昭和42年9月30日以前に承認された医薬品を，順次再評価品目に指定し，再評価が開始されました。昭和42年10月，厚生省は，「製造承認基本方針」を通知し，医薬品の承認審査の充実強化を図りました。そこで，その基本方針が出される以前の医薬品をまず，薬効再評価の対象としたものです。

この第1次再評価は平成7年（1995年）9月まで実施され，19,849品目が再評価もされ，11,098品目が有用性の根拠がないと判定されました。

②第２次再評価

次に，昭和42年10月1日から再審査制度施行の昭和55年3月31日の間に承認された医療用医薬品を対象とする再評価が実施されました。

第2次再評価では，1,860品目が再評価され，42品目が有用性を示す根拠がないと判定されました。

③新再評価

そして，昭和63年（1988年）5月からは，すべての医療用医薬品を対象とする新再評価が実施されています。また，平成9年2月からは内用固形剤（錠剤など）について品質再評価が実施されています。

(2) 再評価制度の流れ

①再評価品目の公示

医薬品医療機器等法

(医薬品の再評価)

第１４条の６　第１４条の承認を受けている者は，厚生労働大臣が薬事・食品衛生審議会の意見を聴いて医薬品の範囲を指定して再評価を受けるべき旨を公示したときは，その指定に係る医薬品について，厚生労働大臣の再評価を受けなければならない。

法第14条の6第1項では，厚生労働大臣は，医薬品について再評価する必要があるか否かを薬事・食品衛生審議会の意見を聴いて決めることになっています。再評価の必要ありということになりますと，厚生労働省はその医薬品の成分の名前を官報で告示します。この告示では再評価のためにメーカーが厚生労働省に提出すべき資料と提出期限が示されます。再評価告示がされますと，メーカーは資料提出期限までに再評価の申請をしなければなりません。再評価申請がなされなかった場合，承認の取消しなどの措置がとられる場合があります(医薬品医療機器等法第74条の4第3号)。

②再評価の対象

現在，医薬品の再評価は，次のような場合，薬事・食品衛生審議会に諮り，必要なものについて行われることとなっています。

－緊急の問題が発生した場合

－薬効群全体として問題が発生した場合

－臨床評価ガイドライン等が公表された場合に，有効性，安全性の観点から再評価の必要性が示唆された場合

また，品質再評価については，平成7年3月までに承認申請された医療用医薬品（内用固

形製剤）について，溶出試験の規格設定が義務づけられていなかったため，該当する857成分の製剤について，平成9年2月から開始されたものです。

（3）再評価の実施

医薬品医療機器等法
第14条の6
2　厚生労働大臣の再評価は，再評価を行う際に得られている知見に基づき，前項の指定に係る医薬品が第14条第2項第3号イからハまでのいずれにも該当しないことを確認することにより行う。

再評価は，医薬品の再審査と同じで，「医薬品が第14条第2項第3号イからハまでのいずれにも該当しないことを確認」することによって行われます。「第14条第2項第3号イからハ」とは，

イは，「効能または効果を有すると認められないか」

ロは，「効能または効果に比して著しく有害な作用を有していないか」

ハは，「医薬品として不適当なものではないか」

を確認する，ということです。

つまり，

①有効性の評価，すなわち，今日の学問水準で評価したとき，有効であるといえるか

②安全性の評価，その医薬品の副作用の発生の状況からみて何か安全対策をとる必要はないか

が再評価されるわけです。

また，品質再評価は，溶出性に係る品質が適当であるかを確認し，後発医薬品の先発医薬品との同等性を評価することを目的としています。また，適当な溶出試験法を設定して製剤の品質を一定の水準に確保することを目的に実施されています。

（4）再評価に必要な資料とその信頼性の確保

再評価に必要な資料は，再評価品目の指定をする際に告示されることになっています（法第14条の6第3項）。そしてその資料は，再審査資料と同じように，その信頼性を確保するために，「厚生労働省令で定める基準に従つて収集され，かつ，作成されたものでなければならない」とされています。

医薬品医療機器等法

第14条の6

4　第1項の指定に係る医薬品が厚生労働省令で定める医薬品であるときは，再評価を受けるべき者が提出する資料は，厚生労働省令で定める基準に従つて収集され，かつ，作成されたものでなければならない。

その「厚生労働省令で定める基準」は，再審査の場合と同じGPSP（医薬品の製造販売後の調査及び試験の実施の基準）が適用されます。

(5) 再評価の結果

再評価の結果は，おおむね次のように3つのカテゴリーにクラス分けすることができます。

①その医薬品について「有用性」が認められる

②何らかの措置をとれば「有用性」が認められる

③その医薬品について「有用性」が認められない

①は，メーカーから提出されたデータなどから有効性も安全性も認められたという合格の判定がでたものです。②は，たとえば5つある効能のうち1つはどうも効き目が怪しい，だからその効能を削れば残りの効能は合格というもの。あるいは，どうも副作用が強そうなので使用量を少し減らせば使用できるなどというように，何らかの措置を講ずれば医薬品として有用性を認めてもよいというものです。③は，まったく有用性がない不合格のものです。

有用性がないということは，その薬が「効かない」ということかと思われるかもしれません。長い間使用されてきたものが効かないなんて，そりゃあないだろう，厚生労働省の承認がおかしかったのではないかと思われるかもしれません。しかし，「効かない」という判定が出たとしても，それがすぐ「以前の承認がおかしかった」ということにはなりません。冒頭でも触れたように，長い期間経ちますと，その間に病気の診断や治療の方法が変わってしまい，承認当時の診断や治療方法では十分効くといえたが，現在の基準では効いたとはいえないというようなことが少なくありません。あるいは，昔はこの程度の効果でも承認されたが，その後より効果の優れた新薬がたくさん出てきたために有用性を失ってしまったというような例もたくさんあります。今，新薬として優れた医薬品だと評価されたとしても，学問の進歩によってその役割を終える，あるいは新たな副作用が報告されて有用性を失うということがときには起こるのです。

(6) 再評価結果に基づく措置

再評価結果に応じて，該当医薬品についての措置がとられます。

1）法第14条第2項第3号イ～ハの承認拒否事由のいずれかに該当するため医薬品として適

当でないと評価されたものについては，承認を返上するよう指示（もしくは取消し）され回収が指示される。

2）効能・効果，用法・用量の一部を削除または修正すれば適当と認められるものは，製造販売業者の申請により承認事項の一部変更が行われる。

3）承認拒否事由のいずれにも該当せず，問題はなく承認がそのまま継続される。

また，品質再評価では，溶出性試験の結果，先発品との同等性の確認されなかったものは承認が整理されます。これまでの品質再評価の結果については，「医療用医薬品品質情報集(日本版オレンジブック)」で公表されています。

第13章 医薬品の承認・許可の取消し

1 承認の取消し

医薬品の承認は，膨大な資料を厳格に審査して与えられるのですが，市販後，それらの医薬品について，効能効果を否定する研究論文が出たり，あるいは重篤な副作用が発現し，安全性とのバランスから有用性について否定的な報告がなされたりして，その承認の内容を改めなくてはならないことになったりする可能性のあることは否定できません。

そのような場合，基本的には，再審査，再評価によって有効性，安全性の見直しが行われます。また，再審査，再評価の対象でない医薬品であっても，有効性，安全性について，急きょ，その有用性を見直すという事態となることもあります。

その結果，効能効果や用法用量などの変更を命じたり，ときには医薬品の承認そのものを取り消すなどの措置をとることが必要になりますが，次の規定は，そのような場合における行政の権限を規定したものです。

「承認の取消し」という厳しい措置がどのような場合にとられるのか，条文から整理してみましょう。なお，医薬品だけでなく，医薬部外品，化粧品，医療機器，及び再生医療等製品全部合わせてみてみましょう。

①医薬品等の効能効果，性能，安全性等に起因して承認が取り消される場合

1）医薬品，医薬部外品，化粧品，医療機器または再生医療等製品が法第14条第2項第3号イからハまでに該当するに至ったとき（同条第15項において準用する場合を含む。）

「第14条第2項第3号イからハ」とは，次のような場合です。なお，「同条第9項において準用する」とは，承認事項の一部変更承認を指しています。

イ　申請に係る医薬品または医薬部外品が，その申請に係る効能または効果を有すると認められないとき。

ロ　申請に係る医薬品または医薬部外品が，その効能または効果に比して著しく有害な作用を有することにより，医薬品または医薬部外品として使用価値がないと認められるとき。

ハ　イまたはロに掲げる場合のほか，医薬品，医薬部外品または化粧品として不適当な

ものとして厚生労働省令で定める場合に該当するとき。

2）法第23条の2の5第2項第3号イからハまでに該当するに至ったとき（同条第11項において準用する場合を含む。）

「第23条の2の5」は，医療機器及び体外診断用医薬品の承認についての規定であり，その第3号には次のようにあります。なお，「同条第11項」とは一部変更承認を指しています。

イ　申請に係る医療機器または体外診断用医薬品が，その申請に係る効果または性能を有すると認められないとき。

ロ　申請に係る医療機器が，その効果または性能に比して著しく有害な作用を有することにより，医療機器として使用価値がないと認められるとき。

ハ　イまたはロに掲げる場合のほか，医療機器または体外診断用医薬品として不適当なものとして厚生労働省令で定める場合に該当するとき。

3）法第23条の25第2項第3号イからハまでに該当するに至ったとき（同条第11項において準用する場合を含む。）

「第23条の25」とは，再生医療等製品の製造販売の承認の規定です。第3号には次のようにあります。なお，「同条第11項」とは一部変更承認を指しています。

イ　申請に係る効能，効果または性能を有すると認められないとき。

ロ　申請に係る効能，効果または性能に比して著しく有害な作用を有することにより，再生医療等製品として使用価値がないと認められるとき。

ハ　イまたはロに掲げる場合のほか，再生医療等製品として不適当なものとして厚生労働省令で定める場合に該当するとき。

4）法第23条の26第1項の規定により条件及び期限を付した法第23条の25の承認を与えた再生医療等製品が第23条の26第1項第2号または第3号のいずれかに該当しなくなったと認めるとき

再生医療等製品には，品質の均一化が難しい等の特性から，仮免許的な「条件及び期限付承認」という制度がありますが，「第23条の26」は，その再生医療等製品の「条件及び期限付承認」の規定です。第1項の第2号，第3号とは次のような規定です。

> 二　申請に係る効能，効果又は性能を有すると推定されるものであること。
> 三　申請に係る効能，効果又は性能に比して著しく有害な作用を有することにより再生医療等製品として使用価値がないと推定されるものでないこと。

5）法第23条の25第2項第3号ハ（同条第11項において準用する場合を含む。）若しくは第23条の26第4項の規定により読み替えて適用される第23条の25第11項において準用する同条第2項第3号イ若しくはロのいずれかに該当するに至ったと認めるとき。

ややこしい規定ですが，第23条の25第9項とは，再生医療等製品について「既に承認を得ている承認事項を一部変更する場合は，改めて一部変更についての承認を受けなければならない」という規定です。承認の一部変更とは，たとえば既に承認を得た効能効果等の変更や，新たな効能効果の追加などが考えられますが，それらの一部変更についても，当初の承認と同様に承認の取消しが行われます。

医薬品医療機器等法

（承認の取消し等）

第74条の2　厚生労働大臣は，第14条，第23条の2の5又は第23条の25の承認（第23条の26第1項の規定により条件及び期限を付したものを除く。）を与えた医薬品，医薬部外品，化粧品，医療機器又は再生医療等製品が第14条第2項第3号イからハまで（同条第15項において準用する場合を含む。），第23条の2の5第2項第3号イからハまで（同条第15項において準用する場合を含む。）若しくは第23条の25第2項第3号イからハまで（同条第11項において準用する場合を含む。）のいずれかに該当するに至つたと認めるとき，又は第23条の26第1項の規定により条件及び期限を付した第23条の25の承認を与えた再生医療等製品が第23条の26第1項第2号若しくは第3号のいずれかに該当しなくなつたと認めるとき，若しくは第23条の25第2項第3号ハ（同条第11項において準用する場合を含む。）若しくは第23条の26第4項の規定により読み替えて適用される第23条の25第11項において準用する同条第2項第3号イ若しくはロのいずれかに該当するに至つたと認めるときは，薬事・食品衛生審議会の意見を聴いて，その承認を取り消さなければならない。

（注）下線部は令和元年12月4日から2年以内に施行

②一部変更の命令

承認取消しには至らないけれども，承認事項の一部変更が命じられる場合もあります。次のように，「保健衛生上の必要があると認めるに至つたとき」は承認事項の変更を命ずるとしています。効能効果の一部が適切でない，あるいは用量が過多である場合，等が考えられます。

医薬品医療機器等法

第74条の2

2　厚生労働大臣は，医薬品，医薬部外品，化粧品，医療機器又は再生医療等製品の第14条，第23条の2の5又は第23条の25の承認を与えた事項の一部について，保健衛生上の必要があると認めるに至つたときは，その変更を命ずることができる。

③製造販売承認取得者の違反行為等に起因して承認が取り消される場合

以上は，医薬品等それぞれの効能効果，性能，品質，安全性等が否定された場合の「承認の取消し」ですが，それに加え，製造販売承認取得者に，次のような違反行為等があった場合も承認が取り消される，または承認事項の一部が変更されることがあります。

承認を受けた者が次の各号のいずれかに該当する場合

- **医薬品，医薬部外品，化粧品，医療機器又は再生医療等製品の製造販売業者が，第12条第4項，第23条の2第4項若しくは第23条の20第4項の規定により，その効力を失ったとき**

第12条第4項，第23条の2第4項もしくは第23条の20第4項の規定とは，製造販売業許可の更新に関する規定です。いずれも，「許可は，3年を下らない政令で定める期間ごとにその更新を受けなければ，その期間の経過によつて，その効力を失う。」と定めています。許可の有効期間は，実際には，医薬品等のいずれも5年とされており，更新手続きが行われない場合は許可が失効するとともに，その許可に係わる承認も取り消されます。

- **製造販売承認の申請書又は添付資料のうちに虚偽の記載があり，又は重要な事実の記載が欠けていることが判明したとき**

製造販売承認を得るために提出した申請書やその添付資料に虚偽の記載があるとか，重要な事実の記載が漏れている場合には，承認が取り消されたり，その一部が変更されることがあります。

- **第14条第7項若しくは第9項，第23条の2の5第7項若しくは第9項又は第23条の25第6項若しくは第8項の規定に違反したとき**

これらの条文は，いずれも承認の要件である「製造所における製造管理又は品質管理の方法」（医薬品ではGMP，医療機器ではQMS，再生医療等製品ではGCTP）が厚生労働省令で定める基準に適合していること，という規定です。GMP等に適合しない製造所であることが判明した場合は承認が取り消されます。

- **再審査若しくは再評価を受けるべきものであるのに申請を行わなかった場合，又は使用成績に関する調査資料を定められた期限までに必要な資料の全部若しくは一部を提出せず，又は虚偽の記載をした資料若しくは第14条の4第5項後段，第14条の6第4項，第23条の2の9第4項後段，第23条の29第4項後段若しくは第23条の31第4項の規定に適合しない資料を提出したとき**

第14条の4第4項後段等の条文は，いずれも，再審査，再評価を受けるために提出した資料が，「厚生労働省令で定める基準」，つまり「製造販売後の調査及び試験の実施の基準」，GPSPに従って収集されておらず，かつ，作成されたものでない場合です。

- **第72条第2項の規定による命令に従わなかったとき**

「第72条第2項」は，製造販売業者の「製造管理若しくは品質管理の方法」について改善を命じ，またはその改善を行うまでの間その業務の全部もしくは一部の停止を命ずることができる，という規定です。つまり，製造販売業者がGQPに従っておらず，改善命令や業務停止を命じたにもかかわらず，命令に従わなかった場合です。

●製造販売の承認に付された条件に違反したとき

令和元年の法改正によって導入された条件付き承認をはじめ，製造販売承認にあたって条件が付けられた場合，その条件に違反すると，承認が取り消されたり，その一部が変更されることがあります。

●承認を受けた医薬品，医薬部外品，化粧品，医療機器又は再生医療等製品について正当な理由がなく引き続く３年間製造販売をしていないとき

せっかく承認を取っても，理由もなく3年間製造販売しなかった場合は，承認が取り消されます。ジェネリック医薬品でおこりがちなのですが，取りあえず承認だけ取っておこうという，“席取りはダメ”，ということですね。あるいは，陳旧化してしまった医薬品などが該当すると思われます。

医薬品医療機器等法

第74条の2

3　厚生労働大臣は，前2項に定める場合のほか，医薬品，医薬部外品，化粧品，医療機器又は再生医療等製品の第14条，第23条の2の5又は第23条の25の承認を受けた者が次の各号のいずれかに該当する場合には，その承認を取り消し，又はその承認を与えた事項の一部についてその変更を命ずることができる。

一　第12条第1項の許可（承認を受けた品目の種類に応じた許可に限る。），第23条の2第1項の許可（承認を受けた品目の種類に応じた許可に限る。）又は第23条の20第1項の許可について，第12条第4項，第23条の2第4項若しくは第23条の20第4項の規定によりその効力が失われたとき，又は次条第1項の規定により取り消されたとき。

二　第14条第3項，第23条の2の5第3項又は第23条の25第3項に規定する申請書又は添付資料のうちに虚偽の記載があり，又は重要な事実の記載が欠けていることが判明したとき。

三　第14条第7項若しくは第9項，第23条の2の5第7項若しくは第9項又は第23条の25第6項若しくは第8項の規定に違反したとき

四　第14条の4第1項，第14条の6第1項，第23条の29第1項若しくは第23条の31第1項の規定により再審査若しくは再評価を受けなければならない場合又は第23条の2の9第1項の規定により使用成績に関する評価を受けなければならない場合において，定められた期限までに必要な資料の全部若しくは一部を提出せず，又は虚偽の記載をした資料若しくは第14条の4第5項後段，第14条の6第4項，第23条の2の9第4項後段，第23条の29第4項後段若しくは第23条の31第4項の規定に適合しない資料を提出したとき。

五　第72条第2項の規定による命令に従わなかつたとき。

六　第14条第12項，第23条の2の5第12項，第23条の26第1項又は第79条第1

項の規定により第14条，第23条の2の5又は第23条の25の承認に付された条件に違反したとき。

七　第14条，第23条の2の5又は第23条の25の承認を受けた医薬品，医薬部外品，化粧品，医療機器又は再生医療等製品について正当な理由がなく引き続く3年間製造販売をしていないとき。

（注）下線部は令和元年12月4日から2年（一部は1年）以内に施行

2 許可の取消し，業務停止等

次に，製造販売業，製造業，販売業等の許可の取消しです。これも，医薬品，医薬部外品，化粧品，医療機器，そして再生医療等製品のすべてについてみていきます。

許可の取消し，業務停止等に該当する場合

①医薬品，医薬部外品，化粧品，医療機器若しくは再生医療等製品の製造販売業者，製造業者，医療機器の修理業者，薬局開設者，医薬品の販売業者，医療機器の販売業者，貸与業者，再生医療等製品の販売業者について，この法律その他薬事に関する法令で政令で定めるもの若しくはこれに基づく処分に違反する行為があったとき

「この法律その他の薬事に関する法令に違反する行為があったとき」とありますが，薬事に関する他の法令というのは，たとえば，薬剤師法，毒物及び劇物取締法，麻薬及び向精神薬取締法などです。

医薬品医療機器等法の主な違反事例としては次のようなものがあります。

・製造販売承認，許可のない医薬品を製造販売した場合
・不良医薬品を製造販売した場合
・虚偽，誇大な広告をした場合
・ラベルに虚偽を記載したり，記載義務のある事項を記載しなかった場合
・薬局，医薬品販売業の許可がないのに医薬品の販売をした場合
・医師の処方箋がないのに処方箋医薬品を販売した場合

なお，これらの違反行為があったら即，許可の停止や業務停止が行われる，というわけではありません。違反の内容やその軽重によって，改善指示など行政指導や始末書処分等の措置がとられる場合もあります。逆に，悪質な場合は罰則が適用されることもあります。

②医薬品，医薬部外品，化粧品，医療機器若しくは再生医療等製品の製造販売業者，製造業

者，医療機器の修理業者，薬局開設者，医薬品の販売業者，医療機器の販売業者，貸与業者，再生医療等製品の販売業者が，第５条第３号若しくは第12条の２第２項，第13条第６項（同条第９項において準用する場合を含む。），第23条の２の２第２項，第23条の21第２項，第23条の22第９項（同条第４項において準用する場合を含む。），第26条第５項，第30条第４項，第34条第４項，第39条第５項，第40条の２第６項（同条第８項において準用する場合を含む。）若しくは第40条の５第５項において準用する第５条（第３号に係る部分に限る。）の規定に該当するに至ったとき

第５条第３号は，「薬局の許可が与えられない場合」を規定しており，その内容は次のとおりです。この第５条第３号は，薬局だけでなく，医薬品，医薬部外品，化粧品，医療機器若しくは再生医療等製品の製造販売業者，製造業者，医療機器の修理業者，医薬品の販売業者，医療機器の販売業者，貸与業者，再生医療等製品の販売業者のいずれについても準用されています。

医薬品医療機器等法

第５条第３号

イ　第75条第１項の規定により許可を取り消され，取消しの日から３年を経過していない者

ロ　第75条の２第１項の規定により登録を取り消され，取消しの日から３年を経過していない者

ハ　禁錮以上の刑に処せられ，その執行を終わり，又は執行を受けることがなくなつた後，３年を経過していない者

ニ　イからハまでに該当する者を除くほか，この法律，麻薬及び向精神薬取締法，毒物及び劇物取締法（昭和25年法律第303号）その他薬事に関する法令で政令で定めるもの又はこれに基づく処分に違反し，その違反行為があつた日から２年を経過していない者

ホ　成年被後見人又は麻薬，大麻，あへん若しくは覚醒剤の中毒者

ヘ　心身の障害により薬局開設者の業務を適正に行うことができない者として厚生労働省令で定めるもの

ト　薬局開設者の業務を適切に行うことができる知識及び経験を有すると認められない者

（注）下線部は令和元年12月４日から２年以内に施行

処分の権限は，医薬品，医薬部外品，化粧品，医療機器もしくは再生医療等製品の製造販売業者，製造業者，医療機器の修理業者については厚生労働大臣が，薬局開設者，医薬品の販売業者，医療機器の販売業者，貸与業者，再生医療等製品の販売業者については，都道府県知事が持っています。

医薬品医療機器等法

（許可の取消し等）

第75条　厚生労働大臣は，医薬品，医薬部外品，化粧品，医療機器若しくは再生医療等製品

の製造販売業者，医薬品（体外診断用医薬品を除く。），医薬部外品，化粧品若しくは再生医療等製品の製造業者又は医療機器の修理業者について，都道府県知事は，薬局開設者，医薬品の販売業者，第39条第1項若しくは第39条の3第1項の医療機器の販売業者若しくは貸与業者又は再生医療等製品の販売業者について，この法律その他薬事に関する法令で政令で定めるもの若しくはこれに基づく処分に違反する行為があつたとき，又はこれらの者（これらの者が法人であるときは，その薬事に関する業務に責任を有する役員を含む。）が第5条第3号若しくは第12条の2第2項，第13条第6項（同条第9項において準用する場合を含む。），第23条の2の2第2項，第23条の21第2項，第23条の22第6項（同条第9項において準用する場合を含む。），第26条第5項，第30条第4項，第34条第4項，第39条第5項，第40条の2第6項（同条第8項において準用する場合を含む。）若しくは第40条の5第5項において準用する第5条（第3号に係る部分に限る。）の規定に該当するに至つたときは，その許可を取り消し，又は期間を定めてその業務の全部若しくは一部の停止を命ずることができる。

（注）下線部は令和元年12月4日から2年以内に施行

上記の他，血液を原料とする医薬品等に関し，次のような場合も，製造販売業，製造業の許可の全部，または一部の停止が命じることができると規定されています。

●製造販売業者又は製造業者が，血液法第27条第3項の勧告に従わなかったとき

血液製剤については，「安全な血液製剤の安定供給の確保等に関する法律」によって，計画的な製造販売が行われるよう定めていますが，同法の第27条では，「血液製剤の製造販売業者等は，血液製剤の製造又は輸入の実績を厚生労働大臣に報告すること」，「報告された実績が需給計画に照らし著しく適正を欠くと認めるときは，製造販売業者等に対し，需給計画を尊重して製造，輸入すべきことを勧告することができる。」と定めています。この勧告に従わなかった場合は，製造販売業，製造業の許可の全部または一部の停止命令がなされます。

なお，令和元年の法改正によって，血液法第26条第2項は第27条第3項に改められ，報告すべき実績の1つとして，「原料血漿の製造業者は原料血漿の供給の実績を厚生労働大臣に報告すること」が加えられました（令和元年12月4日から1年以内に施行）。

●採血事業者以外の者が国内で採取した血液又は国内で有料で採取され，若しくは提供のあっせんをされた血液を原料として血液製剤を製造したとき

●製造販売業者又は製造業者以外の者が国内で採取した血液又は国内で有料で採取され，若しくは提供のあっせんをされた血液を原料として医薬品，医療機器又は再生医療等製品を製造したとき

「安全な血液製剤の安定供給の確保等に関する法律」では，その第13条で，「血液製剤の原料とする目的で，業として，人体から採血しようとする者は，厚生労働省令で定めるところにより，政令で定める額の手数料を納めて，厚生労働大臣の許可を受けなければならない」（下線部は令和元年12月4日から2年以内に施行）と定めています。その上で，その採血の許可を得た者以外の者が採血した血液を原料として血液製剤を製造した場合，または有料で採血したり，あるいはあっせんされた血液を原料として血液製剤や再生医療等製品を製造した場合などは，製造販売業，製造業の許可の全部，または一部の停止を命ずることができる，としています。

医薬品医療機器等法

第75条

3　第1項に規定するもののほか，厚生労働大臣は，医薬品，医療機器又は再生医療等製品の製造販売業者又は製造業者が，次の各号のいずれかに該当するときは，期間を定めてその業務の全部又は一部の停止を命ずることができる。

一　当該製造販売業者又は製造業者（血液製剤（安全な血液製剤の安定供給の確保等に関する法律（昭和31年法律第160号）第2条第1項に規定する血液製剤をいう。以下この項において同じ。）の製造販売業者又は血液製剤若しくは原料血漿（同法第7条に規定する原料血漿をいう。第3号において同じ。）の製造業者に限る。）が，同法第27条第3項の勧告に従わなかつたとき。

二　採血事業者（安全な血液製剤の安定供給の確保等に関する法律第2条第3項に規定する採血事業者をいう。次号において同じ。）以外の者が国内で採取した血液又は国内で有料で採取され，若しくは提供のあつせんをされた血液を原料として血液製剤を製造したとき。

三　当該製造販売業者又は製造業者以外の者（血液製剤の製造販売業者又は血液製剤若しくは原料血漿の製造業者を除く。）が国内で採取した血液（採血事業者又は病院若しくは診療所の開設者が安全な血液製剤の安定供給の確保等に関する法律第12条第1項第2号に掲げる物の原料とする目的で採取した血液を除く。）又は国内で有料で採取され，若しくは提供のあつせんをされた血液を原料として医薬品（血液製剤を除く。），医療機器又は再生医療等製品を製造したとき。

（注）下線部は令和元年12月4日から1年以内に施行

3　薬事監視員

医薬品医療機器等法の諸規定等，法に違反し，従わなかった場合，最も厳しい許可の取り消し，あるいは業務停止，行政指導等の措置がとられるわけですが，そのような措置をとるためには，製造販売業者や製造所に立ち入り，違反行為に関する調査，検査を行う必要があります。

また，違反を起こしてからだけではなく，医薬品医療機器等法の諸規定や基準，制度が遵守され，医薬品等の品質，有効性そして安全性が確保されるよう，平素から監視し，あるいは指導する体制が必要です。

そうした業務を担当する厚生労働省や都道府県など行政庁の職員を，医薬品医療機器等法の関係条文では，「当該職員」と記載していますが，この「当該職員」は，医薬品，医薬部外品，化粧品，医療機器もしくは再生医療等製品の製造販売業者，製造業者，薬局，販売業者，医療機器の修理業者等の事業所に立ち入り，調査，検査をする権限が与えられています。

医薬品医療機器等法

（立入検査等）

第69条　厚生労働大臣又は都道府県知事は，医薬品，医薬部外品，化粧品，医療機器若しくは再生医療等製品の製造販売業者若しくは製造業者，医療機器の修理業者，第18条第5項，第23条の2の15第5項，第23条の35第5項，第68条の5第4項，第68条の7第6項若しくは第68条の22第6項の委託を受けた者又は第80条の6第1項の登録を受けた者（以下この項において「製造販売業者等」という。）が，（略）に基づく命令を遵守しているかどうかを確かめるために必要があると認めるときは，当該製造販売業者等に対して，厚生労働省令で定めるところにより必要な報告をさせ，又は当該職員に，工場，事務所その他当該製造販売業者等が医薬品，医薬部外品，化粧品，医療機器若しくは再生医療等製品を業務上取り扱う場所に立ち入り，その構造設備若しくは帳簿書類その他の物件を検査させ，若しくは従業員その他の関係者に質問させることができる。

（注）下線部は令和元年12月4日から2年以内に施行

この「当該職員」を，医薬品医療機器等法施行令では，次の条文のように，「薬事監視員」と位置づけています。都道府県の薬務担当課，保健所等に，約2,000人の薬事監視員が配置されています。

医薬品医療機器等法施行令

（薬事監視員の資格）

第68条　次の各号のいずれかに該当する者でなければ，薬事監視員となることができない。

一　薬剤師，医師，歯科医師又は獣医師

二　旧大学令（大正7年勅令第388号）に基づく大学，旧専門学校令（明治36年勅令第61号）に基づく専門学校又は学校教育法（昭和22年法律第26号）に基づく大学若しくは高等専門学校において，薬学，医学，歯学，獣医学，理学又は工学に関する専門の課程を修了した者であつて，薬事監視について十分の知識経験を有するもの

三　1年以上薬事に関する行政事務に従事した者であつて，薬事監視について十分の知識経験を有するもの

医薬品は，人の生命や健康にかかわるものですから，このような厳しい行政処分の規定があるのですが，通常，製薬企業や薬局，医薬品販売業者は法を遵守し，優れた医薬品の供給に努めていますので，こうした行政処分がそんなにしょっちゅう行われるわけではありません。でも，企業が営利に走り過ぎたり，安易に考えてルール違反を起こすと，社会の厳しい指弾を受けることになります。医薬品の供給に携わるすべての人々が医薬品医療機器等法の趣旨を十分に理解して，医療に携わる者としての使命を果たしてほしいものです。

第14章

指定薬物の規制

1 合法ドラッグから危険ドラッグへ

平成18年施行の薬事法改正で，法の性格に係わるといってもよいたいへん重要な改正が行われました。それは「危険ドラッグの乱用規制」です。

もう30年ほど前になりますが，少年たちの間に「シンナー遊び」が流行しました。ラッカーなどの希釈剤として使用されるシンナーを吸って，その酩酊感を楽しむということでしたが，若者たちの間に広まったため，毒物及び劇物取締法によって規制されました。

近年に至って，そのシンナーに代わり，今度はさらに多様な薬物が若者たちに使用されるようになり，問題となってきました。たとえば，アダルトショップやビデオショップなどで，芳香剤，ビデオクリーナーなどと称して販売されていた薬物が，実は，幻覚や麻酔効果があるとして，若者たちの間で秘かに流行していました。また，観賞用，植物標本としてマジックマッシュルームと称するきのこ類がインターネットで通販されるというようなケース，あるいは，まだ麻薬等に指定されていない麻薬や覚せい剤に類似した薬物がインターネットを通して個人輸入されるなどのケースもありました。

いずれも表面的には芳香剤とかクリーナー，あるいは観賞用見本などと称し，幻覚とか麻酔，興奮などの作用があるとは表立ってはいわず，麻薬及び向精神薬取締法，覚せい剤取締法などではまだ規制されていないから“合法ドラッグ”であるとして公然と販売されていました。

しかし，それらの薬物の使用により錯乱状態となった若者が傷害事件などを起こすケースが相次ぎました。また，それらの薬物が，“ゲートウェイ薬物”，つまり“入門薬物”となって，やがて，もっと幻覚作用や麻酔作用が強い麻薬，覚せい剤にシフトしていくおそれが強いことも懸念されました。

そこで，平成18年の薬事法改正で，それらの製造や販売等を規制することによって，それらの乱用に歯止めをかけるため，薬事法に新たに「指定薬物制度」が設けられました。

指定薬物制度は，中枢神経に作用し，興奮，幻覚などの作用を持つ薬物について，厚生労働大臣が「指定薬物」に指定し，正当な理由（医療や正規の医薬品，化学工業製品の製造に使用するなど）以外の目的（興奮作用，幻覚作用等を期待して使用すること）として製造し，販売することを禁止する，というものでした。

しかし，指定薬物制度ができても，その流行はおさまりませんでした。ある薬物を「指定薬物」に指定しても，その薬物の化学構造を少し変えた新たな薬物がすぐに登場し，まさに“イタチごっこ”の様相を呈し，法の網の隙間を巧みにつくことから，“脱法ドラッグ”と呼ばれるようになりました。

そして平成25年ごろから全国各地で脱法ドラッグの乱用者が車を暴走させ，大事故を起こす，あるいは傷害事件を起こすなどの事件が相次ぐようになりました。

平成26年，厚生労働省と警察庁は，脱法ドラッグの危険性に対する国民の意識を高めるため，公募によりその通称を，“危険ドラッグ”と呼ぶことを決めました。また，平成25年には，指定薬物の指定方法を，個別の化合物ごとの指定に加え，「包括指定」を導入しました。これは，化合物の構造の基本骨格部分を同じくする薬物群を一括して指定する方式です。この包括指定により，それまで31成分に過ぎなかった指定薬物が一気に1,400品目以上になりました。

そして，平成26年の通常国会では，さらに，「指定薬物と同等以上に精神毒性を有する蓋然性が高い物である疑いがある物品」を発見した場合，その精神毒性等を解析中の段階で，予防的にその製造や販売，ネットなどでの広告等を禁止し，その薬物の検査を命ずることができることとするなど，指定薬物制度の強化を図るための薬事法改正案が可決成立しました。

これにより，危険ドラッグの販売業者は減少しているといわれますが，しかしなお，危険ドラッグは後を絶たず，地下に潜っているともいわれています。また，包括指定の結果，法規制を逃れるため，密造業者たちがその本質が不明の薬物を密売する“何でもあり”の状況が生まれ，危険性はさらに増しているともいわれています。今後も危険ドラッグの撲滅のための対策の検討が続けられるでしょう。

2 指定薬物制度の概要

指定薬物とは

指定薬物とは何か。医薬品医療機器等法では，指定薬物を次のように定義しています。

医薬品医療機器等法

第2条

15　この法律で「指定薬物」とは，中枢神経系の興奮若しくは抑制又は幻覚の作用（当該作用の維持又は強化の作用を含む。）を有する蓋然性が高く，かつ，人の身体に使用された場合に保健衛生上の危害が発生するおそれがある物（大麻取締法（昭和23年法律第124号）に規定する大麻，覚せい剤取締法（昭和26年法律第252号）に規定する覚醒剤，麻薬及び向精神薬取締法（昭和28年法律第14号）に規定する麻薬及び向精神薬並びにあへん法（昭和29年法律第71号）に規定するあへん及びけしがらを除く。）として，厚生労働大臣が薬事・食品衛生審議会の意見を聴いて指定するものをいう。

「指定薬物」とは，次の①および②に該当するものとして厚生労働大臣が指定するもの，と定義しています。

① 中枢神経系の興奮，抑制または幻覚の作用をもつ蓋然性が高い物，およびこれらの作用を維持したり，強化する物であり，かつ

② 人の身体に使用された場合，保健衛生上の危害が発生するおそれがある物

これらに該当する薬物を確認した場合は，厚生労働大臣は，薬事・食品衛生審議会に諮り，指定薬物に指定することとなっています。

3 指定薬物の規制

指定薬物については，「厚生労働省令で定める用途以外の用途」に供するために，指定薬物を製造し，輸入し，販売し，授与し，所持し，購入し，もしくは譲り受け，または医療等の用途以外の用途に使用してはならないとされています。指定薬物の所持，購入も禁止されており，麻薬，覚せい剤並みの厳しい規制といえます（図14-1）。

医薬品医療機器等法

（製造等の禁止）

第76条の4 指定薬物は，疾病の診断，治療又は予防の用途及び人の身体に対する危害の発生を伴うおそれがない用途として厚生労働省令で定めるもの（以下この条及び次条において「医療等の用途」という。）以外の用途に供するために製造し，輸入し，販売し，授与し，所持し，購入し，若しくは譲り受け，又は医療等の用途以外の用途に使用してはならない。

厚生労働省令で定める用途とは

指定薬物の製造，販売，所持，使用等が禁止されるのは，「厚生労働省令で定める用途以外の用途」に用いることを目的としている場合です。つまり，その薬物の幻覚作用とか興奮作用などの精神作用などを目的としている場合です。

それに対し，「厚生労働省令で定める用途」とは，「疾病の診断，治療または予防の用途」や「正規の医薬品原料として使用すること」等を目的とする場合です。以前，シンナー遊びで乱用されていたシンナーは，街の塗料店や日曜大工用品店，玩具店などで市販されていた正規品でした。また，「合法ドラッグ」と称して初期の頃に乱用されていた薬物は，化学工業試薬や，医薬品，化学工業製品の合成原料として使用される正規の流通品でした。ですから，乱用されているからといって，やみくもにその製造や使用を禁止した場合，医薬品や化学品製造などの正規の産業活動を制限してしまうことになりかねません。

そこで，指定薬物制度では，薬物が正規の目的に使用される場合については，規制から除外する，ことにしているわけです。

図14-1　指定薬物の所持，使用等の禁止について

○　指定薬物の乱用を防止するため，指定薬物の所持，使用，購入，譲り受けを禁止する。指定薬物を所持，使用，購入，譲り受けした者は，3年以下の懲役又は300万円以下の罰金を処する。

（※1）指定薬物：精神毒性（幻覚，中枢神経系の興奮・抑制）を有する蓋然性が高く，人に使用された場合に保健衛生上の危害のおそれがある物質

（※2）行政機関・大学等の学術研究・試験検査の用途，疾病の治療の用途等の場合は禁止しない。

（※3）業として販売又は授与の目的での貯蔵，陳列の場合，従来どおり，5年以下の懲役又は500万円以下の罰金とする。

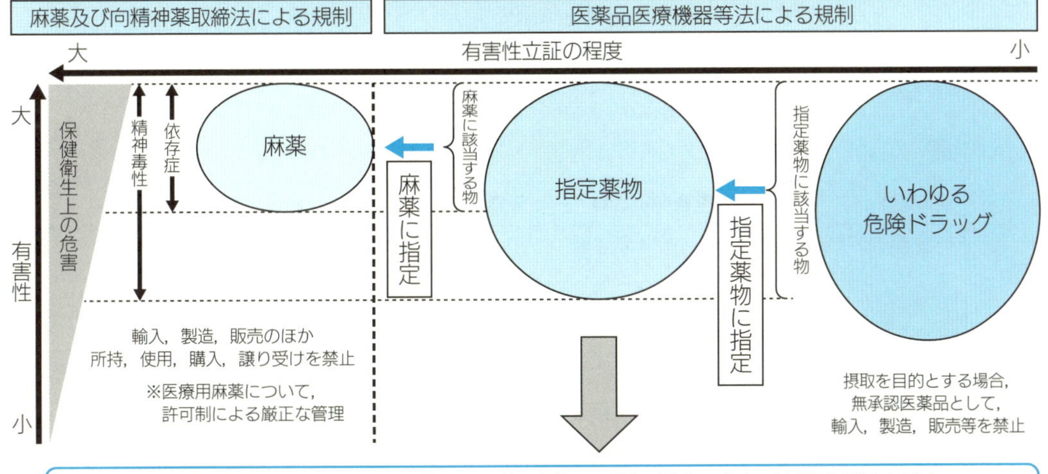

医薬品医療機器等法では製造，輸入，販売，授与，所持，購入，もしくは譲り受けを禁止。

この「厚生労働省令で定める用途」については，「薬事法第2条第14項に規定する指定薬物及び同法第76条の4に規定する医療等の用途を定める省令」（平成19年2月28日厚生労働省令第14号）により，次のように定められています。

（医療等の用途）

第2条　法第76条の4に規定する医療等の用途は，次の各号に掲げる用途とする。

一　次に掲げる者における学術研究又は試験検査の用途

　イ　国の機関

　ロ　地方公共団体及びその機関

　ハ　学校教育法（昭和22年法律第26号）第1条に規定する大学及び高等専門学校並びに国立大学法人法（平成15年法律第112号）第2条第4項に規定する大学共同利用機関

二　独立行政法人通則法（平成11年法律第103号）第2条第1項に規定する独立行政法人及び地方独立行政法人法（平成15年法律第118号）第2条第1項に規定する地方独立行政法人

二　法第69条第4項に規定する試験の用途

三　法第76条の6第1項に規定する検査の用途

四　犯罪鑑識の用途

五　前各号に掲げる用途のほか，次の表の上欄に掲げる物にあつては，それぞれ同表の下欄に掲げる用途

六　前各号に掲げる用途のほか，厚生労働大臣が人の身体に対する危害の発生を伴うおそれがないと認めた用途

上記の第5号については個々の化合物ごとに「正規の用途」を定めており，これまでに指定薬物のうち，約40成分について，具体的な化合物名とその用途が定められています。

それらの指定薬物の用途は現時点では，次の2つのうちいずれか，もしくは両方があげられています。

○ 疾病の治療の用途（法第14条または第19条の2の規定による承認を受けて製造販売をされた医薬品を使用する場合に限る。

○ 元素又は化合物に化学反応を起こさせる用途

（例）

亜硝酸イソブチル及びこれを含有する物	元素又は化合物に化学反応を起こさせる用途
亜硝酸イソペンチル及びこれを含有する物	①疾病の治療の用途（法第14条又は第19条の2の規定による承認を受けて製造販売をされた医薬品を使用する場合に限る。） ②元素又は化合物に化学反応を起こさせる用途
2-（1-オキソ-1-フェニルプロパン-2-イル）イソインドリン-1,3-ジオン，その塩類及びこれらを含有する物	学術研究又は試験検査の用途（ただし，第1号に掲げる者における場合を除き，かつ，人の身体に使用する場合以外の場合に限る。）

4 指定薬物の疑いのある物品の検査

危険ドラッグは，芳香剤とかクリーナー，ハーブティーなどと称して販売されています。製品には，その効能や作用などについては何も表示されていません。逆に以前は，「この製品は，幻覚剤，興奮剤としては使用しないでください」などと人を喰ったような表示がされていることもありました。いずれにしても，危険ドラッグは，「危険ドラッグ」であるか否か，成分などを分析してみなければわからないのが通常です。

そこで，医薬品医療機器等法では，指定薬物，もしくは指定薬物の疑いのある物品が製造，販売，陳列，貯蔵等されているのを発見した場合，厚生労働大臣，都道府県知事は，製造，販売，陳列，貯蔵等している者に対し，公的な機関での検査を受けるよう命ずることができるよう定めています。指定薬物であることがその場で判明すれば直ちに摘発できますが，見ただけではわからない場合，「指定薬物の疑いのある物」として，製造販売業者，販売業者に成分分析など検査を受けるよう命ずることになります。

検査を受けることを命じられた製造業者，販売業者は，その検査結果が出るまでの間，予防的に，その物品を製造し，輸入し，販売し，授与し，販売もしくは授与の目的で陳列することはできません。また，広告することも禁止されます。

医薬品医療機器等法

（指定薬物である疑いがある物品の検査等）

第76条の6　厚生労働大臣又は都道府県知事は，指定薬物である疑いがある物品を発見した場合において，当該物品が第76条の4の規定に違反して貯蔵され，若しくは陳列されている疑い又は同条の規定に違反して製造され，輸入され，販売され，若しくは授与された疑いがあり，保健衛生上の危害の発生を防止するため必要があると認めるときは，厚生労働省令で定めるところにより，当該物品を貯蔵し，若しくは陳列している者又は製造し，輸入し，販売し，若しくは授与した者に対して，当該物品が指定薬物であるかどうかについて，厚生労働大臣若しくは都道府県知事又は厚生労働大臣若しくは都道府県知事の指定する者の検査を受けるべきことを命ずることができる。

2　前項の場合において，厚生労働大臣又は都道府県知事は，厚生労働省令で定めるところにより，同項の検査を受けるべきことを命ぜられた者に対し，同項の検査を受け，その結果についての通知を受けるまでの間は，当該物品及びこれと同一の物品を製造し，輸入し，販売し，授与し，又は販売若しくは授与の目的で陳列してはならない旨を併せて命ずることができる。

さらに，その「指定薬物等である疑いがある物品」について，広域の規制が必要であると判断された場合，それを発見した製造業者や店舗だけでなく，それと同じものと認められた物について，製造し，輸入し，販売し，授与し，販売もしくは授与の目的で陳列し，または広告することを禁止することができるとされています。これは，次々と化学構造式の一部を少し変えただけの危険ドラッグが出てくる状況，いわゆる“イタチごっこ”を終わらせるという強い意識を持って盛り込まれた規定です。

医薬品医療機器等法

（指定薬物等である疑いがある物品の製造等の広域的な禁止）

第76条の6の2　厚生労働大臣は，前条第2項の規定による命令をしたとき又は同条第3項の規定による報告を受けたときにおいて，当該命令又は当該報告に係る命令に係る物品のうちその生産及び流通を広域的に規制する必要があると認める物品について，これと名称，形状，包装その他厚生労働省令で定める事項からみて同一のものと認められる物品を製造し，輸入し，販売し，授与し，販売若しくは授与の目的で陳列し，又は広告することを禁止することができる。

2　厚生労働大臣は，前項の規定による禁止をした場合において，前条第1項の検査により当該禁止に係る物品が指定薬物であることが判明したとき（同条第4項後段の規定による報告を受けた場合を含む。）又は同条第6項の規定により第2条第15項の指定をし，若しくは同項の指定をしない旨を決定したときは，当該禁止を解除するものとする。

3　第1項の規定による禁止又は前項の規定による禁止の解除は，厚生労働省令で定めるところにより，官報に告示して行う。

5　製造業者，販売業者への立入検査，収去

厚生労働大臣，都道府県知事は，指定薬物や指定薬物である疑いのある物，その他の危険ドラッグを取り扱っていると認められた製造業者，販売業者の倉庫や店舗に，「当該職員」を立入させ，検査させ，また分析用のサンプルを収去させることができることとされています。

この場合の「当該職員」とは，「薬事監視員」です。薬事監視員は，通常は，医薬品製造販売業者，製造業者，薬局，医薬品販売業者など，医薬品を業務上取り扱う医薬品医療機器等法の許可対象の事業所への立ち入り，必要な検査を行うのが仕事です。しかし，危険ドラッグはビデオショップやアダルトショップなど，医薬品医療機器等法の対象以外の店舗で販売されるおそれが強いわけですから，そうした店舗での調査も必要です。そこで，医薬品医療機器等法では，次のように，薬事監視員のそうした店への立ち入り権限も与えています。

医薬品医療機器等法

（立入検査等）

第76条の8　厚生労働大臣又は都道府県知事は，この章の規定を施行するため必要があると認めるときは，厚生労働省令で定めるところにより，指定薬物若しくはその疑いがある物品若しくは指定薬物と同等以上に精神毒性を有する蓋然性が高い物である疑いがある物品を貯蔵し，陳列し，若しくは広告している者又は指定薬物若しくはこれらの物品を製造し，輸入し，販売し，授与し，貯蔵し，陳列し，若しくは広告した者に対して，必要な報告をさせ，又は当該職員に，これらの者の店舗その他必要な場所に立ち入り，帳簿書類その他の物件を検査させ，関係者に質問させ，若しくは指定薬物若しくはこれらの物品を，試験のため必要な最少分量に限り，収去させることができる。

薬事監視員は，必要ある時は，①指定薬物，②指定薬物の疑いがある物品，③指定薬物と同等以上に精神毒性を有する蓋然性が高い物である疑いがある物品を扱っている店舗や保管場所などに立ち入り，帳簿類を検査し，質問させ，疑いのある物品を試験のため，必要な量を収去する権限を与えられています。

また，薬事監視員に加え，麻薬取締官，麻薬取締員にも，指定薬物の取締りに関し，薬事監視員と同様の権限が与えられています。

医薬品医療機器等法

（麻薬取締官及び麻薬取締員による職権の行使）

第76条の9　厚生労働大臣又は都道府県知事は，第76条の7第2項又は前条第1項に規定する当該職員の職権を麻薬取締官又は麻薬取締員に行わせることができる。

麻薬取締官，麻薬取締員は，麻薬，覚せい剤の取締りを本来の業務とする職種で，司法警察員の資格を持っています。危険ドラッグが，そうした乱用薬物と関連を強く持っているこ

とから，取締り体制を強化するために，麻薬取締官，麻薬取締員に権限が与えられました。なお，麻薬取締員は，薬事監視員が兼務していることが多いようです。

指定薬物の回収，廃棄等

厚生労働大臣，都道府県知事は「正規の目的以外の目的で製造され販売された指定薬物について，指定薬物の回収，廃棄等を命ずることができること」とされています。

医薬品医療機器等法

（廃棄等）

第76条の7 厚生労働大臣又は都道府県知事は，第76条の4の規定に違反して貯蔵され，若しくは陳列されている指定薬物又は同条の規定に違反して製造され，輸入され，販売され，若しくは授与された指定薬物について，当該指定薬物を取り扱う者に対して，廃棄，回収その他公衆衛生上の危険の発生を防止するに足りる措置をとるべきことを命ずることができる。

2 厚生労働大臣又は都道府県知事は，前項の規定による命令を受けた者がその命令に従わない場合であつて，公衆衛生上の危険の発生を防止するため必要があると認めるときは，当該職員に，同項に規定する物を廃棄させ，若しくは回収させ，又はその他の必要な処分をさせることができる。

（指定手続の特例）

第76条の10 厚生労働大臣は，第2条第15項の指定をする場合であつて，緊急を要し，あらかじめ薬事・食品衛生審議会の意見を聴くいとまがないときは，当該手続を経ないで同項の指定をすることができる。

2 前項の場合において，厚生労働大臣は，速やかに，その指定に係る事項を薬事・食品衛生審議会に報告しなければならない。

（中止命令等）

第76条の7の2 厚生労働大臣又は都道府県知事は，第76条の5の規定に違反した者に対して，その行為の中止その他公衆衛生上の危険の発生を防止するに足りる措置を採るべきことを命ずることができる。

2 厚生労働大臣又は都道府県知事は，第76条の6の2第1項の規定による禁止に違反した者に対して，同条第2項の規定により当該禁止が解除されるまでの間，その行為の中止その他公衆衛生上の危険の発生を防止するに足りる措置を採るべきことを命ずることができる。

3 厚生労働大臣又は都道府県知事は，第76条の5の規定又は第76条の6第2項の規定による命令若しくは第76条の6の2第1項の規定による禁止に違反する広告（次条において「指定薬物等に係る違法広告」という。）である特定電気通信による情報の送信があるときは，特定電気通信役務提供者に対して，当該送信を防止する措置を講ずることを要請することができる。

6 広告の制限

医薬品医療機器等法

（広告の制限）

第76条の5 指定薬物については，医事若しくは薬事又は自然科学に関する記事を掲載する医薬関係者等（医薬関係者又は自然科学に関する研究に従事する者をいう。）向けの新聞又は雑誌により行う場合その他主として指定薬物を医療等の用途に使用する者を対象として行う場合を除き，何人も，その広告を行つてはならない。

指定薬物に指定されたものについての広告を制限する規定です。指定薬物を医療用など正規の目的に使用する医薬関係者などに広告することは認めていますが，一般への広告を禁じています。

一般国民の危険ドラッグについての情報源は，何といってもインターネットやメールなどでしょう。ネットにはいろいろな通信ツールがありますが，この規定はそうしたネットでの広告をもターゲットとしているものです。最近は，麻薬，覚せい剤の使用者が高校生や中学生など低年齢化していると言われますが，今やネットは彼らにとって大変身近な情報源になっています。

この危険ドラッグのネットを通じた広告に関連して，医薬品医療機器等法に次のような規定があります。

医薬品医療機器等法

（損害賠償責任の制限）

第76条の7の3 特定電気通信役務提供者は，前条第3項の規定による要請を受けて指定薬物等に係る違法広告である特定電気通信による情報の送信を防止する措置を講じた場合その他の指定薬物等に係る違法広告である特定電気通信による情報の送信を防止する措置を講じた場合において，当該措置により送信を防止された情報の発信者に生じた損害については，当該措置が当該情報の不特定の者に対する送信を防止するために必要な限度において行われたものであるときは，賠償の責めに任じない。

前に，「指定薬物等である疑い」の段階で「厚生労働大臣は広告することを禁止することができる（法第76条の6の2）」とされていることを説明しましたが，試験検査の結果，指定薬物ではない，あるいは指定薬物として指定する必要のない物質であると判定されることがあるかもしれません。その場合，広告を禁じられたネット業者は，経済的な損失を被ることもあるかもしれませんが，この規定は，賠償には応じないというものです。危険ドラッグを排除しようという極めて強い意思表示が感じられる規定ですね。

余談になりますが，医薬品医療機器等法では，「何人も未承認医薬品の広告をしてはならない」と定めています。厚生労働省は，危険ドラッグはその販売のされ方によっては医薬品の定義の1つ，「人の身体の構造，機能に影響を与えることを目的とするもの」に該当する場合があるとしており，指定薬物に指定されていない段階でも，ネットでの乱用薬物の広告は医薬品医療機器等法違反となる可能性が大です。

第 2 部

医薬部外品

第1章

医薬部外品と薬事制度

はじめに

医薬部外品の制度は，薬事法が制定された昭和35年に設けられました。昭和35年には，医薬品の一般販売業について，従来の登録制が許可制に改められました。当時の医薬品の中には，蚊取り線香や口中清涼剤，脱毛の防止，毛生え，染毛，体臭の防止等に効能があるとされていたものがあり，化学的作用の緩和なものは，『医薬品』の範囲から外して『医薬部外品』相当の必要な規制にとどめるとして，医薬部外品制度が設けられ，今日に至っています。

『医薬部外品』は，薬事規制の強さで『医薬品』と『化粧品』の間にある規制分類だと考えれば，わかりやすいと思います。医薬部外品の規制は製品の有効性，安全性，品質を確かなものとするために，製造や製造販売段階では医薬品と同様に許認可が必要ですが，その販売は化粧品と同様に許可は不要で，コンビニエンスストアでも自由に販売されています。

1 医薬部外品の定義

医薬部外品は，“Quasi-drug”と訳されているため，一種の商品分類と捉えられるかもしれませんが，そうではありません。どのような物が医薬品医療機器等法が対象とする『医薬部外品』の範囲に入るかは，『医薬部外品』の定義に記載されています。『医薬部外品』として定義されている物は次のとおりです。

医薬品医療機器等法

（定義）

第2条

2　この法律で「医薬部外品」とは，次に掲げる物であつて人体に対する作用が緩和なものをいう。

一　次のイからハまでに掲げる目的のために使用される物(これらの使用目的のほかに，併せて前項第２号又は第３号に規定する目的のために使用される物を除く。)であつて機械器具等でないもの

イ　吐きけその他の不快感又は口臭若しくは体臭の防止

ロ　あせも，ただれ等の防止

ハ　脱毛の防止，育毛又は除毛

二　人又は動物の保健のためにするねずみ，はえ，蚊，のみその他これらに類する生物の防除の目的のために使用される物(この使用目的のほかに，併せて前項第２号又は第３号に規定する目的のために使用される物を除く。)であつて機械器具等でないもの

三　前項第２号又は第３号に規定する目的のために使用される物(前２号に掲げる物を除く。)のうち，厚生労働大臣が指定するもの

「医薬部外品」とは，「次に掲げる物であって」と「人体に対する作用が緩和なもの」の両方の要件を満たすものです。

「次に掲げる物」の第1号は，医薬部外品制度が設けられた昭和35年当時からあった口中清涼剤，わきが薬，あせしらず等の天花粉類，毛生え薬，エバクリームなどの脱毛剤です。

第2号ですがねずみ，はえ，蚊，のみなど衛生害虫に対して防除目的で使用される物が含まれています。「人又は動物の保健のためにする」と範囲が限定されていますので，農作物の害虫駆除剤などの農薬は含まれていません。

「人体に対する作用が緩和な物」とは，通常予想される誤用の際にも人体に対する作用が緩和な物を医薬部外品としています。したがって，殺虫剤などでも，成分が人体に対し激しい作用を及ぼすような製品は，医薬部外品ではなく，医薬品に区分されています。

第1号と第2号の（　　）書きには「併せて前項第2号又は第3号の目的のために使用される物を除く」とありますが，ここで前項の条文を確認しておきましょう。条文は，その趣旨にそってアレンジしてありますので注意してください。

医薬品医療機器等法

（定義）

第２条第１項　この法律で「医薬品」とは，次に掲げる物をいう。

一　（略）

二　人又は動物の疾病の診断，治療又は予防に使用されることが目的とされている物であつて，機械器具等でないもの。

三　人又は動物の身体の構造又は機能に影響を及ぼすことが目的とされている物であつて，機械器具等でないもの。

このように，医薬部外品の定義条文である第2条第2項の第1号及び第2号の（　）書きには，医薬部外品に該当するような物であっても，通常の消費者が，疾病の診断・治療・予防等の目的で使用する物は，「医薬品」であるので「医薬部外品」からは除くということが書かれているわけです。

第3号は，前項第2号または第3号の目的，すなわち，疾病の診断，治療，予防や，身体の構造機能に影響を及ぼすことが目的とされている本来なら医薬品に該当する物のうち，厚生労働大臣が指定するものを医薬部外品とするという規定です。平成11年（1999年）に，外皮消毒剤，健胃清涼剤，ビタミン剤，カルシウム剤，ビタミン含有保健剤など，従来医薬品として取り扱われていたものが，（新指定）医薬部外品に指定されました。また，平成16年（2004年）には，鼻づまり改善薬の外用剤，消化薬，整腸剤などが（新範囲）医薬部外品に指定されています。医薬部外品の定義や製品群をまとめると，表1-1～1-3のようになります。

表 1-1　**医薬部外品の定義**

法令および告示上の定義
医薬品医療機器等法第２条第２項 この法律で「医薬部外品」とは，次の各号に掲げることが目的とされており，かつ，人体に対する作用が緩和なものであつて器具器械でないもの及びこれらに準ずるもので厚生労働大臣の指定するものをいう。ただし，これらの使用目的のほかに，前項第二号又は第三号に規定する用途に使用されることもあわせて目的とされているものを除く。
1　吐きけその他の不快感又は口臭若しくは体臭の防止
2　あせも，ただれ等の防止
3　脱毛の防止，育毛又は除毛
4　人又は動物の保健のためにするねずみ，はえ，蚊，のみ等の駆除又は防止
5　厚生労働大臣が指定するもの

※厚生労働大臣が指定するもの（平成21厚告25）

(1)　胃の不快感を改善することが目的とされている物
(2)　いびき防止薬
(3)　衛生上の用に供されることが目的とされている綿類（紙綿類を含む。）
(4)　カルシウムを主たる有効成分とする保健薬（(19)に掲げるものを除く）
(5)　含嗽（そう）薬
(6)　健胃薬（(1)及び(27)に掲げるものを除く）
(7)　口腔咽喉薬（(20)に掲げるものを除く）
(8)　コンタクトレンズ装着薬
(9)　殺菌消毒薬（(15)に掲げるものを除く）
(10)　しもやけ・あかぎれ用薬（(24)に掲げるものを除く）
(11)　瀉下薬
(12)　消化薬（(27)に掲げるものを除く）
(13)　滋養強壮，虚弱体質の改善および栄養補給が目的とされている物
(14)　生薬を主たる有効成分とする保健薬
(15)　すり傷，切り傷，さし傷，かき傷，靴ずれ，創傷面などの消毒又は保護に使用されることが目的とされている物
(16)　整腸薬（(27)に掲げるものを除く）
(17)　染毛剤
(18)　ソフトコンタクトレンズ用消毒剤
(19)　肉体疲労時，中高年期等のビタミン又はカルシウムの補給が目的とされている物
(20)　のどの不快感を改善することが目的とされている物
(21)　パーマネント・ウェーブ用剤
(22)　鼻づまり改善薬（外用剤に限る）
(23)　ビタミンを含有する保健薬（(13)および(19)に掲げるものを除く）
(24)　ひび，あかぎれ，あせも，ただれ，うおのめ，たこ，手足のあれ，かさつき等を改善することが目的とされている物
(25)　医薬品医療機器等法第２条第３項に規定する使用目的のほかに，にきび，肌荒れ，かぶれ，しもやけ等の防止又は皮膚若しくは口腔の殺菌消毒に使用されることも併せて目的とされている物
(26)　浴用剤
(27)　(6)，(12)又は(16)に掲げる物のうち，いずれか２以上に該当するもの

表1-2　医薬部外品の製品群(1)

製品群	備考 （新指定医薬部外品　平成11年3月施行）	効能または効果（例）
口中清涼剤，腋臭防止剤		口臭，悪心・嘔吐
てんか粉類		あせも，おしめかぶれ
育毛剤（養毛剤），除毛剤		育毛・発毛促進，除毛
忌避剤，殺虫剤，殺そ剤		
衛生綿類		
染毛剤（脱色剤，脱染剤）		染毛
パーマネント・ウェーブ用剤		パーマネント・ウェーブ
薬用化粧品（薬用石けんを含む），薬用歯みがき類		ひび・あかぎれ・にきびを防ぐ，肌あれ，荒れ性
浴用剤		神経痛，リウマチ，しっしん
ソフトコンタクトレンズ用消毒剤		
外皮消毒剤 きず消毒保護剤	・オキシドール，エタノール，ヨードチンキ，塩化ベンザルコニウム，塩化ベンゼトニウム，グルコン酸クロルヘキシジン，アクリノール等殺菌消毒主薬製剤 ・殺菌消毒剤含有の創傷保護剤	すり傷，切り傷，靴ずれ 創傷面の洗浄・消毒
ひび・あかぎれ用剤 ひび・あかぎれ用剤 あせも・ただれ用剤 うおのめ・たこ用剤 かさつき・あれ用剤 ひび・あかぎれ用剤	・クロルヘキシジン配合軟膏 ・メントール・カンフル主剤外用剤 ・酸化亜鉛主剤 ・サリチル酸絆創膏 ・尿素軟膏類 ・ビタミンAE配合軟膏	ひび・あかぎれ・すり傷，あせも・ただれの緩和・防止 うおのめ・たこ
のど清涼剤	・セネガ等緩和な生薬よりなるのど飴類似品	たん，のどの炎症による声がれ・のどのあれ
健胃清涼剤	・健胃生薬を主成分とする健胃剤	食べすぎ，飲みすぎによる胃部不快感，はきけ
ビタミンC剤 ビタミンE剤 ビタミンEC剤 カルシウム剤	・ビタミンC主薬製剤 ・ビタミンE主薬製剤 ・ビタミンEC主薬製剤 ・カルシウム製剤	肉体疲労時・妊娠・授乳期，病中病後の体力低下時，中高年期におけるビタミンの補給
ビタミン含有保健剤	・ビタミンB_1，B_2，B_6配合製剤	滋養強壮，虚弱体質，肉体疲労・病後の体力低下などの場合の栄養補給

表1-3　医薬部外品の製品群(2)

新範囲医薬品部外品（平成16年7月施行）

製品群：
（イ）　いびき防止剤
（ロ）　カルシウムを主たる有効成分とする保健薬
（ハ）　含嗽薬
（ニ）　健胃薬
（ホ）　口腔咽喉薬
（ヘ）　コンタクトレンズ装着薬
（ト）　殺菌消毒薬
（チ）　しもやけ・あかぎれ用薬
（リ）　瀉下薬
（ヌ）　消化薬
（ル）　生薬を主たる有効成分とする保健薬
（ヲ）　整腸薬
（ワ）　鼻づまり改善薬（外用剤に限る）
（カ）　ビタミンを含有する保健薬
（ヨ）　健胃薬，消化薬又は整腸薬のうち，いずれか2以上に該当するもの

第２章

医薬部外品の承認・許可制度

はじめに

医薬部外品の承認・許可制度は，医薬品の承認・許可制度とほぼ同じです。医薬品医療機器等法で医薬部外品の規定を調べようとすると，医薬部外品のみに関する条文は少なく，また，あったとしても「第○○条から第○○条までを準用する。この場合，ＸＸＸＸとあるのはＹＹＹＹと読み替えるものとする。」という表現が出てきます。

この「準用」という用語ですが，法令的には「本来はａ（たとえば医薬品）について定めているＡという規定を，多少読み替えを加えながらｂ（たとえば医薬部外品）に当てはめる」という意味です。「準用」という用語は，法律を書く立場からすれば，法律を簡潔にするために非常に便利な用語です。しかし，法律を読み理解しようとする場合には，いちいち元の条文にあたって確かめなければならないので，法律の専門家ならいざ知らず，素人にはとてもわかりにくいものです。

そこで，本章では，医薬品医療機器等法本体で「第○○条を準用する」となっている部分は，第○○条の条文に戻り，医薬部外品に読み替えた条文を示し理解しやすくするようにしていきます。

では，さっそく医薬部外品の承認・許可制度に関する条文を順にみていきましょう。

1 製造販売業の許可

医薬部外品を業として製造販売する場合，すなわち医薬部外品を反復継続して市場に出荷するという製造販売業を営む場合には，事前に厚生労働大臣の「医薬部外品製造販売業」という種類の許可を得なければなりません。許可事務は都道府県が行っているので，医薬部外品の製造販売業の許可は都道府県に申請し，許可証は知事から交付されます（施行令第80条第２項）。医薬部外品の製造販売業の許可の有効期間は，政令で５年と定められています。

医薬品医療機器等法

第12条

医薬部外品は，医薬部外品製造販売業の厚生労働大臣の許可を受けた者でなければ，業として，医薬部外品の製造販売をしてはならない。

2 前項の許可は，3年を下らない政令で定める期間ごとにその更新を受けなければ，その期間の経過によつて，その効力を失う。

2 製造販売業の許可の基準と総括製造販売責任者等の設置義務

製造販売業の許可の基準は医薬品医療機器等法第12条の2によって定められています。製造販売業の許可を得るには，基準に適合する必要があります。

医薬品医療機器等法

第12条の2

次の各号のいずれかに該当するときは，製造販売業の許可を与えないことができる。

一 申請に係る医薬部外品の品質管理の方法が，厚生労働省令で定める基準に適合しないとき。

二 申請に係る医薬部外品の製造販売後安全管理（品質，有効性及び安全性に関する事項その他適正な使用のために必要な情報の収集，検討及びその結果に基づく必要な措置をいう。）の方法が，厚生労働省令で定める基準に適合しないとき。

2 第5条（第3号に係る部分に限る。）の規定は，第1項の許可について準用する。

（注）下線部は令和元年12月4日から2年以内に施行

医薬品医療機器等法においては，医薬部外品も医薬品と同様に，企業が製品を安全に市場に出荷するために，製造販売行為（製品を出荷・上市する行為）に対して許可を与えることとされています。製造販売業者は，必ずしも製造施設を持つ必要がなく，製造行為の全部または一部を製造業の許可を持つ製造業者に委託することができます。製造販売業者は製造工程のアウトソーシングが可能となり，また，製造業者にとってはいわゆるOEMが可能です。

上記第1号及び第2号の「品質管理の方法に関する基準（GQPと呼ばれる）」と「製造販売後安全管理の方法（GVPと呼ばれる）」は，平成16年9月22日に厚生労働省令第136号及び第135号として定められていますが，医薬部外品の製造販売業の許可基準として重要な基準です。医薬部外品の製造販売業の品質管理の仕組みは，義務の程度には差は見られますが，基本は医薬品と同じです。また，市販後安全管理に係わる仕組みも同様に，安全管理の体制，情報収集や検討，安全確保措置の立案の方法なども，医薬品が参考になると考えられるので，本書の第1部を参考にしてください。

第2項には，許可の取消しの日から3年を経過していない者，禁錮以上の刑に処せられ執行終了後3年を経過していない者，医薬品医療機器等法，麻薬及び向精神薬取締法，毒物及び劇物取締法その他薬事に関する法令に違反しその違反行為から2年を経過していない者，成年被後見人または麻薬，大麻，あへんもしくは覚せい剤の中毒者などが，許可が与えられない場合の人的欠格要件として定められています。

製造販売業者は，GQPとGVPに従った管理を行うために，総括製造販売責任者を置かなければなりません。総括製造販売責任者の資格や遵守しなければならない事項は，次のように定められています。

医薬品医療機器等法

第17条

医薬部外品の製造販売業者は，厚生労働省令で定めるところにより，医薬部外品の品質管理及び製造販売後安全管理を行わせるために，医薬部外品の製造販売業者にあつては厚生労働省令で定める基準に該当する者を，それぞれ置かなければならない。

2　前項の規定により医薬部外品の品質管理及び製造販売後安全管理を行う者として置かれる者（以下「総括製造販売責任者」という。）は，次項に規定する義務及び第4項に規定する厚生労働省令で定める業務を遂行し，並びに同項に規定する厚生労働省令で定める事項を遵守するために必要な能力及び経験を有する者でなければならない。

3　総括製造販売責任者は，医薬部外品の品質管理及び製造販売後安全管理を公正かつ適正に行うために必要があるときは，製造販売業者に対し，意見を書面により述べなければならない。

4　総括製造販売責任者が行う医薬部外品の品質管理及び製造販売後安全管理のために必要な業務並びに総括製造販売責任者が遵守すべき事項については，厚生労働省令で定める。

（注）下線部は令和元年12月4日から2年以内に施行

医薬品医療機器等法施行規則（現行）

第85条

医薬部外品の総括製造販売責任者に係る厚生労働省令で定める基準は，次の各号のいずれかに該当する者であることとする。

一　薬剤師

二　大学若しくは高等専門学校等で，薬学又は化学に関する専門の課程を修了した者

三　高等学校等で，薬学又は化学に関する専門の課程を修了した後，医薬品又は医薬部外品の品質管理又は製造販売後安全管理に関する業務に3年以上従事した者

四　厚生労働大臣が前3号に掲げる者と同等以上の知識経験を有すると認めた者

医薬品医療機器等法施行規則（現行）

第87条

総括製造販売責任者が遵守すべき事項は，次のとおりとする。

一　品質管理及び製造販売後安全管理に係る業務に関する法令及び実務に精通し，公正かつ適正に当該業務を行うこと。

二　当該業務を公正かつ適正に行うために必要があると認めるときは，製造販売業者に対し文書により必要な意見を述べ，その写しを5年間保存すること。

三　医薬品等の品質管理に関する業務の責任者(「品質保証責任者」という。)及び製造販売後安全管理に関する業務の責任者(「安全管理責任者」という。)との相互の密接な連携を図ること。

令和元年の法改正によって，製造販売業の許可をしない要件に，「第５条第３号ト　申請者（法人にあっては薬事に関する業務に責任を有する役員を含む）が業務を適切に行うことができる知識および経験を有すると認められない者」が追加になりました（法第12条第２項）。

あわせて，総括製造販売責任者には，一定の従事経験を有し，品質管理業務又は安全確保業務に関する総合的な理解力及び適正な判断力を有する者でなければならないとする要件も定められました（法第17条第２項）。

また，その業務として，総括製造販売責任者が品質管理又は安全確保を公正にかつ適正に行うために必要があるときは製造販売業者に書面で意見を述べること（法第17条第３項），製造販売業者は総括製造販売責任者の意見を尊重するとともに，法令遵守のために必要な措置を実施すること，その内容（実施しない場合はその理由）を記録すること等が義務づけられています（法第18条第４項）。

さらに，製造販売業者，その役員，総括製造販売責任者などが医薬品医療機器等法が求める責務を果たすことを担保するため，総括製造販売責任者の権限の明記，薬事に関する業務に責任を有する役員の明示，法令遵守のための指針の策定とその遂行，これらの措置の内容の記録などが義務づけられました（法第18条の２）。

これらの規定は令和元年12月４日から２年以内に施行とされていますが，これによって，業務監督体制の整備，経営陣と現場責任者の責任の明確化等を柱とする法令遵守体制の整備が図られたといえるものと思います。

3　製造業の許可

医薬部外品を製造するためには，区分ごとの許可が製造所ごとに必要とされています。許可の有効期間は５年であり，更新が必要です。

医薬品医療機器等法

第13条

医薬部外品の製造業の許可を受けた者でなければ，業として，医薬部外品の製造をしてはならない。

2　前項の許可は，厚生労働省令で定める区分に従い，厚生労働大臣が製造所ごとに与える。

3　第１項の許可を受けようとする者は，厚生労働省令で定めるところにより，次の各号に掲げる事項を記載した申請書を厚生労働大臣に提出しなければならない。

一　氏名又は名称及び住所並びに法人にあつては，その代表者の氏名

二　その製造所の構造設備の概要

三　法人にあつては，薬事に関する業務に責任を有する役員の氏名

四　医薬品の製造業の許可を受けようとする者にあつては，第17条第６項に規定する医薬品製造管理者の氏名

五　医薬部外品又は化粧品の製造業の許可を受けようとする者にあつては，第17条第11

　項に規定する医薬部外品等責任技術者の氏名
六　第6項において準用する第5条第3号イからトまでに該当しない旨その他厚生労働省令で定める事項
4　第1項の許可は，3年を下らない政令で定める期間ごとにその更新を受けなければ，その効力を失う。
5　その製造所の構造設備が，厚生労働省令で定める基準に適合しないときは，第1項の許可を与えないことができる。
6　第5条（第3号に係る部分に限る。）の規定は，第1項の許可について準用する。
（注）下線部は令和元年12月4日から2年以内に施行

医薬部外品の製造業の許可は，①無菌医薬部外品(無菌化された医薬部外品をいう。)の製造工程の全部又は一部を行うもの，②無菌医薬部外品以外の医薬部外品の製造工程の全部又は一部を行うもの，③医薬部外品の製造工程のうち包装，表示又は保管のみを行うものに区分されています。

製造行為の中には，品質に変化を加えることなく一定量に分けて容器に分割充填する小分け行為も含まれます。また，医薬部外品を輸入した場合に，包装・表示のための倉庫内作業も製造業の許可が必要となっています。

製造所の許可要件としては，製造所の構造設備が「薬局等構造設備規則（昭和36年，厚生省令第2号)」に適合していることが必要です。申請者の人的欠格要件は製造販売業で説明したものと同じです。また，製造所には，次のいずれかに該当する化学に関する知識を持った責任技術者が勤務することが必要です。

①　薬剤師
②　大学等で，薬学又は化学に関する専門の課程を修了した者
③　旧制中学若しくは高校又はこれと同等以上の学校で，薬学又は化学に関する専門の課程を卒業した後，医薬品又は医薬部外品の製造に関する業務に3年以上従事した者
④　厚生労働大臣が前（1）から（3）号に掲げる者と同等以上の知識経験を有すると認めた者

令和元年の法改正によって，①製造業者あるいは責任技術者についても，法令遵守体制の整備の観点から，製造販売業者あるいは総括製造販売責任者とほぼ同様の義務が課されるとともに，②保管のみを行う製造所については許可に代わる登録制度が導入されました（令和元年12月4日から2年以内に施行)。

4　医薬部外品の外国製造業者の認定

医薬部外品の製造業には許可が必要ですが，日本に輸出される医薬部外品の外国製造業者については，許可ではなく，厚生労働大臣の「認定」を受けなければならないとされています。輸入する医薬部外品は製造販売承認が必要ですが，承認を得るためには外国製造業者が認定を受けている必要があります。認定は製造業の許可区分に準拠した区分に従って行われ，手続きは，当該医薬部外品等の製造販売業者が代行できることとなっています。

医薬品医療機器等法

第13条の3　外国において本邦に輸出される医薬部外品を製造しようとする者(以下「外国製造業者」という。)は，厚生労働大臣の認定を受けることができる。

2　前項の認定は，厚生労働省令で定める区分に従い，製造所ごとに与える。

5　医薬部外品の承認

さて，医薬部外品の製造販売承認ですが，医薬品と同様に，品目ごとに厚生労働大臣の承認を得なければなりません。「承認」とは医薬品と同じで，申請された医薬部外品の成分や，効果・安全性・品質などを審査して医薬部外品として適切なものであるという認証が与えられるものです。品目ごとに承認を得た医薬部外品を，許可を得た国内の製造業者や認定を受けた外国製造業者が責任を持って製造し，許可を得た製造販売業者が責任を持って製造販売（出荷）することで，有効で安全な医薬部外品が市場に提供されることとなります。

医薬品医療機器等法

第14条　医薬部外品(厚生労働大臣が基準を定めて指定する医薬部外品を除く。)の製造販売をしようとする者は，品目ごとにその製造販売についての厚生労働大臣の承認を受けなければならない。

2　次の各号のいずれかに該当するときは，前項の承認は，与えない。

一　申請者が，医薬部外品の製造販売業の許可を受けていないとき。

二　申請に係る医薬部外品製造する製造所が，製造業者の許可，外国製造業者の認定(申請品目の製造区分に限る。) 又は保管のみを行う製造所に係る登録を受けていないとき。

三　申請に係る医薬部外品の名称，成分，分量，用法，用量，使用方法，効能，効果，副作用その他の品質，有効性及び安全性に関する事項の審査の結果，その物が次のイからハまでのいずれかに該当するとき。

イ　申請に係る医薬部外品が，その申請に係る効能，効果を有すると認められないとき。

ロ　申請に係る医薬部外品が，その効能，効果に比して著しく有害な作用を有することにより，医薬部外品として使用価値がないと認められるとき。

ハ　イ又はロに掲げる場合のほか，医薬部外品として不適当なものとして厚生労働省令で定める場合に該当するとき（著者注：この条文の中の不適当なものとは，医薬品医療機器等法施行規則第39条で，申請にかかる医薬部外品の性状又は品質が保健衛生上著しく不適当な場合とするとなっています）。

四　申請に係る医薬部外品が政令で定めるものであるときは，その物の製造所における製造管理又は品質管理の方法が，厚生労働省令で定める基準に適合していると認められないとき（著者注：この条文の製造所における製造管理又は品質管理の方法の基準（GMP）に適合する必要のある医薬部外品は，新指定医薬部外品及び新範囲医薬部外品の場合です）。

3　第1項の承認を受けようとする者は，厚生労働省令で定めるところにより，申請書に臨床試験の試験成績に関する資料その他の資料を添付して申請しなければならない。

（以下略）

11　第1項の承認を受けた者は，当該品目の承認事項の一部を変更しようとするときは，その変更について厚生労働大臣の承認を受けなければならない。

12　第1項の承認を受けた者は，軽微な変更について，厚生労働省令で定めるところにより，厚生労働大臣にその旨を届け出なければならない。

（注）下線部は令和元年12月4日から2年以内に施行

第1項にある承認不要の医薬部外品として，「薬事法第14条第1項の規定に基づく承認不要医薬部外品基準」（平成9年3月24日厚生省告示第54号）により，清浄綿などが指定されています。なお，承認不要の医薬部外品を製造販売する場合は，厚生労働大臣に品目ごとに届出しなければなりません。

第3項では，承認申請書に添付すべき資料の範囲が定められています。すでに承認を得ている医薬部外品と有効成分や効能効果などが異なる新医薬部外品を申請する場合には，次の範囲の資料が必要とされています。医薬品医療機器等法となり，新医薬部外品の区分が細分化され，申請手数料や添付資料の内容も変更されているので，注意が必要です。

イ　起原又は発見の経緯及び外国における使用状況等に関する資料
ロ　物理的化学的性質並びに規格及び試験方法等に関する資料
ハ　安定性に関する資料
ニ　安全性に関する資料
ホ　効能又は効果に関する資料

また，生理処理用品，染毛剤，パーマネント・ウェーブ用剤，薬用歯みがき類及び浴用剤については製造販売承認基準が厚生労働省より通知されています。これに加え，薬用シャンプー及び薬用リンス，ならびに薬用石けんについては，承認審査に係る留意事項が通知されています。

6 都道府県知事の承認

平成6年6月2日厚生省告示第194号「都道府県知事の承認に係る医薬部外品」によって，**表2-1**に示す医薬部外品であって，有効成分の種類，その配合割合，その分量，用法，効能及び効果等が告示で定められた基準に適合するものについては，厚生労働大臣ではなく，都道府県知事が承認することとされています。

表2-1　都道府県知事の承認に係る医薬部外品（(平成6年6月2日，厚生省告示第194号)

1	清浄綿	9	うおのめ・たこ用剤
2	生理処理用品	10	かさつき・あれ用剤
3	染毛剤	11	カルシウム剤
4	パーマネント・ウェーブ用剤	12	喉清涼剤
5	薬用歯みがき類	13	ビタミン含有保健剤
6	健胃清涼剤	14	ひび・あかぎれ用剤
7	ビタミン剤	15	浴用剤
8	あせも・ただれ用剤		

第3章

医薬部外品の販売

医薬部外品は，化粧品と同じように作用が緩和であるため，医薬品のように販売許可などを受ける必要はなく，誰でも販売できます。しかし，不良医薬部外品や不正な表示がなされている医薬部外品の販売などは禁止されています。

1 不良医薬部外品

販売などが禁止されている不良医薬部外品は，承認内容に合わない医薬部外品，不潔な変質した医薬部外品，異物が入っている医薬部外品，病原微生物で汚染されている医薬部外品，定められたタール色素以外のタール色素が使用されている医薬部外品などです。

医薬品医療機器等法

第56条（第60条により準用）

次の各号のいずれかに該当する医薬部外品は，販売し，授与し，又は販売若しくは授与の目的で製造し，輸入し，貯蔵し，若しくは陳列してはならない。

(第1号及び2号略)

三　承認を受けた医薬部外品であつて，その成分若しくは分量又は性状若しくは品質がその承認の内容と異なるもの

四　第14条第1項の規定により厚生労働大臣が基準を定めて指定した医薬部外品であつて，その成分若しくは分量又は性状若しくは品質がその基準に適合しないもの

五　第42条第2項の規定によりその基準が定められた医薬部外品であつて，その基準に適合しないもの

六　その全部又は一部が不潔な物質又は変質若しくは変敗した物質からなつている医薬部外品

七　異物が混入し，又は付着している医薬部外品

八　病原微生物等により汚染され，又は汚染されているおそれがある医薬部外品

九　着色のみを目的として，厚生労働省令で定めるタール色素以外のタール色素が使用されている医薬部外品

2 医薬部外品の表示

医薬部外品については，その使用および取扱いを適正にするために，また安全性の確保のためにいろいろな表示事項や表示禁止事項が定められています。もし，これらの表示規定に違反するものがあれば，それは不正表示医薬部外品とされ，それらの販売，授与などが禁止されています。薬用化粧品，薬用歯磨，ドリンク剤などの医薬部外品が手元にあれば，表示を確かめてください。次のような記載があるはずです。

医薬品医療機器等法

第59条

医薬部外品は，その直接の容器又は直接の被包に，次の各号に掲げる事項が記載されていなければならない。ただし，厚生労働省令で別段の定めをしたときは，この限りでない。

一　製造販売業者の氏名又は名称及び住所
二　「医薬部外品」の文字
三　第2条第2項第2号又は第3号に規定する医薬部外品にあつては，それぞれ厚生労働省令で定める文字
四　名称（一般的名称があるものにあつては，その一般的名称）
五　製造番号又は製造記号
六　重量，容量又は個数等の内容量
七　厚生労働大臣の指定する医薬部外品にあつては，有効成分の名称（一般的名称があるものにあつては，その一般的名称）及びその分量
八　厚生労働大臣の指定する成分を含有する医薬部外品にあつては，その成分の名称
九　第2条第2項第2号に規定する医薬部外品のうち厚生労働大臣が指定するものにあつては，「注意－人体に使用しないこと」の文字
十　厚生労働大臣の指定する医薬部外品にあつては，その使用の期限
十一　第42条第2項の規定によりその基準が定められた医薬部外品にあつては，その基準において直接の容器又は直接の被包に記載するように定められた事項
十二　前各号に掲げるもののほか，厚生労働省令で定める事項

条文中の第6号の表示について厚生労働省令で義務づけられているのは，内容量が10g以下などで，外から内容量がわからないものについては重量などの内容量を記載することとされています。

第8号の成分表示については，「医薬品医療機器等法の規定に基づき，成分の名称を記載しなければならない医薬部外品及び化粧品の成分を指定する件」（厚生省告示第332号）により定められています。人に直接使用される医薬部外品については，安全な使用を図るために，アレルギーなどの皮膚障害を起こすおそれのある製品については表示成分が指定されています。表示しなければならない成分には，システインやチオグリコール酸などや，タール色素などの成分が表示対象となります。

また，人体に直接は使用されない殺虫剤，殺鼠剤などの医薬部外品については，誤用や誤飲などによる事故に迅速な応急措置がとられなければなりません。このため，アレスリン，ジクロボス，フェニトロチオンなどの有効成分は表示対象成分とされています。

第10号に関しては，「医薬品医療機器等法の規定に基づき，使用の期限を記載しなければならない医薬品，医薬部外品，化粧品及び医療用具を指定する件」（厚生省告示第166号）により，アスコルビン酸（ビタミンC）のような分解しやすい成分を含有する医薬部外品が使用期限を表示するよう，告示されています。

第12号については，医薬品医療機器等法施行規則により，直接の容器や被包が狭いなどの理由で表示を簡略化する場合が規定されています。

表示の仕方については，次の条文で，はっきりと見えるようにしなければならないとしています。また，添付文書には，その取扱い方法などについて記載されている必要があります。次の条文を確認してください。

医薬品医療機器等法

第51条（第60条により準用）

医薬部外品の直接の容器又は直接の被包が小売のために包装されている場合において，その直接の容器又は直接の被包に記載された第59条各号に規定する事項が外部の容器又は外部の被包を透かして容易に見ることができないときは，その外部の容器又は外部の被包にも，同様の事項が記載されていなければならない。

第52条第2項（第60条により準用）

医薬部外品は，これに添付する文書又はその容器若しくは被包に当該医薬部外品に関する最新の論文その他により得られた知見に基づき，次に掲げる事項が記載されていなければならない。ただし，厚生労働省令で別段の定めをしたときは，この限りでない。

一　用法，用量その他使用及び取扱い上の必要な注意

(第2号略)

三　第42条第2項の規定によりその基準が定められた医薬部外品にあつては，その基準においてこれに添付する文書又はその容器若しくは被包に記載するように定められた事項

四　前各号に掲げるもののほか，厚生労働省令で定める事項

（注）下線部は令和元年12月4日から2年以内に施行

第54条（第60条により準用）

医薬部外品は，これに添付する文書，その医薬部外品又はその容器若しくは被包（内袋を含む。）に，次の各号に掲げる事項が記載されていてはならない。

一　当該医薬部外品に関し虚偽又は誤解を招くおそれのある事項

二　第14条（第23条において準用する場合を含む。以下同じ。）又は第19条の2の規定による承認を受けていない効能又は効果（第14条第1項の規定により厚生労働大臣がその基準を定めて指定した医薬部外品にあつては，その基準において定められた効能又は効果を除く。）

三　保健衛生上危険がある用法，用量又は使用期間

なお，医薬部外品の製造原料として他の医薬部外品メーカーに販売する医薬部外品で，直接の容器などに「製造専用」とその目的が記載されている場合は，用法・用量，その他の記載を省略できることが厚生労働省令（医薬品医療機器等法施行規則第56条など）で定められています。また，厚生労働省令では，邦文で記載することなどを求めています（医薬品医療機器等法施行規則第56～58条）。

医薬品医療機器等法
第55条（第60条により準用）
第59条又は第60条において準用する第51条，第52条第2項，第53条及び前条の規定に触れる医薬部外品は，販売し，授与し，又は販売若しくは授与の目的で貯蔵し，若しくは陳列してはならない。

以上に医薬部外品の表示について述べましたが，これらの規定等を**表3-1**にまとめておきます。

表3-1　医薬部外品の表示に関する規定

表示する場所	表示義務事項	表示禁止事項
直接の容器又は直接の被包	（法第59条） ①　製造販売業者の氏名又は名称及び住所 ②　「医薬部外品」の文字 ③　名称 ④　製造番号又は製造記号 ⑤　重量，容量又は個数等の内容量 ⑥　厚生労働大臣の指定する医薬部外品にあっては有効成分の名称及びその分量 ⑦　厚生労働大臣の指定する成分を含有する医薬部外品にあってはその成分の名称 など	（法第60条において準用する法第54条） ①　虚偽又は誤解を招くおそれのある事項 ②　承認を受けていない効能，効果 ③　保健衛生上危険がある用法，用量など
容器，被包又は添付文書	（法第60条において準用する法第52条） 用法，用量その他使用及び取扱い上の必要な注意	

3　医薬部外品の広告

広告については，誇大な広告などは禁止されています。規制の内容は医薬品と同じですが詳細については第1部の医薬品編を参照してください。

4 監督に関する規定

承認を得た医薬部外品が法に従って正しく製造，販売されているかどうかを監督する権限が，国や地方自治体に与えられています。その主な内容は，立入検査（法第69条），緊急命令（法第69条の２），承認の取消し（法第74条の２）などです。

5 危害防止措置と副作用情報の報告義務

医薬部外品の製造販売業者には，危害の防止などの措置や副作用報告を行う義務があります。近年，加水分解小麦末を含む石鹸の使用により運動誘発アナフィラキシーという消費者健康被害が発生し，また，ロドレノール配合の美白化粧品で白斑様症状が発生したという被害事例が多発しました。従来，製造販売業者には，有害な作用が発生するおそれがあることを示す研究報告を知った場合のみ厚生労働大臣（その委託を受けたPMDA）に報告する義務が課されていましたが，平成26（2014）年２月に薬事法施行規則第253条第３項が改正され，医薬部外品及び化粧品の製造販売業者に対し，重篤な副作用についても報告義務が課されています（図3-1）。

薬局や病院や，医薬部外品の販売業者や，医師，薬剤師などの医薬関係者に対しても，有害事象を報告するよう要請されています。

医薬品医療機器等法

第77条の4　医薬部外品の製造販売業者又は外国特例承認取得者は，その製造販売をし，又は承認を受けた医薬部外品の使用によつて保健衛生上の危害が発生し，又は拡大するおそれがあることを知つたときは，これを防止するために廃棄，回収，販売の停止，情報の提供その他必要な措置を講じなければならない。

2　薬局開設者，病院，診療所の開設者，医薬部外品の販売業者，又は医師，歯科医師，薬剤師その他の医薬関係者は，前項の規定により医薬部外品の製造販売業者又は外国特例承認取得者が行う必要な措置の実施に協力するよう努めなければならない。

第77条の4の2　医薬部外品の製造販売業者又は外国特例承認取得者は，その製造販売をし，又は承認を受けた医薬部外品について，当該品目の副作用その他の事由によるものと疑われる疾病，障害又は死亡の発生，当該品目の使用によるものと疑われる感染症の発生その他の医薬部外品の有効性及び安全性に関する事項で厚生労働省令で定めるものを知つたときは，その旨を厚生労働省令で定めるところにより厚生労働大臣に報告しなければならない。

医薬品医療機器等法には，第１条の２（国の責務），第１条の３（都道府県等の責務），第１条の４（医薬品等関連事業者等の責務），第１条の５（医薬関係者の責務），第１条の６（国民の役割）が規定されています。関連事業者等の責務として，「業者相互間の情報交換を行うことにより，医薬品，医薬部外品，化粧品の品質，有効性及び安全性を確保し，使用後の保健衛生上の危害の発生及び拡大の防止に努めなければならない。」と明記されたことを強調しておきたいと思います。

図3-1　医薬部外品・化粧品の副作用報告制度の改正

	重篤な副作用報告		未知・非重篤報告	外国措置報告	研究報告
	死亡又は未知	既知			
医薬品・医療機器	○（15日以内）	○（30日以内）	○（毎年の定期報告）	○（15日以内）	○（30日以内）
医薬部外品・化粧品	○（15日以内）	○（30日以内）	×	×	○（30日以内）

第 3 部

化粧品

第1章

化粧品とは何か

1 化粧品と医薬品医療機器等法

化粧品は，超高齢化社会をいきいきと健康に衛生的に暮らしていくための生活必需品です。消費者は，より良い安全な化粧品を求めています。

医薬品医療機器等法は，国民の保健衛生の向上を図るための衛生法規です。法令を遵守することは，品質，有効性及び安全性が確保された化粧品を消費者に届けるための必要最低限の要請です。

医薬品医療機器等法では，化粧品が「等」に含まれていたり，医薬品の条文を「準用」していることが多いのですが，本章では条文を化粧品が主語になるようアレンジしてありますのでご注意ください。

医薬品医療機器等法

（目的）

第1条　この法律は，化粧品の品質，有効性及び安全性の確保並びに化粧品の使用による保健衛生上の危害の発生及び拡大の防止のために必要な規制を行うことにより，保健衛生の向上を図ることを目的とする。

2 化粧品の定義

法律第2条の定義を読めば，どのような製品が『化粧品』として規制されているかがわかります。

医薬品医療機器等法

（定義）

第2条第3項　この法律で「化粧品」とは，人の身体を清潔にし，美化し，魅力を増し，容貌を変え，又は皮膚若しくは毛髪をすこやかに保つために，身体に塗擦，散布その他これらに類似する方法で使用されることが目的とされている物で，人体に対する作用が緩和なものを

図 1-1 「化粧品」とは

〈対象〉 人の体
〈使用目的〉
①清潔にし(石鹸, シャンプー, 歯磨きなど)
②美化し(おしろい, ファンデーション, メーキャップ製品など)
③魅力を増し(香水, メーキャップ製品など)
④容貌を変え(メーキャップ製品)
⑤すこやかに保つ(化粧品, クリーム, 乳液, ヘアトニックなど)
〈使用方法〉 外用(塗擦, 散布など)
〈人体に対する作用〉 緩和

注:以下のものは, 医薬部外品として規制される。
パーマネント・ウェーブ, 染毛, 制汗・防臭, 育毛, 除毛, 浴用剤, 薬用化粧品(化粧品の目的のほかに, にきび, 肌あれなどの防止に使用されることもあわせて目的とするもの)

いう。ただし, これらの使用目的のほかに, 第1項第2号又は第3号に規定する用途に使用されることもあわせて目的とされている物及び医薬部外品を除く。

医薬品医療機器等法では, 衛生規制の対象とする『化粧品』を, その使用目的, 使用方法, 人体に対する作用の3つの要件から定義しています(図 1-1)

使用目的としては,「人の身体を清潔にする, 美化する, 魅力を増す, 容貌を変える, 皮膚や毛髪をすこやかに保つ」ために使用する製品であることが,『化粧品』の第一要件です。化粧水, クリーム, 口紅, マニキュア, 香水などのほか, 石鹸や歯磨きなどが該当します。

使用方法としては,「身体に塗擦, 散布その他これらに類似する方法」で使用されるものと限定されていますので, 美容飲料やかつらなどは『化粧品』ではありません。化粧品は, 皮膚という人の体の最大の臓器に外用で適用されるものです。「人体に対する作用が緩和である」ことも重要です。使用目的や使用方法が化粧品と同じでも, 作用が緩和でないものは『化粧品』ではありません。

法第2条第3項には「ただし, これらの使用目的のほかに, 本条第1項第2号, 第3号に規定する用途に使用されることもあわせて目的とされている物及び医薬部外品は除く。」とただし書きがあります。第2条の第1項には, 医薬品の定義が書かれています。その第2号や第3号の条文により, 疾病の予防や治療などを目的とする物や身体の構造又は機能に影響を及ぼすことを目的とする物は『医薬品』と定義されているので, 疾病の予防・治療などの目的を持つ物は,『化粧品』ではなく『医薬品』として規制するという意味です。『医薬部外品』として定義される物も,『化粧品』ではなく『医薬部外品』として規制するという趣旨です。

規制の強さは, 使用目的や人体に対する作用の程度で違っており, 医薬品医療機器等法では『医薬品』,『医薬部外品』,『化粧品』の順に応じて規制内容が決められています。

3 化粧品関係者の責務

医薬品医療機器等法には，化粧品関係者の責務について記載されています。

医薬品医療機器等法

（国の責務）

第１条の２

国は，この法律の目的を達成するため，化粧品の品質，有効性及び安全性の確保，これらの使用による保健衛生上の危害の発生及び拡大の防止その他の必要な施策を策定し，及び実施しなければならない。

（都道府県等の責務）

第１条の３

都道府県，保健所を設置する市及び特別区は，前条の施策に関し，国との適切な役割分担を踏まえて，当該地域の状況に応じた施策を策定し，及び実施しなければならない。

（化粧品関連事業者等の責務）

第１条の４

化粧品の製造販売，製造，販売を業として行う者，薬局開設者又は病院，診療所の開設者は，その相互間の情報交換を行うことその他の必要な措置を講ずることにより，化粧品の品質，有効性及び安全性の確保並びにこれらの使用による保健衛生上の危害の発生及び拡大の防止に努めなければならない。

（医薬関係者の責務）

第１条の５

医師，歯科医師，薬剤師その他の医薬関係者は，化粧品の有効性及び安全性その他これらの適正な使用に関する知識と理解を深めるとともに，これらの使用の対象者及びこれらを購入し，又は譲り受けようとする者に対し，これらの適正な使用に関する事項に関する正確かつ適切な情報の提供に努めなければならない。

（国民の役割）

第１条の６

国民は，化粧品を適正に使用するとともに，これらの有効性及び安全性に関する知識と理解を深めるよう努めなければならない。

第2章

化粧品の許認可制度

1 製造販売業の許可

化粧品事業を行う場合の業の許可について説明します。

医薬品医療機器等法では，化粧品の製造販売業と製造業を行おうとする場合，厚生労働大臣の許可が必要とされています。大臣『許可』とは，化粧品の製造販売業や製造業は，一般的に禁止行為であるが，大臣が決める基準を満たす場合には製造販売業や製造業を許す，という意味です。

医薬品医療機器等法

（製造販売業の許可）

第12条 化粧品は，化粧品製造販売業の厚生労働大臣の許可を受けた者でなければ，業として，化粧品の製造販売をしてはならない。

2 前項の許可は，3年を下らない政令で定める期間ごとにその更新を受けなければ，その期間の経過によつて，その効力を失う。

化粧品製造販売業というのは，化粧品を市場に出荷する業態です。化粧品の製造販売業を営む場合には，事前に厚生労働大臣の「化粧品製造販売業」という種類の許可を得なければなりません。化粧品の製造販売業者は，必ずしも製造施設を持つ必要がなく，製造行為の全部または一部を製造業の許可を持つ製造業者に委託（アウトソーシング）することが可能です。

許可事務は，製造販売業の主たる事務所がある都道府県が行っているので，化粧品の製造販売業の許可は都道府県に申請し，許可証は知事から交付されます。この許可を受けて初めて，製造販売業者は製品を卸売業者や消費者に販売・授与することができます。

2 製造販売業の許可基準

化粧品を製造販売（市販）する場合には，化粧品企業は市場に対する責任を負わねばなりません。消費者に安全な化粧品を供給するという化粧品企業の責任です。市場に責任を負えないような無責任な企業に許可を与えることはできないので，医薬品医療機器等法第12条の2には，許可を与えられない場合が定められています。実際には，申請書を提出した後，都道府県が実地審査などを経て，化粧品製造販売業の許可が与えられます。

化粧品の製造販売業の許可の有効期間は5年と定められています。許可基準が満たされている場合に，許可が更新されます。

医薬品医療機器等法

（許可の基準）

第12条の2　次の各号のいずれかに該当するときは，製造販売業の許可を与えないことができる。

一　申請に係る化粧品の品質管理の方法が，厚生労働省令で定める基準に適合しないとき。

二　申請に係る化粧品の製造販売後安全管理の方法が，厚生労働省令で定める基準に適合しないとき。

2　第5条（第3号に係る部分に限る。）の規定は，第1項の許可について準用する。

（注）下線部は令和元年12月4日から2年以内に施行

第1号の「品質管理の方法に関する基準（平成16年9月22日に厚生労働省令第136号）」はGQP（Good Quality Practice）と呼ばれています。GQPは，出荷する製品の品質を確保するための品質管理基準を定めたもので，総括製造販売責任者の業務，品質管理業務の組織，品質保証責任者の設置，品質管理業務の手順に関する文書，品質保証責任者の業務，文書・記録について，製造販売業者が守らなければならない遵守基準です。

第2号の「製造販売後安全管理の方法に関する基準（同省令第135号）」はGVP（Good Vigilance Practice）と呼ばれています。GVPは，市販後の消費者の安全を確保するための管理基準で，総括製造販売責任者の業務，安全管理責任者の業務，安全管理情報の収集・検討，安全確保措置の立案・実施，文書による記録・報告についての遵守基準です。

GQP，GVPは，化粧品の品質管理方法と市販後安全管理方法についての重要な許可基準なので，製造販売業者は間違いなく，適切に対応する必要があります。

第2項には，許可の取消しの日から3年を経過していない者，禁錮以上の刑に処せられ執行終了後3年を経過していない者，薬事に関する法令に違反しその違反行為から2年を経過していない者，成年被後見人または麻薬，大麻，あへんもしくは覚せい剤の中毒者などが申請者の場合は，許可が与えらないと定められています。

令和元年の法改正によって，製造販売業の許可をしない要件に，「第5第3号ト　申請者（法人にあっては薬事に関する業務に責任を有する役員を含む）が業務を適切に行うことができる知識および経験を有すると認められない者」が追加になりました（法第12条の2第2項。令和元年12月4日から2年以内に施行）。

3 総括製造販売責任者の設置義務と遵守事項

化粧品の製造販売業者は，GQPとGVPに従った品質管理と安全管理を行うために，総括製造販売責任者を置かなければなりません。

医薬品医療機器等法

（化粧品総括製造販売責任者等の設置）

第17条 化粧品の製造販売業者は，厚生労働省令で定めるところにより，化粧品の品質管理及び製造販売後安全管理を行わせるために，化粧品の製造販売業者にあつては厚生労働省令で定める基準に該当する者を，それぞれ置かなければならない。

2 前項の規定により化粧品の品質管理及び製造販売後安全管理を行う者として置かれる者（以下「総括製造販売責任者」という。）は，次項に規定する義務及び第4項に規定する厚生労働省令で定める業務を遂行し，並びに同項に規定する厚生労働省令で定める事項を遵守するために必要な能力及び経験を有する者でなければならない。

3 総括製造販売責任者は，化粧品の品質管理及び製造販売後安全管理を公正かつ適正に行うために必要があるときは，製造販売業者に対し，意見を書面により述べなければならない。

4 総括製造販売責任者が行う化粧品の品質管理及び製造販売後安全管理のために必要な業務並びに総括製造販売責任者が遵守すべき事項については，厚生労働省令で定める。

（注）下線部は令和元年12月4日から2年以内に施行

化粧品の総括製造販売責任者としては，施行規則第85条で，次のような人を雇用する必要があります。

(1) 薬剤師

(2) 大学若しくは高等専門学校等で，薬学又は化学に関する専門の課程を修了した者

(3) 高等学校等で，薬学又は化学に関する専門の課程を修了した後，医薬品，医薬部外品又は化粧品の品質管理又は製造販売後安全管理に関する業務に3年以上従事した者

(4) 厚生労働大臣が前3号に掲げる者と同等以上の知識経験を有すると認めた者

また，総括製造販売責任者が遵守すべき事項は，現在，次のとおり定められています。

医薬品医療機器等法施行規則

（化粧品総括製造販売責任者の遵守事項）

第87条

一 品質管理及び製造販売後安全管理に係る業務に関する法令及び実務に精通し，公正かつ適正に当該業務を行うこと。

二 当該業務を公正かつ適正に行うために必要があると認めるときは，製造販売業者に対し文書により必要な意見を述べ，その写しを5年間保存すること。

三 品質管理に関する業務の責任者（「化粧品品質保証責任者」という。）及び製造販売後安全管理に関する業務の責任者（「化粧品安全管理責任者」という。）との相互の密接な連携を図ること。

令和元年の法改正によって，総括製造販売責任者には，一定の従事経験を有し，品質管理業務又は安全確保業務に関する総合的な理解力及び適正な判断力を有する者でなければならないとする要件が定められました（法第17条第2項）。

また，その業務として，総括製造販売責任者が品質管理又は安全確保を公正にかつ適正に行うために必要があるときは製造販売業者に書面で意見を述べること（法第17条第3項），製造販売業者は総括製造販売責任者の意見を尊重するとともに，法令遵守のために必要な措置を実施すること，その内容（実施しない場合はその理由）を記録すること等が義務づけられています（法第18条第4項）。

さらに，製造販売業者，その役員，総括製造販売責任者などが医薬品医療機器等法が求める責務を果たすことを担保するため，総括製造販売責任者の権限の明記，薬事に関する業務に責任を有する役員の明示，法令遵守のための指針の策定とその遂行，これらの措置の内容の記録などが義務づけられました（法第18条の2）。

先に紹介した製造販売業の許可要件の改正とともに，これらの規定は令和元年12月4日から2年以内に施行とされています。これによって，業務監督体制の整備，経営陣と現場責任者の責任の明確化等を柱とする法令遵守体制の整備が図られたといえるものと思います。

4 製造業の許可

化粧品の製造業の許可は，製造所ごとに製造工程区分ごとに取得する必要があります。許可の有効期間は5年で更新が必要です。製造業の許可では製品を市場に出荷することはできません。市場に出荷するためには，製造販売業の許可も取得する必要があります。

医薬品医療機器等法

（製造業の許可）

第13条 化粧品の製造業の許可を受けた者でなければ，業として，化粧品の製造をしてはならない。

2 前項の許可は，厚生労働省令で定める区分に従い，厚生労働大臣が製造所ごとに与える。

3 第1項の許可を受けようとする者は，厚生労働省令で定めるところにより，次の各号に掲げる事項を記載した申請書を厚生労働大臣に提出しなければならない。

一 氏名又は名称及び住所並びに法人にあつては，その代表者の氏名

二 その製造所の構造設備の概要

三 法人にあつては，薬事に関する業務に責任を有する役員の氏名

四 医薬品の製造業の許可を受けようとする者にあつては，第17条第6項に規定する医薬品製造管理者の氏名

五 医薬部外品又は化粧品の製造業の許可を受けようとする者にあつては，第17条第11項に規定する医薬部外品等責任技術者の氏名

六 第6項において準用する第5条第3号イからトまでに該当しない旨その他厚生労働省令で定める事項

4　第１項の許可は，３年を下らない政令で定める期間ごとにその更新を受けなければ，その効力を失う。
5　その製造所の構造設備が，厚生労働省令で定める基準に適合しないときは，第１項の許可を与えないことができる。
6　第５条（第３号に係る部分に限る。）の規定は，第１項の許可について準用する。
（注）下線部は令和元年12月4日から2年以内に施行

化粧品の製造業の許可の区分は次のとおりで，製造所ごとにそれぞれの工程の許可が必要です。

⑴　化粧品の製造工程の全部又は一部を行うもの（次に掲げるものを除く。）

⑵　化粧品の製造工程のうち包装，表示又は保管のみを行うもの

製造所の許可を取るには，製造所の構造設備が「薬局等構造設備規則（昭和36年，厚生省令第2号）」適合していることが必要です。また申請者が，許可の取消しの日から3年を経過していない者，禁錮以上の刑に処せられ執行終了後3年を経過していない者，薬事に関する法令に違反しその違反行為から2年を経過していない者，成年被後見人または麻薬，大麻，あへんもしくは覚せい剤の中毒者などには，許可が与えられません。

また，製造所には，次のいずれかに該当する責任技術者が勤務することが必要です（施行規則第91条第2項）。

（1）　薬剤師

（2）　大学等で，薬学又は化学に関する専門の課程を修了した者

（3）　旧制中学若しくは高校又はこれと同等以上の学校で，薬学又は化学に関する専門の課程を卒業した後，医薬品，医薬部外品又は化粧品の製造に関する業務に3年以上従事した者

（4）　厚生労働大臣が前（1）から（3）号に掲げる者と同等以上の知識経験を有すると認めた者

令和元年の法改正によって，①製造業者あるいは責任技術者についても，法令遵守体制の整備の観点から，製造販売業者あるいは総括製造販売責任者とほぼ同様の義務が課されるとともに，②保管のみを行う製造所については許可に代わる登録制度が導入されました（令和元年12月4日から2年以内に施行）。

5　外国製造業者の認定

化粧品を製造するためには製造業の許可が必要ですが，輸入化粧品のように，外国に製造業者がいる場合，外国製造業者は厚生労働大臣の認定を受けることとなっています。手続きは化粧品の製造販売業者が代行できます。

医薬品医療機器等法

（化粧品外国製造業者の認定）

第13条の3　外国において本邦に輸出される化粧品を製造しようとする者（以下「外国製造業者」という。）は，厚生労働大臣の認定を受けることができる。

2　前項の認定は，厚生労働省令で定める区分に従い，製造所ごとに与える。

6 化粧品の品目ごとの届出

2001年の化粧品規制緩和により，従前の事前許認可制度が廃止され，化粧品全成分表示制，品目ごとの届出制に移行しました。

医薬品医療機器等法

（医薬品，医薬部外品及び化粧品の製造販売の承認）

第14条　厚生労働大臣の指定する成分を含有する化粧品の製造販売をしようとする者は，品目ごとにその製造販売についての厚生労働大臣の承認を受けなければならない。

（製造販売の届出）

第14条の9　化粧品の製造販売業者は，第14条第1項に規定する化粧品の製造販売をしようとするときは，あらかじめ，品目ごとに，厚生労働省令で定めるところにより，厚生労働大臣にその旨を届け出なければならない。

2　化粧品の製造販売業者は，前項の規定により届け出た事項を変更したときは，30日以内に，厚生労働大臣にその旨を届け出なければならない。

医薬品の場合，品目ごとの製造販売承認が必要とされていますが，化粧品の場合は，基本的に，化粧品に含まれている全成分表示が義務付けられており（第3章「3　化粧品の表示」の項参照），その代わり，製造販売承認は不要とされ，品目ごとに届出すればよいことになっています（法第14条の9）。

しかし，まったく新しい化粧品成分が開発された場合など，例外的に企業秘密などの特殊なケースも想定されます。そのような場合はその成分を「その他の成分」として成分名の表示を省略することができますが，ただしその場合，厚生労働大臣の製造販売承認を得なければなりません。すなわち，第14条第1項の中にある，承認が必要な「厚生労働大臣の指定する成分を含む化粧品」として決められている化粧品は，「表示を省略する成分（非開示成分）を含有する化粧品」です。

第3章

化粧品の取扱い

1 化粧品基準

医薬品医療機器等法では，厚生労働大臣によって定められた『化粧品基準』があり，化粧品基準に適合しない化粧品は，販売や授与が禁止され，販売授与を目的とする製造，輸入，貯蔵，陳列が禁止されています。

消費者に安全な製品を届け，安全に使用してもらうための責任は，化粧品事業者が負わなければなりません。化粧品製造販売業者や化粧品製造業者・輸入業者は，化粧品基準を遵守し，化粧品の品質や化粧品に使用する成分の安全性のチェックを十分行い，全成分を間違いなく表示することが義務づけられています。

医薬品医療機器等法

第42条第2項

厚生労働大臣は，保健衛生上の危害を防止するために必要があるときは，化粧品について，薬事・食品衛生審議会の意見を聴いて，その性状，品質，性能等に関し，必要な基準を設けることができる。

この規定に基づき，「化粧品基準」（平成12年9月厚生省告示第331号）が定められています。平成12年は，化粧品の規制緩和が進み，国際調和の中で化粧品の規制のあり方が見直されました。従来の種別許可・承認制が廃止され，欧米と同様に配合禁止・配合制限成分リストと特定の成分群の配合可能リストによる規制に移行し，全成分を表示する制度へと大きく規制の方法が転換され，企業の責任で，化粧品基準に違反しない安全な成分を選択し，化粧品に配合してもよいこととなりました。

化粧品基準の内容は，次のようなものです。

(1)総則

化粧品の原料は，それに含有される不純物等も含め，感染のおそれがある物を含む等その使用によって保健衛生上の危険を生じるおそれがある物であってはならない。

⑵防腐剤，紫外線吸収剤およびタール色素以外の成分の配合の禁止

化粧品は，医薬品等の成分（添加剤としてのみ使用される成分等を除く）および別表第1に掲げる物を配合してはならない（別表第1には，水銀およびその化合物，ハイドロキノンモノベンジルエーテル，ホルマリンなど30種の禁止成分が記載されている）。

⑶防腐剤，紫外線吸収剤およびタール色素以外の成分の配合の制限

化粧品は，別表第2の成分名の欄に掲げる物を配合する場合は，同表の100g中の最大配合量の欄に掲げる範囲内でなければならない（別表第2には，アラントインクロルヒドロキシアルミニウムがすべての化粧品に100g中最大配合量を1.0gとするなどの配合制限が記載されている）。

⑷防腐剤，紫外線吸収剤およびタール色素の配合の制限

①化粧品に配合される防腐剤（化粧品中の微生物の発育を抑制することを目的として化粧品に配合される物をいう）は，別表第3に掲げるものでなければならない（別表第3には，安息香酸などの防腐剤とそれらの化粧品への最大配合量が記載されている）。

②化粧品に配合される紫外線吸収剤（紫外線を特異的に吸収する物であって，紫外線による有害な影響から皮膚または毛髪を保護することを目的として化粧品に配合されるものをいう）は，別表第4に掲げる物でなければならない（別表第4には，パラアミノ安息香酸およびそのエステルなどの紫外線吸収剤とそれらの化粧品への最大配合量が記載されている）。

③化粧品に配合されるタール色素については，医薬品等に使用することができるタール色素を定める省令（昭和41年厚生省令第30号）第3条の規定を準用する。ただし，赤色219号および黄色204号については，毛髪および爪のみに使用される化粧品に限り，配合することができる。

⑸化粧品に配合されるグリセリンは当該成分100g中にジエチレングリコール0.1g以下のものでなくてはならない。

2 不良化粧品等の製造・販売等の禁止

化粧品は，販売に関しては許可や届出は必要とされていません。しかし，不良化粧品などが出回らないように化粧品については医薬品医療機器等法第62条で準用する第56条の規定で，次のようなものの製造や販売などはしてはならないとされています。

医薬品医療機器等法

第56条（第60条により準用）

次の各号のいずれかに該当する化粧品は，販売し，授与し，又は販売若しくは授与の目的で製造し，輸入し，貯蔵し，若しくは陳列してはならない。

（第1号及び2号略）

三　第14条又は第19条の2の規定による承認を受けた化粧品であつて，その成分若しくは分量又は性状若しくは品質がその承認の内容と異なるもの

四　第14条第1項の規定により厚生労働大臣が基準を定めて指定した化粧品であつて，その成分若しくは分量又は性状若しくは品質がその基準に適合しないもの

五　第42条第2項の規定によりその基準が定められた化粧品であつて，その基準に適合しないもの
六　その全部又は一部が不潔な物質又は変質若しくは変敗した物質からなつている化粧品
七　異物が混入し，又は附着している化粧品
八　病原微生物等により汚染され，又は汚染されているおそれがある化粧品
九　着色のみを目的として，厚生労働省令で定めるタール色素以外のタール色素が使用されている化粧品

このように，化粧品基準に合わない化粧品や，不潔な変質した化粧品，異物が入っている化粧品，病原微生物などで汚染されている化粧品，定められたタール色素以外のタール色素が使用されている化粧品は“不良化粧品”としてその販売などが禁止されています。

3　化粧品の表示

化粧品の使用や取扱いを正しく行ってもらうために，また，品質を確保し，あるいはその責任の所在を明確にするために，直接の容器または直接の被包などに記載しなければならない事項が定められています。成分の表示や使用期限の表示は，使用者に適切な情報を提供することによって化粧品の安全性を確保するために義務づけられているものなのです。

表示するにあたって，その容器，添付文書ごとに，虚偽あるいは誤解を招くおそれがあるような事項の記載は禁止されています。

これらの表示に関する規制に関して，直接の容器等への記載事項については法第61条で，添付文書等への記載事項については法第52条（令和元年の法改正により第52条第2項に変更）で，また記載禁止事項については法第54条でそれぞれ次のように規定しています。

なお，本章では，医薬品医療機器等法の表示事項だけを取り上げていますが，表示に関しては，公正競争規約や他法令で義務づけられている表示もありますので，他法令も参照して，明瞭に正しい表示を行うようにする必要があります。

医薬品医療機器等法

第61条　化粧品は，その直接の容器又は直接の被包に，次の各号に掲げる事項が記載されていなければならない。ただし，厚生労働省令で別段の定めをしたときは，この限りでない。

一　製造業者又は輸入販売業者の氏名又は名称及び住所
二　名称
三　製造番号又は製造記号
四　厚生労働大臣の指定する成分を含有する化粧品にあつては，その成分の名称
五　厚生労働大臣の指定する化粧品にあつては，その使用の期限
六　第42条第2項の規定によりその基準が定められた化粧品にあつては，その基準において直接の容器又は直接の被包に記載するように定められた事項

七　前各号に掲げるもののほか，厚生労働省令で定める事項

第52条第2項（第62条により準用）

化粧品は，これに添附する文書又はその容器若しくは被包に，当該化粧品に関する最新の論文その他により得られた知見に基づき，次に掲げる事項が記載されていなければならない。ただし，厚生労働省令で別段の定めをしたときは，この限りでない。

一　用法，用量その他使用及び取扱い上の必要な注意

（第2号略）

三　第42条第2項の規定によりその基準が定められた化粧品にあつては，その基準においてこれに添附する文書又はその容器若しくは被包に記載するように定められた事項

四　前各号に掲げるもののほか，厚生労働省令で定める事項。（厚生労働省令では，明瞭に邦文で記載することなどが定められている。

（注）下線部は令和元年12月4日から2年以内に施行

第54条（第62条により準用）

化粧品は，これに添付する文書，その化粧品又はその容器若しくは被包（内袋を含む。）に，次の各号に掲げる事項が記載されていてはならない。

一　当該化粧品に関し虚偽又は誤解を招くおそれのある事項

二　第14条（第23条において準用する場合を含む。以下同じ。）又は第19条の2の規定による承認を受けていない効能又は効果（第14条第1項の規定により厚生労働大臣がその基準を定めて指定した化粧品にあつては，その基準において定められた効能又は効果を除く。）

三　保健衛生上危険がある用法，用量又は使用期間

第55条（第62条により準用）

第61条又は第62条において準用する第51条，第52条第2項，第53条及び前条の規定に触れる医薬部外品は，販売し，授与し，又は販売若しくは授与の目的で貯蔵し，若しくは陳列してはならない。

この表示に関する条文の関係を整理してみますと**表3-1**のようになります。

（1）全成分表示

「医薬品医療機器等法第59条第6号及び第61条第4号の規定に基づき名称を記載しなければならないものとして厚生労働大臣の指定する医薬部外品及び化粧品の成分を定める件」（平成12年9月厚生省告示第332号）により，平成13年4月から，消費者の選択のための情報提供の充実を目的として，承認に係る一部の化粧品を除き，全成分が表示されるようになっています。

表3-1　化粧品の表示に関する規定

表示する場所	表示義務事項	表示禁止事項
直接の容器又は直接の被包	（第61条） (1)　製造販売業者の氏名又は名称及び住所 (2)　名称 (3)　製造番号又は製造記号 (4)　成分の名称 (5)　使用の制限 (6)　医薬品医療機器等法第42条第2項の規定により基準が定められた化粧品にあっては，その基準において直接の容器又は直接の被包に記載するよう定められた事項 (7)　前各号に掲げるもののほか，厚生労働省令で定める事項	（法第62条において準用する法第54条） (1)　虚偽又は誤解を招くおそれのある事項 (2)　承認を受けていない効能，効果 (3)　保健衛生上危険がある用法，用量など
容器，被包又は添付文書	（第62条において準用する第52条） 用法，用量その他使用及び取扱い上の必要な注意	

表示しなければならない化粧品の成分（平成12年9月厚生省告示第332号抜粋）

配合されている成分（薬事法第14条第1項の規定による承認に係わる化粧品にあっては，当該化粧品に係る同項に規定する厚生労働大臣の指定する成分を除く。）

「法第14条第1項の規定による承認に係わる化粧品」とは，化粧品の部第2章の「6　化粧品の品目ごとの届出」で説明したように，「表示を省略する成分（非開示成分）を含有する化粧品」です。

新規成分のため企業秘密としたい場合などに，例外的に成分名の表示を省略することを認める（その代わり品目ごとの承認の取得が必要）場合があることを想定したものです。配合成分の名称は，消費者が理解しやすい名称とするために，邦文名で，原則として製品における分量の多い順に記載され，日本化粧品工業連合会作成の「化粧品の成分表示名称リスト」が利用されています。

(2) 使用期限表示

「医薬品医療機器等法の規定に基づき，使用の期限を記載しなければならない医薬品，医薬部外品，化粧品及び医療用具を指定する件」（昭和55年厚生省告示第166号）によって，表3-2に示す化粧品が指定されています。ただし，製造または輸入後適切な保存条件のもとで3年を超えても性状および品質が安定な化粧品については除外されることになっています。

化粧品の使用期限の表示は，最終包装された製品の形態で，化粧品の通常の流通下での保存条件で保存された場合に，性状・品質を保証しうる期限を示すという趣旨であり，製造販

パッケージには情報提供の目的で全成分が表示されています

表3-2　使用期限の表示が必要な化粧品

1）　アスコルビン酸，そのエステルもしくはそれらの塩類または酵素を含有する化粧品 2）　1）に掲げるもののほか，製造または輸入後適切な保存条件のもとで3年以内に性状および品質が変化するおそれのある化粧品

売業者は，安定性試験データなどに基づいて，合理的な使用期限の設定を行わなければならないことになっています。また，化粧品の性状や品質が安定かどうかの判断は，単に含有する特定成分の変化に着目するだけでなく，化粧品全体の性状や品質が損われるか否かを目安とすべきであるとされています。

(3) 用法・用量，使用上の注意などについて

化粧品の使用対象者も幼児から高齢者と広がりを見せ，化粧品の使用方法も複雑になってきています。化粧品の適切な使用を図るうえできめ細かな情報が消費者に提供されることが重要となってきており，用法・用量，その他使用及び取扱い上での必要な注意を添付文書などに記載することが，義務づけられています。また，これらの表示は，消費者側からみて明瞭にわかるように記載されていなければならないこととされています。表示の規定に違反した化粧品や模造化粧品などは，その販売，授与などが禁止されています。

平成26年5月30日付の通知で化粧品の使用上の注意が改訂されました（表3-3）。

(4) 広告に関する規制

広告については，医薬品医療機器等法に従って，誇大広告がなされないように『医薬品等適正広告基準』が定められています。化粧品についても違反することのないように，十分な注意が必要です。

表3-3-⑴　容器又は外箱に表示する注意事項

A. 表示する注意事項	表示すべき化粧品の範囲
⑴-1　お肌に異常が生じていないかよく注意して使用してください。お肌に合わないときは，ご使用をおやめください。	皮膚に適用する化粧品は原則として表示する。(頭髪用化粧品類，洗顔料を含む) 〔除外〕爪化粧品類，歯みがき類，浴用化粧品類，石けん類，香水類，シャンプー，リンス，ボディシャンプー，マスカラ
⑴-1　お肌に合わないときは，ご使用をおやめください。	シャンプー，リンス，ボディシャンプー及びマスカラに表示する。
⑵　唇に異常があらわれたときは，ご使用をおやめください。	口紅，リップクリームに表示する。

〔注〕1. 上記のほかに表3-3-(2)の注意事項の趣旨を追加することは差し支えない。

表3-3-⑵　添付文書等に表示する注意事項

表示する注意事項	表示すべき化粧品の範囲
1-1. お肌に異常が生じていないかよく注意して使用してください。化粧品がお肌に合わないとき即ち次のような場合には，使用を中止してください。そのまま化粧品類の使用を続けますと，症状を悪化させることがありますので，皮膚科専門医等にご相談されることをおすすめします。 ⑴使用中，赤味，はれ，かゆみ，刺激，色抜け(白斑等)や黒ずみの異常があらわれた場合 ⑵使用したお肌に，直射日光があたって上記のような異常があらわれた場合	皮膚に適用する化粧品は原則として表示する。(頭髪用化粧品類，洗顔料を含む) 〔除外〕爪化粧品類，歯みがき類，浴用化粧品類，石けん類，香水類，シャンプー，リンス，ボディシャンプー，口紅，リップクリーム，マスカラ
1-2. 化粧品がお肌に合わないとき即ち次のような場合には，使用を中止してください。そのまま化粧品類の使用を続けますと，症状を悪化させることがありますので，皮膚科専門医などにご相談されることをおすすめします。 ⑴使用中，赤味，はれ，かゆみ，刺激等の異常があらわれた場合 ⑵使用したお肌に，直射日光があたって上記のような異常があらわれた場合	シャンプー，リンス，ボディシャンプー，口紅，リップクリーム及びマスカラに表示する。
2. 傷やはれもの，しっしん等，異常のある部位にはお使いにならないでください。	皮膚に適用する化粧品は原則として表示する。(頭髪用化粧品類，洗髪用化粧品類，口紅，リップクリームを含む) 〔除外〕爪化粧品類，歯みがき類，浴用化粧品類，石けん類，香水類
3. 爪に異常のあるときは，お使いにならないでください。	爪化粧品類

4. ⑴目に入ったときは，直ちに洗い流してください。 ⑵目の周囲を避けてお使いください。 ⑶直射日光のあたるお肌につけますと，まれにかぶれたり，シミになることがありますので，ご注意ください。	シャンプー，リンス，ヘアトニック，ヘアリキッド ビニールパック 香水，オーデコロン類
5. 保管および取扱い上の注意 ⑴使用後は必ずしっかり蓋をしめてください。 ⑵乳幼児の手の届かないところに保管してください。 ⑶極端に高温又は低温の場所，直射日光のあたる場所には保管しないでください。 ⑷可燃性であるので，保管及び取扱いにあたっては火気に十分注意してください。	個々の製品の特性に応じて必要な注意事項を表示する。

〔注〕2. 表3-3-(1) 及び表3-3-(2) の注意事項以外に，さらに詳しく注意事項を追加補足することは差し支えない。
3. 医薬部外品のうち薬用化粧品および育毛剤（養毛剤）にも上記事項の表示を準用する。
4. 皮膚外用エアゾール剤（制汗剤，えき臭防止剤等）については表3-3-(1) 及び表3-3-(2) の注意事項以外に剤型上必要な次の注意事項を表示する。
⑴使用前よく振とうすること。
⑵適用部位から約10cmの距離で噴射すること。
⑶同じ箇所に連続して3秒以上噴射しないこと。
⑷眼瞼の周囲，粘膜などに噴射しないこと。
⑸噴射ガスは，直射吸入しないよう注意すること。
5. サンプルにも，できるだけ表3-3-(1) の表示をすること。

(5) 監督・指導

化粧品が，法に従って正しく製造され，販売が適切に行われているかどうかを監督する権限が国や地方自治体に与えられています。その主な内容は，立入検査（法第69条），緊急命令（法第69条の2）などです。

(6) 市販後安全責任

製造販売業者の市販後安全責任が強化され，危害の防止などの措置や副作用報告についても，義務化されています。

医薬品医療機器等法

第77条の4 化粧品の製造販売業者は，製造販売をした化粧品の使用によつて保健衛生上の危害が発生し，又は拡大するおそれがあることを知つたときは，これを防止するために廃棄，回収，販売の停止，情報の提供その他必要な措置を講じなければならない。

2 薬局開設者，病院，診療所の開設者，化粧品の販売業者，又は医師，歯科医師，薬剤師その他の医薬関係者は，前項の規定により化粧品の製造販売業者が行う必要な措置の実施に協力するよう努めなければならない。

第77条の4の2　化粧品の製造販売業者は，その製造販売をした化粧品について，当該品目の副作用その他の事由によるものと疑われる疾病，障害又は死亡の発生，当該品目の使用によるものと疑われる感染症の発生その他の化粧品の有効性及び安全性に関する事項で厚生労働省令で定めるものを知つたときは，その旨を厚生労働省令で定めるところにより厚生労働大臣に報告しなければならない。

副作用報告に関しては，化粧品の製造販売業者は化粧品の有害な作用が発生するおそれがあることを示す研究報告を知ったときは，30日以内にその旨を厚生労働大臣に報告する必要となっていましたが，平成20年代以降に石鹸と美白用医薬部外品で，重篤な健康被害事例が発生したので，平成26年2月に薬事法施行規則第253条第3項の改正が行われ，研究報告とともに重篤な副反応についてPMDAに報告することが義務づけられました（312ページの図3-1を参照）。

資料編

（下線部分は令和元年12月4日から起算して1年，網掛け部分は同日から起算して2年，青の網掛け部分は同日から起算して3年を超えない範囲において政令で定める日から施行）

医薬品，医療機器等の品質，有効性及び安全性の確保等に関する法律

目次

第一章　総則

（目的）

第一条　この法律は，医薬品，医薬部外品，化粧品，医療機器及び再生医療等製品（以下「医薬品等」という。）の品質，有効性及び安全性の確保並びにこれらの使用による保健衛生上の危害の発生及び拡大の防止のために必要な規制を行うとともに，指定薬物の規制に関する措置を講ずるほか，医療上特にその必要性が高い医薬品，医療機器及び再生医療等製品の研究開発の促進のために必要な措置を講ずることにより，保健衛生の向上を図ることを目的とする。

（国の責務）

第一条の二　国は，この法律の目的を達成するため，医薬品等の品質，有効性及び安全性の確保，これらの使用による保健衛生上の危害の発生及び拡大の防止その他の必要な施策を策定し，及び実施しなければならない。

（都道府県等の責務）

第一条の三　都道府県，地域保健法（昭和二十二年法律第百一号）第五条第一項の政令で定める市（以下「保健所を設置する市」という。）及び特別区は，前条の施策に関し，国との適切な役割分担を踏まえて，当該地域の状況に応じた施策を策定し，及び実施しなければならない。

（医薬品等関連事業者等の責務）

第一条の四　医薬品等の製造販売，製造（小分けを含む。以下同じ。），販売，貸与若しくは修理を業として行う者，第四条第一項の許可を受けた者（以下「薬局開設者」という。）又は病院，診療所若しくは飼育動物診療施設（獣医療法（平成四年法律第四十六号）第二条第二項に規定する診療施設をいい，往診のみによつて獣医師に飼育動物の診療業務を行わせる者の住所を含む。以下同じ。）の開設者は，その相互間の情報交換を行うことその他の必要な措置を講ずることにより，医薬品等の品質，有効性及び安全性の確保並びにこれらの使用による保健衛生上の危害の発生及び拡大の防止に努めなければならない。（医薬関係者の責務）

第一条の五　医師，歯科医師，薬剤師，獣医師その他の医薬関係者は，医薬品等の有効性及び安全性その他これらの適正な使用に関する知識と理解を深めるとともに，これらの使用の対象者（動物への使用にあつては，その所有者又は管理者。第六十八条の四，第六十八条の七第三項及び第四項，第六十八条の二十一並びに第六十八条の二十二第三項及び第四項において同じ。）及びこれらを購入し，又は譲り受けようとする者に対し，これらの適正な使用に関する事項に関する正確かつ適切な情報の提供に努めなければならない。

2　薬局において調剤又は調剤された薬剤若しくは医薬品の販売若しくは授与の業務に従事する薬剤師は，薬剤又は医薬品の適切かつ効率的な提供に資するため，医療を受ける者の薬剤又は医薬品の使用に関する情報を他の医療提供施設（医療法（昭和二十三年法律第二百五号）第一条の二第二項に規定する医療提供施設をいう。以下同じ。）において診療又は調剤に従事する医師若しくは歯科医師又は薬剤師に提供することにより，医療提供施設相互間の業務の連携の推進に努めなければならない。

3　薬局開設者は，医療を受ける者に必要な薬剤及び医薬品の安定的な供給を図るとともに，当該薬局において薬剤師による前項の情報の提供が円滑になされるよう配慮しなければならない。

（国民の役割）

第一条の六　国民は，医薬品等を適正に使用するとともに，これらの有効性及び安全性に関する知識と理解を深めるよう努めなければならない。

（定義）

第二条　この法律で「医薬品」とは，次に掲げる物をいう。

一　日本薬局方に収められている物

二　人又は動物の疾病の診断，治療又は予防に使用されることが目的とされている物であつて，機械器具等（機械器具，歯科材料，医療用品，衛生用品並びにプログラム（電子計算機に対する指令であつて，一の結果を得ることができるように組み合わされたものをいう。以下同じ。）及びこれを記録した記録媒体をいう。以下同じ。）でないもの（医薬部外品及び再生医療等製品を除く。）

三　人又は動物の身体の構造又は機能に影響を及ぼすことが目的とされている物であつて，機械器具等でないもの（医薬部外品，化粧品及び再生医療等製品を除く。）

2　この法律で「医薬部外品」とは，次に掲げる物であつて人体に対する作用が緩和なものをいう。

一　次のイからハまでに掲げる目的のために使用される物（これらの使用目的のほかに，併せて前項第二号又は第三号に規定する目的のために使用される物を除く。）であつて機械器具等でないもの

イ　吐きけその他の不快感又は口臭若しくは体臭の防止

ロ　あせも，ただれ等の防止

ハ　脱毛の防止，育毛又は除毛

二　人又は動物の保健のためにするねずみ，はえ，蚊，のみその他これらに類する生物の防除の目的のために使用される物（この使用目的のほかに，併せて前項第二号又は第三号に規定する目的のために使用される物を除く。）であつて機械器具等でないもの

三　前項第二号又は第三号に規定する目的のために使用される物（前二号に掲げる物を除

く。）のうち，厚生労働大臣が指定するもの

3　この法律で「化粧品」とは，人の身体を清潔にし，美化し，魅力を増し，容貌（ぼう）を変え，又は皮膚若しくは毛髪を健やかに保つために，身体に塗擦，散布その他これらに類似する方法で使用されることが目的とされている物で，人体に対する作用が緩和なものをいう。ただし，これらの使用目的のほかに，第一項第二号又は第三号に規定する用途に使用されることも併せて目的とされている物及び医薬部外品を除く。

4　この法律で「医療機器」とは，人若しくは動物の疾病の診断，治療若しくは予防に使用されること，又は人若しくは動物の身体の構造若しくは機能に影響を及ぼすことが目的とされている機械器具等（再生医療等製品を除く。）であつて，政令で定めるものをいう。

5　この法律で「高度管理医療機器」とは，医療機器であつて，副作用又は機能の障害が生じた場合（適正な使用目的に従い適正に使用された場合に限る。次項及び第七項において同じ。）において人の生命及び健康に重大な影響を与えるおそれがあることからその適切な管理が必要なものとして，厚生労働大臣が薬事・食品衛生審議会の意見を聴いて指定するものをいう。

6　この法律で「管理医療機器」とは，高度管理医療機器以外の医療機器であつて，副作用又は機能の障害が生じた場合において人の生命及び健康に影響を与えるおそれがあることからその適切な管理が必要なものとして，厚生労働大臣が薬事・食品衛生審議会の意見を聴いて指定するものをいう。

7　この法律で「一般医療機器」とは，高度管理医療機器及び管理医療機器以外の医療機器であつて，副作用又は機能の障害が生じた場合においても，人の生命及び健康に影響を与えるおそれがほとんどないものとして，厚生労働大臣が薬事・食品衛生審議会の意見を聴いて指定するものをいう。

8　この法律で「特定保守管理医療機器」とは，医療機器のうち，保守点検，修理その他の管理に専門的な知識及び技能を必要とすることからその適正な管理が行われなければ疾病の診断，治療又は予防に重大な影響を与えるおそれがあるものとして，厚生労働大臣が薬事・食品衛生審議会の意見を聴いて指定するものをいう。

9　この法律で「再生医療等製品」とは，次に掲げる物（医薬部外品及び化粧品を除く。）であつて，政令で定めるものをいう。

一　次に掲げる医療又は獣医療に使用されることが目的とされている物のうち，人又は動物の細胞に培養その他の加工を施したもの

イ　人又は動物の身体の構造又は機能の再建，修復又は形成

ロ　人又は動物の疾病の治療又は予防

二　人又は動物の疾病の治療に使用されることが目的とされている物のうち，人又は動物の細胞に導入され，これらの体内で発現する遺伝子を含有させたもの

10　この法律で「生物由来製品」とは，人その他の生物（植物を除く。）に由来するものを原料又は材料として製造をされる医薬品，医薬部外品，化粧品又は医療機器のうち，保健

衛生上特別の注意を要するものとして，厚生労働大臣が薬事・食品衛生審議会の意見を聴いて指定するものをいう。

11　この法律で「特定生物由来製品」とは，生物由来製品のうち，販売し，貸与し，又は授与した後において当該生物由来製品による保健衛生上の危害の発生又は拡大を防止するための措置を講ずることが必要なものであつて，厚生労働大臣が薬事・食品衛生審議会の意見を聴いて指定するものをいう。

12　この法律で「薬局」とは，薬剤師が販売又は授与の目的で調剤の業務並びに薬剤及び医薬品の適正な使用に必要な情報の提供及び薬学的知見に基づく指導の業務を行う場所（その開設者が併せ行う医薬品の販売業売業に必要な場所を含む。）をいう。ただし，病院若しくは診療所又は飼育動物診療施設の調剤所を除く。

13　この法律で「製造販売」とは，その製造（他に委託して製造をする場合を含み，他から委託を受けて製造をする場合を除く。以下「製造等」という。）をし，又は輸入をした医薬品（原薬たる医薬品を除く。），医薬部外品，化粧品，医療機器若しくは再生医療等製品を，それぞれ販売し，貸与し，若しくは授与し，又は医療機器プログラム（医療機器のうちプログラムであるものをいう。以下同じ。）を電気通信回線を通じて提供することをいう。

14　この法律で「体外診断用医薬品」とは，専ら疾病の診断に使用されることが目的とされている医薬品のうち，人又は動物の身体に直接使用されることのないものをいう。

15　この法律で「指定薬物」とは，中枢神経系の興奮若しくは抑制又は幻覚の作用（当該作用の維持又は強化の作用を含む。以下「精神毒性」という。）を有する蓋然性が高く，かつ，人の身体に使用された場合に保健衛生上の危害が発生するおそれがある物（大麻取締法（昭和二十三年法律第百二十四号）に規定する大麻，覚醒剤取締法（昭和二十六年法律第二百五十二号）に規定する覚醒剤，麻薬及び向精神薬取締法（昭和二十八年法律第十四号）に規定する麻薬及び向精神薬並びにあへん法（昭和二十九年法律第七十一号）に規定するあへん及びけしがらを除く。）として，厚生労働大臣が薬事・食品衛生審議会の意見を聴いて指定するものをいう。

16　この法律で「希少疾病用医薬品」とは，第七十七条の二第一項の規定による指定を受けた医薬品を，「希少疾病用医療機器」とは，同項の規定による指定を受けた医療機器を，「希少疾病用再生医療等製品」とは，同項の規定による指定を受けた再生医療等製品を，「先駆的医薬品」とは，同条第二項の規定による指定を受けた医薬品を，「先駆的医療機器」とは，同項の規定による指定を受けた医療機器を，「先駆的再生医療等製品」とは，同項の規定による指定を受けた再生医療等製品を，「特定用途医薬品」とは，同条第三項の規定による指定を受けた医薬品を，「特定用途医療機器」とは，同項の規定による指定を受けた医療機器を，「特定用途再生医療等製品」とは，同項の規定による指定を受けた再生医療等製品をいう。

17　この法律で「治験」とは，第十四条第三項（同条第十五項及び第十九条の二第五項において準用する場合を含む。)，第二十三条の二の五第三項(同条第十一項及び第二十三条の二の十七第五項において準用する場合を含む。)又は第二十三条の二十五第三項(同条第十一項及び第二十三条の三十七第五項において準用する場合を含む。)の規定により提出すべき資料のうち臨床試験の試験成績に関する資料の収集を目的とする試験の実施をいう。

18　この法律にいう「物」には，プログラムを含むものとする。

第二章　地方薬事審議会

第三条　都道府県知事の諮問に応じ，薬事(医療機器及び再生医療等製品に関する事項を含む。以下同じ。)に関する当該都道府県の事務及びこの法律に基づき当該都道府県知事の権限に属する事務のうち政令で定めるものに関する重要事項を調査審議させるため，各都道府県に，地方薬事審議会を置くことができる。

2　地方薬事審議会の組織，運営その他地方薬事審議会に関し必要な事項は，当該都道府県の条例で定める。

第三章　薬局

(開設の許可)

第四条　薬局は，その所在地の都道府県知事(その所在地が保健所を設置する市又は特別区の区域にある場合においては，市長又は区長。次項，第七条第四項並びに第十条第一項(第三十八条第一項並びに第四十条第一項及び第二項において準用する場合を含む。)及び第二項(第三十八条第一項において準用する場合を含む。)において同じ。)の許可を受けなければ，開設してはならない。

2　前項の許可を受けようとする者は，厚生労働省令で定めるところにより，次に掲げる事項を記載した申請書をその薬局の所在地の都道府県知事に提出しなければならない。

一　氏名又は名称及び住所並びに法人にあつては，その代表者の氏名

二　その薬局の名称及び所在地

三　その薬局の構造設備の概要

四　その薬局において調剤及び調剤された薬剤の販売又は授与の業務を行う体制の概要並びにその薬局において医薬品の販売業を併せ行う場合にあつては医薬品の販売又は授与の業務を行う体制の概要

五　法人にあつては，薬事に関する業務に責任を有する役員の氏名

六　次条第三号イからトまでに該当しない旨その他厚生労働省令で定める事項

3　前項の申請書には，次に掲げる書類を添付しなければならない。

一　その薬局の平面図

二　第七条第一項ただし書又は第二項の規定により薬局の管理者を指定してその薬局を実地に管理させる場合にあつては，その薬局の管理者の氏名及び住所を記載した書類

三　第一項の許可を受けようとする者及び前号の薬局の管理者以外にその薬局において薬事に関する実務に従事する薬剤師又は登録販売者を置く場合にあつては，その薬剤師又は登録販売者の氏名及び住所を記載した書類

四　その薬局において医薬品の販売業を併せ行う場合にあつては，次のイ及びロに掲げる書類

イ　その薬局において販売し，又は授与する医薬品の薬局医薬品，要指導医薬品及び一般用医薬品に係る厚生労働省令で定める区分を記載した書類

ロ　その薬局においてその薬局以外の場所にいる者に対して一般用医薬品を販売し，又は授与する場合にあつては，その者との間の通信手段その他の厚生労働省令で定める事項を記載した書類

五　その他厚生労働省令で定める書類

4　第一項の許可は，六年ごとにその更新を受けなければ，その期間の経過によつて，その効力を失う。

5　この条において，次の各号に掲げる用語の意義は，当該各号に定めるところによる。

一　登録販売者　第三十六条の八第二項の登録を受けた者をいう。

二　薬局医薬品　要指導医薬品及び一般用医薬品以外の医薬品（専ら動物のために使用されることが目的とされているものを除く。）をいう。

三　要指導医薬品　次のイからニまでに掲げる医薬品（専ら動物のために使用されることが目的とされているものを除く。）のうち，その効能及び効果において人体に対する作用が著しくないものであつて，薬剤師その他の医薬関係者から提供された情報に基づく需要者の選択により使用されることが目的とされているものであり，かつ，その適正な使用のために薬剤師の対面による情報の提供及び薬学的知見に基づく指導が行われることが必要なものとして，厚生労働大臣が薬事・食品衛生審議会の意見を聴いて指定するものをいう。

イ　その製造販売の承認の申請に際して第十四条第十一項に該当するとされた医薬品であつて，当該申請に係る承認を受けてから厚生労働省令で定める期間を経過しないもの

ロ　その製造販売の承認の申請に際してイに掲げる医薬品と有効成分，分量，用法，用量，効能，効果等が同一性を有すると認められた医薬品であつて，当該申請に係る承認を受けてから厚生労働省令で定める期間を経過しないもの

ハ　第四十四条第一項に規定する毒薬

ニ　第四十四条第二項に規定する劇薬

四　一般用医薬品　医薬品のうち，その効能及び効果において人体に対する作用が著しくないものであつて，薬剤師その他の医薬関係者から提供された情報に基づく需要者の選択により使用されることが目的とされているもの（要指導医薬品を除く。）をいう。

（許可の基準）

第五条　次の各号のいずれかに該当するときは，前条第一項の許可を与えないことができる。
一　その薬局の構造設備が，厚生労働省令で定める基準に適合しないとき。
二　その薬局において調剤及び調剤された薬剤の販売又は授与の業務を行う体制並びにその薬局において医薬品の販売業を併せ行う場合にあつては医薬品の販売又は授与の業務を行う体制が厚生労働省令で定める基準に適合しないとき。
三　申請者（申請者が法人であるときは，薬事に関する業務に責任を有する役員を含む。第六条の四第一項，第十九条の二第二項，第二十三条の二の十七第二項及び第二十三条の三十七第二項において同じ。）が，次のイからトまでのいずれかに該当するとき。
イ　第七十五条第一項の規定により許可を取り消され，取消しの日から三年を経過していない者
ロ　第七十五条の二第一項の規定により登録を取り消され，取消しの日から三年を経過していない者
ハ　禁錮以上の刑に処せられ，その執行を終わり，又は執行を受けることがなくなつた後，三年を経過していない者
ニ　イからハまでに該当する者を除くほか，この法律，麻薬及び向精神薬取締法，毒物及び劇物取締法（昭和二十五年法律第三百三号）その他薬事に関する法令で政令で定めるもの又はこれに基づく処分に違反し，その違反行為があつた日から二年を経過していない者
ホ　麻薬，大麻，あへん又は覚醒剤の中毒者
ヘ　心身の障害により薬局開設者の業務を適正に行うことができない者として厚生労働省令で定めるもの
ト　薬局開設者の業務を適切に行うことができる知識及び経験を有すると認められない者

（名称の使用制限）
第六条　医薬品を取り扱う場所であつて，第四条第一項の許可を受けた薬局（以下単に「薬局」という。）でないものには，薬局の名称を付してはならない。ただし，厚生労働省令で定める場所については，この限りでない。

（地域連携薬局）
第六条の二　薬局であつて，その機能が，医師若しくは歯科医師又は薬剤師が診療又は調剤に従事する他の医療提供施設と連携し，地域における薬剤及び医薬品の適正な使用の推進及び効率的な提供に必要な情報の提供及び薬学的知見に基づく指導を実施するために必要な機能に関する次に掲げる要件に該当するものは，その所在地の都道府県知事の認定を受けて地域連携薬局と称することができる。
一　構造設備が，薬剤及び医薬品について情報の提供又は薬学的知見に基づく指導を受ける者（次号及び次条第一項において「利用者」という。）の心身の状況に配慮する観点から必要なものとして厚生労働省令で定める基準に適合するものであること。

二　利用者の薬剤及び医薬品の使用に関する情報を他の医療提供施設と共有する体制が，厚生労働省令で定める基準に適合するものであること。

三　地域の患者に対し安定的に薬剤を供給するための調剤及び調剤された薬剤の販売又は授与の業務を行う体制が，厚生労働省令で定める基準に適合するものであること。

四　居宅等（薬剤師法（昭和三十五年法律第百四十六号）第二十二条に規定する居宅等をいう。以下同じ。）における調剤並びに情報の提供及び薬学的知見に基づく指導を行う体制が，厚生労働省令で定める基準に適合するものであること。

2　前項の認定を受けようとする者は，厚生労働省令で定めるところにより，次の各号に掲げる事項を記載した申請書をその薬局の所在地の都道府県知事に提出しなければならない。

一　氏名又は名称及び住所並びに法人にあつては，その代表者の氏名

二　その薬局の名称及び所在地

三　前項各号に掲げる事項の概要

四　その他厚生労働省令で定める事項

3　地域連携薬局でないものは，これに地域連携薬局又はこれに紛らわしい名称を用いてはならない。

4　第一項の認定は，一年ごとにその更新を受けなければ，その期間の経過によつて，その効力を失う。

（専門医療機関連携薬局）

第六条の三　薬局であつて，その機能が，医師若しくは歯科医師又は薬剤師が診療又は調剤に従事する他の医療提供施設と連携し，薬剤の適正な使用の確保のために専門的な薬学的知見に基づく指導を実施するために必要な機能に関する次に掲げる要件に該当するものは，厚生労働省令で定めるがんその他の傷病の区分ごとに，その所在地の都道府県知事の認定を受けて専門医療機関連携薬局と称することができる。

一　構造設備が，利用者の心身の状況に配慮する観点から必要なものとして厚生労働省令で定める基準に適合するものであること。

二　利用者の薬剤及び医薬品の使用に関する情報を他の医療提供施設と共有する体制が，厚生労働省令で定める基準に適合するものであること。

三　専門的な薬学的知見に基づく調剤及び指導の業務を行う体制が，厚生労働省令で定める基準に適合するものであること。

2　前項の認定を受けようとする者は，厚生労働省令で定めるところにより，次の各号に掲げる事項を記載した申請書をその薬局の所在地の都道府県知事に提出しなければならない。

一　氏名又は名称及び住所並びに法人にあつては，その代表者の氏名

二　その薬局において専門的な薬学的知見に基づく調剤及び指導の業務を行うために必要なものとして厚生労働省令で定める要件を満たす薬剤師の氏名

三　その薬局の名称及び所在地

四　前項各号に掲げる事項の概要

五　その他厚生労働省令で定める事項

3　第一項の認定を受けた者は，専門医療機関連携薬局と称するに当たつては，厚生労働省令で定めるところにより，同項に規定する傷病の区分を明示しなければならない。

4　専門医療機関連携薬局でないものは，これに専門医療機関連携薬局又はこれに紛らわしい名称を用いてはならない。

5　第一項の認定は，一年ごとにその更新を受けなければ，その期間の経過によつて，その効力を失う。

（認定の基準）

第六条の四　第六条の二第一項又は前条第一項の認定の申請者が，第七十五条第四項又は第五項の規定によりその受けた認定を取り消され，その取消しの日から三年を経過しない者であるときは，第六条の二第一項又は前条第一項の認定を与えないことができる。

2　第五条（第三号に係る部分に限る。）の規定は，第六条の二第一項及び前条第一項の認定について準用する。

（薬局の管理）

第七条　薬局開設者が薬剤師（薬剤師法第八条の二第一項の規定による厚生労働大臣の命令を受けた者にあつては，同条第二項の規定による登録を受けた者に限る。以下この項及び次項，第二十八条第二項，第三十一条の二第二項，第三十五条第一項並びに第四十五条において同じ。）であるときは，自らその薬局を実地に管理しなければならない。ただし，その薬局において薬事に関する実務に従事する他の薬剤師のうちから薬局の管理者を指定してその薬局を実地に管理させるときは，この限りでない。

2　薬局開設者が薬剤師でないときは，その薬局において薬事に関する実務に従事する薬剤師のうちから薬局の管理者を指定してその薬局を実地に管理させなければならない。

3　薬局の管理者は，次条第一項及び第二項に規定する義務並びに同条第三項に規定する厚生労働省令で定める業務を遂行し，並びに同項に規定する厚生労働省令で定める事項を遵守するために必要な能力及び経験を有する者でなければならない。

4　薬局の管理者（第一項の規定により薬局を実地に管理する薬局開設者を含む。次条第一項及び第三項において同じ。）は，その薬局以外の場所で業として薬局の管理その他薬事に関する実務に従事する者であつてはならない。ただし，その薬局の所在地の都道府県知事の許可を受けたときは，この限りでない。

（管理者の義務）

第八条　薬局の管理者は，保健衛生上支障を生ずるおそれがないように，その薬局に勤務する薬剤師その他の従業者を監督し，その薬局の構造設備及び医薬品その他の物品を管理し，その他その薬局の業務につき，必要な注意をしなければならない。

2　薬局の管理者は，保健衛生上支障を生ずるおそれがないように，その薬局の業務につき，薬局開設者に対し，必要な意見を書面により述べなければならない。

3　薬局の管理者が行う薬局の管理に関する業務及び薬局の管理者が遵守すべき事項につい

ては，厚生労働省令で定める。

（薬局開設者による薬局に関する情報の提供等）

第八条の二　薬局開設者は，厚生労働省令で定めるところにより，医療を受ける者が薬局の選択を適切に行うために必要な情報として厚生労働省令で定める事項を当該薬局の所在地の都道府県知事に報告するとともに，当該事項を記載した書面を当該薬局において閲覧に供しなければならない。

2　薬局開設者は，前項の規定により報告した事項について変更が生じたときは，厚生労働省令で定めるところにより，速やかに，当該薬局の所在地の都道府県知事に報告するとともに，同項に規定する書面の記載を変更しなければならない。

3　薬局開設者は，第一項の規定による書面の閲覧に代えて，厚生労働省令で定めるところにより，当該書面に記載すべき事項を電子情報処理組織を使用する方法その他の情報通信の技術を利用する方法であつて厚生労働省令で定めるものにより提供することができる。

4　都道府県知事は，第一項又は第二項の規定による報告の内容を確認するために必要があると認めるときは，市町村その他の官公署に対し，当該都道府県の区域内に所在する薬局に関し必要な情報の提供を求めることができる。

5　都道府県知事は，厚生労働省令で定めるところにより，第一項及び第二項の規定により報告された事項を公表しなければならない。

（薬局開設者の遵守事項）

第九条　厚生労働大臣は，厚生労働省令で，次に掲げる事項その他薬局の業務に関し薬局開設者が遵守すべき事項を定めることができる。

一　薬局における医薬品の試験検査その他の医薬品の管理の実施方法に関する事項

二　薬局における調剤並びに調剤された薬剤及び医薬品の販売又は授与の実施方法（その薬局においてその薬局以外の場所にいる者に対して一般用医薬品（第四条第五項第四号に規定する一般用医薬品をいう。以下同じ。）を販売し，又は授与する場合におけるその者との間の通信手段に応じた当該実施方法を含む。）に関する事項

2　薬局開設者は，第七条第一項ただし書又は第二項の規定によりその薬局の管理者を指定したときは，第八条第二項の規定により述べられた薬局の管理者の意見を尊重するとともに，法令遵守のために措置を講ずる必要があるときは，当該措置を講じ，かつ，講じた措置の内容（措置を講じない場合にあつては，その旨及びその理由）を記録し，これを適切に保存しなければならない。

（薬局開設者の法令遵守体制）

第九条の二　薬局開設者は，薬局の管理に関する業務その他の薬局開設者の業務を適正に遂行することにより，薬事に関する法令の規定の遵守を確保するために，厚生労働省令で定めるところにより，次の各号に掲げる措置を講じなければならない。

一　薬局の管理に関する業務について，薬局の管理者が有する権限を明らかにすること。

二　薬局の管理に関する業務その他の薬局開設者の業務の遂行が法令に適合することを確

保するための体制，当該薬局開設者の薬事に関する業務に責任を有する役員及び従業者の業務の監督に係る体制その他の薬局開設者の業務の適正を確保するために必要なものとして厚生労働省令で定める体制を整備すること。

三　前二号に掲げるもののほか，薬局開設者の従業者に対して法令遵守のための指針を示すことその他の薬局開設者の業務の適正な遂行に必要なものとして厚生労働省令で定める措置

2　薬局開設者は，前項各号に掲げる措置の内容を記録し，これを適切に保存しなければならない。

（調剤された薬剤の販売に従事する者）

第九条の三　薬局開設者は，厚生労働省令で定めるところにより，医師又は歯科医師から交付された処方箋により調剤された薬剤につき，薬剤師に販売させ，又は授与させなければならない。

（調剤された薬剤に関する情報提供及び指導等）

第九条の四　薬局開設者は，医師又は歯科医師から交付された処方箋により調剤された薬剤の適正な使用のため，当該薬剤を販売し，又は授与する場合には，厚生労働省令で定めるところにより，その薬局において薬剤の販売又は授与に従事する薬剤師に，対面（映像及び音声の送受信により相手の状態を相互に認識しながら通話をすることが可能な方法その他の方法により薬剤の適正な使用を確保することが可能であると認められる方法として厚生労働省令で定めるものを含む。）により，厚生労働省令で定める事項を記載した書面（当該事項が電磁的記録（電子的方式，磁気的方式その他人の知覚によつては認識することができない方式で作られる記録であつて，電子計算機による情報処理の用に供されるものをいう。以下第三十六条の十までにおいて同じ。）に記録されているときは，当該電磁的記録に記録された事項を厚生労働省令で定める方法により表示したものを含む。）を用いて必要な情報を提供させ，及び必要な薬学的知見に基づく指導を行わせなければならない。

2　薬局開設者は，前項の規定による情報の提供及び指導を行わせるに当たつては，当該薬剤師に，あらかじめ，当該薬剤を使用しようとする者の年齢，他の薬剤又は医薬品の使用の状況その他の厚生労働省令で定める事項を確認させなければならない。

3　薬局開設者は，第一項に規定する場合において，同項の規定による情報の提供又は指導ができないとき，その他同項に規定する薬剤の適正な使用を確保することができないと認められるときは，当該薬剤を販売し，又は授与してはならない。

4　薬局開設者は，医師又は歯科医師から交付された処方箋により調剤された薬剤の適正な使用のため，当該薬剤を購入し，若しくは譲り受けようとする者又は当該薬局開設者から当該薬剤を購入し，若しくは譲り受けた者から相談があつた場合には，厚生労働省令で定めるところにより，その薬局において薬剤の販売又は授与に従事する薬剤師に，必要な情報を提供させ，又は必要な薬学的知見に基づく指導を行わせなければならない。

5　第一項又は前項に定める場合のほか，薬局開設者は，医師又は歯科医師から交付された

処方箋により調剤された薬剤の適正な使用のため必要がある場合として厚生労働省令で定める場合には，厚生労働省令で定めるところにより，その薬局において薬剤の販売又は授与に従事する薬剤師に，その調剤した薬剤を購入し，又は譲り受けた者の当該薬剤の使用の状況を継続的かつ的確に把握させるとともに，その調剤した薬剤を購入し，又は譲り受けた者に対して必要な情報を提供させ，又は必要な薬学的知見に基づく指導を行わせなければならない。

6　薬局開設者は，その薬局において薬剤の販売又は授与に従事する薬剤師に第一項又は前二項に規定する情報の提供及び指導を行わせたときは，厚生労働省令で定めるところにより，当該薬剤師にその内容を記録させなければならない。

（薬局における掲示）

第九条の五　薬局開設者は，厚生労働省令で定めるところにより，当該薬局を利用するために必要な情報であつて厚生労働省令で定める事項を，当該薬局の見やすい場所に掲示しなければならない。

（休廃止等の届出）

第十条　薬局開設者は，その薬局を廃止し，休止し，若しくは休止した薬局を再開したとき，又はその薬局の管理者その他厚生労働省令で定める事項を変更したときは，三十日以内に，厚生労働省令で定めるところにより，その薬局の所在地の都道府県知事にその旨を届け出なければならない。

2　薬局開設者は，その薬局の名称その他厚生労働省令で定める事項を変更しようとするときは，あらかじめ，厚生労働省令で定めるところにより，その薬局の所在地の都道府県知事にその旨を届け出なければならない。

（政令への委任）

第十一条　この章に定めるもののほか，薬局の開設の許可，許可の更新，管理その他薬局に関し必要な事項は，政令で定める。

第四章　医薬品，医薬部外品及び化粧品の製造販売業及び製造業

（製造販売業の許可）

第十二条　次の表の上欄に掲げる医薬品（体外診断用医薬品を除く。以下この章において同じ。），医薬部外品又は化粧品の種類に応じ，それぞれ同表の下欄に定める厚生労働大臣の許可を受けた者でなければ，それぞれ，業として，医薬品，医薬部外品又は化粧品の製造販売をしてはならない。

医薬品，医薬部外品又は化粧品の種類	許可の種類
第四十九条第一項に規定する厚生労働大臣の指定する医薬品	第一種医薬品製造販売業許可
前項に該当する医薬品以外の医薬品	第二種医薬品製造販売業許可
医薬部外品	医薬部外品製造販売業許可
化粧品	化粧品製造販売業許可

2　前項の許可を受けようとする者は，厚生労働省令で定めるところにより，次の各号に掲げる事項を記載した申請書を厚生労働大臣に提出しなければならない。

一　氏名又は名称及び住所並びに法人にあつては，その代表者の氏名

二　法人にあつては，薬事に関する業務に責任を有する役員の氏名

三　第十七条第二項に規定する医薬品等総括製造販売責任者の氏名

四　次条第二項において準用する第五条第三号イからトまでに該当しない旨その他厚生労働省令で定める事項

3　前項の申請書には，次の各号に掲げる書類を添付しなければならない。

一　法人にあつては，その組織図

二　次条第一項第一号に規定する申請に係る医薬品，医薬部外品又は化粧品の品質管理に係る体制に関する書類

三　次条第一項第二号に規定する申請に係る医薬品，医薬部外品又は化粧品の製造販売後安全管理に係る体制に関する書類

四　その他厚生労働省令で定める書類

4　第一項の許可は，三年を下らない政令で定める期間ごとにその更新を受けなければ，その期間の経過によつて，その効力を失う。

（許可の基準）

第十二条の二　次の各号のいずれかに該当するときは，前条第一項の許可を与えないことができる。

一　申請に係る医薬品，医薬部外品又は化粧品の品質管理の方法が，厚生労働省令で定める基準に適合しないとき。

二　申請に係る医薬品，医薬部外品又は化粧品の製造販売後安全管理（品質，有効性及び安全性に関する事項その他適正な使用のために必要な情報の収集，検討及びその結果に基づく必要な措置をいう。以下同じ。）の方法が，厚生労働省令で定める基準に適合しないとき。

2　第五条（第三号に係る部分に限る。）の規定は，前条第一項の許可について準用する。

（製造業の許可）

第十三条　医薬品，医薬部外品又は化粧品の製造業の許可を受けた者でなければ，それぞれ，業として，医薬品，医薬部外品又は化粧品の製造をしてはならない。

2　前項の許可は，厚生労働省令で定める区分に従い，厚生労働大臣が製造所ごとに与える。

3　第一項の許可を受けようとする者は，厚生労働省令で定めるところにより，次の各号に掲げる事項を記載した申請書を厚生労働大臣に提出しなければならない。

一　氏名又は名称及び住所並びに法人にあつては，その代表者の氏名

二　その製造所の構造設備の概要

三　法人にあつては，薬事に関する業務に責任を有する役員の氏名

四　医薬品の製造業の許可を受けようとする者にあつては，第十七条第六項に規定する医

薬品製造管理者の氏名

五　医薬部外品又は化粧品の製造業の許可を受けようとする者にあつては，第十七条第十一項に規定する医薬部外品等責任技術者の氏名

六　第六項において準用する第五条第三号イからトまでに該当しない旨その他厚生労働省令で定める事項

4　第一項の許可は，三年を下らない政令で定める期間ごとにその更新を受けなければ，その期間の経過によつて，その効力を失う。

5　その製造所の構造設備が，厚生労働省令で定める基準に適合しないときは，第一項の許可を与えないことができる。

6　第五条（第三号に係る部分に限る。）の規定は，第一項の許可について準用する。

7　厚生労働大臣は，第一項の許可又は第四項の許可の更新の申請を受けたときは，第五項の厚生労働省令で定める基準に適合するかどうかについての書面による調査又は実地の調査を行うものとする。

8　第一項の許可を受けた者は，当該製造所に係る許可の区分を変更し，又は追加しようとするときは，厚生労働大臣の許可を受けなければならない。

9　前項の許可については，第一項から第七項までの規定を準用する。

（機構による調査の実施）

第十三条の二　厚生労働大臣は，独立行政法人医薬品医療機器総合機構（以下「機構」という。）に，医薬品（専ら動物のために使用されることが目的とされているものを除く。以下この条において同じ。），医薬部外品（専ら動物のために使用されることが目的とされているものを除く。以下この条において同じ。）又は化粧品のうち政令で定めるものに係る前条第一項若しくは第八項の許可又は同条第四項（同条第九項において準用する場合を含む。以下この条において同じ。）の許可の更新についての同条第七項（同条第九項において準用する場合を含む。）に規定する調査を行わせることができる。

2　厚生労働大臣は，前項の規定により機構に調査を行わせるときは，当該調査を行わないものとする。この場合において，厚生労働大臣は，前条第一項若しくは第八項の許可又は同条第四項の許可の更新をするときは，機構が第四項の規定により通知する調査の結果を考慮しなければならない。

3　厚生労働大臣が第一項の規定により機構に調査を行わせることとしたときは，同項の政令で定める医薬品，医薬部外品又は化粧品に係る前条第一項若しくは第八項の許可又は同条第四項の許可の更新の申請者は，機構が行う当該調査を受けなければならない。

4　機構は，前項の調査を行つたときは，遅滞なく，当該調査の結果を厚生労働省令で定めるところにより厚生労働大臣に通知しなければならない。

5　機構が行う調査に係る処分（調査の結果を除く。）又はその不作為については，厚生労働大臣に対して，審査請求をすることができる。この場合において，厚生労働大臣は，行政不服審査法（平成二十六年法律第六十八号）第二十五条第二項及び第三項，第四十六条

第一項及び第二項，第四十七条並びに第四十九条第三項の規定の適用については，機構の上級行政庁とみなす。

（保管のみを行う製造所に係る登録）

第十三条の二の二　業として，製造所において医薬品，医薬部外品及び化粧品の製造工程のうち保管（医薬品，医薬部外品及び化粧品の品質，有効性及び安全性の確保の観点から厚生労働省令で定めるものを除く。以下同じ。）のみを行おうとする者は，当該製造所について厚生労働大臣の登録を受けたときは，第十三条の規定にかかわらず，当該製造所について同条第一項の規定による許可を受けることを要しない。

2　前項の登録は，製造所において保管のみを行おうとする者の申請により，保管のみを行う製造所ごとに行う。

3　第一項の登録の申請を行おうとする者は，厚生労働省令で定めるところにより，次の各号に掲げる事項を記載した申請書を厚生労働大臣に提出しなければならない。

一　氏名又は名称及び住所並びに法人にあつては，その代表者の氏名

二　法人にあつては，薬事に関する業務に責任を有する役員の氏名

三　医薬品の製造所について第一項の登録の申請を行おうとする者にあつては，第十七条第六項に規定する医薬品製造管理者の氏名

四　医薬部外品又は化粧品の製造所について第一項の登録の申請を行おうとする者にあつては，第十七条第十一項に規定する医薬部外品等責任技術者の氏名

五　第五項において準用する第五条第三号イからトまでに該当しない旨その他厚生労働省令で定める事項

4　第一項の登録は，三年を下らない政令で定める期間ごとにその更新を受けなければ，その期間の経過によつて，その効力を失う。

5　第五条（第三号に係る部分に限る。）の規定は，第一項の登録について準用する。

（医薬品等外国製造業者の認定）

第十三条の三　外国において本邦に輸出される医薬品，医薬部外品又は化粧品を製造しようとする者（以下「医薬品等外国製造業者」という。）は，厚生労働大臣の認定を受けることができる。

2　前項の認定は，厚生労働省令で定める区分に従い，製造所ごとに与える。

3　第一項の認定については，第十三条第三項（同項第一号，第二号及び第六号に係る部分に限る。）及び第四項から第九項まで並びに第十三条の二の規定を準用する。この場合において，第十三条第三項から第八項までの規定中「許可」とあるのは「認定」と，同条第九項中「許可」とあるのは「認定」と，「第一項」とあるのは「第二項」と，第十三条の二第一項中「前条第一項若しくは第八項の許可又は同条第四項（同条第九項において準用する場合を含む。以下この条において同じ。）の許可の更新についての同条第七項（同条第九項」とあるのは「第十三条の三第一項若しくは同条第三項において準用する前条第八項の認定又は第十三条の三第三項において準用する前条第四項（第十三条の三第三項にお

いて準用する前条第九項において準用する場合を含む。以下この条において同じ。）の認定の更新についての第十三条の三第三項において準用する前条第七項（第十三条の三第三項において準用する前条第九項」と，同条第二項及び第三項中「前条第一項若しくは第八項の許可又は同条第四項の許可の更新」とあるのは「第十三条の三第一項若しくは同条第三項において準用する前条第八項の認定又は第十三条の三第三項において準用する前条第四項の認定の更新」と読み替えるものとする。

（医薬品等外国製造業者の保管のみを行う製造所に係る登録）

第十三条の三の二　医薬品等外国製造業者は，保管のみを行おうとする製造所について厚生労働大臣の登録を受けることができる。

2　前項の登録については，第十三条の二の二第二項，第三項（同項第一号及び第五号に係る部分に限る。），第四項及び第五項の規定を準用する。

（医薬品，医薬部外品及び化粧品の製造販売の承認）

第十四条　医薬品（厚生労働大臣が基準を定めて指定する医薬品を除く。），医薬部外品（厚生労働大臣が基準を定めて指定する医薬部外品を除く。）又は厚生労働大臣の指定する成分を含有する化粧品の製造販売をしようとする者は，品目ごとにその製造販売についての厚生労働大臣の承認を受けなければならない。

2　次の各号のいずれかに該当するときは，前項の承認は，与えない。

一　申請者が，第十二条第一項の許可（申請をした品目の種類に応じた許可に限る。）を受けていないとき。

二　申請に係る医薬品，医薬部外品又は化粧品を製造する製造所が，第十三条第一項の許可（申請をした品目について製造ができる区分に係るものに限る。），第十三条の三第一項の認定（申請をした品目について製造ができる区分に係るものに限る。）又は第十三条の二の二第一項若しくは前条第一項の登録を受けていないとき。

三　申請に係る医薬品，医薬部外品又は化粧品の名称，成分，分量，用法，用量，効能，効果，副作用その他の品質，有効性及び安全性に関する事項の審査の結果，その物が次のイからハまでのいずれかに該当するとき。

イ　申請に係る医薬品又は医薬部外品が，その申請に係る効能又は効果を有すると認められないとき。

ロ　申請に係る医薬品又は医薬部外品が，その効能又は効果に比して著しく有害な作用を有することにより，医薬品又は医薬部外品として使用価値がないと認められるとき。

ハ　イ又はロに掲げる場合のほか，医薬品，医薬部外品又は化粧品として不適当なものとして厚生労働省令で定める場合に該当するとき。

四　申請に係る医薬品，医薬部外品又は化粧品が政令で定めるものであるときは，その物の製造所における製造管理又は品質管理の方法が，厚生労働省令で定める基準に適合していると認められないとき。

3　第一項の承認を受けようとする者は，厚生労働省令で定めるところにより，申請書に臨床試験の試験成績に関する資料その他の資料を添付して申請しなければならない。この場合において，当該申請に係る医薬品が厚生労働省令で定める医薬品であるときは，当該資料は，厚生労働省令で定める基準に従つて収集され，かつ，作成されたものでなければならない。

4　第一項の承認の申請に係る医薬品，医薬部外品又は化粧品が，第八十条の六第一項に規定する原薬等登録原簿に収められている原薬等（原薬たる医薬品その他厚生労働省令で定める物をいう。以下同じ。）を原料又は材料として製造されるものであるときは，第一項の承認を受けようとする者は，厚生労働省令で定めるところにより，当該原薬等が同条第一項に規定する原薬等登録原簿に登録されていることを証する書面をもつて前項の規定により添付するものとされた資料の一部に代えることができる。

5　厚生労働大臣は，第一項の承認の申請に係る医薬品が，希少疾病用医薬品，先駆的医薬品又は特定用途医薬品その他の医療上特にその必要性が高いと認められるものである場合であつて，当該医薬品の有効性及び安全性を検証するための十分な人数を対象とする臨床試験の実施が困難であるときその他の厚生労働省令で定めるときは，厚生労働省令で定めるところにより，第三項の規定により添付するものとされた臨床試験の試験成績に関する資料の一部の添付を要しないこととすることができる。

6　第二項第三号の規定による審査においては，当該品目に係る申請内容及び第三項前段に規定する資料に基づき，当該品目の品質，有効性及び安全性に関する調査（既にこの条又は第十九条の二の承認を与えられている品目との成分，分量，用法，用量，効能，効果等の同一性に関する調査を含む。）を行うものとする。この場合において，当該品目が同項後段に規定する厚生労働省令で定める医薬品であるときは，あらかじめ，当該品目に係る資料が同項後段の規定に適合するかどうかについての書面による調査又は実地の調査を行うものとする。

7　第一項の承認を受けようとする者又は同項の承認を受けた者は，その承認に係る医薬品，医薬部外品又は化粧品が政令で定めるものであるときは，その物の製造所における製造管理又は品質管理の方法が第二項第四号に規定する厚生労働省令で定める基準に適合しているかどうかについて，当該承認を受けようとするとき，及び当該承認の取得後三年を下らない政令で定める期間を経過するごとに，厚生労働大臣の書面による調査又は実地の調査を受けなければならない。

8　第一項の承認を受けた者は，その承認に係る医薬品，医薬部外品又は化粧品を製造する製造所が，当該承認に係る品目の製造工程と同一の製造工程の区分（医薬品，医薬部外品又は化粧品の品質，有効性及び安全性の確保の観点から厚生労働省令で定める区分をいう。次条において同じ。）に属する製造工程について同条第三項の基準確認証の交付を受けているときは，当該製造工程に係る当該製造所における前項の調査を受けることを要しない。

9　前項の規定にかかわらず，厚生労働大臣は，第一項の承認に係る医薬品，医薬部外品又は化粧品の特性その他を勘案して必要があると認めるときは，当該医薬品，医薬部外品又は化粧品の製造所における製造管理又は品質管理の方法が第二項第四号に規定する厚生労働省令で定める基準に適合しているかどうかについて，書面による調査又は実地の調査を行うことができる。この場合において，第一項の承認を受けた者は，当該調査を受けなければならない。

10　厚生労働大臣は，第一項の承認の申請に係る医薬品が，希少疾病用医薬品，先駆的医薬品又は特定用途医薬品その他の医療上特にその必要性が高いと認められるものであるときは，当該医薬品についての第二項第三号の規定による審査又は第七項若しくは前項の規定による調査を，他の医薬品の審査又は調査に優先して行うことができる。

11　厚生労働大臣は，第一項の承認の申請があつた場合において，申請に係る医薬品，医薬部外品又は化粧品が，既にこの条又は第十九条の二の承認を与えられている医薬品，医薬部外品又は化粧品と有効成分，分量，用法，用量，効能，効果等が明らかに異なるときは，同項の承認について，あらかじめ，薬事・食品衛生審議会の意見を聴かなければならない。

12　厚生労働大臣は，第一項の承認の申請に関し，第五項の規定に基づき臨床試験の試験成績に関する資料の一部の添付を要しないこととした医薬品について第一項の承認をする場合には，当該医薬品の使用の成績に関する調査の実施，適正な使用の確保のために必要な措置の実施その他の条件を付してするものとし，当該条件を付した同項の承認を受けた者は，厚生労働省令で定めるところにより，当該条件に基づき収集され，かつ，作成された当該医薬品の使用の成績に関する資料その他の資料を厚生労働大臣に提出し，当該医薬品の品質，有効性及び安全性に関する調査を受けなければならない。この場合において，当該条件を付した同項の承認に係る医薬品が厚生労働省令で定める医薬品であるときは，当該資料は，厚生労働省令で定める基準に従つて収集され，かつ，作成されたものでなければならない。

13　厚生労働大臣は，前項前段に規定する医薬品の使用の成績に関する資料その他の資料の提出があつたときは，当該資料に基づき，同項前段に規定する調査（当該医薬品が同項後段の厚生労働省令で定める医薬品であるときは，当該資料が同項後段の規定に適合するかどうかについての書面による調査又は実地の調査及び同項前段に規定する調査）を行うものとし，当該調査の結果を踏まえ，同項前段の規定により付した条件を変更し，又は当該承認を受けた者に対して，当該医薬品の使用の成績に関する調査及び適正な使用の確保のために必要な措置の再度の実施を命ずることができる。

14　第十二項の規定により条件を付した第一項の承認を受けた者，第十二項後段に規定する資料の収集若しくは作成の委託を受けた者又はこれらの役員若しくは職員は，正当な理由なく，当該資料の収集又は作成に関しその職務上知り得た人の秘密を漏らしてはならない。これらの者であつた者についても，同様とする。

15　第一項の承認を受けた者は，当該品目について承認された事項の一部を変更しようとするとき（当該変更が厚生労働省令で定める軽微な変更であるときを除く。）は，その変更について厚生労働大臣の承認を受けなければならない。この場合においては，前二項から第七項まで及び第十項から前項までの規定を準用する。

16　第一項の承認を受けた者は，前項の厚生労働省令で定める軽微な変更について，厚生労働省令で定めるところにより，厚生労働大臣にその旨を届け出なければならない。

17　第一項及び第十五項の承認の申請（政令で定めるものを除く。）は，機構を経由して行うものとする。

（基準確認証の交付等）

第十四条の二　第十三条第一項の許可を受けようとする者若しくは同項の許可を受けた者，第十三条の三第一項の認定を受けようとする者若しくは同項の認定を受けた者又は第十三条の二の二第一項若しくは第十三条の三の二第一項の登録を受けようとする者若しくは第十三条の二の二第一項若しくは第十三条の三の二第一項の登録を受けた者は，その製造に係る医薬品，医薬部外品又は化粧品が前条第七項に規定する政令で定めるものであるときは，厚生労働省令で定めるところにより，当該許可，認定又は登録に係る製造所における当該医薬品，医薬部外品又は化粧品の製造管理又は品質管理の方法が同条第二項第四号に規定する厚生労働省令で定める基準に適合しているかどうかについて，厚生労働大臣に対し，医薬品，医薬部外品又は化粧品の製造工程の区分ごとに，その確認を求めることができる。

2　厚生労働大臣は，前項の確認を求められたときは，書面による調査又は実地の調査を行うものとする。

3　厚生労働大臣は，前項の規定による調査の結果，その製造所における製造管理又は品質管理の方法が前条第二項第四号に規定する厚生労働省令で定める基準に適合していると認めるときは，その製造所について当該基準に適合していることが確認されたことを証するものとして，厚生労働省令で定めるところにより，第一項に規定する医薬品，医薬部外品又は化粧品の製造工程の区分ごとに，基準確認証を交付する。

4　前項の基準確認証の有効期間は，当該基準確認証の交付の日から起算して政令で定める期間とする。

5　第三項の規定により基準確認証の交付を受けた製造業者が，次の各号のいずれかに該当することとなつた場合には，速やかに，当該基準確認証を厚生労働大臣に返還しなければならない。

一　当該基準確認証に係る第一項に規定する医薬品，医薬部外品又は化粧品の製造工程について，製造管理若しくは品質管理の方法が前条第二項第四号に規定する厚生労働省令で定める基準に適合せず，又はその製造管理若しくは品質管理の方法によつて医薬品，医薬部外品若しくは化粧品が第五十六条（第六十条及び第六十二条において準用する場合を含む。次号において同じ。）に規定する医薬品，医薬部外品若しくは化粧品若しくは第六十八条の二十に規定する生物由来製品に該当するようになるおそれがあることを理由として，第七十二条第二項の命令を受けた場合

二　当該基準確認証を受けた製造所について，その構造設備が，第十三条第五項の規定に基づく厚生労働省令で定める基準に適合せず，又はその構造設備によつて医薬品，医薬部外品若しくは化粧品が第五十六条に規定する医薬品，医薬部外品若しくは化粧品若しくは第六十八条の二十に規定する生物由来製品に該当するようになるおそれがあることを理由として，第七十二条第三項の命令を受けた場合

（機構による医薬品等審査等の実施）

第十四条の二の二　厚生労働大臣は，機構に，医薬品（専ら動物のために使用されることが目的とされているものを除く。以下この条において同じ。），医薬部外品（専ら動物のために使用されることが目的とされているものを除く。以下この条において同じ。）又は化粧品のうち政令で定めるものについての第十四条の承認のための審査，同条第六項及び第七項（これらの規定を同条第十五項において準用する場合を含む。），第九項並びに第十三項（同条第十五項において準用する場合を含む。）並びに前条第二項の規定による調査並びに同条第三項の規定による基準確認証の交付及び同条第五項の規定による基準確認証の返還の受付（以下「医薬品等審査等」という。）を行わせることができる。

2　厚生労働大臣は，前項の規定により機構に医薬品等審査等を行わせるときは，当該医薬品等審査等を行わないものとする。この場合において，厚生労働大臣は，第十四条の承認をするときは，機構が第五項の規定により通知する医薬品等審査等の結果を考慮しなければならない。

3　厚生労働大臣が第一項の規定により機構に医薬品等審査等を行わせることとしたときは，同項の政令で定める医薬品，医薬部外品又は化粧品について第十四条の承認の申請者，同条第七項若しくは第十三項（これらの規定を同条第十五項において準用する場合を含む。）若しくは前条第二項の規定による調査の申請者又は同条第五項の規定により基準確認証を返還する者は，機構が行う審査，調査若しくは基準確認証の交付を受け，又は機構に基準確認証を返還しなければならない。

4　厚生労働大臣が第一項の規定により機構に審査を行わせることとしたときは，同項の政令で定める医薬品，医薬部外品又は化粧品についての第十四条第十六項の規定による届出をしようとする者は，同項の規定にかかわらず，機構に届け出なければならない。

5　機構は，医薬品等審査等を行つたとき，又は前項の規定による届出を受理したときは，遅滞なく，当該医薬品等審査等の結果又は届出の状況を厚生労働省令で定めるところにより厚生労働大臣に通知しなければならない。

6　機構が行う医薬品等審査等に係る処分（医薬品等審査等の結果を除く。）又はその不作為については，厚生労働大臣に対して，審査請求をすることができる。この場合において，厚生労働大臣は，行政不服審査法第二十五条第二項及び第三項，第四十六条第一項及び第二項，第四十七条並びに第四十九条第三項の規定の適用については，機構の上級行政庁とみなす。

（特例承認）

第十四条の三　第十四条の承認の申請者が製造販売をしようとする物が，次の各号のいずれにも該当する医薬品として政令で定めるものである場合には，厚生労働大臣は，同条第二項，第六項，第七項及び第十一項の規定にかかわらず，薬事・食品衛生審議会の意見を聴いて，その品目に係る同条の承認を与えることができる。

一　国民の生命及び健康に重大な影響を与えるおそれがある疾病のまん延その他の健康被害の拡大を防止するため緊急に使用されることが必要な医薬品であり，かつ，当該医薬品の使用以外に適当な方法がないこと。

二　その用途に関し，外国（医薬品の品質，有効性及び安全性を確保する上で我が国と同等の水準にあると認められる医薬品の製造販売の承認の制度又はこれに相当する制度を有している国として政令で定めるものに限る。）において，販売し，授与し，又は販売若しくは授与の目的で貯蔵し，若しくは陳列することが認められている医薬品であること。

2　厚生労働大臣は，保健衛生上の危害の発生又は拡大を防止するため必要があると認めるときは，前項の規定により第十四条の承認を受けた者に対して，当該承認に係る品目について，当該品目の使用によるものと疑われる疾病，障害又は死亡の発生を厚生労働大臣に報告することその他の政令で定める措置を講ずる義務を課することができる。

（新医薬品等の再審査）

第十四条の四　次の各号に掲げる医薬品につき第十四条の承認を受けた者は，当該医薬品について，当該各号に定める期間内に申請して，厚生労働大臣の再審査を受けなければならない。

一　既に第十四条又は第十九条の二の承認を与えられている医薬品と有効成分，分量，用法，用量，効能，効果等が明らかに異なる医薬品として厚生労働大臣がその承認の際指示したもの（以下「新医薬品」という。）　次に掲げる期間（以下この条において「調査期間」という。）を経過した日から起算して三月以内の期間（次号において「申請期間」という。）

イ　希少疾病用医薬品，先駆的医薬品その他厚生労働省令で定める医薬品として厚生労働大臣が薬事・食品衛生審議会の意見を聴いて指定するものについては，その承認のあつた日後六年を超え十年を超えない範囲内において厚生労働大臣の指定する期間

ロ　特定用途医薬品又は既に第十四条若しくは第十九条の二の承認を与えられている医薬品と効能若しくは効果のみが明らかに異なる医薬品（イに掲げる医薬品を除く。）その他厚生労働省令で定める医薬品として厚生労働大臣が薬事・食品衛生審議会の意見を聴いて指定するものについては，その承認のあつた日後六年に満たない範囲内において厚生労働大臣の指定する期間

ハ　イ又はロに掲げる医薬品以外の医薬品については，その承認のあつた日後六年

二　新医薬品（当該新医薬品につき第十四条又は第十九条の二の承認のあつた日後調査期間（第三項の規定による延長が行われたときは，その延長後の期間）を経過しているも

のを除く。）と有効成分，分量，用法，用量，効能，効果等が同一性を有すると認められる医薬品として厚生労働大臣がその承認の際指示したもの　当該新医薬品に係る申請期間（同項の規定による調査期間の延長が行われたときは，その延長後の期間に基づいて定められる申請期間）に合致するように厚生労働大臣が指示する期間

2　第十四条第十二項（同条第十五項において準用する場合を含む。）の規定により条件を付した同条の承認を受けた者は，当該承認に係る医薬品について，前項各号に掲げる医薬品の区分に応じ，当該各号に定める期間内に申請して，同項の厚生労働大臣の再審査を受けなければならない。

3　厚生労働大臣は，新医薬品の再審査を適正に行うため特に必要があると認めるときは，薬事・食品衛生審議会の意見を聴いて，調査期間を，その承認のあつた日後十年を超えない範囲内において延長することができる。

4　厚生労働大臣の再審査は，再審査を行う際に得られている知見に基づき，第一項各号に掲げる医薬品が第十四条第二項第三号イからハまでのいずれにも該当しないことを確認することにより行う。

5　第一項の申請は，申請書にその医薬品の使用成績に関する資料その他厚生労働省令で定める資料を添付してしなければならない。この場合において，当該申請に係る医薬品が厚生労働省令で定める医薬品であるときは，当該資料は，厚生労働省令で定める基準に従つて収集され，かつ，作成されたものでなければならない。

6　第四項の規定による確認においては，第一項各号に掲げる医薬品に係る申請内容及び前項前段に規定する資料に基づき，当該医薬品の品質，有効性及び安全性に関する調査を行うものとする。この場合において，第一項各号に掲げる医薬品が前項後段に規定する厚生労働省令で定める医薬品であるときは，あらかじめ，当該医薬品に係る資料が同項後段の規定に適合するかどうかについての書面による調査又は実地の調査を行うものとする。

7　第一項各号に掲げる医薬品につき第十四条の承認を受けた者は，厚生労働省令で定めるところにより，当該医薬品の使用の成績に関する調査その他厚生労働省令で定める調査を行い，その結果を厚生労働大臣に報告しなければならない。

8　第五項後段に規定する厚生労働省令で定める医薬品につき再審査を受けるべき者，同項後段に規定する資料の収集若しくは作成の委託を受けた者又はこれらの役員若しくは職員は，正当な理由なく，当該資料の収集又は作成に関しその職務上知り得た人の秘密を漏らしてはならない。これらの者であつた者についても，同様とする。

（準用）

第十四条の五　医薬品（専ら動物のために使用されることが目的とされているものを除く。以下この条において同じ。）のうち政令で定めるものについての前条第一項の申請，同条第四項の規定による確認及び同条第六項の規定による調査については，第十四条第十七項及び第十四条の二の二（第四項を除く。）の規定を準用する。この場合において，必要な技術的読替えは，政令で定める。

2　前項において準用する第十四条の二の二第一項の規定により機構に前条第四項の規定による確認を行わせることとしたときは，前項において準用する第十四条の二の二第一項の政令で定める医薬品についての前条第七項の規定による報告をしようとする者は，同項の規定にかかわらず，機構に報告しなければならない。この場合において，機構が当該報告を受けたときは，厚生労働省令で定めるところにより，厚生労働大臣にその旨を通知しなければならない。

（医薬品の再評価）

第十四条の六　第十四条の承認を受けている者は，厚生労働大臣が薬事・食品衛生審議会の意見を聴いて医薬品の範囲を指定して再評価を受けるべき旨を公示したときは，その指定に係る医薬品について，厚生労働大臣の再評価を受けなければならない。

2　厚生労働大臣の再評価は，再評価を行う際に得られている知見に基づき，前項の指定に係る医薬品が第十四条第二項第三号イからハまでのいずれにも該当しないことを確認することにより行う。

3　第一項の公示は，再評価を受けるべき者が提出すべき資料及びその提出期限を併せ行うものとする。

4　第一項の指定に係る医薬品が厚生労働省令で定める医薬品であるときは，再評価を受けるべき者が提出する資料は，厚生労働省令で定める基準に従つて収集され，かつ，作成されたものでなければならない。

5　第二項の規定による確認においては，再評価を受けるべき者が提出する資料に基づき，第一項の指定に係る医薬品の品質，有効性及び安全性に関する調査を行うものとする。この場合において，同項の指定に係る医薬品が前項に規定する厚生労働省令で定める医薬品であるときは，あらかじめ，当該医薬品に係る資料が同項の規定に適合するかどうかについての書面による調査又は実地の調査を行うものとする。

6　第四項に規定する厚生労働省令で定める医薬品につき再評価を受けるべき者，同項に規定する資料の収集若しくは作成の委託を受けた者又はこれらの役員若しくは職員は，正当な理由なく，当該資料の収集又は作成に関しその職務上知り得た人の秘密を漏らしてはならない。これらの者であつた者についても，同様とする。

（準用）

第十四条の七　医薬品（専ら動物のために使用されることが目的とされているものを除く。以下この条において同じ。）のうち政令で定めるものについての前条第二項の規定による確認及び同条第五項の規定による調査については，第十四条の二の二（第四項を除く。）の規定を準用する。この場合において，必要な技術的読替えは，政令で定める。

2　前項において準用する第十四条の二の二第一項の規定により機構に前条第二項の規定による確認を行わせることとしたときは，前項において準用する第十四条の二の二第一項の政令で定める医薬品についての前条第四項の規定による資料の提出をしようとする者は，同項の規定にかかわらず，機構に提出しなければならない。

（医薬品，医薬部外品及び化粧品の承認された事項に係る変更計画の確認）

第十四条の七の二　第十四条第一項の承認を受けた者は，厚生労働省令で定めるところにより，厚生労働大臣に申し出て，当該承認を受けた品目について承認された事項の一部の変更に係る計画（以下この条において「変更計画」という。）が，次の各号のいずれにも該当する旨の確認を受けることができる。これを変更しようとするときも，同様とする。

一　当該変更計画に定められた変更が，製造方法その他の厚生労働省令で定める事項の変更であること。

二　第四十二条第一項又は第二項の規定により定められた基準に適合しないこととなる変更その他の厚生労働省令で定める変更に該当しないこと。

三　当該変更計画に従つた変更が行われた場合に，当該変更計画に係る医薬品，医薬部外品又は化粧品が，次のイからハまでのいずれにも該当しないこと。

イ　当該医薬品又は医薬部外品が，その変更前の承認に係る効能又は効果を有すると認められないこと。

ロ　当該医薬品又は医薬部外品が，その効能又は効果に比して著しく有害な作用を有することにより，医薬品又は医薬部外品として使用価値がないと認められること。

ハ　イ又はロに掲げる場合のほか，医薬品，医薬部外品又は化粧品として不適当なものとして，厚生労働省令で定める場合に該当すること。

2　前項の確認においては，変更計画（同項後段の規定による変更があつたときは，その変更後のもの。以下この条において同じ。）の確認を受けようとする者が提出する資料に基づき，当該変更計画に係る医薬品，医薬部外品又は化粧品の品質，有効性及び安全性に関する調査を行うものとする。

3　第一項の確認を受けようとする者又は同項の確認を受けた者は，その確認に係る変更計画に従つて第十四条の承認を受けた事項の一部の変更を行う医薬品，医薬部外品又は化粧品が同条第二項第四号の政令で定めるものであり，かつ，当該変更が製造管理又は品質管理の方法に影響を与えるおそれがある変更として厚生労働省令で定めるものであるときは，厚生労働省令で定めるところにより，その変更を行う医薬品，医薬部外品又は化粧品の製造所における製造管理又は品質管理の方法が，同号の厚生労働省令で定める基準に適合している旨の確認を受けなければならない。

4　前項の確認においては，その変更を行う医薬品，医薬部外品又は化粧品の製造所における製造管理又は品質管理の方法が，第十四条第二項第四号の厚生労働省令で定める基準に適合しているかどうかについて，書面による調査又は実地の調査を行うものとする。

5　厚生労働大臣は，第一項の確認を受けた変更計画が同項各号のいずれかに該当していなかつたことが判明したとき，第三項の確認を受けた製造管理若しくは品質管理の方法が第十四条第二項第四号の厚生労働省令で定める基準に適合していなかつたことが判明したとき，又は偽りその他不正の手段により第一項若しくは第三項の確認を受けたことが判明したときは，その確認を取り消さなければならない。

6　第一項の確認を受けた者（その行おうとする変更が第三項の厚生労働省令で定めるものであるときは，第一項及び第三項の確認を受けた者に限る。）は，第十四条の承認を受けた医薬品，医薬部外品又は化粧品に係る承認された事項の一部について第一項の確認を受けた変更計画に従つた変更を行う日の厚生労働省令で定める日数前までに，厚生労働省令で定めるところにより，厚生労働大臣に当該変更を行う旨を届け出たときは，同条第十五項の厚生労働大臣の承認を受けることを要しない。

7　厚生労働大臣は，前項の規定による届出があつた場合において，その届出に係る変更が第一項の確認を受けた変更計画に従つた変更であると認められないときは，その届出を受理した日から前項の厚生労働省令で定める日数以内に限り，その届出をした者に対し，その届出に係る変更の中止その他必要な措置を命ずることができる。

8　厚生労働大臣は，機構に，第十四条の二の二第一項の政令で定める医薬品，医薬部外品又は化粧品についての第一項及び第三項の確認を行わせることができる。

9　第十四条の二の二第二項，第三項，第五項及び第六項の規定並びに第五項の規定は，前項の規定により機構に第一項及び第三項の確認を行わせることとした場合について準用する。この場合において，必要な技術的読替えは，政令で定める。

10　厚生労働大臣が第十四条の二の二第一項の規定により機構に審査を行わせることとしたときは，同項の政令で定める医薬品，医薬部外品又は化粧品についての第六項の規定による届出は，同項の規定にかかわらず，機構に行わなければならない。

11　機構は，前項の規定による届出を受理したときは，直ちに，当該届出の状況を厚生労働省令で定めるところにより厚生労働大臣に通知しなければならない。

（承継）

第十四条の八　第十四条の承認を受けた者（以下この条において「医薬品等承認取得者」という。）について相続，合併又は分割（当該品目に係る厚生労働省令で定める資料及び情報（以下この条において「当該品目に係る資料等」という。）を承継させるものに限る。）があつたときは，相続人（相続人が二人以上ある場合において，その全員の同意により当該医薬品等承認取得者の地位を承継すべき相続人を選定したときは，その者），合併後存続する法人若しくは合併により設立した法人又は分割により当該品目に係る資料等を承継した法人は，当該医薬品等承認取得者の地位を承継する。

2　医薬品等承認取得者がその地位を承継させる目的で当該品目に係る資料等の譲渡しをしたときは，譲受人は，当該医薬品等承認取得者の地位を承継する。

3　前二項の規定により医薬品等承認取得者の地位を承継した者は，相続の場合にあつては相続後遅滞なく，相続以外の場合にあつては承継前に，厚生労働省令で定めるところにより，厚生労働大臣にその旨を届け出なければならない。

（製造販売の届出）

第十四条の九　医薬品，医薬部外品又は化粧品の製造販売業者は，第十四条第一項に規定する医薬品，医薬部外品及び化粧品以外の医薬品，医薬部外品又は化粧品の製造販売をしようとするときは，あらかじめ，品目ごとに，厚生労働省令で定めるところにより，厚生労働大臣にその旨を届け出なければならない。

2　医薬品，医薬部外品又は化粧品の製造販売業者は，前項の規定により届け出た事項を変更したときは，三十日以内に，厚生労働大臣にその旨を届け出なければならない。

（機構による製造販売の届出の受理）

第十四条の十　厚生労働大臣が第十四条の二の二第一項の規定により機構に審査を行わせることとしたときは，医薬品（専ら動物のために使用されることが目的とされているものを除く。），医薬部外品（専ら動物のために使用されることが目的とされているものを除く。）又は化粧品のうち政令で定めるものについての前条の規定による届出をしようとする者は，同条の規定にかかわらず，厚生労働省令で定めるところにより，機構に届け出なければならない。

2　機構は，前項の規定による届出を受理したときは，厚生労働省令で定めるところにより，厚生労働大臣にその旨を通知しなければならない。

第十五条及び第十六条　削除

（医薬品等総括製造販売責任者等の設置及び遵守事項）

第十七条　医薬品，医薬部外品又は化粧品の製造販売業者は，厚生労働省令で定めるところにより，医薬品，医薬部外品又は化粧品の品質管理及び製造販売後安全管理を行わせるために，医薬品の製造販売業者にあつては薬剤師を，医薬部外品又は化粧品の製造販売業者にあつては厚生労働省令で定める基準に該当する者を，それぞれ置かなければならない。ただし，医薬品の製造販売業者について，次の各号のいずれかに該当する場合には，厚生労働省令で定めるところにより，薬剤師以外の技術者をもつてこれに代えることができる。

一　その品質管理及び製造販売後安全管理に関し薬剤師を必要としないものとして厚生労働省令で定める医薬品についてのみその製造販売をする場合

二　薬剤師を置くことが著しく困難であると認められる場合その他の厚生労働省令で定める場合

2　前項の規定により医薬品，医薬部外品又は化粧品の品質管理及び製造販売後安全管理を行う者として置かれる者（以下「医薬品等総括製造販売責任者」という。）は，次項に規定する義務及び第四項に規定する厚生労働省令で定める業務を遂行し，並びに同項に規定する厚生労働省令で定める事項を遵守するために必要な能力及び経験を有する者でなければならない。

3　医薬品等総括製造販売責任者は，医薬品，医薬部外品又は化粧品の品質管理及び製造販売後安全管理を公正かつ適正に行うために必要があるときは，製造販売業者に対し，意見を書面により述べなければならない。

4　医薬品等総括製造販売責任者が行う医薬品，医薬部外品又は化粧品の品質管理及び製造販売後安全管理のために必要な業務並びに医薬品等総医薬品等総括製造販売責任者が遵守すべき事項については，厚生労働省令で定める。

5　医薬品の製造業者は，自ら薬剤師であつてその製造を実地に管理する場合のほか，その製造を実地に管理させるために，製造所ごとに，薬剤師を置かなければならない。ただし，その製造の管理について薬剤師を必要としない医薬品を製造する製造所又は第十三条の二の二の登録を受けた保管のみを行う製造所においては，厚生労働省令で定めるところにより，薬剤師以外の技術者をもつてこれに代えることができる。

6　前項の規定により医薬品の製造を管理する者として置かれる者（以下「医薬品製造管理者」という。）は，次項及び第八項において準用する第八条第一項に規定する義務並びに第九項に規定する厚生労働省令で定める業務を遂行し，並びに同項に規定する厚生労働省令で定める事項を遵守するために必要な能力及び経験を有する者でなければならない。

7　医薬品製造管理者は，医薬品の製造の管理を公正かつ適正に行うために必要があるときは，製造業者に対し，意見を書面により述べなければならない。

8　医薬品製造管理者については，第七条第四項及び第八条第一項の規定を準用する。この場合において，第七条第四項中「その薬局の所在地の都道府県知事」とあるのは，「厚生労働大臣」と読み替えるものとする。

9　医薬品製造管理者が行う医薬品の製造の管理のために必要な業務及び医薬品製造管理者が遵守すべき事項については，厚生労働省令で定める。

10　医薬部外品又は化粧品の製造業者は，厚生労働省令で定めるところにより，医薬部外品又は化粧品の製造を実地に管理させるために，製造所ごとに，責任技術者を置かなければならない。

11　前項の規定により医薬部外品又は化粧品の製造を管理する者として置かれる者（以下「医薬部外品等責任技術者」という。）は，次項及び第十三項において準用する第八条第一項に規定する義務並びに第十四項に規定する厚生労働省令で定める業務を遂行し，並びに同項に規定する厚生労働省令で定める事項を遵守するために必要な能力及び経験を有する者でなければならない。

12　医薬部外品等責任技術者は，医薬部外品又は化粧品の製造の管理を公正かつ適正に行うために必要があるときは，製造業者に対し，意見を書面により述べなければならない。

13　医薬部外品等責任技術者については，第八条第一項の規定を準用する。

14　医薬部外品等責任技術者が行う医薬部外品又は化粧品の製造の管理のために必要な業務及び医薬部外品等責任技術者が遵守すべき事項については，厚生労働省令で定める。

（医薬品，医薬部外品及び化粧品の製造販売業者等の遵守事項等）

第十八条　厚生労働大臣は，厚生労働省令で，医薬品，医薬部外品又は化粧品の製造管理若しくは品質管理又は製造販売後安全管理の実施方法，医薬品等総括製造販売責任者の義務の遂行のための配慮事項その他医薬品，医薬部外品又は化粧品の製造販売業者がその業務に関し遵守すべき事項を定めることができる。

2　医薬品，医薬部外品又は化粧品の製造販売業者は，前条第三項の規定により述べられた医薬品等総括製造販売責任者の意見を尊重するとともに，法令遵守のために措置を講ずる必要があるときは，当該措置を講じ，かつ，講じた措置の内容（措置を講じない場合にあつては，その旨及びその理由）を記録し，これを適切に保存しなければならない。

3　厚生労働大臣は，厚生労働省令で，製造所における医薬品，医薬部外品又は化粧品の試験検査の実施方法，医薬品製造管理者又は医薬部外品等責任技術者の義務の遂行のための配慮事項その他医薬品，医薬部外品若しくは化粧品の製造業者又は医薬品等外国製造業者がその業務に関し遵守すべき事項を定めることができる。

4　医薬品，医薬部外品又は化粧品の製造業者は，前条第七項又は第十二項の規定により述べられた医薬品製造管理者又は医薬部外品等責任技術者の意見を尊重するとともに，法令遵守のために措置を講ずる必要があるときは，当該措置を講じ，かつ，講じた措置の内容（措置を講じない場合にあつては，その旨及びその理由）を記録し，これを適切に保存しなければならない。

5　医薬品，医薬部外品又は化粧品の製造販売業者は，製造販売後安全管理に係る業務のうち厚生労働省令で定めるものについて，厚生労働省令で定めるところにより，その業務を適正かつ確実に行う能力のある者に委託することができる。

（医薬品，医薬部外品及び化粧品の製造販売業者等の法令遵守体制）

第十八条の二　医薬品，医薬部外品又は化粧品の製造販売業者は，医薬品，医薬部外品又は化粧品の品質管理及び製造販売後安全管理に関する業務その他の製造販売業者の業務を適正に遂行することにより，薬事に関する法令の規定の遵守を確保するために，厚生労働省令で定めるところにより，次の各号に掲げる措置を講じなければならない。

一　医薬品，医薬部外品又は化粧品の品質管理及び製造販売後安全管理に関する業務について，医薬品等総括製造販売責任者が有する権限を明らかにすること。

二　医薬品，医薬部外品又は化粧品の品質管理及び製造販売後安全管理に関する業務その他の製造販売業者の業務の遂行が法令に適合することを確保するための体制，当該製造販売業者の薬事に関する業務に責任を有する役員及び従業者の業務の監督に係る体制その他の製造販売業者の業務の適正を確保するために必要なものとして厚生労働省令で定める体制を整備すること。

三　医薬品等総括製造販売責任者その他の厚生労働省令で定める者に，第十二条の二第一項各号の厚生労働省令で定める基準を遵守して医薬品，医薬部外品又は化粧品の品質管理及び製造販売後安全管理を行わせるために必要な権限の付与及びそれらの者が行う業務の監督その他の措置

四　前三号に掲げるもののほか，医薬品，医薬部外品又は化粧品の製造販売業者の従業者に対して法令遵守のための指針を示すことその他の製造販売業者の業務の適正な遂行に必要なものとして厚生労働省令で定める措置

2　医薬品，医薬部外品又は化粧品の製造販売業者は，前項各号に掲げる措置の内容を記録し，これを適切に保存しなければならない。

3　医薬品，医薬部外品又は化粧品の製造業者は，医薬品，医薬部外品又は化粧品の製造の

管理に関する業務その他の製造業者の業務を適正に遂行することにより，薬事に関する法令の規定の遵守を確保するために，厚生労働省令で定めるところにより，次の各号に掲げる措置を講じなければならない。

一　医薬品，医薬部外品又は化粧品の製造の管理に関する業務について，医薬品製造管理者又は医薬部外品等責任技術者が有する権限を明らかにすること。

二　医薬品，医薬部外品又は化粧品の製造の管理に関する業務その他の製造業者の業務の遂行が法令に適合することを確保するための体制，当該製造業者の薬事に関する業務に責任を有する役員及び従業者の業務の監督に係る体制その他の製造業者の業務の適正を確保するために必要なものとして厚生労働省令で定める体制を整備すること。

三　医薬品製造管理者，医薬部外品等責任技術者その他の厚生労働省令で定める者に，第十四条第二項第四号の厚生労働省令で定める基準を遵守して医薬品，医薬部外品又は化粧品の製造管理又は品質管理を行わせるために必要な権限の付与及びそれらの者が行う業務の監督その他の措置

四　前三号に掲げるもののほか，医薬品，医薬部外品又は化粧品の製造業者の従業者に対して法令遵守のための指針を示すことその他の製造業者の業務の適正な遂行に必要なものとして厚生労働省令で定める措置

4　医薬品，医薬部外品又は化粧品の製造業者は，前項各号に掲げる措置の内容を記録し，これを適切に保存しなければならない。

（休廃止等の届出）

第十九条　医薬品，医薬部外品又は化粧品の製造販売業者は，その事業を廃止し，休止し，若しくは休止した事業を再開したとき，又は医薬品等総括製造販売責任者その他厚生労働省令で定める事項を変更したときは，三十日以内に，厚生労働大臣にその旨を届け出なければならない。

2　医薬品，医薬部外品又は化粧品の製造業者又は医薬品等外国製造業者は，その製造所を廃止し，休止し，若しくは休止した製造所を再開したとき，又は医薬品製造管理者，医薬部外品等責任技術者その他の厚生労働省令で定める事項を変更したときは，三十日以内に，厚生労働大臣にその旨を届け出なければならない。

（外国製造医薬品等の製造販売の承認）

第十九条の二　厚生労働大臣は，第十四条第一項に規定する医薬品，医薬部外品又は化粧品であつて本邦に輸出されるものにつき，外国において製造等をする者から申請があつたときは，品目ごとに，その者が第三項の規定により選任した医薬品，医薬部外品又は化粧品の製造販売業者に製造販売をさせることについての承認を与えることができる。

2　申請者が，第七十五条の二の二第一項の規定によりその受けた承認の全部又は一部を取り消され，取消しの日から三年を経過していない者であるときは，前項の承認を与えないことができる。

3　第一項の承認を受けようとする者は，本邦内において当該承認に係る医薬品，医薬部外

品又は化粧品による保健衛生上の危害の発生の防止に必要な措置をとらせるため，医薬品，医薬部外品又は化粧品の製造販売業者（当該承認に係る品目の種類に応じた製造販売業の許可を受けている者に限る。）を，当該承認の申請の際選任しなければならない。

4　第一項の承認を受けた者（以下「外国製造医薬品等特例承認取得者」という。）が前項の規定により選任した医薬品，医薬部外品又は化粧品の製造販売業者（以下「選任外国製造医薬品等製造販売業者」という。）は，第十四条第一項の規定にかかわらず，当該承認に係る品目の製造販売をすることができる。

5　第一項の承認につては，第十四条第二項（第一号を除く。）及び第三項から第十七項まで並びに第十四条の二の二の規定を準用する。

6　前項において準用する第十四条第十五項の承認については，同条第十七項及び第十四条の二の二の規定を準用する。

（選任外国製造医薬品等製造販売業者に関する変更の届出）

第十九条の三　外国製造医薬品等特例承認取得者は，選任外国製造医薬品等製造販売業者を変更したとき，又は選任外国製造医薬品等製造販売業者につき，その氏名若しくは名称その他厚生労働省令で定める事項に変更があつたときは，三十日以内に，厚生労働大臣に届け出なければならない。

2　前条第五項において準用する第十四条の二の二第一項の規定により，機構に前条第一項の承認のための審査を行わせることとしたときは，同条第五項において準用する第十四条の二の二第一項の政令で定める医薬品，医薬部外品又は化粧品に係る選任外国製造医薬品等製造販売業者についての前項の規定による届出は，同項の規定にかかわらず，機構に行わなければならない。

3　機構は，前項の規定による届出を受理したときは，遅滞なく，届出の状況を厚生労働省令で定めるところにより厚生労働大臣に通知しなければならない。

（準用）

第十九条の四　外国製造医薬品等特例承認取得者については，第十四条の四から第十四条の八まで及び第十八条第三項の規定を準用する。

（外国製造医薬品の特例承認）

第二十条　第十九条の二の承認の申請者が選任外国製造医薬品等製造販売業者に製造販売をさせようとする物が，第十四条の三第一項に規定する政令で定める医薬品である場合には，同条の規定を準用する。この場合において，同項中「第十四条」とあるのは「第十九条の二」と，「同条第二項，第六項，第七項及び第十一項」とあるのは「同条第五項において準用する第十四条第二項，第六項，第七項及び第十一項」と，「同条の承認」とあるのは「第十九条の二の承認」と，同条第二項中「前項の規定により第十四条の承認を受けた者」とあるのは「第二十条第一項において準用する第十四条の三第一項の規定により第十九条の二の承認を受けた者又は選任外国製造医薬品等製造販売業者」と読み替えるものとする。

2　前項に規定する場合の選任外国製造医薬品等製造販売業者は，第十四条第一項の規定にかかわらず，前項において準用する第十四条の三第一項の規定による第十九条の二の承認に係る品目の製造販売をすることができる。

（都道府県知事等の経由）

第二十一条　第十二条第一項の許可若しくは同条第四項の許可の更新の申請又は第十九条第一項の規定による届出は，申請者又は届出者の住所地（法人の場合にあつては，主たる事務所の所在地とする。以下同じ。）の都道府県知事（薬局開設者が当該薬局における設備及び器具をもつて医薬品を製造し，その医薬品を当該薬局において販売し，又は授与する場合であつて，当該薬局の所在地が保健所を設置する市又は特別区の区域にある場合においては，市長又は区長。次項，第六十九条第一項，第七十一条，第七十二条第三項及び第七十五条第二項において同じ。）を経由して行わなければならない。

2　第十三条第一項若しくは第八項の許可，同条第四項（同条第九項において準用する場合を含む。）の許可の更新，第十三条の二の二第一項の登録，同条第四項の登録の更新若しくは第六十八条の十六第一項の承認の申請又は第十九条第二項の規定による届出は，製造所の所在地の都道府県知事を経由して行わなければならない。

第二十二条　削除

（政令への委任）

第二十三条　この章に定めるもののほか，製造販売業又は製造業の許可又は許可の更新，医薬品等外国製造業者の認定又は認定の更新，製造販売品目の承認，再審査又は再評価，製造所の管理その他医薬品，医薬部外品又は化粧品の製造販売業又は製造業（外国製造医薬品等特例承認取得者の行う製造を含む。）に関し必要な事項は，政令で定める。

第五章　医療機器及び体外診断用医薬品の製造販売業及び製造業等

第一節　医療機器及び体外診断用医薬品の製造販売業及び製造業

（製造販売業の許可）

第二十三条の二　次の表の上欄に掲げる医療機器又は体外診断用医薬品の種類に応じ，それぞれ同表の下欄に定める厚生労働大臣の許可を受けた者でなければ，それぞれ，業として，医療機器又は体外診断用医薬品の製造販売をしてはならない。

医療機器又は体外診断用医薬品の種類	許可の種類
高度管理医療機器	第一種医療機器製造販売業許可
管理医療機器	第二種医療機器製造販売業許可
一般医療機器	第三種医療機器製造販売業許可
体外診断用医薬品	体外診断用医薬品製造販売業許可

2　前項の許可を受けようとする者は，厚生労働省令で定めるところにより，次の各号に掲げる事項を記載した申請書を厚生労働大臣に提出しなければならない。

一　氏名又は名称及び住所並びに法人にあつては，その代表者の氏名

二　法人にあつては，薬事に関する業務に責任を有する役員の氏名
三　第二十三条の二の十四第二項に規定する医療機器等総括製造販売責任者の氏名
四　次条第二項において準用する第五条第三号イからトまでに該当しない旨その他厚生労働省令で定める事項
3　前項の申請書には，次の各号に掲げる書類を添付しなければならない。
一　法人にあつては，その組織図
二　次条第一項第一号に規定する申請に係る医療機器又は体外診断用医薬品の製造管理及び品質管理に係る体制に関する書類
三　次条第一項第二号に規定する申請に係る医療機器又は体外診断用医薬品の製造販売後安全管理に係る体制に関する書類
四　その他厚生労働省令で定める書類
4　第一項の許可は，三年を下らない政令で定める期間ごとにその更新を受けなければ，その期間の経過によつて，その効力を失う。
（許可の基準）
第二十三条の二の二　次の各号のいずれかに該当するときは，前条第一項の許可を与えないことができる。
一　申請に係る医療機器又は体外診断用医薬品の製造管理又は品質管理に係る業務を行う体制が，厚生労働省令で定める基準に適合しないとき。
二　申請に係る医療機器又は体外診断用医薬品の製造販売後安全管理の方法が，厚生労働省令で定める基準に適合しないとき。
2　第五条（第三号に係る部分に限る。）の規定は，前条第一項の許可について準用する。
（製造業の登録）
第二十三条の二の三　業として，医療機器又は体外診断用医薬品の製造（設計を含む。以下この章及び第八十条第二項において同じ。）をしようとする者は，製造所（医療機器又は体外診断用医薬品の製造工程のうち設計，組立て，滅菌その他の厚生労働省令で定めるものをするものに限る。以下この章及び同項において同じ。）ごとに，厚生労働省令で定めるところにより，厚生労働大臣の登録を受けなければならない。
2　前項の登録を受けようとする者は，厚生労働省令で定めるところにより，次の各号に掲げる事項を記載した申請書を厚生労働大臣に提出しなければならない。
一　氏名又は名称及び住所並びに法人にあつては，その代表者の氏名
二　製造所の所在地
三　法人にあつては，薬事に関する業務に責任を有する役員の氏名
四　医療機器の製造業の登録を受けようとする者にあつては，第二十三条の二の十四第六項に規定する医療機器責任技術者の氏名
五　体外診断用医薬品の製造業の登録を受けようとする者にあつては，第二十三条の二の十四第十一項に規定する体外診断用医薬品製造管理者の氏名

六　第四項において準用する第五条第三号イからトまでに該当しない旨その他厚生労働省令で定める事項

3　第一項の登録は，三年を下らない政令で定める期間ごとにその更新を受けなければ，その期間の経過によつて，その効力を失う。

4　第五条（第三号に係る部分に限る。）の規定は，第一項の登録について準用する。

（医療機器等外国製造業者の登録）

第二十三条の二の四　外国において本邦に輸出される医療機器又は体外診断用医薬品を製造しようとする者（以下「医療機器等外国製造業者」という。）は，製造所ごとに，厚生労働大臣の登録を受けることができる。

2　前項の登録については，前条第二項（第一号，第二号及び第六号に係る部分に限る。），第三項及び第四項の規定を準用する。

（医療機器及び体外診断用医薬品の製造販売の承認）

第二十三条の二の五　医療機器（一般医療機器並びに第二十三条の二の二十三第一項の規定により指定する高度管理医療機器及び管理医療機器を除く。）又は体外診断用医薬品（厚生労働大臣が基準を定めて指定する体外診断用医薬品及び同項の規定により指定する体外診断用医薬品を除く。）の製造販売をしようとする者は，品目ごとにその製造販売についての厚生労働大臣の承認を受けなければならない。

2　次の各号のいずれかに該当するときは，前項の承認は，与えない。

一　申請者が，第二十三条の二第一項の許可（申請をした品目の種類に応じた許可に限る。）を受けていないとき。

二　申請に係る医療機器又は体外診断用医薬品を製造する製造所が，第二十三条の二の三第一項又は前条第一項の登録を受けていないとき。

三　申請に係る医療機器又は体外診断用医薬品の名称，成分，分量，構造，使用方法，効果，性能，副作用その他の品質，有効性及び安全性に関する事項の審査の結果，その物が次のイからハまでのいずれかに該当するとき。

イ　申請に係る医療機器又は体外診断用医薬品が，その申請に係る効果又は性能を有すると認められないとき。

ロ　申請に係る医療機器が，その効果又は性能に比して著しく有害な作用を有することにより，医療機器として使用価値がないと認められるとき。

ハ　イ又はロに掲げる場合のほか，医療機器又は体外診断用医薬品として不適当なものとして厚生労働省令で定める場合に該当するとき。

四　申請に係る医療機器又は体外診断用医薬品が政令で定めるものであるときは，その物の製造管理又は品質管理の方法が，厚生労働省令で定める基準に適合していると認められないとき。

3　第一項の承認を受けようとする者は，厚生労働省令で定めるところにより，申請書に臨床試験の試験成績に関する資料その他の資料を添付して申請しなければならない。この場合において，当該申請に係る医療機器又は体外診断用医薬品が厚生労働省令で定める医療機器又は体外診断用医薬品であるときは，当該資料は，厚生労働省令で定める基準に従つて収集され，かつ，作成されたものでなければならない。

4　第一項の承認の申請に係る医療機器又は体外診断用医薬品が，第八十条の六第一項に規定する原薬等登録原簿に収められている原薬等を原料又は材料として製造されるものであるときは，第一項の承認を受けようとする者は，厚生労働省令で定めるところにより，当該原薬等が同条第一項に規定する原薬等登録原簿に登録されていることを証する書面をもつて前項の規定により添付するものとされた資料の一部に代えることができる。

5　厚生労働大臣は，第一項の承認の申請に係る医療機器又は体外診断用医薬品が，希少疾病用医療機器若しくは希少疾病用医薬品，先駆的医療機器若しくは先駆的医薬品又は特定用途医療機器若しくは特定用途医薬品その他の医療上特にその必要性が高いと認められるものである場合であつて，当該医療機器又は体外診断用医薬品の有効性及び安全性を検証するための十分な人数を対象とする臨床試験の実施が困難であるときその他の厚生労働省令で定めるときは，厚生労働省令で定めるところにより，第三項の規定により添付するものとされた臨床試験の試験成績に関する資料の一部の添付を要しないこととすることができる。

6　第二項第三号の規定による審査においては，当該品目に係る申請内容及び第三項前段に規定する資料に基づき，当該品目の品質，有効性及び安全性に関する調査を行うものとする。この場合において，当該品目が同項後段に規定する厚生労働省令で定める医療機器又は体外診断用医薬品であるときは，あらかじめ，当該品目に係る資料が同項後段の規定に適合するかどうかについての書面による調査又は実地の調査を行うものとする。

7　第一項の承認を受けようとする者又は同項の承認を受けた者は，その承認に係る医療機器又は体外診断用医薬品が政令で定めるものであるときは，その物の製造管理又は品質管理の方法が第二項第四号に規定する厚生労働省令で定める基準に適合しているかどうかについて，当該承認を受けようとするとき，及び当該承認の取得後三年を下らない政令で定める期間を経過するごとに，厚生労働大臣の書面による調査又は実地の調査を受けなければならない。

8　第一項の承認を受けようとする者又は同項の承認を受けた者は，その承認に係る医療機器又は体外診断用医薬品が次の各号のいずれにも該当するときは，前項の調査を受けることを要しない。

一　第一項の承認を受けようとする者又は同項の承認を受けた者が既に次条第一項の基準適合証又は第二十三条の二の二十四第一項の基準適合証の交付を受けている場合であつて，これらの基準適合証に係る医療機器又は体外診断用医薬品と同一の厚生労働省令で定める区分に属するものであるとき。

二　第一項の承認に係る医療機器又は体外診断用医薬品を製造する全ての製造所（当該医療機器又は体外診断用医薬品の製造工程のうち滅菌その他の厚生労働省令で定めるもの

のみをするものを除く。以下この号において同じ。）が，前号の基準適合証に係る医療機器又は体外診断用医薬品を製造する製造所（同項の承認に係る医療機器又は体外診断用医薬品の製造工程と同一の製造工程が，当該製造所において，同号の基準適合証に係る医療機器又は体外診断用医薬品の製造工程として行われている場合に限る。）であるとき。

9　前項の規定にかかわらず，厚生労働大臣は，第一項の承認に係る医療機器又は体外診断用医薬品の特性その他を勘案して必要があると認めるときは，当該医療機器又は体外診断用医薬品の製造管理又は品質管理の方法が第二項第四号に規定する厚生労働省令で定める基準に適合しているかどうかについて，書面による調査又は実地の調査を行うことができる。この場合において，第一項の承認を受けようとする者又は同項の承認を受けた者は，当該調査を受けなければならない。

10　厚生労働大臣は，第一項の承認の申請に係る医療機器又は体外診断用医薬品が，希少疾病用医療機器若しくは希少疾病用医薬品，先駆的医療機器若しくは先駆的医薬品又は特定用途医療機器若しくは特定用途医薬品その他の医療上特にその必要性が高いと認められるものであるときは，当該医療機器又は体外診断用医薬品についての第二項第三号の規定による審査又は第七項若しくは前項の規定による調査を，他の医療機器又は体外診断用医薬品の審査又は調査に優先して行うことができる。

11　厚生労働大臣は，第一項の承認の申請があつた場合において，申請に係る医療機器が，既にこの条又は第二十三条の二の十七の承認を与えられている医療機器と構造，使用方法，効果，性能等が明らかに異なるときは，同項の承認について，あらかじめ，薬事・食品衛生審議会の意見を聴かなければならない。

12　厚生労働大臣は，第一項の承認の申請に関し，第五項の規定に基づき臨床試験の試験成績に関する資料の一部の添付を要しないこととした医療機器又は体外診断用医薬品について第一項の承認をする場合には，当該医療機器又は体外診断用医薬品の使用の成績に関する調査の実施，適正な使用の確保のために必要な措置の実施その他の条件を付してするものとし，当該条件を付した同項の承認を受けた者は，厚生労働省令で定めるところにより，当該条件に基づき収集され，かつ，作成された当該医療機器又は体外診断用医薬品の使用の成績に関する資料その他の資料を厚生労働大臣に提出し，当該医療機器又は体外診断用医薬品の品質，有効性及び安全性に関する調査を受けなければならない。この場合において，当該条件を付した同項の承認に係る医療機器又は体外診断用医薬品が厚生労働省令で定める医療機器又は体外診断用医薬品であるときは，当該資料は，厚生労働省令で定める基準に従つて収集され，かつ，作成されたものでなければならない。

13　厚生労働大臣は，前項前段に規定する医療機器又は体外診断用医薬品の使用の成績に関する資料その他の資料の提出があつたときは，当該資料に基づき，同項前段に規定する調査（当該医療機器又は体外診断用医薬品が同項後段の厚生労働省令で定める医療機器又は体外診断用医薬品であるときは，当該資料が同項後段の規定に適合するかどうかについての書面による調査又は実地の調査及び同項前段に規定する調査）を行うものとし，当該調査の結果を踏まえ，同項前段の規定により付した条件を変更し，又は当該承認を受けた者に対して，当該医療機器又は体外診断用医薬品の使用の成績に関する調査及び適正な使用の確保のために必要な措置の再度の実施を命ずることができる。

14　第十二項の規定により条件を付した第一項の承認を受けた者，第十二項後段に規定する資料の収集若しくは作成の委託を受けた者又はこれらの役員若しくは職員は，正当な理由なく，当該資料の収集又は作成に関しその職務上知り得た人の秘密を漏らしてはならない。これらの者であつた者についても，同様とする。

15　第一項の承認を受けた者は，当該品目について承認された事項の一部を変更しようとするとき（当該変更が厚生労働省令で定める軽微な変更であるときを除く。）は，その変更について厚生労働大臣の承認を受けなければならない。この場合においては，第二項から前項までの規定を準用する。

16　第一項の承認を受けた者は，前項の厚生労働省令で定める軽微な変更について，厚生労働省令で定めるところにより，厚生労働大臣にその旨を届け出なければならない。

17　第一項及び第十五項の承認の申請（政令で定めるものを除く。）は，機構を経由して行うものとする。

（基準適合証の交付等）

第二十三条の二の六　厚生労働大臣は，前条第七項（同条第十五項において準用する場合を含む。）の規定による調査の結果，同条の承認に係る医療機器又は体外診断用医薬品の製造管理又は品質管理の方法が同条第二項第四号に規定する厚生労働省令で定める基準に適合していると認めるときは，次に掲げる医療機器又は体外診断用医薬品について当該基準に適合していることを証するものとして，厚生労働省令で定めるところにより，基準適合証を交付する。

一　当該承認に係る医療機器又は体外診断用医薬品

二　当該承認を受けようとする者又は当該承認を受けた者が製造販売をし，又は製造販売をしようとする医療機器又は体外診断用医薬品であつて，前号に掲げる医療機器又は体外診断用医薬品と同一の前条第八項第一号に規定する厚生労働省令で定める区分に属するもの（当該医療機器又は体外診断用医薬品を製造する全ての製造所（当該医療機器又は体外診断用医薬品の製造工程のうち同項第二号に規定する厚生労働省令で定めるもののみをするものを除く。以下この号において同じ。）が前号に掲げる医療機器又は体外診断用医薬品を製造する製造所（当該承認を受けようとする者又は当該承認を受けた者が製造販売をし，又は製造販売をしようとする医療機器又は体外診断用医薬品の製造工程と同一の製造工程が，当該製造所において，同号に掲げる医療機器又は体外診断用医薬品の製造工程として行われている場合に限る。）であるものに限る。）

2　前項の基準適合証の有効期間は，前条第七項に規定する政令で定める期間とする。

3　医療機器又は体外診断用医薬品について第二十三条の四第二項第三号の規定により第二

十三条の二の二十三の認証を取り消された者又は第七十二条第二項の規定による命令を受けた者は，速やかに，当該医療機器又は体外診断用医薬品の製造管理又は品質管理の方法が前条第二項第四号に規定する厚生労働省令で定める基準に適合していることを証する第一項の規定により交付された基準適合証を厚生労働大臣に返還しなければならない。

（機構による医療機器等審査等の実施）

第二十三条の二の七　厚生労働大臣は，機構に，医療機器（専ら動物のために使用されることが目的とされているものを除く。以下この条において同じ。）又は体外診断用医薬品（専ら動物のために使用されることが目的とされているものを除く。以下この条において同じ。）のうち政令で定めるものについての第二十三条の二の五の承認のための審査，同条第六項，第七項，第九項及び第十三項（これらの規定を同条第十五項において準用する場合を含む。）並びに第二十三条の二の十の二第八項の規定による調査並びに前条第一項の規定による基準適合証の交付及び同条第三項の規定による基準適合証の返還の受付（以下「医療機器等審査等」という。）を行わせることができる。

2　厚生労働大臣は，前項の規定により機構に医療機器等審査等を行わせるときは，当該医療機器等審査等を行わないものとする。この場合において，厚生労働大臣は，第二十三条の二の五の承認をするときは，機構が第五項の規定により通知する審査及び調査の結果を考慮しなければならない。

3　厚生労働大臣が第一項の規定により機構に医療機器等審査等を行わせることとしたときは，同項の政令で定める医療機器又は体外診断用医薬品について第二十三条の二の五の承認の申請者，同条第七項若しくは第十三項（これらの規定を同条第十五項において準用する場合を含む。）の調査の申請者又は前条第三項の規定により基準適合証を返還する者は，機構が行う審査，調査若しくは基準適合証の交付を受け，又は機構に基準適合証を返還しなければならない。

4　厚生労働大臣が第一項の規定により機構に審査を行わせることとしたときは，同項の政令で定める医療機器又は体外診断用医薬品についての第二十三条の二の五第十六項の規定による届出をしようとする者は，同項の規定にかかわらず，機構に届け出なければならない。

5　機構は，医療機器等審査等を行つたとき，又は前項の規定による届出を受理したときは，遅滞なく，当該医療機器等審査等の結果又は届出の状況を厚生労働省令で定めるところにより厚生労働大臣に通知しなければならない。

6　機構が行う医療機器等審査等に係る処分（医療機器等審査等の結果を除く。）又はその不作為については，厚生労働大臣に対して，審査請求をすることができる。この場合において，厚生労働大臣は，行政不服審査法第二十五条第二項及び第三項，第四十六条第一項及び第二項，第四十七条並びに第四十九条第三項の規定の適用については，機構の上級行政庁とみなす。

（特例承認）

第二十三条の二の八　第二十三条の二の五の承認の申請者が製造販売をしようとする物が，次の各号のいずれにも該当する医療機器又は体外診断用医薬品として政令で定めるものである場合には，厚生労働大臣は，同条第二項，第六項，第七項，第九項及び第十一項の規定にかかわらず，薬事・食品衛生審議会の意見を聴いて，その品目に係る同条の承認を与えることができる。

一　国民の生命及び健康に重大な影響を与えるおそれがある疾病のまん延その他の健康被害の拡大を防止するため緊急に使用されることが必要な医療機器又は体外診断用医薬品であり，かつ，当該医療機器又は体外診断用医薬品の使用以外に適当な方法がないこと。

二　その用途に関し，外国（医療機器又は体外診断用医薬品の品質，有効性及び安全性を確保する上で我が国と同等の水準にあると認められる医療機器又は体外診断用医薬品の製造販売の承認の制度又はこれに相当する制度を有している国として政令で定めるものに限る。）において，販売し，授与し，販売若しくは授与の目的で貯蔵し，若しくは陳列し，又は電気通信回線を通じて提供することが認められている医療機器又は体外診断用医薬品であること。

2　厚生労働大臣は，保健衛生上の危害の発生又は拡大を防止するため必要があると認めるときは，前項の規定により第二十三条の二の五の承認を受けた者に対して，当該承認に係る品目について，当該品目の使用によるものと疑われる疾病，障害又は死亡の発生を厚生労働大臣に報告することその他の政令で定める措置を講ずる義務を課することができる。

（使用成績評価）

第二十三条の二の九　厚生労働大臣が薬事・食品衛生審議会の意見を聴いて指定する医療機器又は体外診断用医薬品につき第二十三条の二の五の承認を受けた者又は当該承認を受けている者は，当該医療機器又は体外診断用医薬品について，厚生労働大臣が指示する期間（次項において「調査期間」という。）を経過した日から起算して三月以内の期間内に申請して，厚生労働大臣の使用成績に関する評価を受けなければならない。

2　厚生労働大臣は，前項の指定に係る医療機器又は体外診断用医薬品の使用成績に関する評価を適正に行うため特に必要があると認めるときは，調査期間を延長することができる。

3　厚生労働大臣の使用成績に関する評価は，当該評価を行う際に得られている知見に基づき，第一項の指定に係る医療機器又は体外診断用医薬品が第二十三条の二の五第二項第三号イからハまでのいずれにも該当しないことを確認することにより行う。

4　第一項の申請は，申請書にその医療機器又は体外診断用医薬品の使用成績に関する資料その他厚生労働省令で定める資料を添付してしなければならない。この場合において，当該申請に係る医療機器又は体外診断用医薬品が厚生労働省令で定める医療機器又は体外診断用医薬品であるときは，当該資料は，厚生労働省令で定める基準に従つて収集され，かつ，作成されたものでなければならない。

5　第三項の規定による確認においては，第一項の指定に係る医療機器又は体外診断用医薬品に係る申請内容及び前項前段に規定する資料に基づき，当該医療機器又は体外診断用医薬品の品質，有効性及び安全性に関する調査を行うものとする。この場合において，第一項の指定に係る医療機器又は体外診断用医薬品が前項後段に規定する厚生労働省令で定める医療機器又は体外診断用医薬品であるときは，あらかじめ，当該医療機器又は体外診断用医薬品に係る資料が同項後段の規定に適合するかどうかについての書面による調査又は実地の調査を行うものとする。

6　第一項の指定に係る医療機器又は体外診断用医薬品につき第二十三条の二の五の承認を受けた者は，厚生労働省令で定めるところにより，当該医療機器又は体外診断用医薬品の使用の成績に関する調査その他厚生労働省令で定める調査を行い，その結果を厚生労働大臣に報告しなければならない。

7　第四項後段に規定する厚生労働省令で定める医療機器又は体外診断用医薬品につき使用成績に関する評価を受けるべき者，同項後段に規定する資料の収集若しくは作成の委託を受けた者又はこれらの役員若しくは職員は，正当な理由なく，当該資料の収集又は作成に関しその職務上知り得た人の秘密を漏らしてはならない。これらの者であつた者についても，同様とする。

（準用）

第二十三条の二の十　医療機器（専ら動物のために使用されることが目的とされているものを除く。以下この条において同じ。）又は体外診断用医薬品（専ら動物のために使用されることが目的とされているものを除く。以下この条において同じ。）のうち政令で定めるものについての前条第一項の申請，同条第三項の規定による確認及び同条第五項の規定による調査については，第二十三条の二の五第十七項及び第二十三条の二の七（第四項を除く。）の規定を準用する。この場合において，必要な技術的読替えは，政令で定める。

2　前項において準用する第二十三条の二の七第一項の規定により機構に前条第三項の規定による確認を行わせることとしたときは，前項において準用する第二十三条の二の七第一項の政令で定める医療機器又は体外診断用医薬品についての前条第六項の規定による報告をしようとする者は，同項の規定にかかわらず，機構に報告しなければならない。この場合において，機構が当該報告を受けたときは，厚生労働省令で定めるところにより，厚生労働大臣にその旨を通知しなければならない。

（医療機器及び体外診断用医薬品の承認された事項に係る変更計画の確認）

第二十三条の二の十の二　第二十三条の二の五第一項の承認を受けた者は，厚生労働省令で定めるところにより，厚生労働大臣に申し出て，当該承認を受けた品目について承認された事項の一部の変更に係る計画（以下この条において「変更計画」という。）が，次の各号のいずれにも該当する旨の確認を受けることができる。これを変更しようとするときも，同様とする。

一　当該変更計画に定められた変更が，性能，製造方法その他の厚生労働省令で定める事項の変更であること。

二　第四十二条第一項又は第二項の規定により定められた基準に適合しないこととなる変

更その他の厚生労働省令で定める変更に該当しないこと。

三　当該変更計画に従つた変更が行われた場合に，当該変更計画に係る医療機器又は体外診断用医薬品が，次のイからハまでのいずれにも該当しないこと。

イ　当該医療機器又は体外診断用医薬品が，その変更前の承認に係る効果又は性能を有すると認められないこと。

ロ　当該医療機器が，その効果又は性能に比して著しく有害な作用を有することにより，医療機器として使用価値がないと認められること。

ハ　イ又はロに掲げる場合のほか，医療機器又は体外診断用医薬品として不適当なものとして，厚生労働省令で定める場合に該当すること。

2　前項の確認においては，変更計画（同項後段の規定による変更があつたときは，その変更後のもの。以下この条において同じ。）の確認を受けようとする者が提出する資料に基づき，当該変更計画に係る医療機器又は体外診断用医薬品の品質，有効性及び安全性に関する調査を行うものとする。

3　第一項の確認を受けようとする者又は同項の確認を受けた者は，その確認に係る変更計画に従つて第二十三条の二の五の承認を受けた事項の一部の変更を行う医療機器又は体外診断用医薬品が同条第二項第四号の政令で定めるものであり，かつ，当該変更が製造管理又は品質管理の方法に影響を与えるおそれがある変更として厚生労働省令で定めるものであるときは，厚生労働省令で定めるところにより，その変更を行う医療機器又は体外診断用医薬品の製造所における製造管理又は品質管理の方法が，同号の厚生労働省令で定める基準に適合している旨の確認を受けなければならない。

4　前項の確認においては，その変更を行う医療機器又は体外診断用医薬品の製造所における製造管理又は品質管理の方法が，第二十三条の二の五第二項第四号の厚生労働省令で定める基準に適合しているかどうかについて，書面による調査又は実地の調査を行うものとする。

5　厚生労働大臣は，第一項の確認を受けた変更計画が同項各号のいずれかに該当していなかつたことが判明したとき，第三項の確認を受けた製造管理若しくは品質管理の方法が第二十三条の二の五第二項第四号の厚生労働省令で定める基準に適合していなかつたことが判明したとき，又は偽りその他不正の手段により第一項若しくは第三項の確認を受けたことが判明したときは，その確認を取り消さなければならない。

6　第一項の確認を受けた者（その行おうとする変更が第三項の厚生労働省令で定めるものであるときは，第一項及び第三項の確認を受けた者に限る。）は，第二十三条の二の五の承認を受けた医療機器又は体外診断用医薬品に係る承認された事項の一部について第一項の確認を受けた変更計画に従つた変更（製造方法の変更その他の厚生労働省令で定める変更に限る。）を行う日の厚生労働省令で定める日数前までに，厚生労働省令で定めるところにより，厚生労働大臣に当該変更を行う旨を届け出たときは，同条第十五項の厚生労働大臣の承認を受けることを要しない。

7　厚生労働大臣は，前項の規定による届出があつた場合において，その届出に係る変更が第一項の確認を受けた変更計画に従つた変更であると認められないときは，その届出を受理した日から前項の厚生労働省令で定める日数以内に限り，その届出をした者に対し，その届出に係る変更の中止その他必要な措置を命ずることができる。

8　厚生労働大臣は，第一項の確認を受けた者が第二十三条の二の五の承認を受けた医療機器又は体外診断用医薬品に係る同項の確認を受けた変更計画に従つた変更（第六項に規定する製造方法の変更その他の厚生労働省令で定める変更のみを行う場合を除く。）について同条第十五項の承認の申請を行つた場合には，同項において準用する同条第六項の規定にかかわらず，同項に規定する品質，有効性及び安全性に関する調査に代えて，当該変更計画に従つた変更であるかどうかについての書面による調査又は実地の調査を行うことができる。

9　厚生労働大臣は，機構に，第二十三条の二の七第一項の政令で定める医療機器又は体外診断用医薬品についての第一項及び第三項の確認を行わせることができる。

10　第二十三条の二の七第二項，第三項，第五項及び第六項の規定並びに第五項の規定は，前項の規定により機構に第一項及び第三項の確認を行わせることとした場合について準用する。この場合において，必要な技術的読替えは，政令で定める。

11　厚生労働大臣が第二十三条の二の七第一項の規定により機構に審査を行わせることとしたときは，同項の政令で定める医療機器又は体外診断用医薬品についての第六項の規定による届出は，同項の規定にかかわらず，機構に行わなければならない。

12　機構は，前項の規定による届出を受理したときは，直ちに，当該届出の状況を厚生労働省令で定めるところにより厚生労働大臣に通知しなければならない。

（承継）

第二十三条の二の十一　第二十三条の二の五の承認を受けた者（以下この条において「医療機器等承認取得者」という。）について相続，合併又は分割（当該品目に係る厚生労働省令で定める資料及び情報（以下この条において「当該品目に係る資料等」という。）を承継させるものに限る。）があつたときは，相続人（相続人が二人以上ある場合において，その全員の同意により当該医療機器等承認取得者の地位を承継すべき相続人を選定したときは，その者），合併後存続する法人若しくは合併により設立した法人又は分割により当該品目に係る資料等を承継した法人は，当該医療機器等承認取得者の地位を承継する。

2　医療機器等承認取得者がその地位を承継させる目的で当該品目に係る資料等の譲渡しをしたときは，譲受人は，当該医療機器等承認取得者の地位を承継する。

3　前二項の規定により医療機器等承認取得者の地位を承継した者は，相続の場合にあつては相続後遅滞なく，相続以外の場合にあつては承継前に，厚生労働省令で定めるところにより，厚生労働大臣にその旨を届け出なければならない。

（製造販売の届出）

第二十三条の二の十二　医療機器又は体外診断用医薬品の製造販売業者は，第二十三条の二の五第一項又は第二十三条の二の二十三第一項に規定する医療機器及び体外診断用医薬品以外の医療機器又は体外診断用医薬品の製造販売をしようとするときは，あらかじめ，品目ごとに，厚生労働省令で定めるところにより，厚生労働大臣にその旨を届け出なければならない。

2　医療機器又は体外診断用医薬品の製造販売業者は，前項の規定により届け出た事項を変更したときは，三十日以内に，厚生労働大臣にその旨を届け出なければならない。

（機構による製造販売の届出の受理）

第二十三条の二の十三　厚生労働大臣が第二十三条の二の七第一項の規定により機構に審査を行わせることとしたときは，医療機器（専ら動物のために使用されることが目的とされているものを除く。）又は体外診断用医薬品（専ら動物のために使用されることが目的とされているものを除く。）のうち政令で定めるものについての前条の規定による届出をしようとする者は，同条の規定にかかわらず，厚生労働省令で定めるところにより，機構に届け出なければならない。

2　機構は，前項の規定による届出を受理したときは，厚生労働省令で定めるところにより，厚生労働大臣にその旨を通知しなければならない。

（医療機器等総括製造販売責任者等の設置及び遵守事項）

第二十三条の二の十四　医療機器又は体外診断用医薬品の製造販売業者は，厚生労働省令で定めるところにより，医療機器又は体外診断用医薬品の製造管理及び品質管理並びに製造販売後安全管理を行わせるために，医療機器の製造販売業者にあつては厚生労働省令で定める基準に該当する者を，体外診断用医薬品の製造販売業者にあつては薬剤師を，それぞれ置かなければならない。ただし，体外診断用医薬品の製造販売業者について，次の各号のいずれかに該当する場合には，厚生労働省令で定めるところにより，薬剤師以外の技術者をもつてこれに代えることができる。

一　その製造管理及び品質管理並びに製造販売後安全管理に関し薬剤師を必要としないものとして厚生労働省令で定める体外診断用医薬品についてのみその製造販売をする場合

二　薬剤師を置くことが著しく困難であると認められる場合その他の厚生労働省令で定める場合

2　前項の規定により医療機器又は体外診断用医薬品の製造管理及び品質管理並びに製造販売後安全管理を行う者として置かれる者（以下「医療機器等総括製造販売責任者」という。）は，次項に規定する義務及び第四項に規定する厚生労働省令で定める業務を遂行し，並びに同項に規定する厚生労働省令で定める事項を遵守するために必要な能力及び経験を有する者でなければならない。

3　医療機器等総括製造販売責任者は，医療機器又は体外診断用医薬品の製造管理及び品質管理並びに製造販売後安全管理を公正かつ適正に行うために必要があるときは，製造販売業者に対し，意見を書面により述べなければならない。

4　医療機器等総括製造販売責任者が行う医療機器又は体外診断用医薬品の製造管理及び品

質管理並びに製造販売後安全管理のために必要な業務並びに医療機器等総括製造販売責任者が遵守すべき事項については，厚生労働省令で定める。

5　医療機器の製造業者は，厚生労働省令で定めるところにより，医療機器の製造を実地に管理させるために，製造所ごとに，責任技術者を置かなければならない。

6　前項の規定により医療機器の製造を管理する者として置かれる者（以下「医療機器責任技術者」という。）は，次項及び第八項において準用する第八条第一項に規定する義務並びに第九項に規定する厚生労働省令で定める業務を遂行し，並びに同項に規定する厚生労働省令で定める事項を遵守するために必要な能力及び経験を有する者でなければならない。

7　医療機器責任技術者は，医療機器の製造の管理を公正かつ適正に行うために必要があるときは，製造業者に対し，意見を書面により述べなければならない。

8　医療機器責任技術者については，第八条第一項の規定を準用する。

9　医療機器責任技術者が行う医療機器の製造の管理のために必要な業務及び医療機器責任技術者が遵守すべき事項については，厚生労働省令で定める。

10　体外診断用医薬品の製造業者は，自ら薬剤師であつてその製造を実地に管理する場合のほか，その製造を実地に管理させるために，製造所（設計その他の厚生労働省令で定める工程のみ行う製造所を除く。）ごとに，薬剤師を置かなければならない。ただし，その製造の管理について薬剤師を必要としない体外診断用医薬品については，厚生労働省令で定めるところにより，薬剤師以外の技術者をもつてこれに代えることができる。

11　前項の規定により体外診断用医薬品の製造を管理する者として置かれる者（以下「体外診断用医薬品製造管理者」という。）は，次項及び第十三項において準用する第八条第一項に規定する義務並びに第十四項に規定する厚生労働省令で定める業務を遂行し，並びに同項に規定する厚生労働省令で定める事項を遵守するために必要な能力及び経験を有する者でなければならない。

12　体外診断用医薬品製造管理者は，体外診断用医薬品の製造の管理を公正かつ適正に行うために必要があるときは，製造業者に対し，意見を書面により述べなければならない。

13　体外診断用医薬品製造管理者については，第七条第四項及び第八条第一項の規定を準用する。この場合において，第七条第四項中「その薬局の所在地の都道府県知事」とあるのは，「厚生労働大臣」と読み替えるものとする。

14　体外診断用医薬品製造管理者が行う体外診断用医薬品の製造の管理のために必要な業務及び体外診断用医薬品製造管理者が遵守すべき事項については，厚生労働省令で定める。

（医療機器及び体外診断用医薬品の製造販売業者等の遵守事項等）

第二十三条の二の十五　厚生労働大臣は，厚生労働省令で，医療機器又は体外診断用医薬品の製造管理若しくは品質管理又は製造販売後安全管理の実施方法，医療機器等総括製造販売責任者の義務の遂行のための配慮事項その他医療機器又は体外診断用医薬品の製造販売業者がその業務に関し遵守すべき事項を定めることができる。

2　医療機器又は体外診断用医薬品の製造販売業者は，前条第三項の規定により述べられた医療機器等総括製造販売責任者の意見を尊重するとともに，法令遵守のために措置を講ずる必要があるときは，当該措置を講じ，かつ，講じた措置の内容（措置を講じない場合にあつては，その旨及びその理由）を記録し，これを適切に保存しなければならない。

3　厚生労働大臣は，厚生労働省令で，製造所における医療機器又は体外診断用医薬品の試験検査の実施方法，医療機器責任技術者又は体外診断用医薬品製造管理者の義務の遂行のための配慮事項その他医療機器又は体外診断用医薬品の製造業者又は医療機器等外国製造業者がその業務に関し遵守すべき事項を定めることができる。

4　医療機器又は体外診断用医薬品の製造業者は，前条第七項又は第十二項の規定により述べられた医療機器責任技術者又は体外診断用医薬品製造管理者の意見を尊重するとともに，法令遵守のために措置を講ずる必要があるときは，当該措置を講じ，かつ，講じた措置の内容（措置を講じない場合にあつては，その旨及びその理由）を記録し，これを適切に保存しなければならない。

5　医療機器又は体外診断用医薬品の製造販売業者は，製造販売後安全管理に係る業務のうち厚生労働省令で定めるものについて，厚生労働省令で定めるところにより，その業務を適正かつ確実に行う能力のある者に委託することができる。

（医療機器又は体外診断用医薬品の製造販売業者等の法令遵守体制）

第二十三条の二の十五の二　医療機器又は体外診断用医薬品の製造販売業者は，医療機器又は体外診断用医薬品の製造管理及び品質管理並びに製造販売後安全管理に関する業務その他の製造販売業者の業務を適正に遂行することにより，薬事に関する法令の規定の遵守を確保するために，厚生労働省令で定めるところにより，次の各号に掲げる措置を講じなければならない。

一　医療機器又は体外診断用医薬品の製造管理及び品質管理並びに製造販売後安全管理に関する業務について，医療機器等総括製造販売責任者が有する権限を明らかにすること。

二　医療機器又は体外診断用医薬品の製造管理及び品質管理並びに製造販売後安全管理に関する業務その他の製造販売業者の業務の遂行が法令に適合することを確保するための体制，当該製造販売業者の薬事に関する業務に責任を有する役員及び従業者の業務の監督に係る体制その他の製造販売業者の業務の適正を確保するために必要なものとして厚生労働省令で定める体制を整備すること。

三　医療機器等総括製造販売責任者その他の厚生労働省令で定める者に，第二十三条の二の二第一項第二号及び第二十三条の二の五第二項第四号の厚生労働省令で定める基準を遵守して医療機器又は体外診断用医薬品の製造管理及び品質管理並びに製造販売後安全管理を行わせるために必要な権限の付与及びそれらの者が行う業務の監督その他の措置

四　前三号に掲げるもののほか，医療機器又は体外診断用医薬品の製造販売業者の従業者に対して法令遵守のための指針を示すことその他の製造販売業者の業務の適正な遂行に必要なものとして厚生労働省令で定める措置

2　医療機器又は体外診断用医薬品の製造販売業者は，前項各号に掲げる措置の内容を記録

し，これを適切に保存しなければならない。

3　医療機器又は体外診断用医薬品の製造業者は，医療機器又は体外診断用医薬品の製造の管理に関する業務その他の製造業者の業務を適正に遂行することにより，薬事に関する法令の規定の遵守を確保するために，厚生労働省令で定めるところにより，次の各号に掲げる措置を講じなければならない。

一　医療機器又は体外診断用医薬品の製造の管理に関する業務について，医療機器責任技術者又は体外診断用医薬品製造管理者が有する権限を明らかにすること。

二　医療機器又は体外診断用医薬品の製造の管理に関する業務その他の製造業者の業務の遂行が法令に適合することを確保するための体制，当該製造業者の薬事に関する業務に責任を有する役員及び従業者の業務の監督に係る体制その他の製造業者の業務の適正を確保するために必要なものとして厚生労働省令で定める体制を整備すること。

三　前二号に掲げるもののほか，医療機器又は体外診断用医薬品の製造業者の従業者に対して法令遵守のための指針を示すことその他の製造業者の業務の適正な遂行に必要なものとして厚生労働省令で定める措置

4　医療機器又は体外診断用医薬品の製造業者は，前項各号に掲げる措置の内容を記録し，これを適切に保存しなければならない。

（休廃止等の届出）

第二十三条の二の十六　医療機器又は体外診断用医薬品の製造販売業者は，その事業を廃止し，休止し，若しくは休止した事業を再開したとき，又は医療機器等総括製造販売責任者その他厚生労働省令で定める事項を変更したときは，三十日以内に，厚生労働大臣にその旨を届け出なければならない。

2　医療機器又は体外診断用医薬品の製造業者又は医療機器等外国製造業者は，その製造所を廃止し，休止し，若しくは休止した製造所を再開したとき，又は医療機器責任技術者，体外診断用医薬品製造管理者その他厚生労働省令で定める事項を変更したときは，三十日以内に，厚生労働大臣にその旨を届け出なければならない。

（外国製造医療機器等の製造販売の承認）

第二十三条の二の十七　厚生労働大臣は，第二十三条の二の五第一項に規定する医療機器又は体外診断用医薬品であつて本邦に輸出されるものにつき，外国においてその製造等をする者から申請があつたときは，品目ごとに，その者が第三項の規定により選任した医療機器又は体外診断用医薬品の製造販売業者に製造販売をさせることについての承認を与えることができる。

2　申請者が，第七十五条の二の二第一項の規定によりその受けた承認の全部又は一部を取り消され，取消しの日から三年を経過していない者であるときは，前項の承認を与えないことができる。

3　第一項の承認を受けようとする者は，本邦内において当該承認に係る医療機器又は体外診断用医薬品による保健衛生上の危害の発生の防止に必要な措置をとらせるため，医療機

器又は体外診断用医薬品の製造販売業者（当該承認に係る品目の種類に応じた製造販売業の許可を受けている者に限る。）を当該承認の申請の際選任しなければならない。

4　第一項の承認を受けた者（以下「外国製造医療機器等特例承認取得者」という。）が前項の規定により選任した医療機器又は体外診断用医薬品の製造販売業者（以下「選任外国製造医療機器等製造販売業者」という。）は，第二十三条の二の五第一項の規定にかかわらず，当該承認に係る品目の製造販売をすることができる。

5　第一項の承認については，第二十三条の二の五第二項（第一号を除く。）及び第三項から第十七項まで，第二十三条の二の六並びに第二十三条の二の七の規定を準用する。

6　前項において準用する第二十三条の二の五第十五項の承認については，同条第十七項，第二十三条の二の五第十三項，第二十三条の二の六及び第二十三条の二の七の規定を準用する。

（選任外国製造医療機器等製造販売業者に関する変更の届出）

第二十三条の二の十八　外国製造医療機器等特例承認取得者は，選任外国製造医療機器等製造販売業者を変更したとき，又は選任外国製造医療機器等製造販売業者につき，その氏名若しくは名称その他厚生労働省令で定める事項に変更があつたときは，三十日以内に，厚生労働大臣に届け出なければならない。

2　前条第五項において準用する第二十三条の二の七第一項の規定により，機構に前条第一項の承認のための審査を行わせることとしたときは，同条第五項において準用する第二十三条の二の七第一項の政令で定める医療機器又は体外診断用医薬品に係る選任外国製造医療機器等製造販売業者についての前項の規定による届出は，同項の規定にかかわらず，機構に行わなければならない。

3　機構は，前項の規定による届出を受理したときは，遅滞なく，届出の状況を厚生労働省令で定めるところにより厚生労働大臣に通知しなければならない。

（準用）

第二十三条の二の十九　外国製造医療機器等特例承認取得者については，第二十三条の二の九から第二十三条の二の十一まで及び第二十三条の二の十五第三項の規定を準用する。

（外国製造医療機器等の特例承認）

第二十三条の二の二十　第二十三条の二の十七の承認の申請者が選任外国製造医療機器等製造販売業者に製造販売をさせようとする物が，第二十三条の二の八第一項に規定する政令で定める医療機器又は体外診断用医薬品である場合には，同条の規定を準用する。この場合において，同項中「第二十三条の二の五」とあるのは「第二十三条の二の十七」と，「同条第二項，第六項，第七項，第九項及び第十一項」とあるのは「同条第五項において準用する第二十三条の二の五第二項，第六項，第七項，第九項及び第十一項」と，「同条の承認」とあるのは「第二十三条の二の十七の承認」と，同条第二項中「前項の規定により第二十三条の二の五の承認を受けた者」とあるのは「第二十三条の二の二十第一項において準用する第二十三条の二の八第一項の規定により第二十三条の二の十七の承認を受けた者又は選任外国製造医療機器等製造販売業者」と読み替えるものとする。

2　前項に規定する場合の選任外国製造医療機器等製造販売業者は，第二十三条の二の五第一項の規定にかかわらず，前項において準用する第二十三条の二の八第一項の規定による第二十三条の二の十七の承認に係る品目の製造販売をすることができる。

（都道府県知事の経由）

第二十三条の二の二十一　第二十三条の二第一項の許可若しくは同条第四項の許可の更新の申請又は第二十三条の二の十六第一項の規定による届出は，申請者又は届出者の住所地の都道府県知事を経由して行わなければならない。

2　第二十三条の二の三第一項の登録，同条第三項の登録の更新若しくは第六十八条の十六第一項の承認の申請又は第二十三条の二の十六第二項の規定による届出は，製造所の所在地の都道府県知事を経由して行わなければならない。

（政令への委任）

第二十三条の二の二十二　この節に定めるもののほか，製造販売業の許可又は許可の更新，製造業又は医療機器等外国製造業者の登録又は登録の更新，製造販売品目の承認又は使用成績に関する評価，製造所の管理その他医療機器又は体外診断用医薬品の製造販売業又は製造業（外国製造医療機器等特例承認取得者の行う製造を含む。）に関し必要な事項は，政令で定める。

第二節　登録認証機関

（指定高度管理医療機器等の製造販売の認証）

第二十三条の二の二十三　厚生労働大臣が基準を定めて指定する高度管理医療機器，管理医療機器又は体外診断用医薬品（以下「指定高度管理医療機器等」という。）の製造販売をしようとする者又は外国において本邦に輸出される指定高度管理医療機器等の製造等をする者（以下「外国指定高度管理医療機器製造等事業者」という。）であつて第二十三条の三第一項の規定により選任した製造販売業者に指定高度管理医療機器等の製造販売をさせようとするものは，厚生労働省令で定めるところにより，品目ごとにその製造販売についての厚生労働大臣の登録を受けた者（以下「登録認証機関」という。）の認証を受けなければならない。

2　次の各号のいずれかに該当するときは，登録認証機関は，前項の認証を与えてはならない。

一　申請者（外国指定高度管理医療機器製造等事業者を除く。）が，第二十三条の二第一項の許可（申請をした品目の種類に応じた許可に限る。）を受けていないとき。

二　申請者（外国指定高度管理医療機器製造等事業者に限る。）が，第二十三条の二第一項の許可（申請をした品目の種類に応じた許可に限る。）を受けた製造販売業者を選任していないとき。

三　申請に係る指定高度管理医療機器等を製造する製造所が，第二十三条の二の三第一項又は第二十三条の二の四第一項の登録を受けていないとき。

四　申請に係る指定高度管理医療機器等が，前項の基準に適合していないとき。

五　申請に係る指定高度管理医療機器等が政令で定めるものであるときは，その物の製造管理又は品質管理の方法が，第二十三条の二の五第二項第四号に規定する厚生労働省令で定める基準に適合していると認められないとき。

3　第一項の認証を受けようとする者は，厚生労働省令で定めるところにより，申請書に同項の厚生労働大臣が定める基準への適合性についての資料その他の資料を添付して申請しなければならない。この場合において，当該資料は，厚生労働省令で定める基準に従つて収集され，かつ，作成されたものでなければならない。

4　第一項の認証を受けようとする者又は同項の認証を受けた者は，その認証に係る指定高度管理医療機器等が政令で定めるものであるときは，その物の製造管理又は品質管理の方法が第二十三条の二の五第二項第四号に規定する厚生労働省令で定める基準に適合しているかどうかについて，当該認証を受けようとするとき，及び当該認証の取得後三年を下らない政令で定める期間を経過するごとに，登録認証機関の書面による調査又は実地の調査を受けなければならない。

5　第一項の認証を受けようとする者又は同項の認証を受けた者は，その認証に係る指定高度管理医療機器等が次の各号のいずれにも該当するときは，前項の調査を受けることを要しない。

一　第一項の認証を受けようとする者又は同項の認証を受けた者が既に第二十三条の二の六第一項の基準適合証又は次条第一項の基準適合証の交付を受けている場合であつて，これらの基準適合証に係る医療機器又は体外診断用医薬品と同一の第二十三条の二の五第八項第一号に規定する厚生労働省令で定める区分に属するものであるとき。

二　第一項の認証に係る医療機器又は体外診断用医薬品を製造する全ての製造所（当該医療機器又は体外診断用医薬品の製造工程のうち滅菌その他の厚生労働省令で定めるもののみをするものを除く。以下この号において同じ。）が，前号の基準適合証に係る医療機器又は体外診断用医薬品を製造する製造所（同項の認証に係る医療機器又は体外診断用医薬品の製造工程と同一の製造工程が，当該製造所において，同号の基準適合証に係る医療機器又は体外診断用医薬品の製造工程として行われている場合に限る。）であるとき。

6　前項の規定にかかわらず，登録認証機関は，第一項の認証に係る指定高度管理医療機器等の特性その他を勘案して必要があると認めるときは，当該医療機器又は体外診断用医薬品の製造管理又は品質管理の方法が第二十三条の二の五第二項第四号に規定する厚生労働省令で定める基準に適合しているかどうかについて，書面による調査又は実地の調査を行うことができる。この場合において，第一項の認証を受けようとする者又は同項の認証を受けた者は，当該調査を受けなければならない。

7　第一項の認証を受けた者は，当該品目について認証を受けた事項の一部を変更しようとするとき（当該変更が厚生労働省令で定める軽微な変更であるときを除く。）は，その変更についての当該登録認証機関の認証を受けなければならない。この場合においては，第二項から前項までの規定を準用する。

8　第一項の認証を受けた者は，前項の厚生労働省令で定める軽微な変更について，厚生労働省令で定めるところにより，当該登録認証機関にその旨を届け出なければならない。

（基準適合証の交付等）

第二十三条の二の二十四　登録認証機関は，前条第四項（同条第七項において準用する場合を含む。）の規定による調査の結果，同条の認証に係る医療機器又は体外診断用医薬品の製造管理又は品質管理の方法が第二十三条の二の五第二項第四号に規定する厚生労働省令で定める基準に適合していると認めるときは，次に掲げる医療機器又は体外診断用医薬品について当該基準に適合していることを証するものとして，厚生労働省令で定めるところにより，基準適合証を交付する。

一　当該認証に係る医療機器又は体外診断用医薬品

二　当該認証を受けようとする者又は当該認証を受けた者が製造販売をし，又は製造販売をしようとする医療機器又は体外診断用医薬品であつて，前号に掲げる医療機器又は体外診断用医薬品と同一の第二十三条の二の五第八項第一号に規定する厚生労働省令で定める区分に属するもの（当該医療機器又は体外診断用医薬品を製造する全ての製造所（当該医療機器又は体外診断用医薬品の製造工程のうち同項第二号に規定する厚生労働省令で定めるもののみをするものを除く。以下この号において同じ。）が，前号に掲げる医療機器又は体外診断用医薬品を製造する製造所（当該認証を受けようとする者又は当該認証を受けた者が製造販売をし，又は製造販売をしようとする医療機器又は体外診断用医薬品の製造工程と同一の製造工程が，当該製造所において，同号に掲げる医療機器又は体外診断用医薬品の製造工程として行われている場合に限る。）であるものに限る。）

2　前項の基準適合証の有効期間は，前条第四項に規定する政令で定める期間とする。

3　医療機器又は体外診断用医薬品について第二十三条の四第二項第三号の規定により前条の認証を取り消された者又は第七十二条第二項の規定による命令を受けた者は，速やかに，当該医療機器又は体外診断用医薬品の製造管理又は品質管理の方法が第二十三条の二の五第二項第四号に規定する厚生労働省令で定める基準に適合していることを証する第一項の規定により交付された基準適合証を登録認証機関に返還しなければならない。

（外国指定高度管理医療機器製造等事業者による製造販売業者の選任）

第二十三条の三　外国指定高度管理医療機器製造等事業者が第二十三条の二の二十三第一項の認証を受けた場合にあつては，その選任する指定高度管理医療機器等の製造販売業者は，同項の規定にかかわらず，当該認証に係る品目の製造販売をすることができる。

2　外国指定高度管理医療機器製造等事業者は，前項の規定により選任した製造販売業者を変更したとき，又は選任した製造販売業者の氏名若しくは名称その他厚生労働省令で定める事項に変更があつたときは，三十日以内に当該認証をした登録認証機関に届け出なければならない。

（承継）

第二十三条の三の二　第二十三条の二の二十三の認証（以下「基準適合性認証」という。）を受けた者（以下この条において「医療機器等認証取得者」という。）について相続，合併又は分割（当該品目に係る厚生労働省令で定める資料及び情報（以下この条において「当該品目に係る資料等」という。）を承継させるものに限る。）があつたときは，相続人（相続人が二人以上ある場合において，その全員の同意により当該医療機器等認証取得者の地位を承継すべき相続人を選任したときは，その者），合併後存続する法人若しくは合併により設立した法人又は分割により当該品目に係る資料等を承認した法人は，当該医療機器等認証取得者の地位を承継する。

2　医療機器等認証取得者がその地位を承継させる目的で当該品目に係る資料等の譲渡しをしたときは，譲受人は，当該医療機器等認証取得者の地位を承継する。

3　前二項の規定により医療機器等認証取得者の地位を承継した者は，相続の場合にあつては相続後遅滞なく，相続以外の場合にあつては承継前に，厚生労働省令で定めるところにより，登録認証機関にその旨を届け出なければならない。

（準用）

第二十三条の三の三　基準適合性認証を受けた外国指定高度管理医療機器製造等事業者については，第二十三条の二の十五第三項の規定を準用する。

（認証の取消し等）

第二十三条の四　登録認証機関は，基準適合性認証を与えた指定高度管理医療機器等が，第二十三条の二の二十三第二項第四号に該当するに至つたと認めるときは，その基準適合性認証を取り消さなければならない。

2　登録認証機関は，前項に定める場合のほか，基準適合性認証を受けた者が次の各号のいずれかに該当する場合には，その基準適合性認証を取り消し，又はその基準適合性認証を与えた事項の一部についてその変更を求めることができる。

一　第二十三条の二第一項の許可（基準適合性認証を受けた品目の種類に応じた許可に限る。）について，同条第四項の規定によりその効力が失われたとき，又は第七十五条第一項の規定により取り消されたとき。

二　第二十三条の二の二十三第三項に規定する申請書若しくは添付資料のうちに虚偽の記載があり，又は重要な事実の記載が欠けていることが判明したとき。

三　第二十三条の二の二十三第二項第五号に該当するに至つたとき。

四　第二十三条の二の二十三第四項又は第六項の規定に違反したとき。

五　基準適合性認証を受けた指定高度管理医療機器等について正当な理由がなく引き続く三年間製造販売をしていないとき。

六　第二十三条の三第一項の規定により選任した製造販売業者が欠けた場合において，新たに製造販売業者を選任しなかつたとき。

（報告書の提出）

第二十三条の五　登録認証機関は，基準適合性認証を与え，第二十三条の二の二十三第四項若しくは第六項の調査を行い，若しくは同条第八項の規定による届出を受けたとき，又は前条の規定により基準適合性認証を取り消したときは，厚生労働省令で定めるところにより，報告書を作成し，厚生労働大臣に提出しなければならない。

2　厚生労働大臣が，第二十三条の二の七第一項の規定により機構に審査を行わせることとしたときは，指定高度管理医療機器等（専ら動物のために使用されることが目的とされているものを除く。）に係る基準適合性認証についての前項の規定による報告書の提出をしようとする者は，同項の規定にかかわらず，厚生労働省令で定めるところにより，機構に提出しなければならない。この場合において，機構が当該報告書を受理したときは，厚生労働省令で定めるところにより，厚生労働大臣にその旨を通知しなければならない。

（登録）

第二十三条の六　第二十三条の二の二十三第一項の登録は，厚生労働省令で定めるところにより，基準適合性認証を行おうとする者の申請により行う。

2　厚生労働大臣は，指定高度管理医療機器等（専ら動物のために使用されることが目的とされているものを除く。）に係る基準適合性認証を行おうとする者から前項の申請があつた場合において，必要があると認めるときは，機構に，当該申請が次条第一項各号に適合しているかどうかについて，必要な調査を行わせることができる。

3　第一項の登録は，三年を下らない政令で定める期間ごとにその更新を受けなければ，その期間の経過によつて，その効力を失う。

4　前項の登録の更新については，第二項の規定を準用する。

（登録の基準等）

第二十三条の七　厚生労働大臣は，前条第一項の規定により登録を申請した者（以下この条において「登録申請者」という。）が次に掲げる要件の全てに適合しているときは，第二十三条の二の二十三第一項の登録をしなければならない。

一　国際標準化機構及び国際電気標準会議が定めた製品の認証を行う機構に関する基準並びに製造管理及び品質管理の方法の審査を行う機関に関する基準に適合すること。

二　登録申請者が第二十三条の二の二十三第一項の規定により基準適合性認証を受けなければならないこととされる指定高度管理医療機器等の製造販売若しくは製造をする者又は外国指定高度管理医療機器製造等事業者（以下この号において「製造販売業者等」という。）に支配されているものとして次のいずれかに該当するものでないこと。

イ　登録申請者が株式会社である場合にあつては，製造販売業者等がその親法人（会社法（平成十七年法律第八十六号）第八百七十九条第一項に規定する親法人をいう。）であること。

ロ　登録申請者の役員（持分会社（会社法第五百七十五条第一項に規定する持分会社を

いう。）にあつては，業務を執行する社員）に占める製造販売業者等の役員又は職員（過去二年間に当該製造販売業者等の役員又は職員であつた者を含む。）の割合が二分の一を超えていること。

ハ　登録申請者（法人にあつては，その代表権を有する役員）が，製造販売業者等の役員又は職員（過去二年間に当該製造販売業者等の役員又は職員であつた者を含む。）であること。

2　厚生労働大臣は，登録申請者が次の各号のいずれかに該当するときは，前項の規定にかかわらず，第二十三条の二の二十三第一項の登録をしてはならない。

一　この法律その他薬事に関する法令で政令で定めるもの又はこれに基づく命令若しくは処分に違反して刑に処せられ，その執行を終わり，又は執行を受けることがなくなつた日から起算して二年を経過しない者であること。

二　第二十三条の十六第一項の規定により登録を取り消され，その取消しの日から起算して二年を経過しない者であること。

三　法人にあつては，薬事に関する業務に責任を有する役員のうちに前二号のいずれかに該当する者があること。

四　本邦又は外国（我が国が締結する条約その他の国際約束であつて，全ての締約国の領域内にある登録認証機関又はこれに相当する機関にとつて不利とならない待遇を与えることを締約国に課するもののうち政令で定めるものの締約国並びに医療機器又は体外診断用医薬品の品質，有効性及び安全性を確保する上で我が国と同等の水準にあると認められる医療機器又は体外診断用医薬品の製造販売に係る認証の制度又はこれに相当する制度を有している国のうち当該認証又はこれに相当するものを本邦において行うことができる国として政令で定めるものに限る。）のみにおいて基準適合性認証を行うと認められない者であること。

3　第二十三条の二の二十三第一項の登録は，認証機関登録簿に次に掲げる事項を記載してするものとする。

一　登録年月日及び登録番号

二　登録認証機関の名称及び住所

三　基準適合性認証を行う事業所の所在地

四　登録認証機関が行う基準適合性認証の業務の範囲

（登録の公示等）

第二十三条の八　厚生労働大臣は，第二十三条の二の二十三第一項の登録をしたときは，登録認証機関の名称及び住所，基準適合性認証を行う事業所の所在地，登録認証機関が行う基準適合性認証の業務の範囲並びに当該登録をした日を公示しなければならない。

2　登録認証機関は，その名称，住所，基準適合性認証を行う事業所の所在地又は登録認証機関が行う基準適合性認証の業務の範囲を変更しようとするときは，変更しようとする日の二週間前までに，その旨を厚生労働大臣に届け出なければならない。

3　厚生労働大臣は，前項の規定による届出があつたときは，その旨を公示しなければならない。

（基準適合性認証のための審査の義務）

第二十三条の九　登録認証機関は，基準適合性認証を行うことを求められたときは，正当な理由がある場合を除き，遅滞なく，基準適合性認証のための審査を行わなければならない。

2　登録認証機関は，公正に，かつ，厚生労働省令で定める基準に適合する方法により基準適合性認証のための審査を行わなければならない。

（業務規程）

第二十三条の十　登録認証機関は，基準適合性認証の業務に関する規程（以下「業務規程」という。）を定め，基準適合性認証の業務の開始前に，厚生労働大臣の認可を受けなければならない。これを変更しようとするときも，同様とする。

2　業務規程には，基準適合性認証の実施方法，基準適合性認証に関する料金その他の厚生労働省令で定める事項を定めておかなければならない。

3　厚生労働大臣は，第一項の認可をした業務規程が基準適合性認証の公正な実施上不適当となつたと認めるときは，登録認証機関（本邦にある登録認証機関の事業所において基準適合性認証の業務を行う場合における当該登録認証機関に限る。第二十三条の十一の二から第二十三条の十四まで及び第六十九条第七項において同じ。）に対し，その業務規程を変更すべきことを命ずることができる。

（帳簿の備付け等）

第二十三条の十一　登録認証機関は，厚生労働省令で定めるところにより，帳簿を備え付け，これに基準適合性認証の業務に関する事項で厚生労働省令で定めるものを記載し，及びこれを保存しなければならない。

（認証取消し等の命令）

第二十三条の十一の二　厚生労働大臣は，登録認証機関が第二十三条の四第一項の規定に違反していると認めるとき，又は基準適合性認証を受けた者が同条第二項各号のいずれかに該当すると認めるときは，当該登録認証機関に対し，当該基準適合性認証の取消しその他必要な措置を採るべきことを命ずることができる。

（適合命令）

第二十三条の十二　厚生労働大臣は，登録認証機関が第二十三条の七第一項各号のいずれかに適合しなくなつたと認めるときは，当該登録認証機関に対し，これらの規定に適合するため必要な措置を採るべきことを命ずることができる。

（改善命令）

第二十三条の十三　厚生労働大臣は，登録認証機関が第二十三条の九の規定に違反していると認めるときは，当該登録認証機関に対し，基準適合性認証のための審査を行うべきこと，又は基準適合性認証のための審査の方法その他の業務の方法の改善に関し必要な措置を採るべきことを命ずることができる。

（基準適合性認証についての申請及び厚生労働大臣の命令）

第二十三条の十四　基準適合性認証を受けようとする者は，申請に係る指定高度管理医療機器等について，登録認証機関が基準適合性認証のための審査を行わない場合又は登録認証機関の基準適合性認証の結果に異議のある場合は，厚生労働大臣に対し，登録認証機関が基準適合性認証のための審査を行うこと，又は改めて基準適合性認証のための審査を行うことを命ずべきことを申請することができる。

2　厚生労働大臣は，前項の申請があつた場合において，当該申請に係る登録認証機関が第二十三条の九の規定に違反していると認めるときは，当該登録認証機関に対し，前条の規定による命令をするものとする。

3　厚生労働大臣は，前項の場合において，前条の規定による命令をし，又は命令をしないことの決定をしたときは，遅滞なく，当該申請をした者に通知するものとする。

（準用）

第二十三条の十四の二　第二十三条の十第三項及び第二十三条の十一の二から前条までの規定は，登録認証機関（外国にある登録認証機関の事業所において基準適合性認証の業務を行う場合における当該登録認証機関に限る。）について準用する。この場合において，同項及び第二十三条の十一の二から第二十三条の十三までの規定中「命ずる」とあるのは「請求する」と，前条第一項中「命ずべき」とあるのは「請求すべき」と，同条第二項及び第三項中「命令」とあるのは「請求」と読み替えるものとする。

（業務の休廃止）

第二十三条の十五　登録認証機関は，基準適合性認証の業務の全部又は一部を休止し，又は廃止しようとするときは，厚生労働省令で定めるところにより，あらかじめ，その旨を厚生労働大臣に届け出なければならない。

2　厚生労働大臣は，前項の規定による届出があつたときは，その旨を公示しなければならない。

（登録の取消し等）

第二十三条の十六　厚生労働大臣は，登録認証機関が第二十三条の七第二項各号（第二号を除く。）のいずれかに該当するに至つたときは，その登録を取り消すものとする。

2　厚生労働大臣は，登録認証機関が次の各号のいずれかに該当するときは，その登録を取り消し，又は期間を定めて基準適合性認証の業務の全部若しくは一部の停止を命ずること（外国にある登録認証機関の事業所において行われる基準適合性認証の業務については，期間を定めてその全部又は一部の停止を請求すること）ができる。

一　第二十三条の四第一項，第二十三条の五，第二十三条の八第二項，第二十三条の九，第二十三条の十第一項，第二十三条の十一，前条第一項又は次条第一項の規定に違反したとき。

二　第二十三条の十第三項又は第二十三条の十一の二から第二十三条の十三までの規定による命令に違反したとき。

三　第二十三条の十四の二において準用する第二十三条の十第三項又は第二十三条の十一の二から第二十三条の十三までの規定による請求に応じなかつたとき。

四　正当な理由がないのに次条第二項各号の規定による請求を拒んだとき。

五　不正な手段により第二十三条の二の二十三第一項の登録を受けたとき。

六　厚生労働大臣が，必要があると認めて，登録認証機関（外国にある登録認証機関の事業所において基準適合性認証の業務を行う場合における当該登録認証機関に限る。以下この条において同じ。）に対して，当該基準適合性認証の業務又は経理の状況に関し，報告を求めた場合において，その報告がされず，又は虚偽の報告がされたとき。

七　厚生労働大臣が，必要があると認めて，その職員に，登録認証機関の事務所において，帳簿書類その他の物件を検査させ，又は関係者に質問させようとした場合において，その検査が拒まれ，妨げられ，若しくは忌避され，又はその質問に対して，正当な理由なしに答弁がされず，若しくは虚偽の答弁がされたとき。

八　第六項の規定による費用の負担をしないとき。

3　厚生労働大臣は，前項の規定により期間を定めて基準適合性認証の業務の全部又は一部の停止を請求した場合において，登録認証機関が当該請求に応じなかつたときは，その登録を取り消すことができる。

4　厚生労働大臣は，前三項の規定により登録を取り消し，又は第二項の規定により基準適合性認証の業務の全部若しくは一部の停止を命じ，若しくは請求したときは，その旨を公示しなければならない。

5　厚生労働大臣は，機構に，第二項第七号の規定による検査又は質問のうち政令で定めるものを行わせることができる。この場合において，機構は，当該検査又は質問をしたときは，厚生労働省令で定めるところにより，当該検査又は質問の結果を厚生労働大臣に通知しなければならない。

6　第二項第七号の検査に要する費用（政令で定めるものに限る。）は，当該検査を受ける登録認証機関の負担とする。

（財務諸表の備付け及び閲覧等）

第二十三条の十七　登録認証機関は，毎事業年度経過後三月以内に，その事業年度の財産目録，貸借対照表及び損益計算書又は収支計算書並びに事業報告書（その作成に代えて電磁的記録の作成がされている場合における当該電磁的記録を含む。次項及び第九十一条において「財務諸表等」という。）を作成し，五年間事業所に備えて置かなければならない。

2　指定高度管理医療機器等の製造販売業者その他の利害関係人は，登録認証機関の業務時間内は，いつでも，次に掲げる請求をすることができる。ただし，第二号又は第四号の請求をするには，登録認証機関の定めた費用を支払わなければならない。

一　財務諸表等が書面をもつて作成されているときは，当該書面の閲覧又は謄写の請求

二　前号の書面の謄本又は抄本の請求

三　財務諸表等が電磁的記録をもつて作成されているときは，当該電磁的記録に記録され

た事項を厚生労働省令で定める方法により表示したものの閲覧又は謄写の請求

四　前号の電磁的記録に記録された事項を電磁的方法であつて厚生労働省令で定めるものにより提供することの請求又は当該事項を記載した書面の交付の請求

（厚生労働大臣による基準適合性認証の業務の実施）

第二十三条の十八　厚生労働大臣は，第二十三条の二の二十三第一項の登録を受ける者がいないとき，第二十三条の十五第一項の規定による基準適合性認証の業務の全部又は一部の休止又は廃止の届出があつたとき，第二十三条の十六第一項から第三項までの規定により第二十三条の二の二十三第一項の登録を取り消し，又は登録認証機関に対し基準適合性認証の業務の全部若しくは一部の停止を命じ，若しくは請求したとき，登録認証機関が天災その他の事由により基準適合性認証の業務の全部又は一部を実施することが困難となつたときその他必要があると認めるときは，当該基準適合性認証の業務の全部又は一部を行うものとする。

2　厚生労働大臣は，前項の場合において必要があると認めるときは，機構に，当該基準適合性認証の業務の全部又は一部を行わせることができる。

3　厚生労働大臣は，前二項の規定により基準適合性認証の業務の全部若しくは一部を自ら行い，若しくは機構に行わせることとするとき，自ら行つていた基準適合性認証の業務の全部若しくは一部を行わないこととするとき，又は機構に行わせていた基準適合性認証の業務の全部若しくは一部を行わせないこととするときは，その旨を公示しなければならない。

4　厚生労働大臣が第一項又は第二項の規定により基準適合性認証の業務の全部若しくは一部を自ら行い，又は機構に行わせる場合における基準適合性認証の業務の引継ぎその他の必要な事項は，厚生労働省令で定める。

（政令への委任）

第二十三条の十九　この節に定めるもののほか，指定高度管理医療機器等の指定，登録認証機関の登録，製造販売品目の認証その他登録認証機関の業務に関し必要な事項は，政令で定める。

第六章　再生医療等製品の製造販売業及び製造業

（製造販売業の許可）

第二十三条の二十　再生医療等製品は，厚生労働大臣の許可を受けた者でなければ，業として，製造販売をしてはならない。

2　前項の許可を受けようとする者は，厚生労働省令で定めるところにより，次の各号に掲げる事項を記載した申請書を厚生労働大臣に提出しなければならない。

一　氏名又は名称及び住所並びに法人にあつては，その代表者の氏名

二　法人にあつては，薬事に関する業務に責任を有する役員の氏名

三　第二十三条の三十四第二項に規定する再生医療等製品総括製造販売責任者の氏名

四　次条第二項において準用する第五条第三号イからトまでに該当しない旨その他厚生労働省令で定める事項

3　前項の申請書には，次の各号に掲げる書類を添付しなければならない。

一　法人にあつては，その組織図

二　次条第一項第一号に規定する申請に係る再生医療等製品の品質管理に係る体制に関する書類

三　次条第一項第二号に規定する申請に係る再生医療等製品の製造販売後安全管理に係る体制に関する書類

四　その他厚生労働省令で定める書類

4　第一項の許可は，三年を下らない政令で定める期間ごとにその更新を受けなければ，その期間の経過によつて，その効力を失う。

（許可の基準）

第二十三条の二十一　次の各号のいずれかに該当するときは，前条第一項の許可を与えないことができる。

一　申請に係る再生医療等製品の品質管理の方法が，厚生労働省令で定める基準に適合しないとき。

二　申請に係る再生医療等製品の製造販売後安全管理の方法が，厚生労働省令で定める基準に適合しないとき。

2　第五条（第三号に係る部分に限る。）の規定は，前条第一項の許可について準用する。

（製造業の許可）

第二十三条の二十二　再生医療等製品の製造業の許可を受けた者でなければ，業として，再生医療等製品の製造をしてはならない。

2　前項の許可は，厚生労働省令で定める区分に従い，厚生労働大臣が製造所ごとに与える。

3　第一項の許可を受けようとする者は，厚生労働省令で定めるところにより，次の各号に掲げる事項を記載した申請書を厚生労働大臣に提出しなければならない。

一　氏名又は名称及び住所並びに法人にあつては，その代表者の氏名

二　その製造所の構造設備の概要

三　法人にあつては，薬事に関する業務に責任を有する役員の氏名

四　第二十三条の三十四第六項に規定する再生医療等製品製造管理者の氏名

五　第六項において準用する第五条第三号イからトまでに該当しない旨その他厚生労働省令で定める事項

4　第一項の許可は，三年を下らない政令で定める期間ごとにその更新を受けなければ，その期間の経過によつて，その効力を失う。

5　その製造所の構造設備が，厚生労働省令で定める基準に適合しないときは，第一項の許可を与えないことができる。

6　第五条（第三号に係る部分に限る。）の規定は，第一項の許可について準用する。

7　厚生労働大臣は，第一項の許可又は第四項の許可の更新の申請を受けたときは，前五項の厚生労働省令で定める基準に適合するかどうかについての書面による調査又は実地の調査を行うものとする。

8　第一項の許可を受けた者は，当該製造所に係る許可の区分を変更し，又は追加しようとするときは，厚生労働大臣の許可を受けなければならない。

9　前項の許可については，第一項から第七項までの規定を準用する。

（機構による調査の実施）

第二十三条の二十三　厚生労働大臣は，機構に，再生医療等製品（専ら動物のために使用されることが目的とされているものを除く。以下この条において同じ。）のうち政令で定めるものに係る前条第一項若しくは第八項の許可又は同条第四項（同条第九項において準用する場合を含む。以下この条において同じ。）の許可の更新についての同条第七項（同条第九項において準用する場合を含む。）に規定する調査を行わせることができる。

2　厚生労働大臣は，前項の規定により機構に調査を行わせるときは，当該調査を行わないものとする。この場合において，厚生労働大臣は，前条第一項若しくは第八項の許可又は同条第四項の許可の更新をするときは，機構が第四項の規定により通知する調査の結果を考慮しなければならない。

3　厚生労働大臣が第一項の規定により機構に調査を行わせることとしたときは，同項の政令で定める再生医療等製品に係る前条第一項若しくは第八項の許可又は同条第四項の許可の更新の申請者は，機構が行う当該調査を受けなければならない。

4　機構は，前項の調査を行つたときは，遅滞なく，当該調査の結果を厚生労働省令で定めるところにより厚生労働大臣に通知しなければならない。

5　機構が行う調査に係る処分（調査の結果を除く。）又はその不作為については，厚生労働大臣に対して，審査請求をすることができる。この場合において，厚生労働大臣は，行政不服審査法第二十五条第二項及び第三項，第四十六条第一項及び第二項，第四十七条並びに第四十九条第三項の規定の適用については，機構の上級行政庁とみなす。

（再生医療等製品外国製造業者の認定）

第二十三条の二十四　外国において本邦に輸出される再生医療等製品を製造しようとする者（以下「再生医療等製品外国製造業者」という。）は，厚生労働大臣の認定を受けることができる。

2　前項の認定は，厚生労働省令で定める区分に従い，製造所ごとに与える。

3　第一項の認定については，第二十三条の二十二第三項（第一号，第二号及び第五号に係る部分に限る。）及び第四項から第九項まで並びに前条の規定を準用する。この場合において，第二十三条の二十二第三項から第八項までの規定中「許可」とあるのは「認定」と，同条第九項中「許可」とあるのは「認定」と，「第一項」とあるのは「第二項」と，前条第一項中「前条第一項若しくは第八項の許可又は同条第四項（同条第九項において準用する場合を含む。以下この条において同じ。）の許可の更新についての同条第七項（同条第九項」とあるのは「次条第一項若しくは同条第三項において準用する前条第八項の認定又は次条第三項において準用する前条第四項（次条第三項において準用する前条第九項において準用する場合を含む。以下この条において同じ。）の認定の更新についての次条第三項において準用する前条第七項（次条第三項において準用する前条第九項」と，同条第二項及び第三項中「前条第一項若しくは第八項の許可又は同条第四項の許可の更新」とあるのは「次条第一項若しくは同条第三項において準用する前条第八項の認定又は次条第三項において準用する前条第四項の認定の更新」と読み替えるものとする。

（再生医療等製品の製造販売の承認）

第二十三条の二十五　再生医療等製品の製造販売をしようとする者は，品目ごとにその製造販売についての厚生労働大臣の承認を受けなければならない。

2　次の各号のいずれかに該当するときは，前項の承認は，与えない。

一　申請者が，第二十三条の二十第一項の許可を受けていないとき。

二　申請に係る再生医療等製品を製造する製造所が，第二十三条の二十二第一項の許可（申請をした品目について製造ができる区分に係るものに限る。）又は前条第一項の認定（申請をした品目について製造ができる区分に係るものに限る。）を受けていないとき。

三　申請に係る再生医療等製品の名称，構成細胞，導入遺伝子，構造，用法，用量，使用方法，効能，効果，性能，副作用その他の品質，有効性及び安全性に関する事項の審査の結果，その物が次のイからハまでのいずれかに該当するとき。

イ　申請に係る効能，効果又は性能を有すると認められないとき。

ロ　申請に係る効能，効果又は性能に比して著しく有害な作用を有することにより，再生医療等製品として使用価値がないと認められるとき。

ハ　イ又はロに掲げる場合のほか，再生医療等製品として不適当なものとして厚生労働省令で定める場合に該当するとき。

四　申請に係る再生医療等製品の製造所における製造管理又は品質管理の方法が，厚生労働省令で定める基準に適合していると認められないとき。

3　第一項の承認を受けようとする者は，厚生労働省令で定めるところにより，申請書に臨床試験の試験成績に関する資料その他の資料を添付して申請しなければならない。この場合において，当該資料は，厚生労働省令で定める基準に従つて収集され，かつ，作成されたものでなければならない。

4　第一項の承認の申請に係る再生医療等製品が，第八十条の六第一項に規定する原薬等登録原簿に収められている原薬等を原料又は材料として製造されるものであるときは，第一項の承認を受けようとする者は，厚生労働省令で定めるところにより，当該原薬等が同条第一項に規定する原薬等登録原簿に登録されていることを証する書面をもつて前項の規定により添付するものとされた資料の一部に代えることができる。

5　第二項第三号の規定による審査においては，当該品目に係る申請内容及び第三項前段に規定する資料に基づき，当該品目の品質，有効性及び安全性に関する調査（既にこの条又は第二十三条の三十七の承認（第二十三条の二十六第一項（第二十三条の三十七第五項において準用する場合を含む。）の規定により条件及び期限を付したものを除く。第十項において同じ。）を与えられている品目との構成細胞，導入遺伝子，構造，用法，用量，使用方法，効能，効果，性能等の同一性に関する調査を含む。）を行うものとする。この場合において，あらかじめ，当該品目に係る資料が第三項後段の規定に適合するかどうかについての書面による調査又は実地の調査を行うものとする。

6　第一項の承認を受けようとする者又は同項の承認を受けた者は，その承認に係る再生医療等製品の製造所における製造管理又は品質管理の方法が第二項第四号に規定する厚生労働省令で定める基準に適合しているかどうかについて，当該承認を受けようとするとき，及び当該承認の取得後三年を下らない政令で定める期間を経過するごとに，厚生労働大臣の書面による調査又は実地の調査を受けなければならない。

7　第一項の承認を受けた者は，その承認に係る再生医療等製品を製造する製造所が，当該承認に係る品目の製造工程と同一の製造工程の区分（再生医療等製品の品質，有効性及び安全性の確保の観点から厚生労働省令で定める区分をいう。）に属する製造工程について次条において準用する第十四条の二第三項の基準確認証の交付を受けているときは，当該製造工程に係る当該製造所における前項の調査を受けることを要しない。

8　前項の規定にかかわらず，厚生労働大臣は，第一項の承認に係る再生医療等製品の特性その他を勘案して必要があると認めるときは，当該再生医療等製品の製造所における製造管理又は品質管理の方法が第二項第四号に規定する厚生労働省令で定める基準に適合しているかどうかについて，書面による調査又は実地の調査を行うことができる。この場合において，第一項の承認を受けた者は，当該調査を受けなければならない。

9　厚生労働大臣は，第一項の承認の申請に係る再生医療等製品が，希少疾病用再生医療等製品，先駆的再生医療等製品又は特定用途再生医療等製品その他の医療上特にその必要性が高いと認められるものであるときは，当該再生医療等製品についての第二項第三号の規定による審査又は第六項若しくは前項の規定による調査を，他の再生医療等製品の審査又は調査に優先して行うことができる。

10　厚生労働大臣は，第一項の承認の申請があつた場合において，申請に係る再生医療等製品が，既にこの条又は第二十三条の三十七の承認を与えられている再生医療等製品と構成細胞，導入遺伝子，構造，用法，用量，使用方法，効能，効果，性能等が明らかに異なるときは，同項の承認について，あらかじめ，薬事・食品衛生審議会の意見を聴かなければならない。

11　第一項の承認を受けた者は，当該品目について承認された事項の一部を変更しようとするとき（当該変更が厚生労働省令で定める軽微な変更であるときを除く。）は，その変更について厚生労働大臣の承認を受けなければならない。この場合においては，第二項から第六項まで，第九項及び前項の規定を準用する。

12　第一項の承認を受けた者は，前項の厚生労働省令で定める軽微な変更について，厚生労働省令で定めるところにより，厚生労働大臣にその旨を届け出なければならない。

13　第一項及び第十一項の承認の申請（政令で定めるものを除く。）は，機構を経由して行うものとする。

（基準確認証の交付等）

第二十三条の二十五の二　第二十三条の二十二第一項の許可を受けようとする者若しくは同項の許可を受けた者又は第二十三条の二十四第一項の認定を受けようとする者若しくは同項の認定を受けた者については，第十四条の二の規定を準用する。この場合において，同条第一項中「は，その製造に係る医薬品，医薬部外品又は化粧品が前条第七項に規定する政令で定めるものであるときは，」とあるのは「は，」と，「同条第二項第四号」とあるのは「第二十三条の二十五第二項第四号」と，同条第三項中「前条第二項第四号」とあるのは「第二十三条の二十五第二項第四号」と，同条第五項第一号中「前条第二項第四号」とあるのは「第二十三条の二十五第二項第四号」と，「第五十六条（第六十条及び第六十二条において準用する場合を含む。次号において同じ。）」とあるのは「第六十五条の五」と，「若しくは第六十八条の二十に規定する生物由来製品に該当する」とあるのは「に該当する」と，同項第二号中「第十三条第五項」とあるのは「第二十三条の二十二第五項」と，「第五十六条」とあるのは「第六十五条の五」と，「若しくは第六十八条の二十に規定する生物由来製品に該当する」とあるのは「に該当する」と読み替えるものとする。

（条件及び期限付承認）

第二十三条の二十六　第二十三条の二十五第一項の承認の申請者が製造販売をしようとする物が，次の各号のいずれにも該当する再生医療等製品である場合には，厚生労働大臣は，同条第二項第三号イ及びロの規定にかかわらず，薬事・食品衛生審議会の意見を聴いて，その適正な使用の確保のために必要な条件及び七年を超えない範囲内の期限を付してその品目に係る同条第一項の承認を与えることができる。

一　申請に係る再生医療等製品が均質でないこと。

二　申請に係る効能，効果又は性能を有すると推定されるものであること。

三　申請に係る効能，効果又は性能に比して著しく有害な作用を有することにより再生医療等製品として使用価値がないと推定されるものでないこと。

2　厚生労働大臣は，第五項の申請に係る第二十三条の二十五第二項第三号の規定による審査を適正に行うため特に必要があると認めるときは，薬事・食品衛生審議会の意見を聴いて，前項の期限を，三年を超えない範囲内において延長することができる。

3　第一項の規定により条件及び期限を付した第二十三条の二十五第一項の承認を受けた者は，厚生労働省令で定めるところにより，当該再生医療等製品の使用の成績に関する調査その他厚生労働省令で定める調査を行い，その結果を厚生労働大臣に報告しなければならない。

4　第一項の規定により条件及び期限を付した第二十三条の二十五第一項の承認を受けた者が同条第十一項の承認の申請をした場合における同項において準用する同条第二項の規定

の適用については，同項第三号イ中「認められない」とあるのは「推定されない」と，同号ロ中「認められる」とあるのは「推定される」とする。

5　第一項の規定により条件及び期限を付した第二十三条の二十五第一項の承認を受けた者は，その品目について，当該承認の期限（第二項の規定による延長が行われたときは，その延長後のもの）内に，改めて同条第一項の承認の申請をしなければならない。この場合における同条第三項の規定の適用については，同項中「臨床試験の試験成績に関する資料その他の」とあるのは，「その再生医療等製品の使用成績に関する資料その他厚生労働省令で定める」とする。

6　前項の申請があつた場合において，同項に規定する期限内にその申請に対する処分がされないときは，第一項の規定により条件及び期限を付した第二十三条の二十五第一項の承認は，当該期限の到来後もその処分がされるまでの間は，なおその効力を有する。

7　再生医療等製品を取り扱う医師その他の医療関係者（以下「再生医療等製品取扱医療関係者」という。）は，第三項に規定する調査又は第五項の規定により読み替えて適用される第二十三条の二十五第三項後段に規定する資料の収集に協力するよう努めなければならない。

（機構による再生医療等製品審査等の実施）

第二十三条の二十七　厚生労働大臣は，機構に，再生医療等製品（専ら動物のために使用されることが目的とされているものを除く。以下この条において同じ。）のうち政令で定めるものについての第二十三条の二十五の承認のための審査，同条第五項及び第六項（これらの規定を同条第十一項において準用する場合を含む。）並びに第八項並びに第二十三条の二十五の二において準用する第十四条の二第二項の規定による調査並びに第二十三条の二十五の二において準用する第十四条の二第三項の規定による基準確認証の交付及び第二十三条の二十五の二において準用する第十四条の二第五項の規定による基準確認証の返還の受付（以下「再生医療等製品審査等」という。）を行わせることができる。

2　厚生労働大臣は，前項の規定により機構に再生医療等製品審査等を行わせるときは，当該再生医療等製品審査等を行わないものとする。この場合において，厚生労働大臣は，第二十三条の二十五の承認をするときは，機構が第六項の規定により通知する再生医療等製品審査等の結果を考慮しなければならない。

3　厚生労働大臣が第一項の規定により機構に再生医療等製品審査等を行わせることとしたときは，同項の政令で定める再生医療等製品について第二十三条の二十五の承認の申請者，同条第六項（同条第十一項において準用する場合を含む。）若しくは第二十三条の二十五の二において準用する第十四条の二第二項の規定による調査の申請者又は第二十三条の二十五の二において準用する第十四条の二第五項の規定により基準確認証を返還する者は，機構が行う審査，調査若しくは基準確認証の交付を受け，又は機構に基準確認証を返還しなければならない。

4　厚生労働大臣が第一項の規定により機構に審査を行わせることとしたときは，同項の政令で定める再生医療等製品についての第二十三条の二十五第十二項の規定による届出をしようとする者は，同項の規定にかかわらず，機構に届け出なければならない。

5 厚生労働大臣が第一項の規定により機構に審査を行わせることとしたときは，同項の政令で定める再生医療等製品についての前条第三項の規定による報告は，同項の規定にかかわらず，機構に行わなければならない。

6 機構は，再生医療等製品審査等を行つたとき，第四項の規定による届出を受理したとき，又は前項の規定による報告を受けたときは，遅滞なく，当該再生医療等製品審査等の結果，届出の状況又は報告を受けた旨を厚生労働省令で定めるところにより厚生労働大臣に通知しなければならない。

7 機構が行う再生医療等製品審査等に係る処分（再生医療等製品審査等の結果を除く。）又はその不作為については，厚生労働大臣に対して，審査請求をすることができる。この場合において，厚生労働大臣は，行政不服審査法第二十五条第二項及び第三項，第四十六条第一項及び第二項，第四十七条並びに第四十九条第三項の規定の適用については，機構の上級行政庁とみなす。

（特例承認）

第二十三条の二十八 第二十三条の二十五の承認の申請者が製造販売をしようとする物が，次の各号のいずれにも該当する再生医療等製品として政令で定めるものである場合には，厚生労働大臣は，同条第二項，第五項，第六項及び第十項の規定にかかわらず，薬事・食品衛生審議会の意見を聴いて，その品目に係る同条の承認を与えることができる。

一 国民の生命及び健康に重大な影響を与えるおそれがある疾病のまん延その他の健康被害の拡大を防止するため緊急に使用されることが必要な再生医療等製品であり，かつ，当該再生医療等製品の使用以外に適当な方法がないこと。

二 その用途に関し，外国（再生医療等製品の品質，有効性及び安全性を確保する上で我が国と同等の水準にあると認められる再生医療等製品の製造販売の承認の制度又はこれに相当する制度を有している国として政令で定めるものに限る。）において，販売し，授与し，又は販売若しくは授与の目的で貯蔵し，若しくは陳列することが認められている再生医療等製品であること。

（新再生医療等製品等の再審査）

第二十三条の二十九 次の各号に掲げる再生医療等製品につき第二十三条の二十五の承認（第二十三条の二十六第一項の規定により条件及び期限を付したものを除く。以下この条において同じ。）を受けた者は，当該再生医療等製品について，当該各号に定める期間内に申請して，厚生労働大臣の再審査を受けなければならない。

一 既に第二十三条の二十五の承認又は第二十三条の三十七の承認（同条第五項において準用する第二十三条の二十六第一項の規定により条件及び期限を付したものを除く。以下この項において同じ。）を与えられている再生医療等製品と構成細胞，導入遺伝子，構造，用法，用量，使用方法，効能，効果，性能等が明らかに異なる再生医療等製品として厚生労働大臣がその承認の際指示したもの（以下「新再生医療等製品」という。）次に掲げる期間（以下この条において「調査期間」という。）を経過した日から起算して三月以内の期間（次号において「申請期間」という。）

イ　希少疾病用再生医療等製品，先駆的再生医療等製品その他厚生労働省令で定める再生医療等製品として厚生労働大臣が薬事・食品衛生審議会の意見を聴いて指定するものについては，その承認のあつた日後六年を超え十年を超えない範囲内において厚生労働大臣の指定する期間

ロ　特定用途再生医療等製品又は既に第二十三条の二十五の承認若しくは第二十三条の三十七の承認を与えられている再生医療等製品と効能，効果若しくは性能のみが明らかに異なる再生医療等製品（イに掲げる再生医療等製品を除く。）その他厚生労働省令で定める再生医療等製品として厚生労働大臣が薬事・食品衛生審議会の意見を聴いて指定するものについては，その承認のあつた日後六年に満たない範囲内において厚生労働大臣の指定する期間

ハ　イ又はロに掲げる再生医療等製品以外の再生医療等製品については，その承認のあつた日後六年

二　新再生医療等製品（当該新再生医療等製品につき第二十三条の二十五の承認又は第二十三条の三十七の承認のあつた日後調査期間（次項の規定による延長が行われたときは，その延長後の期間）を経過しているものを除く。）と構成細胞，導入遺伝子，構造，用法，用量，使用方法，効能，効果，性能等が同一性を有すると認められる再生医療等製品として厚生労働大臣がその承認の際指示したもの　当該新再生医療等製品に係る申請期間（同項の規定による調査期間の延長が行われたときは，その延長後の期間に基づいて定められる申請期間）に合致するように厚生労働大臣が指示する期間

2　厚生労働大臣は，新再生医療等製品の再審査を適正に行うため特に必要があると認めるときは，薬事・食品衛生審議会の意見を聴いて，調査期間を，その承認のあつた日後十年を超えない範囲内において延長することができる。

3　厚生労働大臣の再審査は，再審査を行う際に得られている知見に基づき，第一項各号に掲げる再生医療等製品が第二十三条の二十五第二項第三号イからハまでのいずれにも該当しないことを確認することにより行う。

4　第一項の申請は，申請書にその再生医療等製品の使用成績に関する資料その他厚生労働省令で定める資料を添付してしなければならない。この場合において，当該申請に係る再生医療等製品が厚生労働省令で定める再生医療等製品であるときは，当該資料は，厚生労働省令で定める基準に従つて収集され，かつ，作成されたものでなければならない。

5　第三項の規定による確認においては，第一項各号に掲げる再生医療等製品に係る申請内容及び前項前段に規定する資料に基づき，当該再生医療等製品の品質，有効性及び安全性に関する調査を行うものとする。この場合において，第一項各号に掲げる再生医療等製品が前項後段に規定する厚生労働省令で定める再生医療等製品であるときは，あらかじめ，

当該再生医療等製品に係る資料が同項後段の規定に適合するかどうかについての書面による調査又は実地の調査を行うものとする。

6　第一項各号に掲げる再生医療等製品につき第二十三条の二十五の承認を受けた者は，厚生労働省令で定めるところにより，当該再生医療等製品の使用の成績に関する調査その他厚生労働省令で定める調査を行い，その結果を厚生労働大臣に報告しなければならない。

7　第四項後段に規定する厚生労働省令で定める再生医療等製品につき再審査を受けるべき者，同項後段に規定する資料の収集若しくは作成の委託を受けた者又はこれらの役員若しくは職員は，正当な理由なく，当該資料の収集又は作成に関しその職務上知り得た人の秘密を漏らしてはならない。これらの者であつた者についても，同様とする。

（準用）

第二十三条の三十　再生医療等製品（専ら動物のために使用されることが目的とされているものを除く。以下この条において同じ。）のうち政令で定めるものについての前条第一項の申請，同条第三項の規定による確認及び同条第五項の規定による調査については，第二十三条の二十五第十三項及び第二十三条の二十七（第四項及び第五項を除く。）の規定を準用する。この場合において，必要な技術的読替えは，政令で定める。

2　前項において準用する第二十三条の二十七第一項の規定により機構に前条第三項の規定による確認を行わせることとしたときは，前項において準用する第二十三条の二十七第一項の政令で定める再生医療等製品についての前条第六項の規定による報告をしようとする者は，同項の規定にかかわらず，機構に報告しなければならない。この場合において，機構が当該報告を受けたときは，厚生労働省令で定めるところにより，厚生労働大臣にその旨を通知しなければならない。

（再生医療等製品の再評価）

第二十三条の三十一　第二十三条の二十五の承認（第二十三条の二十六第一項の規定により条件及び期限を付したものを除く。）を受けている者は，厚生労働大臣が薬事・食品衛生審議会の意見を聴いて再生医療等製品の範囲を指定して再評価を受けるべき旨を公示したときは，その指定に係る再生医療等製品について，厚生労働大臣の再評価を受けなければならない。

2　厚生労働大臣の再評価は，再評価を行う際に得られている知見に基づき，前項の指定に係る再生医療等製品が第二十三条の二十五第二項第三号イからハまでのいずれにも該当しないことを確認することにより行う。

3　第一項の公示は，再評価を受けるべき者が提出すべき資料及びその提出期限を併せ行うものとする。

4　第一項の指定に係る再生医療等製品が厚生労働省令で定める再生医療等製品であるときは，再評価を受けるべき者が提出する資料は，厚生労働省令で定める基準に従つて収集され，かつ，作成されたものでなければならない。

5　第二項の規定による確認においては，再評価を受けるべき者が提出する資料に基づき，第一項の指定に係る再生医療等製品の品質，有効性及び安全性に関する調査を行うものとする。この場合において，同項の指定に係る再生医療等製品が前項に規定する厚生労働省令で定める再生医療等製品であるときは，あらかじめ，当該再生医療等製品に係る資料が同項の規定に適合するかどうかについての書面による調査又は実地の調査を行うものとする。

6　第四項に規定する厚生労働省令で定める再生医療等製品につき再評価を受けるべき者，同項に規定する資料の収集若しくは作成の委託を受けた者又はこれらの役員若しくは職員は，正当な理由なく，当該資料の収集又は作成に関しその職務上知り得た人の秘密を漏らしてはならない。これらの者であつた者についても，同様とする。

（準用）

第二十三条の三十二　再生医療等製品（専ら動物のために使用されることが目的とされているものを除く。以下この条において同じ。）のうち政令で定めるものについての前条第二項の規定による確認及び同条第五項の規定による調査については，第二十三条の二十七（第四項及び第五項を除く。）の規定を準用する。この場合において，必要な技術的読替えは，政令で定める。

2　前項において準用する第二十三条の二十七第一項の規定により機構に前条第二項の規定による確認を行わせることとしたときは，前項において準用する第二十三条の二十七第一項の政令で定める再生医療等製品についての前条第四項の規定による資料の提出をしようとする者は，同項の規定にかかわらず，機構に提出しなければならない。

（再生医療等製品の承認された事項に係る変更計画の確認）

第二十三条の三十二の二　第二十三条の二十五第一項の承認を受けた者は，厚生労働省令で定めるところにより，厚生労働大臣に申し出て，当該承認を受けた品目について承認された事項の一部の変更に係る計画（以下この条において「変更計画」という。）が，次の各号のいずれにも該当する旨の確認を受けることができる。これを変更しようとするときも，同様とする。

一　当該変更計画に定められた変更が，製造方法その他の厚生労働省令で定める事項の変更であること。

二　第四十二条第一項の規定により定められた基準に適合しないこととなる変更その他の厚生労働省令で定める変更に該当しないこと。

三　当該変更計画に従つた変更が行われた場合に，当該変更計画に係る再生医療等製品が，次のイからハまでのいずれにも該当しないこと。

イ　当該再生医療等製品が，その変更前の承認に係る効能，効果又は性能を有すると認められないこと。

ロ　当該再生医療等製品が，その効能，効果又は性能に比して著しく有害な作用を有することにより，再生医療等製品として使用価値がないと認められること。

ハ　イ又はロに掲げる場合のほか，再生医療等製品として不適当なものとして，厚生労働省令で定める場合に該当すること。

2　前項の確認においては，変更計画（同項後段の規定による変更があつたときは，その変更後のもの。以下この条において同じ。）の確認を受けようとする者が提出する資料に基づき，当該変更計画に係る再生医療等製品の品質，有効性及び安全性に関する調査を行うものとする。

3　第一項の確認を受けようとする者又は同項の確認を受けた者は，その確認に係る変更計画に定められた変更が製造管理又は品質管理の方法に影響を与えるおそれがある変更として厚生労働省令で定めるものであるときは，厚生労働省令で定めるところにより，その変更を行う再生医療等製品の製造所における製造管理又は品質管理の方法が，第二十三条の二十五第二項第四号の厚生労働省令で定める基準に適合している旨の確認を受けなければならない。

4　前項の確認においては，その変更を行う再生医療等製品の製造所における製造管理又は品質管理の方法が，第二十三条の二十五第二項第四号の厚生労働省令で定める基準に適合しているかどうかについて，書面による調査又は実地の調査を行うものとする。

5　厚生労働大臣は，第一項の確認を受けた変更計画が同項各号のいずれかに該当していなかつたことが判明したとき，第三項の確認を受けた製造管理若しくは品質管理の方法が第二十三条の二十五第二項第四号の厚生労働省令で定める基準に適合していなかつたことが判明したとき，又は偽りその他不正の手段により第一項若しくは第三項の確認を受けたことが判明したときは，その確認を取り消さなければならない。

6　第一項の確認を受けた者（その行おうとする変更が第三項の厚生労働省令で定めるものであるときは，第一項及び第三項の確認を受けた者に限る。）は，第二十三条の二十五の承認を受けた再生医療等製品に係る承認された事項の一部について第一項の確認を受けた変更計画に従つた変更を行う日の厚生労働省令で定める日数前までに，厚生労働省令で定めるところにより，厚生労働大臣に当該変更を行う旨を届け出たときは，同条第十一項の厚生労働大臣の承認を受けることを要しない。

7　厚生労働大臣は，前項の規定による届出があつた場合において，その届出に係る変更が第一項の確認を受けた変更計画に従つた変更であると認められないときは，その届出を受理した日から前項の厚生労働省令で定める日数以内に限り，その届出をした者に対し，その届出に係る変更の中止その他必要な措置を命ずることができる。

8　厚生労働大臣は，機構に，第二十三条の二十七第一項の政令で定める再生医療等製品についての第一項及び第三項の確認を行わせることができる。

9　第二十三条の二十七第二項，第三項，第六項及び第七項の規定並びに第五項の規定は，前項の規定により機構に第一項及び第三項の確認を行わせることとした場合について準用する。この場合において，必要な技術的読替えは，政令で定める。

10　厚生労働大臣が第二十三条の二十七第一項の規定により機構に審査を行わせることとしたときは，同項の政令で定める再生医療等製品についての第六項の規定による届出は，同項の規定にかかわらず，機構に行わなければならない。

11　機構は，前項の規定による届出を受理したときは，直ちに，当該届出の状況を厚生労働省令で定めるところにより厚生労働大臣に通知しなければならない。

（承継）

第二十三条の三十三　第二十三条の二十五の承認を受けた者（以下この条において「再生医療等製品承認取得者」という。）について相続，合併又は分割（当該品目に係る厚生労働省令で定める資料及び情報（以下この条において「当該品目に係る資料等」という。）を承継させるものに限る。）があつたときは，相続人（相続人が二人以上ある場合において，その全員の同意により当該再生医療等製品承認取得者の地位を承継すべき相続人を選定したときは，その者），合併後存続する法人若しくは合併により設立した法人又は分割により当該品目に係る資料等を承継した法人は，当該再生医療等製品承認取得者の地位を承継する。

2　再生医療等製品承認取得者がその地位を承継させる目的で当該品目に係る資料等の譲渡しをしたときは，譲受人は，当該再生医療等製品承認取得者の地位を承継する。

3　前二項の規定により再生医療等製品承認取得者の地位を承継した者は，相続の場合にあつては相続後遅滞なく，相続以外の場合にあつては承継前に，厚生労働省令で定めるところにより，厚生労働大臣にその旨を届け出なければならない。

（再生医療等製品総括製造販売責任者等の設置及び遵守事項）

第二十三条の三十四　再生医療等製品の製造販売業者は，厚生労働省令で定めるところにより，再生医療等製品の品質管理及び製造販売後安全管理を行わせるために，医師，歯科医師，薬剤師，獣医師その他の厚生労働省令で定める基準に該当する技術者を置かなければならない。

2　前項の規定により再生医療等製品の品質管理及び製造販売後安全管理を行う者として置かれる者（以下「再生医療等製品総括製造販売責任者」という。）は，次項に規定する義務及び第四項に規定する厚生労働省令で定める業務を遂行し，並びに同項に規定する厚生労働省令で定める事項を遵守するために必要な能力及び経験を有する者でなければならない。

3　再生医療等製品総括製造販売責任者は，再生医療等製品の品質管理及び製造販売後安全管理を公正かつ適正に行うために必要があるときは，製造販売業者に対し，意見を書面により述べなければならない。

4　再生医療等製品総括製造販売責任者が行う再生医療等製品の品質管理及び製造販売後安全管理のために必要な業務並びに再生医療等製品総括製造販売責任者が遵守すべき事項については，厚生労働省令で定める。

5　再生医療等製品の製造業者は，厚生労働大臣の承認を受けて自らその製造を実地に管理する場合のほか，その製造を実地に管理させるために，製造所ごとに，厚生労働大臣の承認を受けて，再生医療等製品に係る生物学的知識を有する者その他の技術者を置かなければならない。

6　前項の規定により再生医療等製品の製造を管理する者として置かれる者（以下「再生医療等製品製造管理者」という。）は，次項及び第八項において準用する第八条第一項に規定する義務並びに第九項に規定する厚生労働省令で定める業務を遂行し，並びに同項に規定する厚生労働省令で定める事項を遵守するために必要な能力及び経験を有する者でなければならない。

7　再生医療等製品製造管理者は，再生医療等製品の製造の管理を公正かつ適正に行うために必要があるときは，製造業者に対し，意見を書面により述べなければならない。

8　再生医療等製品製造管理者については，第七条第四項及び第八条第一項の規定を準用する。この場合において，第七条第四項中「その薬局の所在地の都道府県知事」とあるのは，「厚生労働大臣」と読み替えるものとする。

9　再生医療等製品製造管理者が行う再生医療等製品の製造の管理のために必要な業務及び再生医療等製品製造管理者が遵守すべき事項については，厚生労働省令で定める。

（再生医療等製品の製造販売業者等の遵守事項等）

第二十三条の三十五　厚生労働大臣は，厚生労働省令で，再生医療等製品の製造管理若しくは品質管理又は製造販売後安全管理の実施方法，再生医療等製品総括製造販売責任者の義務の遂行のための配慮事項その他再生医療等製品の製造販売業者がその業務に関し遵守すべき事項を定めることができる。

2　再生医療等製品の製造販売業者は，前条第三項の規定により述べられた再生医療等製品総括製造販売責任者の意見を尊重するとともに，法令遵守のために措置を講ずる必要があるときは，当該措置を講じ，かつ，講じた措置の内容（措置を講じない場合にあつては，その旨及びその理由）を記録し，これを適切に保存しなければならない。

3　厚生労働大臣は，厚生労働省令で，製造所における再生医療等製品の試験検査の実施方法，再生医療等製品製造管理者の義務の遂行のための配慮事項その他再生医療等製品の製造業者又は再生医療等製品外国製造業者がその業務に関し遵守すべき事項を定めることができる。

4　再生医療等製品の製造業者は，前条第七項の規定により述べられた再生医療等製品製造管理者の意見を尊重するとともに，法令遵守のために措置を講ずる必要があるときは，当該措置を講じ，かつ，講じた措置の内容（措置を講じない場合にあつては，その旨及びその理由）を記録し，これを適切に保存しなければならない。

5　再生医療等製品の製造販売業者は，製造販売後安全管理に係る業務のうち厚生労働省令で定めるものについて，厚生労働省令で定めるところにより，その業務を適正かつ確実に行う能力のある者に委託することができる。

（再生医療等製品の製造販売業者等の法令遵守体制）

第二十三条の三十五の二　再生医療等製品の製造販売業者は，再生医療等製品の品質管理及び製造販売後安全管理に関する業務その他の製造販売業者の業務を適正に遂行することにより，薬事に関する法令の規定の遵守を確保するために，厚生労働省令で定めるところにより，次の各号に掲げる措置を講じなければならない。

一　再生医療等製品の品質管理及び製造販売後安全管理に関する業務について，再生医療等製品総括製造販売責任者が有する権限を明らかにすること。

二　再生医療等製品の品質管理及び製造販売後安全管理に関する業務その他の製造販売業者の業務の遂行が法令に適合することを確保するための体制，当該製造販売業者の薬事に関する業務に責任を有する役員及び従業者の業務の監督に係る体制その他の製造販売業者の業務の適正を確保するために必要なものとして厚生労働省令で定める体制を整備すること。

三　再生医療等製品総括製造販売責任者その他の厚生労働省令で定める者に，第二十三条の二十一第一項各号の厚生労働省令で定める基準を遵守して再生医療等製品の品質管理及び製造販売後安全管理を行わせるために必要な権限の付与及びそれらの者が行う業務の監督その他の措置

四　前三号に掲げるもののほか，再生医療等製品の製造販売業者の従業者に対して法令遵守のための指針を示すことその他の製造販売業者の業務の適正な遂行に必要なものとして厚生労働省令で定める措置

2　再生医療等製品の製造販売業者は，前項各号に掲げる措置の内容を記録し，これを適切に保存しなければならない。

3　再生医療等製品の製造業者は，再生医療等製品の製造の管理に関する業務その他の製造業者の業務を適正に遂行することにより，薬事に関する法令の規定の遵守を確保するために，厚生労働省令で定めるところにより，次の各号に掲げる措置を講じなければならない。

一　再生医療等製品の製造の管理に関する業務について，再生医療等製品製造管理者が有する権限を明らかにすること。

二　再生医療等製品の製造の管理に関する業務その他の製造業者の業務の遂行が法令に適合することを確保するための体制，当該製造業者の薬事に関する業務に責任を有する役員及び従業者の業務の監督に係る体制その他の製造業者の業務の適正を確保するために必要なものとして厚生労働省令で定める体制を整備すること。

三　再生医療等製品製造管理者その他の厚生労働省令で定める者に，第二十三条の二十五第二項第四号の厚生労働省令で定める基準を遵守して再生医療等製品の製造管理又は品質管理を行わせるために必要な権限の付与及びそれらの者が行う業務の監督その他の措置

四　前三号に掲げるもののほか，再生医療等製品の製造業者の従業者に対して法令遵守のための指針を示すことその他の製造業者の業務の適正な遂行に必要なものとして厚生労働省令で定める措置

4　再生医療等製品の製造業者は，前項各号に掲げる措置の内容を記録し，これを適切に保存しなければならない。

（休廃止等の届出）

第二十三条の三十六　再生医療等製品の製造販売業者は，その事業を廃止し，休止し，若しくは休止した事業を再開したとき，又は再生医療等製品総括製造販売責任者その他厚生労働省令で定める事項を変更したときは，三十日以内に，厚生労働大臣にその旨を届け出なければならない。

2　再生医療等製品の製造業者又は再生医療等製品外国製造業者は，その製造所を廃止し，休止し，若しくは休止した製造所を再開したとき，又は再生医療等製品製造管理者その他厚生労働省令で定める事項を変更したときは，三十日以内に，厚生労働大臣にその旨を届け出なければならない。

（外国製造再生医療等製品の製造販売の承認）

第二十三条の三十七　厚生労働大臣は，再生医療等製品であつて本邦に輸出されるものにつき，外国においてその製造等をする者から申請があつたときは，品目ごとに，その者が第三項の規定により選任した再生医療等製品の製造販売業者に製造販売をさせることについての承認を与えることができる。

2　申請者が，第七十五条の二の二第一項の規定によりその受けた承認の全部又は一部を取り消され，取消しの日から三年を経過していない者であるときは，前項の承認を与えないことができる。

3　第一項の承認を受けようとする者は，本邦内において当該承認に係る再生医療等製品による保健衛生上の危害の発生の防止に必要な措置をとらせるため，再生医療等製品の製造販売業者を当該承認の申請の際選任しなければならない。

4　第一項の承認を受けた者（以下「外国製造再生医療等製品特例承認取得者」という。）が前項の規定により選任した再生医療等製品の製造販売業者（以下「選任外国製造再生医療等製品製造販売業者」という。）は，第二十三条の二十五第一項の規定にかかわらず，当該承認に係る品目の製造販売をすることができる。

5　第一項の承認については，第二十三条の二十五第二項（第一号を除く。）及び第三項から第十三項まで，第二十三条の二十六（第四項を除く。）並びに第二十三条の二十七の規定を準用する。

6　前項において準用する第二十三条の二十五第十一項の承認については，同条第十三項，第二十三条の二十六第四項及び第二十三条の二十七の規定を準用する。

（選任外国製造再生医療等製品製造販売業者に関する変更の届出）

第二十三条の三十八　外国製造再生医療等製品特例承認取得者は，選任外国製造再生医療等製品製造販売業者を変更したとき，又は選任外国製造再生医療等製品製造販売業者につき，その氏名若しくは名称その他厚生労働省令で定める事項に変更があつたときは，三十日以内に，厚生労働大臣に届け出なければならない。

2　前条第五項において準用する第二十三条の二十七第一項の規定により，機構に前条第一項の承認のための審査を行わせることとしたときは，同条第五項において準用する第二十三条の二十七第一項の政令で定める再生医療等製品に係る選任外国製造再生医療等製品製造販売業者についての前項の規定による届出は，同項の規定にかかわらず，機構に行わなければならない。

3　機構は，前項の規定による届出を受理したときは，遅滞なく，届出の状況を厚生労働省令で定めるところにより厚生労働大臣に通知しなければならない。

（準用）

第二十三条の三十九　外国製造再生医療等製品特例承認取得者については，第二十三条の二十九から第二十三条の三十三まで及び第二十三条の三十五第三項の規定を準用する。

（外国製造再生医療等製品の特例承認）

第二十三条の四十　第二十三条の三十七の承認の申請者が選任外国製造再生医療等製品製造販売業者に製造販売をさせようとする物が，第二十三条の二十八第一項に規定する政令で定める再生医療等製品である場合には，同条の規定を準用する。この場合において，同項中「第二十三条の二十五」とあるのは「第二十三条の三十七」と，「同条第二項，第五項，第六項及び第十項」とあるのは「同条第五項において準用する第二十三条の二十五第二項，第五項，第六項及び第十項」と，「同条の承認」とあるのは「第二十三条の三十七の承認」と，同条第二項中「前項の規定により第二十三条の二十五の承認を受けた者」とあるのは「第二十三条の四十第一項において準用する第二十三条の二十八第一項の規定により第二十三条の三十七の承認を受けた者又は選任外国製造再生医療等製品製造販売業者」と読み替えるものとする。

2　前項に規定する場合の選任外国製造再生医療等製品製造販売業者は，第二十三条の二十五第一項の規定にかかわらず，前項において準用する第二十三条の二十八第一項の規定による第二十三条の三十七の承認に係る品目の製造販売をすることができる。

（都道府県知事の経由）

第二十三条の四十一　第二十三条の二十第一項の許可若しくは同条第四項の許可の更新の申請又は第二十三条の三十六第一項の規定による届出は，申請者又は届出者の住所地の都道府県知事を経由して行わなければならない。

2　第二十三条の二十二第一項若しくは第八項の許可，同条第三項（同条第七項において準用する場合を含む。）の許可の更新若しくは第二十三条の三十四第五項の承認の申請又は第二十三条の三十六第二項の規定による届出は，製造所の所在地の都道府県知事を経由して行わなければならない。

（政令への委任）

第二十三条の四十二　この章に定めるもののほか，製造販売業又は製造業の許可又は許可の更新，再生医療等製品外国製造業者の認定又は認定の更新，製造販売品目の承認，再審査又は再評価，製造所の管理その他再生医療等製品の製造販売業又は製造業（外国製造再生医療等製品特例承認取得者の行う製造を含む。）に関し必要な事項は，政令で定める。

第七章　医薬品，医療機器及び再生医療等製品の販売業等

第一節　医薬品の販売業

（医薬品の販売業の許可）

第二十四条　薬局開設者又は医薬品の販売業の許可を受けた者でなければ，業として，医薬品を販売し，授与し，又は販売若しくは授与の目的で貯蔵し，若しくは陳列（配置することを含む。以下同じ。）してはならない。ただし，医薬品の製造販売業者がその製造等をし，又は輸入した医薬品を薬局開設者又は医薬品の製造販売業者，製造業者若しくは販売業者に，医薬品の製造業者がその製造した医薬品を医薬品の製造販売業者又は製造業者に，それぞれ販売し，授与し，又はその販売若しくは授与の目的で貯蔵し，若しくは陳列するときは，この限りでない。

2　前項の許可は，六年ごとにその更新を受けなければ，その期間の経過によつて，その効力を失う。

（医薬品の販売業の許可の種類）

第二十五条　医薬品の販売業の許可は，次の各号に掲げる区分に応じ，当該各号に定める業務について行う。

一　店舗販売業の許可　要指導医薬品（第四条第五項第三号に規定する要指導医薬品をいう。以下同じ。）又は一般用医薬品を，店舗において販売し，又は授与する業務

二　配置販売業の許可　一般用医薬品を，配置により販売し，又は授与する業務

三　卸売販売業の許可　医薬品を，薬局開設者，医薬品の製造販売業者，製造業者若しくは販売業者又は病院，診療所若しくは飼育動物診療施設の開設者その他厚生労働省令で定める者（第三十四条第五項において「薬局開設者等」という。）に対し，販売し，又は授与する業務

（店舗販売業の許可）

第二十六条　店舗販売業の許可は，店舗ごとに，その店舗の所在地の都道府県知事（その店舗の所在地が保健所を設置する市又は特別区の区域にある場合においては，市長又は区長。次項及び第二十八条第四項において同じ。）が与える。

2　前項の許可を受けようとする者は，厚生労働省令で定めるところにより，次に掲げる事項を記載した申請書をその店舗の所在地の都道府県知事に提出しなければならない。

一　氏名又は名称及び住所並びに法人にあつては，その代表者の氏名

二　その店舗の名称及び所在地

三　その店舗の構造設備の概要

四　その店舗において医薬品の販売又は授与の業務を行う体制の概要

五　法人にあつては，薬事に関する業務に責任を有する役員の氏名

六　第五項において準用する第五条第三号イからトまでに該当しない旨その他厚生労働省令で定める事項

3　前項の申請書には，次に掲げる書類を添付しなければならない。

一　その店舗の平面図
二　第二十八条第一項の規定によりその店舗をその指定する者に実地に管理させる場合にあつては，その指定する者の氏名及び住所を記載した書類
三　第一項の許可を受けようとする者及び前号の者以外にその店舗において薬事に関する実務に従事する薬剤師又は登録販売者（第四条第五項第一号に規定する登録販売者をいう。以下同じ。）を置く場合にあつては，その薬剤師又は登録販売者の氏名及び住所を記載した書類
四　その店舗において販売し，又は授与する医薬品の要指導医薬品及び一般用医薬品に係る厚生労働省令で定める区分を記載した書類
五　その店舗においてその店舗以外の場所にいる者に対して一般用医薬品を販売し，又は授与する場合にあつては，その者との間の通信手段その他の厚生労働省令で定める事項を記載した書類
六　その他厚生労働省令で定める書類
4　次の各号のいずれかに該当するときは，第一項の許可を与えないことができる。
一　その店舗の構造設備が，厚生労働省令で定める基準に適合しないとき。
二　薬剤師又は登録販売者を置くことその他その店舗において医薬品の販売又は授与の業務を行う体制が適切に医薬品を販売し，又は授与するために必要な基準として厚生労働省令で定めるものに適合しないとき。
5　第五条（第三号に係る部分に限る。）の規定は，第一項の許可について準用する。

（店舗販売品目）

第二十七条　店舗販売業者（店舗販売業の許可を受けた者をいう。以下同じ。）は，薬局医薬品（第四条第五項第二号に規定する薬局医薬品をいう。以下同じ。）を販売し，授与し，又は販売若しくは授与の目的で貯蔵し，若しくは陳列してはならない。

（店舗の管理）

第二十八条　店舗販売業者は，その店舗を，自ら実地に管理し，又はその指定する者に実地に管理させなければならない。
2　前項の規定により店舗を実地に管理する者（以下「店舗管理者」という。）は，厚生労働省令で定めるところにより，薬剤師又は登録販売者でなければならない。
3　店舗管理者は，次条第一項及び第二項に規定する義務並びに同条第三項に規定する厚生労働省令で定める業務を遂行し，並びに同項に規定する厚生労働省令で定める事項を遵守するために必要な能力及び経験を有する者でなければならない。
4　店舗管理者は，その店舗以外の場所で業として店舗の管理その他薬事に関する実務に従事する者であつてはならない。ただし，その店舗の所在地の都道府県知事の許可を受けたときは，この限りでない。

（店舗管理者の義務）

第二十九条　店舗管理者は，保健衛生上支障を生ずるおそれがないように，その店舗に勤務

する薬剤師，登録販売者その他の従業者を監督し，その店舗の構造設備及び医薬品その他の物品を管理し，その他その店舗の業務につき，必要な注意をしなければならない。

2　店舗管理者は，保健衛生上支障を生ずるおそれがないように，その店舗の業務につき，店舗販売業者に対し，必要な意見を書面により述べなければならない。

3　店舗管理者が行う店舗の管理に関する業務及び店舗管理者が遵守すべき事項については，厚生労働省令で定める。

（店舗販売業者の遵守事項）

第二十九条の二　厚生労働大臣は，厚生労働省令で，次に掲げる事項その他店舗の業務に関し店舗販売業者が遵守すべき事項を定めることができる。

一　店舗における医薬品の管理の実施方法に関する事項

二　店舗における医薬品の販売又は授与の実施方法（その店舗においてその店舗以外の場所にいる者に対して一般用医薬品を販売し，又は授与する場合におけるその者との間の通信手段に応じた当該実施方法を含む。）に関する事項

2　店舗販売業者は，第二十八条第一項の規定により店舗管理者を指定したときは，前条第二項の規定により述べられた店舗管理者の意見を尊重するとともに，法令遵守のために措置を講ずる必要があるときは，当該措置を講じ，かつ，講じた措置の内容（措置を講じない場合にあつては，その旨及びその理由）を記録し，これを適切に保存しなければならない。

（店舗販売業者の法令遵守体制）

第二十九条の三　店舗販売業者は，店舗の管理に関する業務その他の店舗販売業者の業務を適正に遂行することにより，薬事に関する法令の規定の遵守を確保するために，厚生労働省令で定めるところにより，次の各号に掲げる措置を講じなければならない。

一　店舗の管理に関する業務について，店舗管理者が有する権限を明らかにすること。

二　店舗の管理に関する業務その他の店舗販売業者の業務の遂行が法令に適合することを確保するための体制，当該店舗販売業者の薬事に関する業務に責任を有する役員及び従業者の業務の監督に係る体制その他の店舗販売業者の業務の適正を確保するために必要なものとして厚生労働省令で定める体制を整備すること。

三　前二号に掲げるもののほか，店舗販売業者の従業者に対して法令遵守のための指針を示すことその他の店舗販売業者の業務の適正な遂行に必要なものとして厚生労働省令で定める措置

2　店舗販売業者は，前項各号に掲げる措置の内容を記録し，これを適切に保存しなければならない。

（店舗における掲示）

第二十九条の四　店舗販売業者は，厚生労働省令で定めるところにより，当該店舗を利用するために必要な情報であつて厚生労働省令で定める事項を，当該店舗の見やすい場所に掲示しなければならない。

（配置販売業の許可）

第三十条　配置販売業の許可は，配置しようとする区域をその区域に含む都道府県ごとに，その都道府県知事が与える。

2　前項の許可を受けようとする者は，厚生労働省令で定めるところにより，次の各号に掲げる事項を記載した申請書を配置しようとする区域をその区域に含む都道府県知事に提出しなければならない。

一　氏名又は名称及び住所並びに法人にあつては，その代表者の氏名

二　薬剤師又は登録販売者が配置することその他当該都道府県の区域において医薬品の配置販売を行う体制の概要

三　法人にあつては，薬事に関する業務に責任を有する役員の氏名

四　第三十一条の二第二項に規定する区域管理者の氏名

五　第四項において準用する第五条第三号イからトまでに該当しない旨その他厚生労働省令で定める事項

3　薬剤師又は登録販売者が配置することその他当該都道府県の区域において医薬品の配置販売を行う体制が適切に医薬品を配置販売するために必要な基準として厚生労働省令で定めるものに適合しないときは，第一項の許可を与えないことができる。

4　第五条（第三号に係る部分に限る。）の規定は，第一項の許可について準用する。

（配置販売品目）

第三十一条　配置販売業の許可を受けた者（以下「配置販売業者」という。）は，一般用医薬品のうち経年変化が起こりにくいことその他の厚生労働大臣の定める基準に適合するもの以外の医薬品を販売し，授与し，又は販売若しくは授与の目的で貯蔵し，若しくは陳列してはならない。

（都道府県ごとの区域の管理）

第三十一条の二　配置販売業者は，その業務に係る都道府県の区域を，自ら管理し，又は当該都道府県の区域内において配置販売に従事する配置員のうちから指定したものに管理させなければならない。

2　前項の規定により都道府県の区域を管理する者（以下「区域管理者」という。）は，厚生労働省令で定めるところにより，薬剤師又は登録販売者でなければならない。

3　区域管理者は，次条第一項及び第二項に規定する義務並びに同条第三項に規定する厚生労働省令で定める業務を遂行し，並びに同項に規定する厚生労働省令で定める事項を遵守するために必要な能力及び経験を有する者でなければならない。

（区域管理者の義務）

第三十一条の三　区域管理者は，保健衛生上支障を生ずるおそれがないように，その業務に関し配置員を監督し，医薬品その他の物品を管理し，その他その区域の業務につき，必要な注意をしなければならない。

2　区域管理者は，保健衛生上支障を生ずるおそれがないように，その区域の業務につき，

配置販売業者に対し，必要な意見を書面により述べなければならない。

3　区域管理者が行う区域の管理に関する業務及び区域管理者が遵守すべき事項については，厚生労働省令で定める。

（配置販売業者の遵守事項）

第三十一条の四　厚生労働大臣は，厚生労働省令で，配置販売の業務に関する記録方法その他配置販売の業務に関し配置販売業者が遵守すべき事項を定めることができる。

2　配置販売業者は，第三十一条の二第一項の規定により区域管理者を指定したときは，前条第二項の規定により述べられた区域管理者の意見を尊重するとともに，法令遵守のために措置を講ずる必要があるときは，当該措置を講じ，かつ，講じた措置の内容（措置を講じない場合にあつては，その旨及びその理由）を記録し，これを適切に保存しなければならない。

（配置販売業者の法令遵守体制）

第三十一条の五　配置販売業者は，区域の管理に関する業務その他の配置販売業者の業務を適正に遂行することにより，薬事に関する法令の規定の遵守を確保するために，厚生労働省令で定めるところにより，次の各号に掲げる措置を講じなければならない。

一　区域の管理に関する業務について，区域管理者が有する権限を明らかにすること。

二　区域の管理に関する業務その他の配置販売業者の業務の遂行が法令に適合することを確保するための体制，当該配置販売業者の薬事に関する業務に責任を有する役員及び従業者の業務の監督に係る体制その他の配置販売業者の業務の適正を確保するために必要なものとして厚生労働省令で定める体制を整備すること。

三　前二号に掲げるもののほか，配置販売業者の従業者に対して法令遵守のための指針を示すことその他の配置販売業者の業務の適正な遂行に必要なものとして厚生労働省令で定める措置

2　配置販売業者は，前項各号に掲げる措置の内容を記録し，これを適切に保存しなければならない。

（配置従事の届出）

第三十二条　配置販売業者又はその配置員は，医薬品の配置販売に従事しようとするときは，その氏名，配置販売に従事しようとする区域その他厚生労働省令で定める事項を，あらかじめ，配置販売に従事しようとする区域の都道府県知事に届け出なければならない。

（配置従事者の身分証明書）

第三十三条　配置販売業者又はその配置員は，その住所地の都道府県知事が発行する身分証明書の交付を受け，かつ，これを携帯しなければ，医薬品の配置販売に従事してはならない。

（卸売販売業の許可）

第三十四条　卸売販売業の許可は，営業所ごとに，その営業所の所在地の都道府県知事が与える。

2　前項の許可を受けようとする者は，厚生労働省令で定めるところにより，次の各号に掲げる事項を記載した申請書をその営業所の所在地の都道府県知事に提出しなければならない。

一　氏名又は名称及び住所並びに法人にあつては，その代表者の氏名

二　その営業所の構造設備の概要

三　法人にあつては，薬事に関する業務に責任を有する役員の氏名

四　次条第二項に規定する医薬品営業所管理者の氏名

五　第四項において準用する第五条第三号イからトまでに該当しない旨その他厚生労働省令で定める事項

3　営業所の構造設備が，厚生労働省令で定める基準に適合しないときは，第一項の許可を与えないことができる。

4　第五条（第三号に係る部分に限る。）の規定は，第一項の許可について準用する。

5　卸売販売業の許可を受けた者（以下「卸売販売業者」という。）は，当該許可に係る営業所については，業として，医薬品を，薬局開設者等以外の者に対し，販売し，又は授与してはならない。

（営業所の管理）

第三十五条　卸売販売業者は，営業所ごとに，薬剤師を置き，その営業所を管理させなければならない。ただし，卸売販売業者が薬剤師の場合であつて，自らその営業所を管理するときは，この限りでない。

2　卸売販売業者が，薬剤師による管理を必要としない医薬品として厚生労働省令で定めるもののみを販売又は授与する場合には，前項の規定にかかわらず，その営業所を管理する者（以下「医薬品営業所管理者」という。）は，薬剤師又は薬剤師以外の者であつて当該医薬品の品目に応じて厚生労働省令で定めるものでなければならない。

3　医薬品営業所管理者は，次条第一項及び第二項に規定する義務並びに同条第三項に規定する厚生労働省令で定める業務を遂行し，並びに同項に規定する厚生労働省令で定める事項を遵守するために必要な能力及び経験を有する者でなければならない。

4　医薬品営業所管理者は，その営業所以外の場所で業として営業所の管理その他薬事に関する実務に従事する者であつてはならない。ただし，その営業所の所在地の都道府県知事の許可を受けたときは，この限りでない。

（医薬品営業所管理者の義務）

第三十六条　医薬品営業所管理者は，保健衛生上支障を生ずるおそれがないように，その営業所に勤務する薬剤師その他の従業者を監督し，その営業所の構造設備及び医薬品その他の物品を管理し，その他その営業所の業務につき，必要な注意をしなければならない。

2　医薬品営業所管理者は，保健衛生上支障を生ずるおそれがないように，その営業所の業務につき，卸売販売業者に対し，必要な意見を書面により述べなければならない。

3　医薬品営業所管理者が行う営業所の管理に関する業務及び医薬品営業所管理者が遵守す

べき事項については，厚生労働省令で定める。

（卸売販売業者の遵守事項）

第三十六条の二　厚生労働大臣は，厚生労働省令で，営業所における医薬品の試験検査の実施方法その他営業所の業務に関し卸売販売業者が遵守すべき事項を定めることができる。

2　卸売販売業者は，第三十五条第一項又は第二項の規定により医薬品営業所管理者を置いたときは，前条第二項の規定により述べられた医薬品営業所管理者の意見を尊重するとともに，法令遵守のために措置を講ずる必要があるときは，当該措置を講じ，かつ，講じた措置の内容（措置を講じない場合にあつては，その旨及びその理由）を記録し，これを適切に保存しなければならない。

（卸売販売業者の法令遵守体制）

第三十六条の二の二　卸売販売業者は，営業所の管理に関する業務その他の卸売販売業者の業務を適正に遂行することにより，薬事に関する法令の規定の遵守を確保するために，厚生労働省令で定めるところにより，次の各号に掲げる措置を講じなければならない。

一　営業所の管理に関する業務について，医薬品営業所管理者が有する権限を明らかにすること。

二　営業所の管理に関する業務その他の卸売販売業者の業務の遂行が法令に適合することを確保するための体制，当該卸売販売業者の薬事に関する業務に責任を有する役員及び従業者の業務の監督に係る体制その他の卸売販売業者の業務の適正を確保するために必要なものとして厚生労働省令で定める体制を整備すること。

三　前二号に掲げるもののほか，卸売販売業者の従業者に対して法令遵守のための指針を示すことその他の卸売販売業者の業務の適正な遂行に必要なものとして厚生労働省令で定める措置

2　卸売販売業者は，前項各号に掲げる措置の内容を記録し，これを適切に保存しなければならない。

（薬局医薬品の販売に従事する者等）

第三十六条の三　薬局開設者は，厚生労働省令で定めるところにより，薬局医薬品につき，薬剤師に販売させ，又は授与させなければならない。

2　薬局開設者は，薬局医薬品を使用しようとする者以外の者に対して，正当な理由なく，薬局医薬品を販売し，又は授与してはならない。ただし，薬剤師，薬局開設者，医薬品の製造販売業者，製造業者若しくは販売業者，医師，歯科医師若しくは獣医師又は病院，診療所若しくは飼育動物診療施設の開設者（以下「薬剤師等」という。）に販売し，又は授与するときは，この限りでない。

（薬局医薬品に関する情報提供及び指導等）

第三十六条の四　薬局開設者は，薬局医薬品の適正な使用のため，薬局医薬品を販売し，又は授与する場合には，厚生労働省令で定めるところにより，その薬局において医薬品の販売又は授与に従事する薬剤師に，対面により，厚生労働省令で定める事項を記載した書面

（当該事項が電磁的記録に記録されているときは，当該電磁的記録に記録された事項を厚生労働省令で定める方法により表示したものを含む。）を用いて必要な情報を提供させ，及び必要な薬学的知見に基づく指導を行わせなければならない。ただし，薬剤師等に販売し，又は授与するときは，この限りでない。

2　薬局開設者は，前項の規定による情報の提供及び指導を行わせるに当たつては，当該薬剤師に，あらかじめ，薬局医薬品を使用しようとする者の年齢，他の薬剤又は医薬品の使用の状況その他の厚生労働省令で定める事項を確認させなければならない。

3　薬局開設者は，第一項本文に規定する場合において，同項の規定による情報の提供又は指導ができないとき，その他薬局医薬品の適正な使用を確保することができないと認められるときは，薬局医薬品を販売し，又は授与してはならない。

4　薬局開設者は，薬局医薬品の適正な使用のため，その薬局において薬局医薬品を購入し，若しくは譲り受けようとする者又はその薬局において薬局医薬品を購入し，若しくは譲り受けた者若しくはこれらの者によつて購入され，若しくは譲り受けられた薬局医薬品を使用する者から相談があつた場合には，厚生労働省令で定めるところにより，その薬局において医薬品の販売又は授与に従事する薬剤師に，必要な情報を提供させ，又は必要な薬学的知見に基づく指導を行わせなければならない。

5　第一項又は前項に定める場合のほか，薬局開設者は，薬局医薬品の適正な使用のため必要がある場合として厚生労働省令で定める場合には，厚生労働省令で定めるところにより，その薬局において医薬品の販売又は授与に従事する薬剤師に，その販売し，又は授与した薬局医薬品を購入し，又は譲り受けた者の当該薬局医薬品の使用の状況を継続的かつ的確に把握させるとともに，その薬局医薬品を購入し，又は譲り受けた者に対して必要な情報を提供させ，又は必要な薬学的知見に基づく指導を行わせなければならない。

（要指導医薬品の販売に従事する者等）

第三十六条の五　薬局開設者又は店舗販売業者は，厚生労働省令で定めるところにより，要指導医薬品につき，薬剤師に販売させ，又は授与させなければならない。

2　薬局開設者又は店舗販売業者は，要指導医薬品を使用しようとする者以外の者に対して，正当な理由なく，要指導医薬品を販売し，又は授与してはならない。ただし，薬剤師等に販売し，又は授与するときは，この限りでない。

（要指導医薬品に関する情報提供及び指導等）

第三十六条の六　薬局開設者又は店舗販売業者は，要指導医薬品の適正な使用のため，要指導医薬品を販売し，又は授与する場合には，厚生労働省令で定めるところにより，その薬局又は店舗において医薬品の販売又は授与に従事する薬剤師に，対面により，厚生労働省令で定める事項を記載した書面（当該事項が電磁的記録に記録されているときは，当該電磁的記録に記録された事項を厚生労働省令で定める方法により表示したものを含む。）を用いて必要な情報を提供させ，及び必要な薬学的知見に基づく指導を行わせなければならない。ただし，薬剤師等に販売し，又は授与するときは，この限りでない。

2　薬局開設者又は店舗販売業者は，前項の規定による情報の提供及び指導を行わせるに当たつては，当該薬剤師に，あらかじめ，要指導医薬品を使用しようとする者の年齢，他の薬剤又は医薬品の使用の状況その他の厚生労働省令で定める事項を確認させなければならない。

3　薬局開設者又は店舗販売業者は，第一項本文に規定する場合において，同項の規定による情報の提供又は指導ができないとき，その他要指導医薬品の適正な使用を確保することができないと認められるときは，要指導医薬品を販売し，又は授与してはならない。

4　薬局開設者又は店舗販売業者は，要指導医薬品の適正な使用のため，その薬局若しくは店舗において要指導医薬品を購入し，若しくは譲り受けようとする者又はその薬局若しくは店舗において要指導医薬品を購入し，若しくは譲り受けた者若しくはこれらの者によつて購入され，若しくは譲り受けられた要指導医薬品を使用する者から相談があつた場合には，厚生労働省令で定めるところにより，その薬局又は店舗において医薬品の販売又は授与に従事する薬剤師に，必要な情報を提供させ，又は必要な薬学的知見に基づく指導を行わせなければならない。

（一般用医薬品の区分）

第三十六条の七　一般用医薬品（専ら動物のために使用されることが目的とされているものを除く。）は，次のように区分する。

一　第一類医薬品　その副作用等により日常生活に支障を来す程度の健康被害が生ずるおそれがある医薬品のうちその使用に関し特に注意が必要なものとして厚生労働大臣が指定するもの及びその製造販売の承認の申請に際して第十四条第十一項に該当するとされた医薬品であつて当該申請に係る承認を受けてから厚生労働省令で定める期間を経過しないもの

二　第二類医薬品　その副作用等により日常生活に支障を来す程度の健康被害が生ずるおそれがある医薬品（第一類医薬品を除く。）であつて厚生労働大臣が指定するもの

三　第三類医薬品　第一類医薬品及び第二類医薬品以外の一般用医薬品

2　厚生労働大臣は，前項第一号及び第二号の規定による指定に資するよう医薬品に関する情報の収集に努めるとともに，必要に応じてこれらの指定を変更しなければならない。

3　厚生労働大臣は，第一項第一号又は第二号の規定による指定をし，又は変更しようとするときは，薬事・食品衛生審議会の意見を聴かなければならない。

（資質の確認）

第三十六条の八　都道府県知事は，一般用医薬品の販売又は授与に従事しようとする者がそれに必要な資質を有することを確認するために，厚生労働省令で定めるところにより試験を行う。

2　前項の試験に合格した者又は第二類医薬品及び第三類医薬品の販売若しくは授与に従事するために必要な資質を有する者として政令で定める基準に該当する者であつて，医薬品の販売又は授与に従事しようとするものは，都道府県知事の登録を受けなければならない。

3　第五条（第三号に係る部分に限る。）の規定は，前項の登録について準用する。この場合において，同条中「許可を与えないことができる」とあるのは，「登録を受けることができない」と読み替えるものとする。

4　第二項の登録又はその消除その他必要な事項は，厚生労働省令で定める。

（一般用医薬品の販売に従事する者）

第三十六条の九　薬局開設者，店舗販売業者又は配置販売業者は，厚生労働省令で定めるところにより，一般用医薬品につき，次の各号に掲げる区分に応じ，当該各号に定める者に販売させ，又は授与させなければならない。

一　第一類医薬品　薬剤師

二　第二類医薬品及び第三類医薬品　薬剤師又は登録販売者

（一般用医薬品に関する情報提供等）

第三十六条の十　薬局開設者又は店舗販売業者は，第一類医薬品の適正な使用のため，第一類医薬品を販売し，又は授与する場合には，厚生労働省令で定めるところにより，その薬局又は店舗において医薬品の販売又は授与に従事する薬剤師に，厚生労働省令で定める事項を記載した書面（当該事項が電磁的記録に記録されているときは，当該電磁的記録に記録された事項を厚生労働省令で定める方法により表示したものを含む。）を用いて必要な情報を提供させなければならない。ただし，薬剤師等に販売し，又は授与するときは，この限りでない。

2　薬局開設者又は店舗販売業者は，前項の規定による情報の提供を行わせるに当たつては，当該薬剤師に，あらかじめ，第一類医薬品を使用しようとする者の年齢，他の薬剤又は医薬品の使用の状況その他の厚生労働省令で定める事項を確認させなければならない。

3　薬局開設者又は店舗販売業者は，第二類医薬品の適正な使用のため，第二類医薬品を販売し，又は授与する場合には，厚生労働省令で定めるところにより，その薬局又は店舗において医薬品の販売又は授与に従事する薬剤師又は登録販売者に，必要な情報を提供させるよう努めなければならない。ただし，薬剤師等に販売し，又は授与するときは，この限りでない。

4　薬局開設者又は店舗販売業者は，前項の規定による情報の提供を行わせるに当たつては，当該薬剤師又は登録販売者に，あらかじめ，第二類医薬品を使用しようとする者の年齢，他の薬剤又は医薬品の使用の状況その他の厚生労働省令で定める事項を確認させるよう努めなければならない。

5　薬局開設者又は店舗販売業者は，一般用医薬品の適正な使用のため，その薬局若しくは店舗において一般用医薬品を購入し，若しくは譲り受けようとする者又はその薬局若しくは店舗において一般用医薬品を購入し，若しくは譲り受けた者若しくはこれらの者によつて購入され，若しくは譲り受けられた一般用医薬品を使用する者から相談があつた場合には，厚生労働省令で定めるところにより，その薬局又は店舗において医薬品の販売又は授与に従事する薬剤師又は登録販売者に，必要な情報を提供させなければならない。

6　第一項の規定は，第一類医薬品を購入し，又は譲り受ける者から説明を要しない旨の意思の表明があつた場合（第一類医薬品が適正に使用されると認められる場合に限る。）には，適用しない。

7　配置販売業者については，前各項（第一項ただし書及び第三項ただし書を除く。）の規定を準用する。この場合において，第一項本文及び第三項本文中「販売し，又は授与する場合」とあるのは「配置する場合」と，「薬局又は店舗」とあるのは「業務に係る都道府県の区域」と，「医薬品の販売又は授与」とあるのは「医薬品の配置販売」と，第五項中「その薬局若しくは店舗において一般用医薬品を購入し，若しくは譲り受けようとする者又はその薬局若しくは店舗において一般用医薬品を購入し，若しくは譲り受けた者若しくはこれらの者によつて購入され，若しくは譲り受けられた一般用医薬品を使用する者」とあるのは「配置販売によつて一般用医薬品を購入し，若しくは譲り受けようとする者又は配置した一般用医薬品を使用する者」と，「薬局又は店舗」とあるのは「業務に係る都道府県の区域」と，「医薬品の販売又は授与」とあるのは「医薬品の配置販売」と読み替えるものとする。

（販売方法等の制限）

第三十七条　薬局開設者又は店舗販売業者は店舗による販売又は授与以外の方法により，配置販売業者は配置以外の方法により，それぞれ医薬品を販売し，授与し，又はその販売若しくは授与の目的で医薬品を貯蔵し，若しくは陳列してはならない。

2　配置販売業者は，医薬品の直接の容器又は直接の被包（内袋を含まない。第五十四条及び第五十七条第一項を除き，以下同じ。）を開き，その医薬品を分割販売してはならない。

（準用）

第三十八条　店舗販売業については，第十条及び第十一条の規定を準用する。

2　配置販売業及び卸売販売業については，第十条第一項及び第十一条の規定を準用する。

第二節　医療機器の販売業，貸与業及び修理業

（高度管理医療機器等の販売業及び貸与業の許可）

第三十九条　高度管理医療機器又は特定保守管理医療機器（以下「高度管理医療機器等」という。）の販売業又は貸与業の許可を受けた者でなければ，それぞれ，業として，高度管理医療機器等を販売し，授与し，若しくは貸与し，若しくは販売，授与若しくは貸与の目的で陳列し，又は高度管理医療機器プログラム（高度管理医療機器のうちプログラムであるものをいう。以下この項において同じ。）を電気通信回線を通じて提供してはならない。ただし，高度管理医療機器等の製造販売業者がその製造等をし，又は輸入をした高度管理医療機器等を高度管理医療機器等の製造販売業者，製造業者，販売業者又は貸与業者に，高度管理医療機器等の製造業者がその製造した高度管理医療機器等を高度管理医療機器等の製造販売業者又は製造業者に，それぞれ販売し，授与し，若しくは貸与し，若しくは販売，授与若しくは貸与の目的で陳列し，又は高度管理医療機器プログラムを電気通信回線

を通じて提供するときは，この限りでない。

2　前項の許可は，営業所ごとに，その営業所の所在地の都道府県知事（その営業所の所在地が保健所を設置する市又は特別区の区域にある場合においては，市長又は区長。次項，次条第二項及び第三十九条の三第一項において同じ。）が与える。

3　第一項の許可を受けようとする者は，厚生労働省令で定めるところにより，次の各号に掲げる事項を記載した申請書をその営業所の所在地の都道府県知事に提出しなければならない。

一　氏名又は名称及び住所並びに法人にあつては，その代表者の氏名

二　その営業所の構造設備の概要

三　法人にあつては，薬事に関する業務に責任を有する役員の氏名

四　次条第一項に規定する高度管理医療機器等営業所管理者の氏名

五　第五項において準用する第五条第三号イからトまでに該当しない旨その他厚生労働省令で定める事項

4　その営業所の構造設備が，厚生労働省令で定める基準に適合しないときは，第一項の許可を与えないことができる。

5　第五条（第三号に係る部分に限る。）の規定は，第一項の許可について準用する。

6　第一項の許可は，六年ごとにその更新を受けなければ，その期間の経過によつて，その効力を失う。

（管理者の設置）

第三十九条の二　前条第一項の許可を受けた者は，厚生労働省令で定めるところにより，高度管理医療機器等の販売又は貸与を実地に管理させるために，営業所ごとに，厚生労働省令で定める基準に該当する者（次項において「高度管理医療機器等営業所管理者」という。）を置かなければならない。

2　高度管理医療機器等営業所管理者は，その営業所以外の場所で業として営業所の管理その他薬事に関する実務に従事する者であつてはならない。ただし，その営業所の所在地の都道府県知事の許可を受けたときは，この限りでない。

（管理医療機器の販売業及び貸与業の届出）

第三十九条の三　管理医療機器（特定保守管理医療機器を除く。以下この節において同じ。）を業として販売し，授与し，若しくは貸与し，若しくは販売，授与若しくは貸与の目的で陳列し，又は管理医療機器プログラム（管理医療機器のうちプログラムであるものをいう。以下この項において同じ。）を電気通信回線を通じて提供しようとする者（第三十九条第一項の許可を受けた者を除く。）は，厚生労働省令で定めるところにより，あらかじめ，営業所ごとに，その営業所の所在地の都道府県知事に次の各号に掲げる事項を届け出なければならない。ただし，管理医療機器の製造販売業者がその製造等をし，又は輸入をした管理医療機器を管理医療機器の製造販売業者，製造業者，販売業者又は貸与業者に，管理医療機器の製造業者がその製造した管理医療機器を管理医療機器の製造販売業者又は製造

業者に，それぞれ販売し，授与し，若しくは貸与し，若しくは販売，授与若しくは貸与の目的で陳列し，又は管理医療機器プログラムを電気通信回線を通じて提供しようとするときは，この限りでない。

一　氏名又は名称及び住所並びに法人にあつては，その代表者の氏名

二　法人にあつては，薬事に関する業務に責任を有する役員の氏名

三　その他厚生労働省令で定める事項

2　厚生労働大臣が，厚生労働省令で，管理医療機器の販売業者又は貸与業者に係る営業所の構造設備の基準を定めることができる。

（準用）

第四十条　第三十九条第一項の高度管理医療機器等の販売業又は貸与業については，第七条第三項，第八条，第九条（第一項各号を除く。），第九条の二，第十条第一項及び第十一条の規定を準用する。この場合において，第七条第三項中「次条第一項」とあるのは「第四十条第一項において準用する次条第一項」と，「同条第三項」とあり，及び「同項」とあるのは「第四十条第一項において準用する次条第三項」と，第九条第一項中「次に掲げる事項」とあるのは「高度管理医療機器又は特定保守管理医療機器の販売業又は貸与業の営業所における高度管理医療機器又は特定保守管理医療機器の品質確保の実施方法」と読み替えるものとする。

2　前条第一項の管理医療機器の販売業又は貸与業については，第九条第一項（各号を除く。），第九条の二及び第十条第一項の規定を準用する。この場合において，第九条第一項中「次に掲げる事項」とあるのは，「管理医療機器（特定保守管理医療機器を除く。以下この項において同じ。）の販売業又は貸与業の営業所における管理医療機器の品質確保の実施方法」と読み替えるものとする。

3　一般医療機器（特定保守管理医療機器を除く。以下この項において同じ。）を業として販売し，授与し，若しくは貸与し，若しくは販売，授与若しくは貸与の目的で陳列し，又は一般医療機器のうちプログラムであるものを電気通信回線を通じて提供しようとする者（第三十九条第一項の許可を受けた者及び前条第一項の規定による届出を行つた者を除く。）については，第九条第一項（各号を除く。）の規定を準用する。この場合において，同項中「次に掲げる事項」とあるのは，「一般医療機器（特定保守管理医療機器を除く。以下この項において同じ。）の販売業又は貸与業の営業所における一般医療機器の品質確保の実施方法」と読み替えるものとする。

4　前三項に規定するもののほか，必要な技術的読替えは，政令で定める。

（医療機器の修理業の許可）

第四十条の二　医療機器の修理業の許可を受けた者でなければ，業として，医療機器の修理をしてはならない。

2　前項の許可は，修理する物及びその修理の方法に応じ厚生労働省令で定める区分（以下「修理区分」という。）に従い，厚生労働大臣が修理をしようとする事業所ごとに与える。

3　第一項の許可を受けようとする者は，厚生労働省令で定めるところにより，次の各号に掲げる事項を記載した申請書を厚生労働大臣に提出しなければならない。

一　氏名又は名称及び住所並びに法人にあつては，その代表者の氏名

二　その事業所の構造設備の概要

三　法人にあつては，薬事に関する業務に責任を有する役員の氏名

四　第六項において準用する第五条第三号イからトまでに該当しない旨その他厚生労働省令で定める事項

4　第一項の許可は，三年を下らない政令で定める期間ごとにその更新を受けなければ，その期間の経過によつて，その効力を失う。

5　その事業所の構造設備が，厚生労働省令で定める基準に適合しないときは，第一項の許可を与えないことができる。

6　第五条（第三号に係る部分に限る。）の規定は，第一項の許可について準用する。

7　第一項の許可を受けた者は，当該事業所に係る修理区分を変更し，又は追加しようとするときは，厚生労働大臣の許可を受けなければならない。

8　前項の許可については，第一項から第六項までの規定を準用する。

（準用）

第四十条の三　医療機器の修理業については，第二十三条の二の十四第五項から第九項まで，第二十三条の二の十五第三項及び第四項，第二十三条の二の十五の二第三項及び第四項，第二十三条の二の十六第二項並びに第二十三条の二の二十二の規定を準用する。この場合において，第二十三条の二の十四第六項から第九項までの規定中「医療機器責任技術者」とあり，第二十三条の二の十五第三項及び第四項並びに第二十三条の二の十五の二第三項中「医療機器責任技術者又は体外診断用医薬品製造管理者」とあり，及び第二十三条の二の十六第二項中「医療機器責任技術者，体外診断用医薬品製造管理者」とあるのは，「医療機器修理責任技術者」と読み替えるものとする。

（情報提供）

第四十条の四　医療機器の販売業者，貸与業者又は修理業者は，医療機器を一般に購入し，譲り受け，借り受け，若しくは使用し，又は医療機器プログラムの電気通信回線を通じた提供を受ける者に対し，医療機器の適正な使用のために必要な情報を提供するよう努めなければならない。

第三節　再生医療等製品の販売業

（再生医療等製品の販売業の許可）

第四十条の五　再生医療等製品の販売業の許可を受けた者でなければ，業として，再生医療等製品を販売し，授与し，又は販売若しくは授与の目的で貯蔵し，若しくは陳列してはならない。ただし，再生医療等製品の製造販売業者がその製造等をし，又は輸入した再生医療等製品を再生医療等製品の製造販売業者，製造業者又は販売業者に，厚生労働大臣が指

定する再生医療等製品の製造販売業者がその製造等をし，又は輸入した当該再生医療等製品を医師，歯科医師若しくは獣医師又は病院，診療所若しくは飼育動物診療施設の開設者に，再生医療等製品の製造業者がその製造した再生医療等製品を再生医療等製品の製造販売業者又は製造業者に，それぞれ販売し，授与し，又はその販売若しくは授与の目的で貯蔵し，若しくは陳列するときは，この限りでない。

2　前項の許可は，営業所ごとに，その営業所の所在地の都道府県知事が与える。

3　第一項の許可を受けようとする者は，厚生労働省令で定めるところにより，次の各号に掲げる事項を記載した申請書をその営業所の所在地の都道府県知事に提出しなければならない。

一　氏名又は名称及び住所並びに法人にあつては，その代表者の氏名

二　その営業所の構造設備の概要

三　法人にあつては，薬事に関する業務に責任を有する役員の氏名

四　次条第一項に規定する再生医療等製品営業所管理者の氏名

五　第五項において準用する第五条第三号イからトまでに該当しない旨その他厚生労働省令で定める事項

4　その営業所の構造設備が，厚生労働省令で定める基準に適合しないときは，第一項の許可を与えないことができる。

5　第五条（第三号に係る部分に限る。）の規定は，第一項の許可について準用する。

6　第一項の許可は，六年ごとにその更新を受けなければ，その期間の経過によつて，その効力を失う。

7　第一項の許可を受けた者は，当該許可に係る営業所については，業として，再生医療等製品を，再生医療等製品の製造販売業者，製造業者若しくは販売業者又は病院，診療所若しくは飼育動物診療施設の開設者その他厚生労働省令で定める者以外の者に対し，販売し，又は授与してはならない。

（管理者の設置）

第四十条の六　前条第一項の許可を受けた者は，厚生労働省令で定めるところにより，再生医療等製品の販売を実地に管理させるために，営業所ごとに，厚生労働省令で定める基準に該当する者（以下「再生医療等製品営業所管理者」という。）を置かなければならない。

2　再生医療等製品営業所管理者は，その営業所以外の場所で業として営業所の管理その他薬事に関する実務に従事する者であつてはならない。ただし，その営業所の所在地の都道府県知事の許可を受けたときは，この限りでない。

（準用）

第四十条の七　再生医療等製品の販売業については，第七条第三項，第八条，第九条（第一項各号を除く。），第九条の二，第十条第一項及び第十一条の規定を準用する。この場合において，第七条第三項中「次条第一項」とあるのは「第四十条の七第一項において準用する次条第一項」と，「同条第三項」とあり，及び「同項」とあるのは「第四十条の七第一

項において準用する次条第三項」と，第九条第一項中「次に掲げる事項」とあるのは「再生医療等製品の販売業の営業所における再生医療等製品の品質確保の実施方法」と読み替えるものとする。

2　前項に規定するもののほか，必要な技術的読替えは，政令で定める。

第八章　医薬品等の基準及び検定

（日本薬局方等）

第四十一条　厚生労働大臣は，医薬品の性状及び品質の適正を図るため，薬事・食品衛生審議会の意見を聴いて，日本薬局方を定め，これを公示する。

2　厚生労働大臣は，少なくとも十年ごとに日本薬局方の全面にわたつて薬事・食品衛生審議会の検討が行われるように，その改定について薬事・食品衛生審議会に諮問しなければならない。

3　厚生労働大臣は，医療機器，再生医療等製品又は体外診断用医薬品の性状，品質及び性能の適正を図るため，薬事・食品衛生審議会の意見を聴いて，必要な基準を設けることができる。

（医薬品等の基準）

第四十二条　厚生労働大臣は，保健衛生上特別の注意を要する医薬品又は再生医療等製品につき，薬事・食品衛生審議会の意見を聴いて，その製法，性状，品質，貯法等に関し，必要な基準を設けることができる。

2　厚生労働大臣は，保健衛生上の危害を防止するために必要があるときは，医薬部外品，化粧品又は医療機器について，薬事・食品衛生審議会の意見を聴いて，その性状，品質，性能等に関し，必要な基準を設けることができる。

（検定）

第四十三条　厚生労働大臣の指定する医薬品又は再生医療等製品は，厚生労働大臣の指定する者の検定を受け，かつ，これに合格したものでなければ，販売し，授与し，又は販売若しくは授与の目的で貯蔵し，若しくは陳列してはならない。ただし，厚生労働省令で別段の定めをしたときは，この限りでない。

2　厚生労働大臣の指定する医療機器は，厚生労働大臣の指定する者の検定を受け，かつ，これに合格したものでなければ，販売し，貸与し，授与し，若しくは販売，貸与若しくは授与の目的で貯蔵し，若しくは陳列し，又は医療機器プログラムにあつては，電気通信回線を通じて提供してはならない。ただし，厚生労働省令で別段の定めをしたときは，この限りでない。

3　前二項の検定に関し必要な事項は，政令で定める。

4　第一項及び第二項の検定の結果については，審査請求をすることができない。

第九章　医薬品等の取扱い

第一節　毒薬及び劇薬の取扱い

（表示）

第四十四条　毒性が強いものとして厚生労働大臣が薬事・食品衛生審議会の意見を聴いて指定する医薬品（以下「毒薬」という。）は，その直接の容器又は直接の被包に，黒地に白枠，白字をもつて，その品名及び「毒」の文字が記載されていなければならない。

2　劇性が強いものとして厚生労働大臣が薬事・食品衛生審議会の意見を聴いて指定する医薬品（以下「劇薬」という。）は，その直接の容器又は直接の被包に，白地に赤枠，赤字をもつて，その品名及び「劇」の文字が記載されていなければならない。

3　前二項の規定に触れる毒薬又は劇薬は，販売し，授与し，又は販売若しくは授与の目的で貯蔵し，若しくは陳列してはならない。

（開封販売等の制限）

第四十五条　店舗管理者が薬剤師である店舗販売業者及び医薬品営業所管理者が薬剤師である卸売販売業者以外の医薬品の販売業者は，第五十八条の規定によつて施された封を開いて，毒薬又は劇薬を販売し，授与し，又は販売若しくは授与の目的で貯蔵し，若しくは陳列してはならない。

（譲渡手続）

第四十六条　薬局開設者又は医薬品の製造販売業者，製造業者若しくは販売業者（第三項及び第四項において「薬局開設者等」という。）は，毒薬又は劇薬については，譲受人から，その品名，数量，使用の目的，譲渡の年月日並びに譲受人の氏名，住所及び職業が記載され，厚生労働省令で定めるところにより作成された文書の交付を受けなければ，これを販売し，又は授与してはならない。

2　薬剤師等に対して，その身分に関する公務所の証明書の提示を受けて毒薬又は劇薬を販売し，又は授与するときは，前項の規定を適用しない。薬剤師等であつて常時取引関係を有するものに販売し，又は授与するときも，同様とする。

3　第一項の薬局開設者等は，同項の規定による文書の交付に代えて，政令で定めるところにより，当該譲受人の承諾を得て，当該文書に記載すべき事項について電子情報処理組織を使用する方法その他の情報通信の技術を利用する方法であつて厚生労働省令で定めるものにより提供を受けることができる。この場合において，当該薬局開設者等は，当該文書の交付を受けたものとみなす。

4　第一項の文書及び前項前段に規定する方法が行われる場合に当該方法において作られる電磁的記録（電子的方式，磁気的方式その他人の知覚によつては認識することができない方式で作られる記録であつて電子計算機による情報処理の用に供されるものとして厚生労働省令で定めるものをいう。）は，当該交付又は提供を受けた薬局開設者等において，当該毒薬又は劇薬の譲渡の日から二年間，保存しなければならない。

（交付の制限）

第四十七条　毒薬又は劇薬は，十四歳未満の者その他安全な取扱いをすることについて不安があると認められる者には，交付してはならない。

（貯蔵及び陳列）

第四十八条　業務上毒薬又は劇薬を取り扱う者は，これを他の物と区別して，貯蔵し，又は陳列しなければならない。

2　前項の場合において，毒薬を貯蔵し，又は陳列する場所には，かぎを施さなければならない。

第二節　医薬品の取扱い

（処方箋医薬品の販売）

第四十九条　薬局開設者又は医薬品の販売業者は，医師，歯科医師又は獣医師から処方箋の交付を受けた者以外の者に対して，正当な理由なく，厚生労働大臣の指定する医薬品を販売し，又は授与してはならない。ただし，薬剤師等に販売し，又は授与するときは，この限りでない。

2　薬局開設者又は医薬品の販売業者は，その薬局又は店舗に帳簿を備え，医師，歯科医師又は獣医師から処方箋の交付を受けた者に対して前項に規定する医薬品を販売し，又は授与したときは，厚生労働省令の定めるところにより，その医薬品の販売又は授与に関する事項を記載しなければならない。

3　薬局開設者又は医薬品の販売業者は，前項の帳簿を，最終の記載の日から二年間，保存しなければならない。

（直接の容器等の記載事項）

第五十条　医薬品は，その直接の容器又は直接の被包に，次に掲げる事項が記載されていなければならない。ただし，厚生労働省令で別段の定めをしたときは，この限りでない。

一　製造販売業者の氏名又は名称及び住所

二　名称（日本薬局方に収められている医薬品にあつては日本薬局方において定められた名称，その他の医薬品で一般的名称があるものにあつてはその一般的名称）

三　製造番号又は製造記号

四　重量，容量又は個数等の内容量

五　日本薬局方に収められている医薬品にあつては，「日本薬局方」の文字及び日本薬局方において直接の容器又は直接の被包に記載するように定められた事項

六　要指導医薬品にあつては，厚生労働省令で定める事項

七　一般用医薬品にあつては，第三十六条の七第一項に規定する区分ごとに，厚生労働省令で定める事項

八　第四十一条第三項の規定によりその基準が定められた体外診断用医薬品にあつては，その基準において直接の容器又は直接の被包に記載するように定められた事項

九　第四十二条第一項の規定によりその基準が定められた医薬品にあつては，貯法，有効

期間その他その基準において直接の容器又は直接の被包に記載するように定められた事項

十　日本薬局方に収められていない医薬品にあつては，その有効成分の名称（一般的名称があるものにあつては，その一般的名称）及びその分量（有効成分が不明のものにあつては，その本質及び製造方法の要旨）

十一　習慣性があるものとして厚生労働大臣の指定する医薬品にあつては，「注意―習慣性あり」の文字

十二　前条第一項の規定により厚生労働大臣の指定する医薬品にあつては，「注意―医師等の処方箋により使用すること」の文字

十三　厚生労働大臣が指定する医薬品にあつては，「注意―人体に使用しないこと」の文字

十四　厚生労働大臣の指定する医薬品にあつては，その使用の期限

十五　前各号に掲げるもののほか，厚生労働省令で定める事項

第五十一条　医薬品の直接の容器又は直接の被包が小売のために包装されている場合において，その直接の容器又は直接の被包に記載された第四十四条第一項若しくは第二項又は前条各号に規定する事項が外部の容器又は外部の被包を透かして容易に見ることができないときは，その外部の容器又は外部の被包にも，同様の事項が記載されていなければならない。

（容器等への符号等の記載）

第五十二条　医薬品（次項に規定する医薬品を除く。）は，その容器又は被包に，電子情報処理組織を使用する方法その他の情報通信の技術を利用する方法であつて厚生労働省令で定めるものにより，第六十八条の二第一項の規定により公表された同条第二項に規定する注意事項等情報を入手するために必要な番号，記号その他の符号が記載されていなければならない。ただし，厚生労働省令で別段の定めをしたときは，この限りでない。

2　要指導医薬品，一般用医薬品その他の厚生労働省令で定める医薬品は，これに添付する文書又はその容器若しくは被包に，当該医薬品に関する最新の論文その他により得られた知見に基づき，次に掲げる事項が記載されていなければならない。ただし，厚生労働省令で別段の定めをしたときは，この限りでない。

一　用法，用量その他使用及び取扱い上の必要な注意

二　日本薬局方に収められている医薬品にあつては，日本薬局方において当該医薬品の品質，有効性及び安全性に関連する事項として記載するように定められた事項

三　第四十一条第三項の規定によりその基準が定められた体外診断用医薬品にあつては，その基準において当該体外診断用医薬品の品質，有効性及び安全性に関連する事項として記載するように定められた事項

四　第四十二条第一項の規定によりその基準が定められた医薬品にあつては，その基準において当該医薬品の品質，有効性及び安全性に関連する事項として記載するように定め

られた事項

五　前各号に掲げるもののほか，厚生労働省令で定める事項

（記載方法）

第五十三条　第四十四条第一項若しくは第二項又は第五十条から前条までに規定する事項の記載は，他の文字，記事，図面又は図案に比較して見やすい場所にされていなければならず，かつ，これらの事項については，厚生労働省令の定めるところにより，当該医薬品を一般に購入し，又は使用する者が読みやすく，理解しやすいような用語による正確な記載がなければならない。

（記載禁止事項）

第五十四条　医薬品は，これに添付する文書，その医薬品又はその容器若しくは被包（内袋を含む。）に，次に掲げる事項が記載されていてはならない。

一　当該医薬品に関し虚偽又は誤解を招くおそれのある事項

二　第十四条，第十九条の二，第二十三条の二の五又は第二十三条の二の十七の承認を受けていない効能，効果又は性能（第十四条第一項，第二十三条の二の五第一項又は第二十三条の二の二十三第一項の規定により厚生労働大臣がその基準を定めて指定した医薬品にあつては，その基準において定められた効能又は効果を除く。）

三　保健衛生上危険がある用法，用量又は使用期間

（販売，授与等の禁止）

第五十五条　第五十条から前条まで，第六十八条の二第一項，第六十八条の二の三，第六十八の二の四第二項又は第六十八条の二の五の規定に違反する医薬品は，販売し，授与し，又は販売若しくは授与の目的で貯蔵し，若しくは陳列してはならない。ただし，厚生労働省令で別段の定めをしたときは，この限りでない。

2　第十三条の三第一項の認定若しくは第十三条の三の二第一項若しくは第二十三条の二の四第一項の登録を受けていない製造所（外国にある製造所に限る。）において製造された医薬品，第十三条第一項若しくは第八項若しくは第二十三条の二の三第一項の規定に違反して製造された医薬品又は第十四条第一項若しくは第十五項（第十九条の二第五項において準用する場合を含む。），第十九条の二第四項，第二十三条の二の五第一項若しくは第十五項（第二十三条の二の十七第五項において準用する場合を含む。），第二十三条の二の十七第四項若しくは第二十三条の二の二十三第一項若しくは第七項の規定に違反して製造販売をされた医薬品についても，前項と同様とする。

（模造に係る医薬品の販売，製造等の禁止）

第五十五条の二　模造に係る医薬品は，販売し，授与し，又は販売若しくは授与の目的で製造し，輸入し，貯蔵し，若しくは陳列してはならない。

（販売，製造等の禁止）

第五十六条　次の各号のいずれかに該当する医薬品は，販売し，授与し，又は販売若しくは授与の目的で製造し，輸入し，貯蔵し，若しくは陳列してはならない。

一　日本薬局方に収められている医薬品であつて，その性状又は品質が日本薬局方で定める基準に適合しないもの

二　第四十一条第三項の規定によりその基準が定められた体外診断用医薬品であつて，その性状，品質又は性能がその基準に適合しないもの

三　第十四条，第十九条の二，第二十三条の二の五若しくは第二十三条の二の十七の承認を受けた医薬品又は第二十三条の二の二十三の認証を受けた体外診断用医薬品であつて，その成分若しくは分量（成分が不明のものにあつては，その本質又は製造方法）又は性状，品質若しくは性能がその承認又は認証の内容と異なるもの（第十四条第十六項（第十九条の二第五項において準用する場合を含む。），第二十三条の二の五第十六項（第二十三条の二の十七第五項において準用する場合を含む。）又は第二十三条の二の二十三第八項の規定に違反していないものを除く。）

四　第十四条第一項又は第二十三条の二の五第一項の規定により厚生労働大臣が基準を定めて指定した医薬品であつて，その成分若しくは分量（成分が不明のものにあつては，その本質又は製造方法）又は性状，品質若しくは性能がその基準に適合しないもの

五　第四十二条第一項の規定によりその基準が定められた医薬品であつて，その基準に適合しないもの

六　その全部又は一部が不潔な物質又は変質若しくは変敗した物質から成つている医薬品

七　異物が混入し，又は付着している医薬品

八　病原微生物その他疾病の原因となるものにより汚染され，又は汚染されているおそれがある医薬品

九　着色のみを目的として，厚生労働省令で定めるタール色素以外のタール色素が使用されている医薬品

（輸入の確認）

第五十六条の二　第十四条，第十九条の二，第二十三条の二の五若しくは第二十三条の二の十七の承認若しくは第二十三条の二の二十三の認証を受けないで，又は第十四条の九若しくは第二十三条の二の十二の届出をしないで，医薬品を輸入しようとする者（以下この条において「申請者」という。）は，厚生労働省令で定める事項を記載した申請書に厚生労働省令で定める書類を添付して，これを厚生労働大臣に提出し，その輸入についての厚生労働大臣の確認を受けなければならない。

2　厚生労働大臣は，次の各号のいずれかに該当する場合には，前項の確認をしない。

一　個人的使用に供せられ，かつ，売買の対象とならないと認められる程度の数量を超える数量の医薬品の輸入をする場合その他の申請者が販売又は授与の目的で輸入するおそれがある場合として厚生労働省令で定める場合

二　申請者又は申請者に代わつて前項の確認の申請に関する手続をする者がこの法律，麻薬及び向精神薬取締法，毒物及び劇物取締法その他第五条第三号ニに規定する薬事に関する法令で政令で定めるもの又はこれに基づく処分に違反し，その違反行為があつた日

から二年を経過していない場合その他の輸入が不適当と認められる場合として厚生労働省令で定める場合

3　第一項の規定にかかわらず，次の各号のいずれかに該当する場合には，同項の規定による厚生労働大臣の確認を受けることを要しない。

一　覚醒剤取締法第三十条の六第一項ただし書又は麻薬及び向精神薬取締法第十三条第一項ただし書に規定する場合

二　第十四条の三第一項第二号に規定する医薬品その他の厚生労働大臣が定める医薬品で，厚生労働省令で定める数量以下のものを自ら使用する目的で輸入する場合その他のこれらの場合に準ずる場合として厚生労働省令で定める場合

第五十七条　医薬品は，その全部若しくは一部が有毒若しくは有害な物質からなつているためにその医薬品を保健衛生上危険なものにするおそれがある物とともに，又はこれと同様のおそれがある容器若しくは被包（内袋を含む。）に収められていてはならず，また，医薬品の容器又は被包は，その医薬品の使用方法を誤らせやすいものであつてはならない。

2　前項の規定に触れる医薬品は，販売し，授与し，又は販売若しくは授与の目的で製造し，輸入し，貯蔵し，若しくは陳列してはならない。

（陳列等）

第五十七条の二　薬局開設者又は医薬品の販売業者は，医薬品を他の物と区別して貯蔵し，又は陳列しなければならない。

2　薬局開設者又は店舗販売業者は，要指導医薬品及び一般用医薬品（専ら動物のために使用されることが目的とされているものを除く。）を陳列する場合には，厚生労働省令で定めるところにより，これらを区別して陳列しなければならない。

3　薬局開設者，店舗販売業者又は配置販売業者は，一般用医薬品を陳列する場合には，厚生労働省令で定めるところにより，第一類医薬品，第二類医薬品又は第三類医薬品の区分ごとに，陳列しなければならない。

（封）

第五十八条　医薬品の製造販売業者は，医薬品の製造販売をするときは，厚生労働省令で定めるところにより，医薬品を収めた容器又は被包に封を施さなければならない。ただし，医薬品の製造販売業者又は製造業者に販売し，又は授与するときは，この限りでない。

第三節　医薬部外品の取扱い

（直接の容器等の記載事項）

第五十九条　医薬部外品は，その直接の容器又は直接の被包に，次に掲げる事項が記載されていなければならない。ただし，厚生労働省令で別段の定めをしたときは，この限りでない。

一　製造販売業者の氏名又は名称及び住所

二　「医薬部外品」の文字

三　第二条第二項第二号又は第三号に規定する医薬部外品にあつては，それぞれ厚生労働省令で定める文字
四　名称（一般的名称があるものにあつては，その一般的名称）
五　製造番号又は製造記号
六　重量，容量又は個数等の内容量
七　厚生労働大臣の指定する医薬部外品にあつては，有効成分の名称（一般的名称があるものにあつては，その一般的名称）及びその分量
八　厚生労働大臣の指定する成分を含有する医薬部外品にあつては，その成分の名称
九　第二条第二項第二号に規定する医薬部外品のうち厚生労働大臣が指定するものにあつては，「注意－人体に使用しないこと」の文字
十　厚生労働大臣の指定する医薬部外品にあつては，その使用の期限
十一　第四十二条第二項の規定によりその基準が定められた医薬部外品にあつては，その基準において直接の容器又は直接の被包に記載するように定められた事項
十二　前各号に掲げるもののほか，厚生労働省令で定める事項

(準用)

第六十条　医薬部外品については，第五十一条，第五十二条第二項及び第五十三条から第五十七条までの規定を準用する。この場合において，第五十一条中「第四十四条第一項若しくは第二項又は前条各号」とあるのは「第五十九条各号」と，第五十二条第二項第四号中「第四十二条第一項」とあるのは「第四十二条第二項」と，第五十三条中「第四十四条第一項若しくは第二項又は第五十条から前条まで」とあるのは「第五十九条又は第六十条において準用する第五十一条若しくは前条第二項」と，第五十四条第二号中「，第十九条の二，第二十三条の二の五又は第二十三条の二の十七」とあるのは「又は第十九条の二」と，「，効果又は性能」とあるのは「又は効果」と，「第十四条第一項，第二十三条の二の五第一項又は第二十三条の二の二十三第一項」とあるのは「第十四条第一項」と，第五十五条第一項中「第五十条から前条まで，第六十八条の二第一項，第六十八条の二の三，第六十八条の二の四第二項又は第六十八条の二の五」とあるのは「第五十九条又は第六十条において準用する第五十一条，第五十二条第二項，第五十三条及び前条」と，同条第二項中「認定若しくは第十三条の三の二第一項若しくは第二十三条の二の四第一項の登録」とあるのは「認定若しくは第十三条の三の二第一項の登録」と，「第八項若しくは第二十三条の二の三第一項」とあるのは「第八項」と，「，第十九条の二第四項，第二十三条の二の五第一項若しくは第十五項（第二十三条の二の十七第五項において準用する場合を含む。），第二十三条の二の十七第四項若しくは第二十三条の二の二十三第一項若しくは第七項」とあるのは「若しくは第十九条の二第四項」と，第五十六条第三号中「，第十九条の二，第二十三条の二の五若しくは第二十三条の二の十七の承認を受けた医薬品又は第二十三条の二の二十三の認証を受けた体外診断用医薬品」とあるのは「又は第十九条の二の承認を受けた医薬部外品」と，「，品質若しくは性能がその承認又は認証」とあるのは「若しくは

品質がその承認」と，「含む。)，第二十三条の二の五第十六項（第二十三条の二の十七第五項において準用する場合を含む。）又は第二十三条の二の二十三第八項」とあるのは「含む。)」と，同条第四号中「第十四条第一項又は第二十三条の二の五第一項」とあるのは「第十四条第一項」と，「，品質若しくは性能」とあるのは「若しくは品質」と，同条第五号中「第四十二条第一項」とあるのは「第四十二条第二項」と，第五十六条の二第一項中「第十四条，第十九条の二，第二十三条の二の五若しくは第二十三条の二の十七の承認若しくは第二十三条の二の二十三の認証」とあるのは「第十四条若しくは第十九条の二の承認」と，「第十四条の九若しくは第二十三条の二の十二」とあるのは「第十四条の九」と，同条第三項第二号中「第十四条の三第一項第二号に規定する医薬品その他の厚生労働大臣」とあるのは「厚生労働大臣」と読み替えるものとする。

第四節　化粧品の取扱い

（直接の容器等の記載事項）

第六十一条　化粧品は，その直接の容器又は直接の被包に，次に掲げる事項が記載されていなければならない。ただし，厚生労働省令で別段の定めをしたときは，この限りでない。

一　製造販売業者の氏名又は名称及び住所

二　名称

三　製造番号又は製造記号

四　厚生労働大臣の指定する成分を含有する化粧品にあつては，その成分の名称

五　厚生労働大臣の指定する化粧品にあつては，その使用の期限

六　第四十二条第二項の規定によりその基準が定められた化粧品にあつては，その基準において直接の容器又は直接の被包に記載するように定められた事項

七　前各号に掲げるもののほか，厚生労働省令で定める事項

（準用）

第六十二条　化粧品については，第五十一条，第五十二条第二項及び第五十三条から第五十七条までの規定を準用する。この場合において，第五十一条中「第四十四条第一項若しくは第二項又は前条各号」とあるのは「第六十一条各号」と，第五十二条第二項第四号中「第四十二条第一項」とあるのは「第四十二条第二項」と，第五十三条中「第四十四条第一項若しくは第二項又は第五十条から前条まで」とあるのは「第六十一条又は第六十二条において準用する第五十一条若しくは前条第二項」と，第五十四条第二号中「，第十九条の二，第二十三条の二の五又は第二十三条の二の十七」とあるのは「又は第十九条の二」と，「，効果又は性能」とあるのは「又は効果」と，「第十四条第一項，第二十三条の二の五第一項又は第二十三条の二の二十三第一項」とあるのは「第十四条第一項」と，第五十五条第一項中「第五十条から前条まで，第六十八条の二第一項，第六十八条の二の三，第六十八条の二の四第二項又は第六十八条の二の五」とあるのは「第六十一条又は第六十二条において準用する第五十一条，第五十二条第二項，第五十三条及び前条」と，同条第二

項中「認定若しくは第十三条の三の二第一項若しくは第二十三条の二の四第一項の登録」とあるのは「認定若しくは第十三条の三の二第一項の登録」と，「第八項若しくは第二十三条の二の三第一項」とあるのは「第八項」と，「，第十九条の二第四項，第二十三条の二の五第一項若しくは第十五項（第二十三条の二の十七第五項において準用する場合を含む。），第二十三条の二の十七第四項若しくは第二十三条の二の二十三第一項若しくは第七項」とあるのは「若しくは第十九条の二第四項」と，第五十六条第三号中「，第十九条の二，第二十三条の二の五若しくは第二十三条の二の十七の承認を受けた医薬品又は第二十三条の二の二十三の認証を受けた体外診断用医薬品」とあるのは「又は第十九条の二の承認を受けた化粧品」と，「，品質若しくは性能がその承認又は認証」とあるのは「若しくは品質がその承認」と，「含む。），第二十三条の二の五第十六項（第二十三条の二の十七第五項において準用する場合を含む。）又は第二十三条の二の二十三第八項」とあるのは「含む。」と，同条第四号中「第十四条第一項又は第二十三条の二の五第一項」とあるのは「第十四条第一項」と，「，品質若しくは性能」とあるのは「若しくは品質」と，同条第五号中「第四十二条第一項」とあるのは「第四十二条第二項」と，第五十六条の二第一項中「第十四条，第十九条の二，第二十三条の二の五若しくは第二十三条の二の十七の承認若しくは第二十三条の二の二十三の認証」とあるのは「第十四条若しくは第十九条の二の承認」と，「第十四条の九若しくは第二十三条の二の十二」とあるのは「第十四条の九」と，同条第三項第二号中「第十四条の三第一項第二号に規定する医薬品その他の厚生労働大臣」とあるのは「厚生労働大臣」と読み替えるものとする。

第五節　医療機器の取扱い

（直接の容器等の記載事項）

第六十三条　医療機器は，その医療機器又はその直接の容器若しくは直接の被包に，次に掲げる事項が記載されていなければならない。ただし，厚生労働省令で別段の定めをしたときは，この限りでない。

一　製造販売業者の氏名又は名称及び住所

二　名称

三　製造番号又は製造記号

四　厚生労働大臣の指定する医療機器にあつては，重量，容量又は個数等の内容量

五　第四十一条第三項の規定によりその基準が定められた医療機器にあつては，その基準においてその医療機器又はその直接の容器若しくは直接の被包に記載するように定められた事項

六　第四十二条第二項の規定によりその基準が定められた医療機器にあつては，その基準においてその医療機器又はその直接の容器若しくは直接の被包に記載するように定められた事項

七　厚生労働大臣の指定する医療機器にあつては，その使用の期限

八　前各号に掲げるもののほか，厚生労働省令で定める事項

2　前項の医療機器が特定保守管理医療機器である場合においては，その医療機器に，同項第一号から第三号まで及び第八号に掲げる事項が記載されていなければならない。ただし，厚生労働省令で別段の定めをしたときは，この限りでない。

（容器等への符号等の記載）

第六十三条の二　医療機器（次項に規定する医療機器を除く。）は，その容器又は被包に，電子情報処理組織を使用する方法その他の情報通信の技術を利用する方法であつて厚生労働省令で定めるものにより，第六十八条の二第一項の規定により公表された同条第二項に規定する注意事等情報を入手するために必要な番号，記号その他の符号が記載されていなければならない。ただし，厚生労働省令で別段の定めをしたときは，この限りでない。

2　主として一般消費者の生活の用に供されることが目的とされている医療機器その他の厚生労働省令で定める医療機器は，これに添付する文書又はその容器若しくは被包に，当該医療機器に関する最新の論文その他により得られた知見に基づき，次に掲げる事項が記載されていなければならない。ただし，厚生労働省令で別段の定めをしたときは，この限りでない。

一　使用方法その他使用及び取扱い上の必要な注意

二　厚生労働大臣の指定する医療機器にあつては，その保守点検に関する事項

三　第四十一条第三項の規定によりその基準が定められた医療機器にあつては，その基準において当該医療機器の品質，有効性及び安全性に関連する事項として記載するように定められた事項

四　第四十二条第二項の規定によりその基準が定められた医療機器にあつては，その基準において当該医療機器の品質，有効性及び安全性に関連する事項として記載するように定められた事項

五　前各号に掲げるもののほか，厚生労働省令で定める事項

（準用）

第六十四条　医療機器については，第五十三条から第五十五条の二まで及び第五十六条の二の規定を準用する。この場合において，第五十三条中「第四十四条第一項若しくは第二項又は第五十条から前条まで」とあるのは「第六十三条又は第六十三条の二」と，第五十四条第二号中「第十四条，第十九条の二，第二十三条の二の五」とあるのは「第二十三条の二の五」と，「効能，効果」とあるのは「効果」と，「第十四条第一項，第二十三条の二の五第一項又は第二十三条の二の二十三第一項」とあるのは「第二十三条の二の二十三第一項」と，第五十五条第一項中「第五十条から前条まで」とあるのは「第六十三条，第六十三条の二，第六十四条において準用する第五十三条若しくは前条」と，「販売し，授与し，又は販売若しくは授与の目的で貯蔵し，若しくは陳列してはならない」とあるのは「販売し，貸与し，授与し，若しくは販売，貸与若しくは授与の目的で貯蔵し，若しくは陳列し，又は医療機器プログラムにあつては電気通信回線を通じて提供してはならない」と，同条

第二項中「第十三条の三第一項の認定若しくは第十三条の三の二第一項若しくは第二十三条の二の四第一項の登録」とあるのは「第二十三条の二の四第一項の登録」と，「第十三条第一項若しくは第八項若しくは第二十三条の二の三第一項」とあるのは「第二十三条の二の三第一項」と，「第十四条第一項若しくは第十五項（第十九条の二第五項において準用する場合を含む。），第十九条の二第四項，第二十三条の二の五第一項」と，第五十六条の二第一項中「第十四条，第十九条の二，第二十三条の二の五若しくは第二十三条の二の十七」とあるのは「第二十三条の二の五若しくは第二十三条の二の十七」と，「第十四条の九若しくは第二十三条の二の十二」とあるのは「第二十三条の二の十二」と，同条第三項第二号中「第十四条の三第一項第二号」とあるのは「第二十三条の二の八第一項第二号」と読み替えるものとする。

（販売，製造等の禁止）

第六十五条　次の各号のいずれかに該当する医療機器は，販売し，貸与し，授与し，若しくは販売，貸与若しくは授与の目的で製造し，輸入し，貯蔵し，若しくは陳列し，又は医療機器プログラムにあつては電気通信回線を通じて提供してはならない。

一　第四十一条第三項の規定によりその基準が定められた医療機器であつて，その性状，品質又は性能がその基準に適合しないもの

二　第二十三条の二の五若しくは第二十三条の二の十七の厚生労働大臣の承認を受けた医療機器又は第二十三条の二の二十三の認証を受けた医療機器であつて，その性状，品質又は性能がその承認又は認証の内容と異なるもの（第二十三条の二の五第十六項（第二十三条の二の十七第五項において準用する場合を含む。）又は第二十三条の二の二十三第八項の規定に違反していないものを除く。）

三　第四十二条第二項の規定によりその基準が定められた医療機器であつて，その基準に適合しないもの

四　その全部又は一部が不潔な物質又は変質若しくは変敗した物質から成つている医療機器

五　異物が混入し，又は付着している医療機器

六　病原微生物その他疾病の原因となるものにより汚染され，又は汚染されているおそれがある医療機器

七　その使用によつて保健衛生上の危険を生ずるおそれがある医療機器

第六節　再生医療等製品の取扱い

（直接の容器等の記載事項）

第六十五条の二　再生医療等製品は，その直接の容器又は直接の被包に，次に掲げる事項が記載されていなければならない。ただし，厚生労働省令で別段の定めをしたときは，この限りでない。

一　製造販売業者の氏名又は名称及び住所

二　名称
三　製造番号又は製造記号
四　再生医療等製品であることを示す厚生労働省令で定める表示
五　第二十三条の二十六第一項（第二十三条の三十七第五項において準用する場合を含む。）の規定により条件及び期限を付した第二十三条の二十五又は第二十三条の三十七の承認を与えられている再生医療等製品にあつては，当該再生医療等製品であることを示す厚生労働省令で定める表示
六　厚生労働大臣の指定する再生医療等製品にあつては，重量，容量又は個数等の内容量
七　第四十一条第三項の規定によりその基準が定められた再生医療等製品にあつては，その基準においてその直接の容器又は直接の被包に記載するように定められた事項
八　第四十二条第一項の規定によりその基準が定められた再生医療等製品にあつては，その基準においてその直接の容器又は直接の被包に記載するように定められた事項
九　使用の期限
十　前各号に掲げるもののほか，厚生労働省令で定める事項

（容器等への符号等の記載）

第六十五条の三　再生医療等製品は，その容器又は被包に，電子情報処理組織を使用する方法その他の情報通信の技術を利用する方法であつて厚生労働省令で定めるものにより，第六十八条の二第一項の規定により公表された同条第二項に規定する注意事項等情報を入手するために必要な番号，記号その他の符号が記載されていなければならない。ただし，厚生労働省令で別段の定めをしたときは，この限りでない。

（準用）

第六十五条の四　再生医療等製品については，第五十一条，第五十三条から第五十五条の二まで，第五十六条の二，第五十七条，第五十七条の二第一項及び第五十八条の規定を準用する。この場合において，第五十一条中「第四十四条第一項若しくは第二項又は前条各号」とあるのは「第六十五条の二各号」と，第五十三条中「第四十四条第一項若しくは第二項又は第五十条から前条まで」とあるのは「第六十五条の二，第六十五条の三又は第六十五条の四において準用する第五十一条」と，第五十四条第二号中「第十四条，第十九条の二，第二十三条の二の五又は第二十三条の二の十七」とあるのは「第二十三条の二十五又は第二十三条の三十七」と，「性能（第十四条第一項，第二十三条の二の五第一項又は第二十三条の二の二十三第一項の規定により厚生労働大臣がその基準を定めて指定した医薬品にあつては，その基準において定められた効能，効果又は性能を除く。）」とあるのは「性能」と，第五十五条第一項中「第五十条から前条まで」とあるのは「第六十五条の二，第六十五条の三，第六十五条の四において準用する第五十一条，第五十三条若しくは前条」と，同条第二項中「第十三条の三第一項の認定若しくは第十三条の三の二第一項若しくは第二十三条の二の四第一項の登録」とあるのは「第二十三条の二十四第一項の認定」と，「第十三条第一項若しくは第八項若しくは第二十三条の二の三第一項」とあるのは「第二十三

条の二十二第一項若しくは第八項」と，「第十四条第一項若しくは第十五項（第十九条の二第五項において準用する場合を含む。），第十九条の二第四項，第二十三条の二の五第一項若しくは第十五項（第二十三条の二の十七第五項において準用する場合を含む。），第二十三条の二の十七第四項若しくは第二十三条の二の二十三第一項若しくは第七項」とあるのは「第二十三条の二十五第一項若しくは第十一項（第二十三条の三十七第五項において準用する場合を含む。）若しくは第二十三条の三十七第四項」と，第五十六条の二第一項中「第十四条，第十九条の二，第二十三条の二の五若しくは第二十三条の二の十七の承認若しくは第二十三条の二の二十三の認証を受けないで，又は第十四条の九若しくは第二十三条の二の十二の届出をしないで」とあるのは「第二十三条の二十五又は第二十三条の三十七の承認を受けないで」と，同条第三項第二号中「第十四条の三第一項第二号」とあるのは「第二十三条の二十八第一項第二号」と読み替えるものとする。

（販売，製造等の禁止）

第六十五条の五　次の各号のいずれかに該当する再生医療等製品は，販売し，授与し，又は販売若しくは授与の目的で製造し，輸入し，貯蔵し，若しくは陳列してはならない。

一　第四十一条第三項の規定によりその基準が定められた再生医療等製品であつて，その性状，品質又は性能がその基準に適合しないもの

二　第二十三条の二十五又は第二十三条の三十七の厚生労働大臣の承認を受けた再生医療等製品であつて，その性状，品質又は性能（第二十三条の二十六第一項（第二十三条の三十七第五項において準用する場合を含む。）の規定により条件及び期限を付したものについては，これらを有すると推定されるものであること）がその承認の内容と異なるもの（第二十三条の二十五第十二項（第二十三条の三十七第五項において準用する場合を含む。）の規定に違反していないものを除く。）

三　第四十二条第一項の規定によりその基準が定められた再生医療等製品であつて，その基準に適合しないもの

四　その全部又は一部が不潔な物質又は変質若しくは変敗した物質から成つている再生医療等製品

五　異物が混入し，又は付着している再生医療等製品

六　病原微生物その他疾病の原因となるものにより汚染され，又は汚染されているおそれがある再生医療等製品

第十章　医薬品等の広告

（誇大広告等）

第六十六条　何人も，医薬品，医薬部外品，化粧品，医療機器又は再生医療等製品の名称，製造方法，効能，効果又は性能に関して，明示的であると暗示的であるとを問わず，虚偽又は誇大な記事を広告し，記述し，又は流布してはならない。

2　医薬品，医薬部外品，化粧品，医療機器又は再生医療等製品の効能，効果又は性能につ

いて，医師その他の者がこれを保証したものと誤解されるおそれがある記事を広告し，記述し，又は流布することは，前項に該当するものとする。

3　何人も，医薬品，医薬部外品，化粧品，医療機器又は再生医療等製品に関して堕胎を暗示し，又はわいせつにわたる文書又は図画を用いてはならない。

（特定疾病用の医薬品及び再生医療等製品の広告の制限）

第六十七条　政令で定めるがんその他の特殊疾病に使用されることが目的とされている医薬品又は再生医療等製品であつて，医師又は歯科医師の指導の下に使用されるのでなければ危害を生ずるおそれが特に大きいものについては，厚生労働省令で，医薬品又は再生医療等製品を指定し，その医薬品又は再生医療等製品に関する広告につき，医薬関係者以外の一般人を対象とする広告方法を制限する等，当該医薬品又は再生医療等製品の適正な使用の確保のために必要な措置を定めることができる。

2　厚生労働大臣は，前項に規定する特殊疾病を定める政令について，その制定又は改廃に関する閣議を求めるには，あらかじめ，薬事・食品衛生審議会の意見を聴かなければならない。ただし，薬事・食品衛生審議会が軽微な事項と認めるものについては，この限りでない。

（承認前の医薬品，医療機器及び再生医療等製品の広告の禁止）

第六十八条　何人も，第十四条第一項，第二十三条の二の五第一項若しくは第二十三条の二の二十三第一項に規定する医薬品若しくは医療機器又は再生医療等製品であつて，まだ第十四条第一項，第十九条の二第一項，第二十三条の二の五第一項，第二十三条の二の十七第一項，第二十三条の二十五第一項若しくは第二十三条の三十七第一項の承認又は第二十三条の二の二十三第一項の認証を受けていないものについて，その名称，製造方法，効能，効果又は性能に関する広告をしてはならない。

第十一章　医薬品等の安全対策

（注意事項等情報の公表）

第六十八条の二　医薬品（第五十二条第二項に規定する厚生労働省令で定める医薬品を除く。以下この条及び次条において同じ。），医療機器（第六十三条の二第二項に規定する厚生労働省令で定める医療機器を除く。以下この条及び次条において同じ。）又は再生医療等製品の製造販売業者は，医薬品，医療機器又は再生医療等製品の製造販売をするときは，厚生労働省令で定めるところにより，当該医薬品，医療機器又は再生医療等製品に関する最新の論文その他により得られた知見に基づき，注意事項等情報について，電子情報処理組織を使用する方法その他の情報通信の技術を利用する方法により公表しなければならない。ただし，厚生労働省令で別段の定めをしたときは，この限りでない。

2　前項の注意事項等情報とは，次の各号に掲げる区分に応じ，それぞれ当該各号に定める事項をいう。

一　医薬品　次のイからホまでに掲げる事項

イ　用法，用量その他使用及び取扱い上の必要な注意
ロ　日本薬局方に収められている医薬品にあつては，日本薬局方において当該医薬品の品質，有効性及び安全性に関連する事項として公表するように定められた事項
ハ　第四十一条第三項の規定によりその基準が定められた体外診断用医薬品にあつては，その基準において当該体外診断用医薬品の品質，有効性及び安全性に関連する事項として公表するように定められた事項
ニ　第四十二条第一項の規定によりその基準が定められた医薬品にあつては，その基準において当該医薬品の品質，有効性及び安全性に関連する事項として公表するように定められた事項
ホ　イからニまでに掲げるもののほか，厚生労働省令で定める事項

二　医療機器　次のイからホまでに掲げる事項
イ　使用方法その他使用及び取扱い上の必要な注意
ロ　厚生労働大臣の指定する医療機器にあつては，その保守点検に関する事項
ハ　第四十一条第三項の規定によりその基準が定められた医療機器にあつては，その基準において当該医療機器の品質，有効性及び安全性に関連する事項として公表するように定められた事項
ニ　第四十二条第二項の規定によりその基準が定められた医療機器にあつては，その基準において当該医療機器の品質，有効性及び安全性に関連する事項として公表するように定められた事項
ホ　イからニまでに掲げるもののほか，厚生労働省令で定める事項

三　再生医療等製品　次のイからホまでに掲げる事項
イ　用法，用量，使用法その他使用及び取扱い上の必要な注意
ロ　再生医療等製品の特性に関して注意を促すための厚生労働省令で定める事項
ハ　第四十一条第三項の規定によりその基準が定められた再生医療等製品にあつては，その基準において当該再生医療等製品の品質，有効性及び安全性に関連する事項として公表するように定められた事項
ニ　第四十二条第一項の規定によりその基準が定められた再生医療等製品にあつては，その基準において当該再生医療等製品の品質，有効性及び安全性に関連する事項として公表するように定められた事項
ホ　イからニまでに掲げるもののほか，厚生労働省令で定める事項

（注意事項等情報の提供を行うために必要な体制の整備）

第六十八条の二の二　医薬品，医療機器又は再生医療等製品の製造販売業者は，厚生労働省令で定めるところにより，当該医薬品，医療機器若しくは再生医療等製品を購入し，借り受け，若しくは譲り受け，又は医療機器プログラムを電気通信回線を通じて提供を受けようとする者に対し，前条第二項に規定する注意事項等情報の提供を行うために必要な体制を整備しなければならない。

（注意事項等情報の届出等）

第六十八条の二の三　医薬品，医療機器又は再生医療等製品の製造販売業者は，厚生労働大臣が指定する医薬品若しくは医療機器又は再生医療等製品の製造販売をするときは，あらかじめ，厚生労働省令で定めるところにより，当該医薬品の第五十二条第二項各号に掲げる事項若しくは第六十八条の二第二項第一号に定める事項，当該医療機器の第六十三条の二第二項各号に掲げる事項若しくは第六十八条の二第二項第二号に定める事項又は当該再生医療等製品の同項第三号に定める事項のうち，使用及び取扱い上の必要な注意その他の厚生労働省令で定めるものを厚生労働大臣に届け出なければならない。これを変更しようとするときも，同様とする。

2　医薬品，医療機器又は再生医療等製品の製造販売業者は，前項の規定による届出をしたときは，厚生労働省令で定めるところにより，直ちに，当該医薬品の第五十二条第二項各号に掲げる事項若しくは第六十八条の二第二項第一号に定める事項，当該医療機器の第六十三条の二第二項各号に掲げる事項若しくは第六十八条の二第二項第二号に定める事項又は当該再生医療等製品の同項第三号に定める事項について，電子情報処理組織を使用する方法その他の情報通信の技術を利用する方法により公表しなければならない。

（機構による注意事項等情報の届出の受理）

第六十八条の二の四　厚生労働大臣は，機構に，医薬品（専ら動物のために使用されることが目的とされているものを除く。次項において同じ。）若しくは医療機器（専ら動物のために使用されることが目的とされているものを除く。同項において同じ。）であつて前条第一項の厚生労働大臣が指定するもの又は再生医療等製品（専ら動物のために使用されることが目的とされているものを除く。次項において同じ。）についての前条第一項の規定による届出の受理に係る事務を行わせることができる。

2　厚生労働大臣が前項の規定により機構に届出の受理に係る事務を行わせることとしたときは，医薬品若しくは医療機器であつて前条第一項の厚生労働大臣が指定するもの又は再生医療等製品についての同項の規定による届出は，同項の規定にかかわらず，厚生労働省令で定めるところにより，機構に行わなければならない。

3　機構は，前項の規定による届出を受理したときは，厚生労働省令で定めるところにより，厚生労働大臣にその旨を通知しなければならない。

（医薬品，医療機器又は再生医療等製品を特定するための符号の容器への表示等）

第六十八条の二の五　医薬品，医療機器又は再生医療等製品の製造販売業者は，厚生労働省令で定める区分に応じ，医薬品，医療機器又は再生医療等製品の特定に資する情報を円滑に提供するため，医薬品，医療機器又は再生医療等製品を特定するための符号のこれらの容器への表示その他の厚生労働省令で定める措置を講じなければならない。

（情報の提供等）

第六十八条の二の六　医薬品，医療機器若しくは再生医療等製品の製造販売業者，卸売販売業者，医療機器卸売販売業者等（医療機器の販売業者又は貸与業者のうち，薬局開設者，医療機器の製造販売業者，販売業者若しくは貸与業者若しくは病院，診療所若しくは飼育動物診療施設の開設者に対し，業として，医療機器を販売し，若しくは授与するもの又は薬局開設者若しくは病院，診療所若しくは飼育動物診療施設の開設者に対し，業として，医療機器を貸与するものをいう。次項において同じ。），再生医療等製品卸売販売業者（再生医療等製品の販売業者のうち，再生医療等製品の製造販売業者若しくは販売業者又は病院，診療所若しくは飼育動物診療施設の開設者に対し，業として，再生医療等製品を販売し，又は授与するものをいう。同項において同じ。）又は外国製造医薬品等特例承認取得者，外国製造医療機器等特例承認取得者若しくは外国製造再生医療等製品特例承認取得者（以下「外国特例承認取得者」と総称する。）は，医薬品，医療機器又は再生医療等製品の有効性及び安全性に関する事項その他医薬品，医療機器又は再生医療等製品の適正な使用のために必要な情報（第六十八条の二第二項第二号ロの規定による指定がされた医療機器の保守点検に関する情報を含む。次項において同じ。）を収集し，及び検討するとともに，薬局開設者，病院，診療所若しくは飼育動物診療施設の開設者，医薬品の販売業者，医療機器の販売業者，貸与業者若しくは修理業者，再生医療等製品の販売業者又は医師，歯科医師，薬剤師，獣医師その他の医薬関係者に対し，これを提供するよう努めなければならない。

2　薬局開設者，病院，診療所若しくは飼育動物診療施設の開設者，医薬品の販売業者，医療機器の販売業者，貸与業者若しくは修理業者，再生医療等製品の販売業者，医師，歯科医師，薬剤師，獣医師その他の医薬関係者又は医学医術に関する学術団体，大学，研究機関その他の厚生労働省令で定める者は，医薬品，医療機器若しくは再生医療等製品の製造販売業者，卸売販売業者，医療機器卸売販売業者等，再生医療等製品卸売販売業者又は外国特例承認取得者が行う医薬品，医療機器又は再生医療等製品の適正な使用のために必要な情報の収集に協力するよう努めなければならない。

3　薬局開設者，病院若しくは診療所の開設者又は医師，歯科医師，薬剤師その他の医薬関係者は，医薬品，医療機器及び再生医療等製品の適正な使用を確保するため，相互の密接な連携の下に第一項の規定により提供される情報の活用（第六十八条の二第二項第二号ロの規定による指定がされた医療機器の保守点検の適切な実施を含む。）その他必要な情報の収集，検討及び利用を行うことに努めなければならない。

（医薬品，医療機器及び再生医療等製品の適正な使用に関する普及啓発）

第六十八条の三　国，都道府県，保健所を設置する市及び特別区は，関係機関及び関係団体の協力の下に，医薬品，医療機器及び再生医療等製品の適正な使用に関する啓発及び知識の普及に努めるものとする。

（再生医療等製品取扱医療関係者による再生医療等製品に係る説明等）

第六十八条の四　再生医療等製品取扱医療関係者は，再生医療等製品の有効性及び安全性その他再生医療等製品の適正な使用のために必要な事項について，当該再生医療等製品の使用の対象者に対し適切な説明を行い，その同意を得て当該再生医療等製品を使用するよう努めなければならない。

（特定医療機器に関する記録及び保存）

第六十八条の五　人の体内に植え込む方法で用いられる医療機器その他の医療を提供する施設以外において用いられることが想定されている医療機器であつて保健衛生上の危害の発生又は拡大を防止するためにその所在が把握されている必要があるものとして厚生労働大臣が指定する医療機器（以下この条及び次条において「特定医療機器」という。）については，第二十三条の二の五の承認を受けた者又は選任外国製造医療機器等製造販売業者（以下この条及び次条において「特定医療機器承認取得者等」という。）は，特定医療機器の植込みその他の使用の対象者（次項において「特定医療機器利用者」という。）の氏名，住所その他の厚生労働省令で定める事項を記録し，かつ，これを適切に保存しなければならない。

2　特定医療機器を取り扱う医師その他の医療関係者は，その担当した特定医療機器利用者に係る前項に規定する厚生労働省令で定める事項に関する情報を，直接又は特定医療機器の販売業者若しくは貸与業者を介する等の方法により特定医療機器承認取得者等に提供するものとする。ただし，特定医療機器利用者がこれを希望しないときは，この限りでない。

3　特定医療機器の販売業者又は貸与業者は，第一項の規定による記録及び保存の事務（以下この条及び次条において「記録等の事務」という。）が円滑に行われるよう，特定医療機器を取り扱う医師その他の医療関係者に対する説明その他の必要な協力を行わなければならない。

4　特定医療機器承認取得者等は，その承認を受けた特定医療機器の一の品目の全てを取り扱う販売業者その他の厚生労働省令で定める基準に適合する者に対して，記録等の事務の全部又は一部を委託することができる。この場合において，特定医療機器承認取得者等は，あらかじめ，当該委託を受けようとする者の氏名，住所その他の厚生労働省令で定める事項を厚生労働大臣に届け出なければならない。

5　特定医療機器承認取得者等，特定医療機器の販売業者若しくは貸与業者若しくは前項の委託を受けた者又はこれらの役員若しくは職員は，正当な理由なく，記録等の事務に関しその職務上知り得た人の秘密を漏らしてはならない。これらの者であつた者についても，同様とする。

6　前各項に定めるもののほか，記録等の事務に関し必要な事項は，厚生労働省令で定める。

（特定医療機器に関する指導及び助言）

第六十八条の六　厚生労働大臣又は都道府県知事は，特定医療機器承認取得者等，前条第四項の委託を受けた者，特定医療機器の販売業者若しくは貸与業者又は特定医療機器を取り扱う医師その他の医療関係者に対し，記録等の事務について必要な指導及び助言を行うことができる。

（再生医療等製品に関する記録及び保存）

第六十八条の七　再生医療等製品につき第二十三条の二十五の承認を受けた者又は選任外国

製造再生医療等製品製造販売業者（以下この条及び次条において「再生医療等製品承認取得者等」という。）は，再生医療等製品を譲り受けた再生医療等製品の製造販売業者若しくは販売業者又は病院，診療所若しくは飼育動物診療施設の開設者の氏名，住所その他の厚生労働省令で定める事項を記録し，かつ，これを適切に保存しなければならない。

2　再生医療等製品の販売業者は，再生医療等製品の製造販売業者若しくは販売業者又は病院，診療所若しくは飼育動物診療施設の開設者に対し，再生医療等製品を販売し，又は授与したときは，その譲り受けた者に係る前項の厚生労働省令で定める事項に関する情報を当該再生医療等製品承認取得者等に提供しなければならない。

3　再生医療等製品取扱医療関係者は，その担当した厚生労働大臣の指定する再生医療等製品（以下この条において「指定再生医療等製品」という。）の使用の対象者の氏名，住所その他の厚生労働省令で定める事項を記録するものとする。

4　病院，診療所又は飼育動物診療施設の管理者は，前項の規定による記録を適切に保存するとともに，指定再生医療等製品につき第二十三条の二十五の承認を受けた者，選任外国製造再生医療等製品製造販売業者又は第六項の委託を受けた者（以下この条において「指定再生医療等製品承認取得者等」という。）からの要請に基づいて，当該指定再生医療等製品の使用による保健衛生上の危害の発生又は拡大を防止するための措置を講ずるために必要と認められる場合であつて，当該指定再生医療等製品の使用の対象者の利益になるときに限り，前項の規定による記録を当該指定再生医療等製品承認取得者等に提供するものとする。

5　指定再生医療等製品の販売業者は，前二項の規定による記録及び保存の事務が円滑に行われるよう，当該指定再生医療等製品を取り扱う医師その他の医療関係者又は病院，診療所若しくは飼育動物診療施設の管理者に対する説明その他の必要な協力を行わなければならない。

6　再生医療等製品承認取得者等は，その承認を受けた再生医療等製品の一の品目の全てを取り扱う販売業者その他の厚生労働省令で定める基準に適合する者に対して，第一項の規定による記録又は保存の事務の全部又は一部を委託することができる。この場合において，再生医療等製品承認取得者等は，あらかじめ，当該委託を受けようとする者の氏名，住所その他の厚生労働省令で定める事項を厚生労働大臣に届け出なければならない。

7　指定再生医療等製品承認取得者等又はこれらの役員若しくは職員は，正当な理由なく，第四項の保健衛生上の危害の発生又は拡大を防止するために講ずる措置の実施に関し，その職務上知り得た人の秘密を漏らしてはならない。これらの者であつた者についても，同様とする。

8　前各項に定めるもののほか，第一項，第三項及び第四項の規定による記録及び保存の事務（次条において「記録等の事務」という。）に関し必要な事項は，厚生労働省令で定める。

（再生医療等製品に関する指導及び助言）

第六十八条の八　厚生労働大臣又は都道府県知事は，再生医療等製品承認取得者等，前条第六項の委託を受けた者，再生医療等製品の販売業者，再生医療等製品取扱医療関係者又は病院，診療所若しくは飼育動物診療施設の管理者に対し，記録等の事務について必要な指導及び助言を行うことができる。

（危害の防止）

第六十八条の九　医薬品，医薬部外品，化粧品，医療機器若しくは再生医療等製品の製造販売業者又は外国特例承認取得者は，その製造販売をし，又は第十九条の二，第二十三条の二の十七若しくは第二十三条の三十七の承認を受けた医薬品，医薬部外品，化粧品，医療機器又は再生医療等製品の使用によつて保健衛生上の危害が発生し，又は拡大するおそれがあることを知つたときは，これを防止するために廃棄，回収，販売の停止，情報の提供その他必要な措置を講じなければならない。

2　薬局開設者，病院，診療所若しくは飼育動物診療施設の開設者，医薬品，医薬部外品若しくは化粧品の販売業者，医療機器の販売業者，貸与業者若しくは修理業者，再生医療等製品の販売業者又は医師，歯科医師，薬剤師，獣医師その他の医薬関係者は，前項の規定により医薬品，医薬部外品，化粧品，医療機器若しくは再生医療等製品の製造販売業者又は外国特例承認取得者が行う必要な措置の実施に協力するよう努めなければならない。

（副作用等の報告）

第六十八条の十　医薬品，医薬部外品，化粧品，医療機器若しくは再生医療等製品の製造販売業者又は外国特例承認取得者は，その製造販売をし，又は第十九条の二，第二十三条の二の十七若しくは第二十三条の三十七の承認を受けた医薬品，医薬部外品，化粧品，医療機器又は再生医療等製品について，当該品目の副作用その他の事由によるものと疑われる疾病，障害又は死亡の発生，当該品目の使用によるものと疑われる感染症の発生その他の医薬品，医薬部外品，化粧品，医療機器又は再生医療等製品の有効性及び安全性に関する事項で厚生労働省令で定めるものを知つたときは，その旨を厚生労働省令で定めるところにより厚生労働大臣に報告しなければならない。

2　薬局開設者，病院，診療所若しくは飼育動物診療施設の開設者又は医師，歯科医師，薬剤師，登録販売者，獣医師その他の医薬関係者は，医薬品，医療機器又は再生医療等製品について，当該品目の副作用その他の事由によるものと疑われる疾病，障害若しくは死亡の発生又は当該品目の使用によるものと疑われる感染症の発生に関する事項を知つた場合において，保健衛生上の危害の発生又は拡大を防止するため必要があると認めるときは，その旨を厚生労働大臣に報告しなければならない。

3　機構は，独立行政法人医薬品医療機器総合機構法（平成十四年法律第百九十二号）第十五条第一項第一号イに規定する副作用救済給付又は同項第二号イに規定する感染救済給付の請求のあつた者に係る疾病，障害及び死亡に係る情報の整理又は当該疾病，障害及び死亡に関する調査を行い，厚生労働省令で定めるところにより，その結果を厚生労働大臣に報告しなければならない。

（回収の報告）

第六十八条の十一　医薬品，医薬部外品，化粧品，医療機器若しくは再生医療等製品の製造販売業者，外国特例承認取得者又は第八十条第一項から第三項までに規定する輸出用の医薬品，医薬部外品，化粧品，医療機器若しくは再生医療等製品の製造業者は，その製造販売をし，製造をし，又は第十九条の二，第二十三条の二の十七若しくは第二十三条の三十七の承認を受けた医薬品，医薬部外品，化粧品，医療機器又は再生医療等製品を回収するとき（第七十条第一項の規定による命令を受けて回収するときを除く。）は，厚生労働省令で定めるところにより，回収に着手した旨及び回収の状況を厚生労働大臣に報告しなければならない。

（薬事・食品衛生審議会への報告等）

第六十八条の十二　厚生労働大臣は，毎年度，前二条の規定によるそれぞれの報告の状況について薬事・食品衛生審議会に報告し，必要があると認めるときは，その意見を聴いて，医薬品，医薬部外品，化粧品，医療機器又は再生医療等製品の使用による保健衛生上の危害の発生又は拡大を防止するために必要な措置を講ずるものとする。

2　薬事・食品衛生審議会は，前項，第六十八条の十四第二項及び第六十八条の二十四第二項に規定するほか，医薬品，医薬部外品，化粧品，医療機器又は再生医療等製品の使用による保健衛生上の危害の発生又は拡大を防止するために必要な措置について，調査審議し，必要があると認めるときは，厚生労働大臣に意見を述べることができる。

3　厚生労働大臣は，第一項の報告又は措置を行うに当たつては，第六十八条の十第一項若しくは第二項若しくは前条の規定による報告に係る情報の整理又は当該報告に関する調査を行うものとする。

（機構による副作用等の報告に係る情報の整理及び調査の実施）

第六十八条の十三　厚生労働大臣は，機構に，医薬品（専ら動物のために使用されることが目的とされているものを除く。以下この条において同じ。），医薬部外品（専ら動物のために使用されることが目的とされているものを除く。以下この条において同じ。），化粧品，医療機器（専ら動物のために使用されることが目的とされているものを除く。以下この条において同じ。）又は再生医療等製品（専ら動物のために使用されることが目的とされているものを除く。以下この条において同じ。）のうち政令で定めるものについての前条第三項に規定する情報の整理を行わせることができる。

2　厚生労働大臣は，前条第一項の報告又は措置を行うため必要があると認めるときは，機構に，医薬品，医薬部外品，化粧品，医療機器又は再生医療等製品についての同条第三項の規定による調査を行わせることができる。

3　厚生労働大臣が第一項の規定により機構に情報の整理を行わせることとしたときは，同項の政令で定める医薬品，医薬部外品，化粧品，医療機器又は再生医療等製品に係る第六十八条の十第一項若しくは第二項又は第六十八条の十一の規定による報告をしようとする者は，これらの規定にかかわらず，厚生労働省令で定めるところにより，機構に報告しなければならない。

4　機構は，第一項の規定による情報の整理又は第二項の規定による調査を行つたときは，遅滞なく，当該情報の整理又は調査の結果を厚生労働省令で定めるところにより，厚生労働大臣に通知しなければならない。

（再生医療等製品に関する感染症定期報告）

第六十八条の十四　再生医療等製品の製造販売業者又は外国製造再生医療等製品特例承認取得者は，厚生労働省令で定めるところにより，その製造販売をし，又は第二十三条の三十七の承認を受けた再生医療等製品又は当該再生医療等製品の原料若しくは材料による感染症に関する最新の論文その他により得られた知見に基づき当該再生医療等製品を評価し，その成果を厚生労働大臣に定期的に報告しなければならない。

2　厚生労働大臣は，毎年度，前項の規定による報告の状況について薬事・食品衛生審議会に報告し，必要があると認めるときは，その意見を聴いて，再生医療等製品の使用による保健衛生上の危害の発生又は拡大を防止するために必要な措置を講ずるものとする。

3　厚生労働大臣は，前項の報告又は措置を行うに当たつては，第一項の規定による報告に係る情報の整理又は当該報告に関する調査を行うものとする。

（機構による感染症定期報告に係る情報の整理及び調査の実施）

第六十八条の十五　厚生労働大臣は，機構に，再生医療等製品（専ら動物のために使用されることが目的とされているものを除く。以下この条において同じ。）又は当該再生医療等製品の原料若しくは材料のうち政令で定めるものについての前条第三項に規定する情報の整理を行わせることができる。

2　厚生労働大臣は，前条第二項の報告又は措置を行うため必要があると認めるときは，機構に，再生医療等製品又は当該再生医療等製品の原料若しくは材料についての同条第三項の規定による調査を行わせることができる。

3　厚生労働大臣が第一項の規定により機構に情報の整理を行わせることとしたときは，同項の政令で定める再生医療等製品又は当該再生医療等製品の原料若しくは材料に係る前条第一項の規定による報告をしようとする者は，同項の規定にかかわらず，厚生労働省令で定めるところにより，機構に報告しなければならない。

4　機構は，第一項の規定による情報の整理又は第二項の規定による調査を行つたときは，遅滞なく，当該情報の整理又は調査の結果を厚生労働省令で定めるところにより，厚生労働大臣に通知しなければならない。

第十二章　生物由来製品の特例

（生物由来製品の製造管理者）

第六十八条の十六　第十七条第五項及び第十項並びに第二十三条の二の十四第五項及び第十項の規定にかかわらず，生物由来製品の製造業者は，当該生物由来製品の製造については，厚生労働大臣の承認を受けて自らその製造を実地に管理する場合のほか，その製造を実地に管理させるために，製造所（医療機器又は体外診断用医薬品たる生物由来製品にあつては，その製造工程のうち第二十三条の二の三第一項に規定する設計，組立て，滅菌その他の厚生労働省令で定めるものをするものに限る。）ごとに，厚生労働大臣の承認を受けて，医師，細菌学的知識を有する者その他の技術者を置かなければならない。

2　前項に規定する生物由来製品の製造を管理する者については，第七条第四項及び第八条第一項の規定を準用する。この場合において，第七条第四項中「その薬局の所在地の都道府県知事」とあるのは，「厚生労働大臣」と読み替えるものとする。

（直接の容器等の記載事項）

第六十八条の十七　生物由来製品は，第五十条各号，第五十九条各号，第六十一条各号又は第六十三条第一項各号に掲げる事項のほか，その直接の容器又は直接の被包に，次に掲げる事項が記載されていなければならない。ただし，厚生労働省令で別段の定めをしたときは，この限りでない。

一　生物由来製品（特定生物由来製品を除く。）にあつては，生物由来製品であることを示す厚生労働省令で定める表示

二　特定生物由来製品にあつては，特定生物由来製品であることを示す厚生労働省令で定める表示

三　第六十八条の十九において準用する第四十二条第一項の規定によりその基準が定められた生物由来製品にあつては，その基準において直接の容器又は直接の被包に記載するように定められた事項

四　前三号に掲げるもののほか，厚生労働省令で定める事項

（添付文書等の記載事項）

第六十八条の十八　厚生労働大臣が指定する生物由来製品は，第五十二条第二項各号（第六十条又は第六十二条において準用する場合を含む。）又は第六十三条の二第二項各号に掲げる事項のほか，これに添付する文書又はその容器若しくは被包に，次に掲げる事項が記載されていなければならない。ただし，厚生労働省令で別段の定めをしたときは，この限りでない。

一　生物由来製品の特性に関して注意を促すための厚生労働省令で定める事項

二　次条において準用する第四十二条第一項の規定によりその基準が定められた生物由来製品にあつては，その基準において当該生物由来製品の品質，有効性及び安全性に関連する事項として記載するように定められた事項

三　前二号に掲げるもののほか，厚生労働省令で定める事項

（準用）

第六十八条の十九　生物由来製品については，第四十二条第一項，第五十一条，第五十三条及び第五十五条第一項の規定を準用する。この場合において，第四十二条第一項中「保健衛生上特別の注意を要する医薬品又は再生医療等製品」とあるのは「生物由来製品」と，第五十一条中「第四十四条第一項若しくは第二項又は前条各号」とあるのは「第六十八条

の十七各号」と，第五十三条中「第四十四条第一項若しくは第二項又は第五十条から前条まで」とあるのは「第六十八条の十七，第六十八条の十八又は第六十八条の十九において準用する第五十一条」と，第五十五条第一項中「第五十条から前条まで，第六十八条の二第一項，第六十八条の二の三」とあるのは「第六十八条の二の三」と，「又は第六十八条の二の五」とあるのは「，第六十八条の二の五，第六十八条の十七，第六十八条の十八，第六十八条の十九において準用する第五十一条若しくは第五十三条又は第六十八条の二十の二」と，「販売し，授与し，又は販売」とあるのは「販売し，貸与し，授与し，又は販売，貸与」と読み替えるものとする。

（販売，製造等の禁止）

第六十八条の二十　前条において準用する第四十二条第一項の規定により必要な基準が定められた生物由来製品であつて，その基準に適合しないものは，販売し，貸与し，授与し，又は販売，貸与若しくは授与の目的で製造し，輸入し，貯蔵し，若しくは陳列してはならない。

（注意事項等情報の公表）

第六十八条の二十の二　生物由来製品（厚生労働大臣が指定する生物由来製品を除く。以下この条において同じ。）の製造販売業者は，生物由来製品の製造販売をするときは，厚生労働省令で定めるところにより，第六十八条の二第二項各号に定める事項のほか，次に掲げる事項について，電子情報処理組織を使用する方法その他の情報通信の技術を利用する方法により公表しなければならない。ただし，厚生労働省令で別段の定めをしたときは，この限りでない。

一　生物由来製品の特性に関して注意を促すための厚生労働省令で定める事項

二　第六十八条の十九において準用する第四十二条第一項の規定によりその基準が定められた生物由来製品にあつては，その基準において当該生物由来製品の品質，有効性及び安全性に関連する事項として公表するように定められた事項

三　前二号に掲げるもののほか，厚生労働省令で定める事項

（特定生物由来製品取扱医療関係者による特定生物由来製品に係る説明）

第六十八条の二十一　特定生物由来製品を取り扱う医師その他の医療関係者（以下「特定生物由来製品取扱医療関係者」という。）は，特定生物由来製品の有効性及び安全性その他特定生物由来製品の適正な使用のために必要な事項について，当該特定生物由来製品の使用の対象者に対し適切な説明を行い，その理解を得るよう努めなければならない。

（生物由来製品に関する記録及び保存）

第六十八条の二十二　生物由来製品につき第十四条若しくは第二十三条の二の五の承認を受けた者，選任外国製造医薬品等製造販売業者又は選任外国製造医療機器等製造販売業者（以下この条及び次条において「生物由来製品承認取得者等」という。）は，生物由来製品を譲り受け，又は借り受けた薬局開設者，生物由来製品の製造販売業者，販売業者若しくは貸与業者又は病院，診療所若しくは飼育動物診療施設の開設者の氏名，住所その他の厚

生労働省令で定める事項を記録し，かつ，これを適切に保存しなければならない。

2　生物由来製品の販売業者又は貸与業者は，薬局開設者，生物由来製品の製造販売業者，販売業者若しくは貸与業者又は病院，診療所若しくは飼育動物診療施設の開設者に対し，生物由来製品を販売し，貸与し，又は授与したときは，その譲り受け，又は借り受けた者に係る前項の厚生労働省令で定める事項に関する情報を当該生物由来製品承認取得者等に提供しなければならない。

3　特定生物由来製品取扱医療関係者は，その担当した特定生物由来製品の使用の対象者の氏名，住所その他の厚生労働省令で定める事項を記録するものとする。

4　薬局の管理者又は病院，診療所若しくは飼育動物診療施設の管理者は，前項の規定による記録を適切に保存するとともに，特定生物由来製品につき第十四条若しくは第二十三条の二の五の承認を受けた者，選任外国製造医薬品等製造販売業者，選任外国製造医療機器等製造販売業者又は第六項の委託を受けた者（以下この条において「特定生物由来製品承認取得者等」という。）からの要請に基づいて，当該特定生物由来製品の使用による保健衛生上の危害の発生又は拡大を防止するための措置を講ずるために必要と認められる場合であつて，当該特定生物由来製品の使用の対象者の利益になるときに限り，前項の規定による記録を当該特定生物由来製品承認取得者等に提供するものとする。

5　特定生物由来製品の販売業者又は貸与業者は，前二項の規定による記録及び保存の事務が円滑に行われるよう，当該特定生物由来製品取扱医療関係者又は薬局の管理者若しくは病院，診療所若しくは飼育動物診療施設の管理者に対する説明その他の必要な協力を行わなければならない。

6　生物由来製品承認取得者等は，その承認を受けた生物由来製品の一の品目の全てを取り扱う販売業者その他の厚生労働省令で定める基準に適合する者に対して，第一項の規定による記録又は保存の事務の全部又は一部を委託することができる。この場合において，生物由来製品承認取得者等は，あらかじめ，厚生労働省令で定める事項を厚生労働大臣に届け出なければならない。

7　特定生物由来製品承認取得者等又はこれらの役員若しくは職員は，正当な理由なく，第四項の保健衛生上の危害の発生又は拡大を防止するために講ずる措置の実施に関し，その職務上知り得た人の秘密を漏らしてはならない。これらの者であつた者についても，同様とする。

8　前各項に定めるもののほか，第一項，第三項及び第四項の規定による記録及び保存の事務（次条において「記録等の事務」という。）に関し必要な事項は，厚生労働省令で定める。

（生物由来製品に関する指導及び助言）

第六十八条の二十三　厚生労働大臣又は都道府県知事は，生物由来製品承認取得者等，前条第六項の委託を受けた者，生物由来製品の販売業者若しくは貸与業者，特定生物由来製品取扱医療関係者若しくは薬局の管理者又は病院，診療所若しくは飼育動物診療施設の管理者に対し，記録等の事務について必要な指導及び助言を行うことができる。

（生物由来製品に関する感染症定期報告）

第六十八条の二十四　生物由来製品の製造販売業者，外国製造医薬品等特例承認取得者又は外国製造医療機器等特例承認取得者は，厚生労働省令で定めるところにより，その製造販売をし，又は第十九条の二若しくは第二十三条の二の十七の承認を受けた生物由来製品又は当該生物由来製品の原料若しくは材料による感染症に関する最新の論文その他により得られた知見に基づき当該生物由来製品を評価し，その成果を厚生労働大臣に定期的に報告しなければならない。

2　厚生労働大臣は，毎年度，前項の規定による報告の状況について薬事・食品衛生審議会に報告し，必要があると認めるときは，その意見を聴いて，生物由来製品の使用による保健衛生上の危害の発生又は拡大を防止するために必要な措置を講ずるものとする。

3　厚生労働大臣は，前項の報告又は措置を行うに当たつては，第一項の規定による報告に係る情報の整理又は当該報告に関する調査を行うものとする。

（機構による感染症定期報告に係る情報の整理及び調査の実施）

第六十八条の二十五　厚生労働大臣は，機構に，生物由来製品（専ら動物のために使用されることが目的とされているものを除く。以下この条において同じ。）又は当該生物由来製品の原料若しくは材料のうち政令で定めるものについての前条第三項に規定する情報の整理を行わせることができる。

2　厚生労働大臣は，前条第二項の報告又は措置を行うため必要があると認めるときは，機構に，生物由来製品又は当該生物由来製品の原料若しくは材料についての同条第三項の規定による調査を行わせることができる。

3　厚生労働大臣が第一項の規定により機構に情報の整理を行わせることとしたときは，同項の政令で定める生物由来製品又は当該生物由来製品の原料若しくは材料に係る前条第一項の規定による報告をしようとする者は，同項の規定にかかわらず，厚生労働省令で定めるところにより，機構に報告しなければならない。

4　機構は，第一項の規定による情報の整理又は第二項の規定による調査を行つたときは，遅滞なく，当該情報の整理又は調査の結果を厚生労働省令で定めるところにより，厚生労働大臣に通知しなければならない。

第十三章　監督

（立入検査等）

第六十九条　厚生労働大臣又は都道府県知事は，医薬品，医薬部外品，化粧品，医療機器若しくは再生医療等製品の製造販売業者若しくは製造業者，医療機器の修理業者，第十八条第五項，第二十三条の二の十五第五項，第二十三条の三十五第五項，第六十八条の五第四項，第六十八条の七第六項若しくは第六十八条の二十二第六項の委託を受けた者又は第八十条の六第一項の登録を受けた者（以下この項において「製造販売業者等」という。）が，

第十二条の二，第十三条第五項若しくは第六項（これらの規定を同条第九項において準用する場合を含む。），第十三条の二の二第五項，第十四条第二項，第十五項若しくは第十六項，第十四条の三第二項，第十四条の九，第十七条，第十八条第一項から第四項まで，第十八条の二，第十九条，第二十三条，第二十三条の二の二，第二十三条の二の三第四項，第二十三条の二の五第二項，第十五項若しくは第十六項，第二十三条の二の八第二項，第二十三条の二の十二，第二十三条の二の十四（第四十条の三において準用する場合を含む。），第二十三条の二の十五第一項から第四項まで（これらの規定を第四十条の三において準用する場合を含む。），第二十三条の二の十五の二（第四十条の三において準用する場合を含む。），第二十三条の二の十六（第四十条の三において準用する場合を含む。），第二十三条の二の二十二（第四十条の三において準用する場合を含む。），第二十三条の二十一，第二十三条の二十二第五項若しくは第六項（これらの規定を同条第九項において準用する場合を含む。），第二十三条の二十五第二項，第十一項若しくは第十二項，第二十三条の二十八第二項，第二十三条の三十四，第二十三条の三十五第一項から第四項まで，第二十三条の三十五の二，第二十三条の三十六，第二十三条の四十二，第四十条の二第五項若しくは第六項（これらの規定を同条第八項において準用する場合を含む。），第四十条の四，第四十六条第一項若しくは第四項，第五十八条，第六十八条の二の五，第六十八条の二の六第一項若しくは第二項，第六十八条の五第一項若しくは第四項から第六項まで，第六十八条の七第一項若しくは第六項から第八項まで，第六十八条の九，第六十八条の十第一項，第六十八条の十一，第六十八条の十四第一項，第六十八条の十六，第六十八条の二十二第一項若しくは第六項から第八項まで，第六十八条の二十四第一項，第八十条第一項から第三項まで若しくは第七項，第八十条の八若しくは第八十条の九第一項の規定又は第七十一条，第七十二条第一項から第三項まで，第七十二条の二の二，第七十二条の四，第七十三条，第七十五条第一項若しくは第七十五条の二第一項に基づく命令を遵守しているかどうかを確かめるために必要があると認めるときは，当該製造販売業者等に対して，厚生労働省令で定めるところにより必要な報告をさせ，又は当該職員に，工場，事務所その他当該製造販売業者等が医薬品，医薬部外品，化粧品，医療機器若しくは再生医療等製品を業務上取り扱う場所に立ち入り，その構造設備若しくは帳簿書類その他の物件を検査させ，若しくは従業員その他の関係者に質問させることができる。

2　都道府県知事（薬局，店舗販売業又は高度管理医療機器等若しくは管理医療機器（特定保守管理医療機器を除く。）の販売業若しくは貸与業にあつては，その薬局，店舗又は営業所の所在地が保健所を設置する市又は特別区の区域にある場合においては，市長又は区長。第七十条第一項，第七十二条第四項，第七十二条の二第一項，第七十二条の二の二，第七十二条の四，第七十二条の五，第七十三条，第七十五条第一項，第七十六条，第七十六条の三の二及び第八十一条の二において同じ。）は，薬局開設者，医薬品の販売業者，第三十九条第一項若しくは第三十九条の三第一項の医療機器の販売業者若しくは貸与業者又は再生医療等製品の販売業者（以下この項において「販売業者等」という。）が，第五条，第七条第一項，第二項，第三項（第四十条第一項及び第四十条の七第一項において準用する場合を含む。）若しくは第四項，第八条（第四十条第一項及び第四十条の七第一項において準用する場合を含む。），第九条第一項（第四十条第一項，第二項及び第三項並びに第四十条の七第一項において準用する場合を含む。）若しくは第二項（第四十条第一項及び第四十条の七第一項において準用する場合を含む。），第九条の二（第四十条第一項及び第二項並びに第四十条の七第一項において準用する場合を含む。），第九条の三から第九条の五まで，第十条第一項（第三十八条，第四十条第一項及び第二項並びに第四十条の七第一項において準用する場合を含む。），第二十六条第四項若しくは第五項，第二十七条から第二十九条の四まで，第三十条第三項若しくは第四項，第三十一条から第三十三条まで，第三十四条第三項から第五項まで，第三十五条から第三十六条の六まで，第三十六条の九から第三十七条まで，第三十九条第四項若しくは第五項，第三十九条の二，第三十九条の三第二項，第四十条の四，第四十条の五第四項，第五項若しくは第七項，第四十条の六，第四十五条，第四十六条第一項若しくは第四項，第四十九条，第五十七条の二（第六十五条の四において準用する場合を含む。），第六十八条の二の六，第六十八条の五第三項，第五項若しくは第六項，第六十八条の七第二項，第五項若しくは第八項，第六十八条の九第二項，第六十八条の十第二項，第六十八条の二十二第二項，第五項若しくは第八項若しくは第八十条第七項の規定又は第七十二条第四項，第七十二条の二第一項若しくは第二項，第七十二条の二の二，第七十二条の四，第七十三条，第七十四条若しくは第七十五条第一項に基づく命令を遵守しているかどうかを確かめるために必要があると認めるときは，当該販売業者等に対して，厚生労働省令で定めるところにより必要な報告をさせ，又は当該職員に，薬局，店舗，事務所その他当該販売業者等が医薬品，医療機器若しくは再生医療等製品を業務上取り扱う場所に立ち入り，その構造設備若しくは帳簿書類その他の物件を検査させ，若しくは従業員その他の関係者に質問させることができる。

3　都道府県知事は，薬局開設者が，第八条の二第一項若しくは第二項の規定若しくは第七十二条の三に基づく命令を遵守しているかどうかを確かめるために必要があると認めるとき，又は地域連携薬局若しくは専門医療機関連携薬局（以下この章において「地域連携薬局等」という。）の開設者が第六条の二第三項若しくは第六条の三第三項若しくは第四項の規定若しくは第七十二条第五項若しくは第七十二条の二第三項に基づく命令を遵守しているかどうかを確かめるために必要があると認めるときは，当該薬局開設者若しくは当該地域連携薬局等の開設者に対して，厚生労働省令で定めるところにより必要な報告をさせ，又は当該職員に薬局若しくは地域連携薬局等に立ち入り，その構造設備若しくは帳簿書類その他の物件を検査させ，若しくは従業員その他の関係者に質問させることができる。

4　厚生労働大臣，都道府県知事，保健所を設置する市の市長又は特別区の区長は，医薬品，医薬部外品，化粧品，医療機器又は再生医療等製品を輸入しようとする者若しくは輸入した者又は第五十六条の二第一項に規定する確認の手続に係る関係者が，同条（第六十条，第六十二条，第六十四条及び第六十五条の四において準用する場合を含む。）の規定又は

第七十条第二項に基づく命令を遵守しているかどうかを確かめるために必要があると認めるときは，当該者に対して，厚生労働省令で定めるところにより必要な報告をさせ，又は当該職員に，当該者の試験研究機関，医療機関，事務所その他必要な場所に立ち入り，帳簿書類その他の物件を検査させ，従業員その他の関係者に質問させ，若しくは同条第一項に規定する物に該当する疑いのある物を，試験のため必要な最少分量に限り，収去させることができる。

5　厚生労働大臣は，第七十五条の五の二第一項の規定による命令を行うため必要があると認めるときは，同項に規定する課徴金対象行為者又は同項に規定する課徴金対象行為に関して関係のある者に対し，その業務若しくは財産に関して報告をさせ，若しくは帳簿書類その他の物件の提出を命じ，又は当該職員に，当該課徴金対象行為者若しくは当該課徴金対象行為に関して関係のある者の事務所，事業所その他当該課徴金対象行為に関係のある場所に立ち入り，帳簿書類その他の物件を検査させ，若しくは当該課徴金対象行為者その他の関係者に質問させることができる。

6　厚生労働大臣，都道府県知事，保健所を設置する市の市長又は特別区の区長は，前各項に定めるもののほか必要があると認めるときは，薬局開設者，病院，診療所若しくは飼育動物診療施設の開設者，医薬品，医薬部外品，化粧品，医療機器若しくは再生医療等製品の製造販売業者，製造業者若しくは販売業者，医療機器の貸与業者若しくは修理業者，第八十条の六第一項の登録を受けた者その他医薬品，医薬部外品，化粧品，医療機器若しくは再生医療等製品を業務上取り扱う者又は第十八条第五項，第二十三条の二の十五第五項，第二十三条の三十五第五項，第六十八条の五第四項，第六十八条の七第六項若しくは第六十八条の二十二第六項の委託を受けた者に対して，厚生労働省令で定めるところにより必要な報告をさせ，又は当該職員に，薬局，病院，診療所，飼育動物診療施設，工場，店舗，事務所その他医薬品，医薬部外品，化粧品，医療機器若しくは再生医療等製品を業務上取り扱う場所に立ち入り，その構造設備若しくは帳簿書類その他の物件を検査させ，従業員その他の関係者に質問させ，若しくは第七十条第一項に規定する物に該当する疑いのある物を，試験のため必要な最少分量に限り，収去させることができる。

7　厚生労働大臣又は都道府県知事は，必要があると認めるときは，登録認証機関に対して，基準適合性認証の業務又は経理の状況に関し，報告をさせ，又は当該職員に，登録認証機関の事務所に立ち入り，帳簿書類その他の物件を検査させ，若しくは関係者に質問させることができる。

8　当該職員は，前各項の規定による立入検査，質問又は収去をする場合には，その身分を示す証明書を携帯し，関係人の請求があつたときは，これを提示しなければならない。

9　第一項から第七項までの権限は，犯罪捜査のために認められたものと解釈してはならない。

（機構による立入検査等の実施）

第六十九条の二　厚生労働大臣は，機構に，前条第一項若しくは第七項の規定による立入検査若しくは質問又は同条第六項の規定による立入検査，質問若しくは収去のうち政令で定めるものを行わせることができる。

2　都道府県知事は，機構に，前条第一項の規定による立入検査若しくは質問又は同条第六項の規定による立入検査，質問若しくは収去のうち政令で定めるものを行わせることができる。

3　機構は，第一項の規定により同項の政令で定める立入検査，質問又は収去をしたときは，厚生労働省令で定めるところにより，当該立入検査，質問又は収去の結果を厚生労働大臣に，前項の規定により同項の政令で定める立入検査，質問又は収去をしたときは，厚生労働省令で定めるところにより，当該立入検査，質問又は収去の結果を都道府県知事に通知しなければならない。

4　第一項又は第二項の政令で定める立入検査，質問又は収去の業務に従事する機構の職員は，政令で定める資格を有する者でなければならない。

5　前項に規定する機構の職員は，第一項又は第二項の政令で定める立入検査，質問又は収去をする場合には，その身分を示す証明書を携帯し，関係人の請求があつたときは，これを提示しなければならない。

（緊急命令）

第六十九条の三　厚生労働大臣は，医薬品，医薬部外品，化粧品，医療機器又は再生医療等製品による保健衛生上の危害の発生又は拡大を防止するため必要があると認めるときは，医薬品，医薬部外品，化粧品，医療機器若しくは再生医療等製品の製造販売業者，製造業者若しくは販売業者，医療機器の貸与業者若しくは修理業者，第十八条第五項，第二十三条の二の十五第五項，第二十三条の三十五第五項，第六十八条の五第四項，第六十八条の七第六項若しくは第六十八条の二十二第六項の委託を受けた者，第八十条の六第一項の登録を受けた者又は薬局開設者に対して，医薬品，医薬部外品，化粧品，医療機器若しくは再生医療等製品の販売若しくは授与，医療機器の貸与若しくは修理又は医療機器プログラムの電気通信回線を通じた提供を一時停止することその他保健衛生上の危害の発生又は拡大を防止するための応急の措置をとるべきことを命ずることができる。

（廃棄等）

第七十条　厚生労働大臣又は都道府県知事は，医薬品，医薬部外品，化粧品，医療機器又は再生医療等製品を業務上取り扱う者に対して，第四十三条第一項の規定に違反して貯蔵され，若しくは陳列されている医薬品若しくは再生医療等製品，同項の規定に違反して販売され，若しくは授与された医薬品若しくは再生医療等製品，同条第二項の規定に違反して貯蔵され，若しくは陳列されている医療機器，同項の規定に違反して販売され，貸与され，若しくは授与された医療機器，同項の規定に違反して電気通信回線を通じて提供された医療機器プログラム，第四十四条第三項，第五十五条（第六十条，第六十二条，第六十四条，第六十五条の四及び第六十八条の十九において準用する場合を含む。），第五十五条の二（第六十条，第六十二条，第六十四条及び第六十五条の四において準用する場合を含む。），

第五十六条（第六十条及び第六十二条において準用する場合を含む。），第五十七条第二項（第六十条，第六十二条及び第六十五条の四において準用する場合を含む。），第六十五条，第六十五条の五若しくは第六十八条の二十に規定する医薬品，医薬部外品，化粧品，医療機器若しくは再生医療等製品，第二十三条の四の規定により基準適合性認証を取り消された医療機器若しくは体外診断用医薬品，第七十四条の二第一項若しくは第三項第三号（第七十五条の二の二第二項において準用する場合を含む。），第五号若しくは第六号（第七十五条の二の二第二項において準用する場合を含む。）の規定により第十四条若しくは第十九条の二の承認を取り消された医薬品，医薬部外品若しくは化粧品，第二十三条の二の五若しくは第二十三条の二の十七の承認を取り消された医療機器若しくは体外診断用医薬品，第二十三条の二十五若しくは第二十三条の三十七の承認を取り消された再生医療等製品，第七十五条の三の規定により第十四条の三第一項（第二十条第一項において準用する場合を含む。）の規定による第十四条若しくは第十九条の二の承認を取り消された医薬品，第七十五条の三の規定により第二十三条の二の八第一項（第二十三条の二の二十第一項において準用する場合を含む。）の規定による第二十三条の二の五若しくは第二十三条の二の十七の承認を取り消された医療機器若しくは体外診断用医薬品，第七十五条の三の規定により第二十三条の二十八第一項（第二十三条の四十第一項において準用する場合を含む。）の規定による第二十三条の二十五若しくは第二十三条の三十七の承認を取り消された再生医療等製品又は不良な原料若しくは材料について，廃棄，回収その他公衆衛生上の危険の発生を防止するに足りる措置をとるべきことを命ずることができる。

2　厚生労働大臣は，第五十六条の二（第六十条，第六十二条，第六十四条及び第六十五条の四において準用する場合を含む。）の規定に違反して医薬品，医薬部外品，化粧品，医療機器又は再生医療等製品を輸入しようとする者又は輸入した者に対して，その医薬品，医薬部外品，化粧品，医療機器又は再生医療等製品の廃棄その他公衆衛生上の危険の発生を防止するに足りる措置をとるべきことを命ずることができる。

3　厚生労働大臣，都道府県知事，保健所を設置する市の市長又は特別区の区長は，前二項の規定による命令を受けた者がその命令に従わないとき，又は緊急の必要があるときは，当該職員に，前二項に規定する物を廃棄させ，若しくは回収させ，又はその他の必要な処分をさせることができる。

4　当該職員が前項の規定による処分をする場合には，第六十九条第八項の規定を準用する。

（検査命令）

第七十一条　厚生労働大臣又は都道府県知事は，必要があると認めるときは，医薬品，医薬部外品，化粧品，医療機器若しくは再生医療等製品の製造販売業者又は医療機器の修理業者に対して，その製造販売又は修理をする医薬品，医薬部外品，化粧品，医療機器又は再生医療等製品について，厚生労働大臣又は都道府県知事の指定する者の検査を受けるべきことを命ずることができる。

（改善命令等）

第七十二条　厚生労働大臣は，医薬品，医薬部外品，化粧品，医療機器又は再生医療等製品の製造販売業者に対して，その品質管理又は製造販売後安全管理の方法（医療機器及び体外診断用医薬品の製造販売業者にあつては，その製造管理若しくは品質管理に係る業務を行う体制又はその製造販売後安全管理の方法。以下この項において同じ。）が第十二条の二第一項第一号若しくは第二号，第二十三条の二の二第一項第一号若しくは第二号又は第二十三条の二十一第一項第一号若しくは第二号に規定する厚生労働省令で定める基準に適合しない場合においては，その品質管理若しくは製造販売後安全管理の方法の改善を命じ，又はその改善を行うまでの間その業務の全部若しくは一部の停止を命ずることができる。

2　厚生労働大臣は，医薬品，医薬部外品，化粧品，医療機器若しくは再生医療等製品の製造販売業者（選任外国製造医薬品等製造販売業者，選任外国製造医療機器等製造販売業者又は選任外国製造再生医療等製品製造販売業者（以下「選任製造販売業者」と総称する。）を除く。以下この項において同じ。）又は第八十条第一項から第三項までに規定する輸出用の医薬品，医薬部外品，化粧品，医療機器若しくは再生医療等製品の製造業者に対して，その物の製造所における製造管理若しくは品質管理の方法（医療機器及び体外診断用医薬品の製造販売業者にあつては，その物の製造管理又は品質管理の方法。以下この項において同じ。）が第十四条第二項第四号，第二十三条の二の五第二項第四号，第二十三条の二十五第二項第四号若しくは第八十条第二項に規定する厚生労働省令で定める基準に適合せず，又はその製造管理若しくは品質管理の方法によつて医薬品，医薬部外品，化粧品，医療機器若しくは再生医療等製品が第五十六条（第六十条及び第六十二条において準用する場合を含む。），第六十五条若しくは第六十五条の五に規定する医薬品，医薬部外品，化粧品，医療機器若しくは再生医療等製品若しくは第六十八条の二十に規定する生物由来製品に該当するようになるおそれがある場合においては，その製造管理若しくは品質管理の方法の改善を命じ，又はその改善を行うまでの間その業務の全部若しくは一部の停止を命ずることができる。

3　厚生労働大臣又は都道府県知事は，医薬品（体外診断用医薬品を除く。），医薬部外品，化粧品若しくは再生医療等製品の製造業者又は医療機器の修理業者に対して，その構造設備が，第十三条第五項，第二十三条の二十二第五項若しくは第四十条の二第五項の規定に基づく厚生労働省令で定める基準に適合せず，又はその構造設備によつて医薬品，医薬部外品，化粧品，医療機器若しくは再生医療等製品が第五十六条（第六十条及び第六十二条において準用する場合を含む。），第六十五条若しくは第六十五条の五に規定する医薬品，医薬部外品，化粧品，医療機器若しくは再生医療等製品若しくは第六十八条の二十に規定する生物由来製品に該当するようになるおそれがある場合においては，その構造設備の改善を命じ，又はその改善を行うまでの間当該施設の全部若しくは一部を使用することを禁止することができる。

4　都道府県知事は，薬局開設者，医薬品の販売業者，第三十九条第一項若しくは第三十九条の三第一項の医療機器の販売業者若しくは貸与業者又は再生医療等製品の販売業者に対して，その構造設備が，第五条第一号，第二十六条第四項第一号，第三十四条第三項，第三十九条第四項，第三十九条の三第二項若しくは第四十条の五第四項の規定に基づく厚生労働省令で定める基準に適合せず，又はその構造設備によつて医薬品，医療機器若しくは再生医療等製品が第五十六条，第六十五条若しくは第六十五条の五に規定する医薬品，医療機器若しくは再生医療等製品若しくは第六十八条の二十に規定する生物由来製品に該当するようになるおそれがある場合においては，その構造設備の改善を命じ，又はその改善を行うまでの間当該施設の全部若しくは一部を使用することを禁止することができる。

5　都道府県知事は，地域連携薬局等の開設者に対して，その構造設備が第六条の二第一項第一号又は第六条の三第一項第一号の規定に基づく厚生労働省令で定める基準に適合しない場合においては，その構造設備の改善を命じ，又はその改善を行うまでの間当該施設の全部若しくは一部を使用することを禁止することができる。

第七十二条の二　都道府県知事は，薬局開設者又は店舗販売業者に対して，その薬局又は店舗が第五条第二号又は第二十六条第四項第二号の規定に基づく厚生労働省令で定める基準に適合しなくなつた場合においては，当該基準に適合するようにその業務の体制を整備することを命ずることができる。

2　都道府県知事は，配置販売業者に対して，その都道府県の区域における業務を行う体制が，第三十条第三項の規定に基づく厚生労働省令で定める基準に適合しなくなつた場合においては，当該基準に適合するようにその業務を行う体制を整備することを命ずることができる。

3　都道府県知事は，地域連携薬局等の開設者に対して，その地域連携薬局等が第六条の二第一項各号（第一号を除く。）又は第六条の三第一項各号（第一号を除く。）に掲げる要件を欠くに至つたときは，当該要件に適合するようにその業務を行う体制を整備することを命ずることができる。

第七十二条の二の二　厚生労働大臣は，医薬品，医薬部外品，化粧品，医療機器若しくは再生医療等製品の製造販売業者若しくは製造業者又は医療機器の修理業者に対して，都道府県知事は，薬局開設者，医薬品の販売業者，第三十九条第一項若しくは第三十九条の三第一項の医療機器の販売業者若しくは貸与業者又は再生医療等製品の販売業者に対して，その者の第九条の二（第四十条第一項及び第二項並びに第四十条の七第一項において準用する場合を含む。），第十八条の二，第二十三条の二の十五の二（第四十条の三において準用する場合を含む。），第二十三条の三十五の二，第二十九条の三，第三十一条の五又は第三十六条の二の二の規定による措置が不十分であると認める場合においては，その改善に必要な措置を講ずべきことを命ずることができる。

第七十二条の三　都道府県知事は，薬局開設者が第八条の二第一項若しくは第二項の規定による報告をせず，又は虚偽の報告をしたときは，期間を定めて，当該薬局開設者に対し，その報告を行い，又はその報告の内容を是正すべきことを命ずることができる。

第七十二条の四　第七十二条から前条までに規定するもののほか，厚生労働大臣は，医薬品，医薬部外品，化粧品，医療機器若しくは再生医療等製品の製造販売業者若しくは製造業者又は医療機器の修理業者について，都道府県知事は，薬局開設者，医薬品の販売業者，第三十九条第一項若しくは第三十九条の三第一項の医療機器の販売業者若しくは貸与業者又は再生医療等製品の販売業者について，その者にこの法律又はこれに基づく命令の規定に違反する行為があつた場合において，保健衛生上の危害の発生又は拡大を防止するために必要があると認めるときは，その製造販売業者，製造業者，修理業者，薬局開設者，販売業者又は貸与業者に対して，その業務の運営の改善に必要な措置をとるべきことを命ずることができる。

2　厚生労働大臣は，医薬品，医薬部外品，化粧品，医療機器若しくは再生医療等製品の製造販売業者若しくは製造業者又は医療機器の修理業者について，都道府県知事は，薬局開設者，医薬品の販売業者，第三十九条第一項若しくは第三十九条の三第一項の医療機器の販売業者若しくは貸与業者又は再生医療等製品の販売業者について，その者に第十四条第十二項，第二十三条の二の五第十二項，第二十三条の二十六第一項又は第七十九条第一項の規定により付された条件に違反する行為があつたときは，その製造販売業者，製造業者，修理業者，薬局開設者，販売業者又は貸与業者に対して，その条件に対する違反を是正するために必要な措置をとるべきことを命ずることができる。

（違反広告に係る措置命令等）

第七十二条の五　厚生労働大臣又は都道府県知事は，第六十六条第一項又は第六十八条の規定に違反した者に対して，その行為の中止，その行為が再び行われることを防止するために必要な事項又はこれらの実施に関連する公示その他公衆衛生上の危険の発生を防止するに足りる措置をとるべきことを命ずることができる。その命令は，当該違反行為が既になくなつている場合においても，次に掲げる者に対し，することができる。

一　当該違反行為をした者

二　当該違反行為をした者が法人である場合において，当該法人が合併により消滅したときにおける合併後存続し，又は合併により設立された法人

三　当該違反行為をした者が法人である場合において，当該法人から分割により当該違反行為に係る事業の全部又は一部を承継した法人

四　当該違反行為をした者から当該違反行為に係る事業の全部又は一部を譲り受けた者

2　厚生労働大臣又は都道府県知事は，第六十六条第一項又は第六十八条の規定に違反する広告（次条において「特定違法広告」という。）である特定電気通信（特定電気通信役務提供者の損害賠償責任の制限及び発信者情報の開示に関する法律（平成十三年法律第百三十七号）第二条第一号に規定する特定電気通信をいう。以下同じ。）による情報の送信があるときは，特定電気通信役務提供者（同法第二条第三号に規定する特定電気通信役務提供者をいう。以下同じ。）に対して，当該送信を防止する措置を講ずることを要請することができる。

（損害賠償責任の制限）

第七十二条の六　特定電気通信役務提供者は，前条第二項の規定による要請を受けて特定違法広告である特定電気通信による情報の送信を防止する措置を講じた場合その他の特定違法広告である特定電気通信による情報の送信を防止する措置を講じた場合において，当該措置により送信を防止された情報の発信者（特定電気通信役務提供者の損害賠償責任の制限及び発信者情報の開示に関する法律第二条第四号に規定する発信者をいう。以下同じ。）に生じた損害については，当該措置が当該情報の不特定の者に対する送信を防止するために必要な限度において行われたものであるときは，賠償の責めに任じない。

（医薬品等総括製造販売責任者等の変更命令）

第七十三条　厚生労働大臣は，医薬品等総括製造販売責任者，医療機器等総括製造販売責任者若しくは再生医療等製品総括製造販売責任者，医薬品製造管理者，医薬部外品等責任技術者，医療機器責任技術者，体外診断用医薬品製造管理者若しくは再生医療等製品製造管理者又は医療機器修理責任技術者について，都道府県知事は，薬局の管理者又は店舗管理者，区域管理者若しくは医薬品営業所管理者，医療機器の販売業若しくは貸与業の管理者若しくは再生医療等製品営業所管理者について，その者にこの法律その他薬事に関する法令で政令で定めるもの若しくはこれに基づく処分に違反する行為があつたとき，又はその者が管理者若しくは責任技術者として不適当であると認めるときは，その製造販売業者，製造業者，修理業者，薬局開設者，販売業者又は貸与業者に対して，その変更を命ずることができる。

（配置販売業の監督）

第七十四条　都道府県知事は，配置販売業の配置員が，その業務に関し，この法律若しくはこれに基づく命令又はこれらに基づく処分に違反する行為をしたときは，当該配置販売業者に対して，期間を定めてその配置員による配置販売の業務の停止を命ずることができる。この場合において，必要があるときは，その配置員に対しても，期間を定めてその業務の停止を命ずることができる。

（承認の取消し等）

第七十四条の二　厚生労働大臣は，第十四条，第二十三条の二の五又は第二十三条の二十五の承認（第二十三条の二十六第一項の規定により条件及び期限を付したものを除く。）を与えた医薬品，医薬部外品，化粧品，医療機器又は再生医療等製品が第十四条第二項第三号イからハまで（同条第十五項において準用する場合を含む。）若しくは第二十三条の二十五第二項第三号イからハまで（同条第十一項において準用する場合を含む。）のいずれかに該当するに至つたと認めるとき，又は第二十三条の二十六第一項の規定により条件及び期限を付した第二十三条の二十五の承認を与えた再生医療等製品が第二十三条の二十六第一項第二号若しくは第三号のいずれかに該当しなくなつたと認めるとき，若しくは第二十三条の二十五第二項第三号ハ（同条第十一項において準用する場合を含む。）若しくは第二十三条の二十六第四項の規定により読み替えて適用される第二十三条の二十五第十一項において準用する同条第二項第三号イ若しくはロのいずれかに該当するに至つたと認めるときは，薬事・食品衛生審議会の意見を聴いて，その承認を取り消さなければならない。

2　厚生労働大臣は，医薬品，医薬部外品，化粧品，医療機器又は再生医療等製品の第十四条，第二十三条の二の五又は第二十三条の二十五の承認を与えた事項の一部について，保健衛生上の必要があると認めるに至つたときは，その変更を命ずることができる。

3　厚生労働大臣は，前二項に定める場合のほか，医薬品，医薬部外品，化粧品，医療機器又は再生医療等製品の第十四条，第二十三条の二の五又は第二十三条の二十五の承認を受けた者が次の各号のいずれかに該当する場合には，その承認を取り消し，又はその承認を与えた事項の一部についてその変更を命ずることができる。

一　第十二条第一項の許可（承認を受けた品目の種類に応じた許可に限る。），第二十三条の二第一項の許可（承認を受けた品目の種類に応じた許可に限る。）又は第二十三条の二十第一項の許可について，第十二条第四項，第二十三条の二第四項若しくは第二十三条の二十第四項の規定によりその効力が失われたとき，又は次条第一項の規定により取り消されたとき。

二　第十四条第三項，第二十三条の二の五第三項又は第二十三条の二十五第三項に規定する申請書又は添付資料のうちに虚偽の記載があり，又は重要な事実の記載が欠けていることが判明したとき。

三　第十四条第七項若しくは第九項，第二十三条の二の五第七項若しくは第九項又は第二十三条の二十五第六項若しくは第八項の規定に違反したとき。

四　第十四条の四第一項，第十四条の六第一項，第二十三条の二十九第一項若しくは第二十三条の三十一第一項の規定により再審査若しくは再評価を受けなければならない場合又は第二十三条の二の九第一項の規定により使用成績に関する評価を受けなければならない場合において，定められた期限までに必要な資料の全部若しくは一部を提出せず，又は虚偽の記載をした資料若しくは第十四条の四第五項後段，第十四条の六第四項，第二十三条の二の九第四項後段，第二十三条の二十九第四項後段若しくは第二十三条の三十一第四項の規定に適合しない資料を提出したとき。

五　第七十二条第二項の規定による命令に従わなかつたとき。

六　第十四条第十二項，第二十三条の二の五第十二項，第二十三条の二十六第一項又は第七十九条第一項の規定により第十四条，第二十三条の二の五又は第二十三条の二十五の承認に付された条件に違反したとき。

七　第十四条，第二十三条の二の五又は第二十三条の二十五の承認を受けた医薬品，医薬部外品，化粧品，医療機器又は再生医療等製品について正当な理由がなく引き続く三年間製造販売をしていないとき。

（許可の取消し等）

第七十五条　厚生労働大臣は，医薬品，医薬部外品，化粧品，医療機器若しくは再生医療等製品の製造販売業者，医薬品（体外診断用医薬品を除く。），医薬部外品，化粧品若しくは再生医療等製品の製造業者又は医療機器の修理業者について，都道府県知事は，薬局開設者，医薬品の販売業者，第三十九条第一項若しくは第三十九条の三第一項の医療機器の販売業者若しくは貸与業者又は再生医療等製品の販売業者について，この法律その他薬事に関する法令で政令で定めるもの若しくはこれに基づく処分に違反する行為があつたとき，又はこれらの者（これらの者が法人であるときは，その薬事に関する業務に責任を有する役員を含む。）が第五条第三号若しくは第十二条の二第二項，第十三条第六項（同条第九項において準用する場合を含む。），第二十三条の二の二第二項，第二十三条の二十一第二項，第二十三条の二十二第六項（同条第九項において準用する場合を含む。），第二十六条第五項，第三十条第四項，第三十四条第四項，第三十九条第五項，第四十条の二第六項（同条第八項において準用する場合を含む。）若しくは第四十条の五第五項において準用する第五条（第三号に係る部分に限る。）の規定に該当するに至つたときは，その許可を取り消し，又は期間を定めてその業務の全部若しくは一部の停止を命ずることができる。

2　都道府県知事は，医薬品，医薬部外品，化粧品，医療機器若しくは再生医療等製品の製造販売業者，医薬品（体外診断用医薬品を除く。），医薬部外品，化粧品若しくは再生医療等製品の製造業者又は医療機器の修理業者について前項の処分が行われる必要があると認めるときは，その旨を厚生労働大臣に通知しなければならない。

3　第一項に規定するもののほか，厚生労働大臣は，医薬品，医療機器又は再生医療等製品の製造販売業者又は製造業者が，次の各号のいずれかに該当するときは，期間を定めてその業務の全部又は一部の停止を命ずることができる。

一　当該製造販売業者又は製造業者（血液製剤（安全な血液製剤の安定供給の確保等に関する法律（昭和三十一年法律第百六十号）第二条第一項に規定する血液製剤をいう。以下この項において同じ。）の製造販売業者又は血液製剤若しくは原料血漿（同法第七条に規定する原料血漿をいう。第三号において同じ。）の製造業者に限る。）が，同法第二十七条第三項の勧告に従わなかつたとき。

二　採血事業者（安全な血液製剤の安定供給の確保等に関する法律第二条第三項に規定する採血事業者をいう。次号において同じ。）以外の者が国内で採取した血液又は国内で有料で採取され，若しくは提供のあつせんをされた血液を原料として血液製剤を製造したとき。

三　当該製造販売業者又は製造業者以外の者（血液製剤の製造販売業者又は血液製剤若しくは原料血漿の製造業者を除く。）が国内で採取した血液（採血事業者又は病院若しくは診療所の開設者が安全な血液製剤の安定供給の確保等に関する法律第十二条第一項第二号に掲げる物の原料とする目的で採取した血液を除く。）又は国内で有料で採取され，若しくは提供のあつせんをされた血液を原料として医薬品（血液製剤を除く。），医療機器又は再生医療等製品を製造したとき。

4　都道府県知事は，地域連携薬局の開設者が，次の各号のいずれかに該当する場合においては，地域連携薬局の認定を取り消すことができる。

一　地域連携薬局が，第六条の二第一項各号に掲げる要件を欠くに至つたとき。

二　地域連携薬局の開設者が，第六条の四第一項の規定又は同条第二項において準用する第五条（第三号に係る部分に限る。）の規定に該当するに至つたとき。

三　地域連携薬局の開設者が，第七十二条第五項又は第七十二条の二第三項の規定に基づく命令に違反したとき。

5　都道府県知事は，専門医療機関連携薬局の開設者が，次の各号のいずれかに該当する場合においては，専門医療機関連携薬局の認定を取り消すことができる。

一　専門医療機関連携薬局が，第六条の三第一項各号に掲げる要件を欠くに至つたとき。

二　専門医療機関連携薬局の開設者が，第六条の三第三項の規定に違反したとき。

三　専門医療機関連携薬局の開設者が，第六条の四第一項の規定又は同条第二項において準用する第五条（第三号に係る部分に限る。）の規定に該当するに至つたとき。

四　専門医療機関連携薬局の開設者が，第七十二条第五項又は第七十二条の二第三項の規定に基づく命令に違反したとき。

（登録の取消し等）

第七十五条の二　厚生労働大臣は，医薬品，医薬部外品，化粧品又は医療機器又は体外診断用医薬品の製造業者について，この法律その他薬事に関する法令で政令で定めるもの若しくはこれに基づく処分に違反する行為があつたとき，不正の手段により第十三条の二の二第一項若しくは第二十三条の二の三第一項の登録を受けたとき，又は当該者（当該者が法人であるときは，その薬事に関する業務に責任を有する役員を含む。）が第十三条の二の二第五項において準用する第五条（第三号に係る部分に限る。）若しくは第二十三条の二の三第四項において準用する第五条（第三号に係る部分に限る。）の規定に該当するに至つたときは，その登録を取り消し，又は期間を定めてその業務の全部若しくは一部の停止を命ずることができる。

2　都道府県知事は，医薬品，医薬部外品，化粧品又は医療機器又は体外診断用医薬品の製造業者について前項の処分が行われる必要があると認めるときは，その旨を厚生労働大臣に通知しなければならない。

（外国製造医薬品等の製造販売の承認の取消し等）

第七十五条の二の二　厚生労働大臣は，外国特例承認取得者が次の各号のいずれかに該当する場合には，その者が受けた当該承認の全部又は一部を取り消すことができる。

一　選任製造販売業者が欠けた場合において新たに製造販売業者を選任しなかつたとき。

二　厚生労働大臣が，必要があると認めて，外国特例承認取得者に対し，厚生労働省令で定めるところにより必要な報告を求めた場合において，その報告がされず，又は虚偽の報告がされたとき。

三　厚生労働大臣が，必要があると認めて，その職員に，外国特例承認取得者の工場，事務所その他医薬品，医薬部外品，化粧品，医療機器又は再生医療等製品を業務上取り扱う場所においてその構造設備又は帳簿書類その他の物件についての検査をさせ，従業員その他の関係者に質問をさせようとした場合において，その検査が拒まれ，妨げられ，若しくは忌避され，又はその質問に対して，正当な理由なしに答弁がされず，若しくは虚偽の答弁がされたとき。

四　次項において準用する第七十二条第二項又は第七十四条の二第二項若しくは第三項（第一号及び第五号を除く。）の規定による請求に応じなかつたとき。

五　外国特例承認取得者又は選任製造販売業者についてこの法律その他薬事に関する法令で政令で定めるもの又はこれに基づく処分に違反する行為があつたとき。

2　第十九条の二，第二十三条の二の十七又は第二十三条の三十七の承認については，第七十二条第二項並びに第七十四条の二第一項，第二項及び第三項（第一号及び第五号を除く。）の規定を準用する。この場合において，第七十二条第二項中「第十四条第二項第四号，第二十三条の二の五第二項第四号，第二十三条の二十五第二項第四号若しくは第八十条第二項」とあるのは「第十九条の二第五項において準用する第十四条第二項第四号，第二十三条の二の十七第五項において準用する第二十三条の二の五第二項第四号若しくは第二十三条の三十七第五項において準用する第二十三条の二十五第二項第四号」と，「命じ，又はその改善を行うまでの間その業務の全部若しくは一部の停止を命ずる」とあるのは「請求する」と，第七十四条の二第一項中「第二十三条の二十六第一項の」とあるのは「第二十三条の三十七第五項において準用する第二十三条の二十六第一項の」と，「第十四条第二項第三号イからハまで（同条第十五項」とあるのは「第十九条の二第五項において準用する第十四条第二項第三号イからハまで（第十九条の二第五項において準用する第十四条第十五項」と，「第二十三条の二の五第二項第三号イからハまで（同条第十五項」とあるのは「第二十三条の二の十七第五項において準用する第二十三条の二の五第二項第三号イからハまで（第二十三条の二の十七第五項において準用する第二十三条の二の五第十五項」と，「第二十三条の二十五第二項第三号イからハまで（同条第十一項」とあるのは「第二十三条の三十七第五項において準用する第二十三条の二十五第二項第三号イからハまで（第二十三条の三十七第五項において準用する第二十三条の二十五第十一項」と，「第二十三条の二十六第一項第二号」とあるのは「第二十三条の三十七第五項において準用する第二十三条の二十六第一項第二号」と，「第二十三条の二十五第二項第三号ハ（同条第十一項」とあるのは「第二十三条の三十七第五項において準用する第二十三条の二十五第二項第三号ハ（第二十三条の三十七第五項において準用する第二十三条の二十五第十一項」と，「第二十三条の二十六第四項」とあるのは「第二十三条の三十七第六項において準用する第二十三条の二十六第四項」と，「第二十三条の二十五第十一項」とあるのは「第二十三条の三十七第五項において準用する第二十三条の二十五第十一項」と，「同条第二項第三号イ」とあるのは「第二十三条の三十七第五項において準用する第二十三条の二十五第二項第三号イ」と，同条第二項中「命ずる」とあるのは「請求する」と，同条第三項中「前二項」とあるのは「第七十五条の二の二第二項において準用する第七十四条の二第一項及び第二項」と，「命ずる」とあるのは「請求する」と，「第十四条第三項，第二十三条の二の五第三項又は第二十三条の二十五第三項」とあるのは「第十九条の二第五項において準用する第十四条第三項，第二十三条の二の十七第五項において準用する第二十三条の二の五第三項又は第二十三条の三十七第五項において準用する第二十三条の二十五第三項」と，「第十四条第七項，第二十三条の二の五第七項若しくは第九項若しくは第九項又は第二十三条の二十五第六項若しくは第八項」とあるのは「第十九条の二第五項において準用する第十四条第七項若しくは第九項，第二十三条の二の十七第五項において準用する第二十三条の二の五第七項若しくは第九項又は第二十三の三十七第五項において準用する第二十三条の二十五第六項若しくは第八項」と，「第十四条の四第一項，第十四条の六第一項，第二十三条の二十九第一項若しくは第二十三条の三十一第一項」とあるのは「第十九条の四において準用する第十四条の四第一項若しくは第十四条の六第一項若しくは第二十三条の三十九において準用する第二十三条の二十九第一項若しくは第二十三条の三十一第一項」と，「第二十三条の二の九第一項」とあるのは「第二十三条の二の十九において準用する第二十三条の二の九第一項」と，「第十四条の四第五項後段，第十四条の六第四項，第二十三条の二の九第四項後段，第二十三条の二十九第四項後段若しくは第二十三条の三十一第四項」とあるのは「第十九条の四において準用する第十四条の四第五項後段若しくは第十四条の六第四項，第二十三条の二の十九において準用する第二十三条の二の九第四項後段若しくは第二十三条の三十九において準用する第二十三条の二十九第四項後段若しくは第二十三条の三十一第四項」と，「第十四条第十二項，第二十三条の二の五第十二項，第二十三条の二十六第一項」とあるのは「第十九条の二第五項において準用する第十四条第十二項，第二十三条の二の十七第五項において準用する第二十三条の二の五第十二項，第二十三条の三十七第五項において準用する第二十三条の二十六第一項」と読み替えるものとする。

3　基準適合性認証を受けた外国指定高度管理医療機器製造等事業者については，第七十二条第二項の規定を準用する。この場合において，同項中「製造所における製造管理若しくは品質管理の方法（医療機器及び体外診断用医薬品の製造販売業者にあつては，その物の製造管理又は品質管理の方法。以下この項において同じ。）が第十四条第二項第四号，第二十三条の二の五第二項第四号，第二十三条の二十五第二項第四号若しくは第八十条第二項」とあるのは「製造管理若しくは品質管理の方法が第二十三条の二の五第二項第四号」と，「医薬品，医薬部外品，化粧品，医療機器若しくは再生医療等製品が」とあるのは「指定高度管理医療機器等が」と，「(第六十条及び第六十二条において準用する場合を含む。)，第六十五条若しくは第六十五条の五」とあるのは「若しくは第六十五条」と，「医薬品，医薬部外品，化粧品，医療機器若しくは再生医療等製品若しくは」とあるのは「医療機器若しくは体外診断用医薬品若しくは」と，「命じ，又はその改善を行うまでの間その業務の全部若しくは一部停止を命ずる」とあるのは「請求する」と読み替えるものとする。

4　厚生労働大臣は，機構に，第一項第三号の規定による検査又は質問のうち政令で定めるものを行わせることができる。この場合において，機構は，当該検査又は質問をしたときは，厚生労働省令で定めるところにより，当該検査又は質問の結果を厚生労働大臣に通知しなければならない。

（特例承認の取消し等）

第七十五条の三　厚生労働大臣は，第十四条の三第一項（第二十条第一項において準用する場合を含む。以下この条において同じ。），第二十三条の二の八第一項（第二十三条の二の二十第一項において準用する場合を含む。以下この条において同じ。）又は第二十三条の二十八第一項（第二十三条の四十第一項において準用する場合を含む。以下この条において同じ。）の規定による第十四条，第十九条の二，第二十三条の二の五，第二十三条の二の十七，第二十三条の二十五又は第二十三条の三十七の承認に係る品目が第十四条の三第一項各号，第二十三条の二の八第一項各号若しくは第二十三条の二十八第一項各号のいずれかに該当しなくなつたと認めるとき，又は保健衛生上の危害の発生若しくは拡大を防止するため必要があると認めるときは，これらの承認を取り消すことができる。

（医薬品等外国製造業者及び再生医療等製品外国製造業者の認定の取消し等）

第七十五条の四　厚生労働大臣は，第十三条の三第一項又は第二十三条の二十四第一項の認定を受けた者が次の各号のいずれかに該当する場合には，その者が受けた当該認定の全部又は一部を取り消すことができる。

一　厚生労働大臣が，必要があると認めて，第十三条の三第一項又は第二十三条の二十四第一項の認定を受けた者に対し，厚生労働省令で定めるところにより必要な報告を求めた場合において，その報告がされず，又は虚偽の報告がされたとき。

二　厚生労働大臣が，必要があると認めて，その職員に，第十三条の三第一項又は第二十三条の二十四第一項の認定を受けた者の工場，事務所その他医薬品（体外診断用医薬品を除く。），医薬部外品，化粧品又は再生医療等製品を業務上取り扱う場所においてその構造設備又は帳簿書類その他の物件についての検査をさせ，従業員その他の関係者に質問させようとした場合において，その検査が拒まれ，妨げられ，若しくは忌避され，又はその質問に対して，正当な理由なしに答弁がされず，若しくは虚偽の答弁がされたとき。

三　次項において準用する第七十二条第三項の規定による請求に応じなかつたとき。

四　この法律その他薬事に関する法令で政令で定めるもの又はこれに基づく処分に違反する行為があつたとき。

2　第十三条の三第一項又は第二十三条の二十四第一項の認定を受けた者については，第七十二条第三項の規定を準用する。この場合において，同項中「命じ，又はその改善を行うまでの間当該施設の全部若しくは一部を使用することを禁止する」とあるのは，「請求する」と読み替えるものとする。

3　第一項第二号の規定による検査又は質問については，第七十五条の二の二第四項の規定を準用する。

（医薬品等外国製造業者及び医療機器等外国製造業者の登録の取消し等）

第七十五条の五　厚生労働大臣は，第十三条の三の二第一項又は第二十三条の二の四第一項の登録を受けた者が次の各号のいずれかに該当する場合には，その者が受けた当該登録の全部又は一部を取り消すことができる。

一　厚生労働大臣が，必要があると認めて，第十三条の三の二第一項又は二十三条の二の四第一項の登録を受けた者に対し，厚生労働省令で定めるところにより必要な報告を求めた場合において，その報告がされず，又は虚偽の報告がされたとき。

二　厚生労働大臣が，必要があると認めて，その職員に，第十三条の三の二第一項又は第二十三条の二の四第一項の登録を受けた者の工場，事務所その他医薬品，医薬部外品，化粧品又は医療機器を業務上取り扱う場所においてその構造設備又は帳簿書類その他の物件についての検査をさせ，従業員その他の関係者に質問させようとした場合において，その検査が拒まれ，妨げられ，若しくは忌避され，又はその質問に対して，正当な理由なしに答弁がされず，若しくは虚偽の答弁がされたとき。

三　次項において準用する第七十二条の四第一項の規定による請求に応じなかつたとき。

四　不正の手段により第十三条の三の二第一項又は第二十三条の二の四第一項の登録を受けたとき。

五　この法律その他薬事に関する法令で政令で定めるもの又はこれに基づく処分に違反する行為があつたとき。

2　第十三条の三の二第一項又は第二十三条の二の四第一項の登録を受けた者については，第七十二条の四第一項の規定を準用する。この場合において，同項中「第七十二条から前条までに規定するもののほか，厚生労働大臣」とあるのは「厚生労働大臣」と，「医薬品，医薬部外品，化粧品，医療機器若しくは再生医療等製品の製造販売業者若しくは製造業者又は医療機器の修理業者について，都道府県知事は，薬局開設者，医薬品の販売業者，第三十九条第一項若しくは第三十九条の三第一項の医療機器の販売業者若しくは貸与業者又は再生医療等製品の販売業者」とあるのは「第十三条の三の二第一項又は第二十三条の二の四第一項の登録を受けた者」と，「その製造販売業者，製造業者，修理業者，薬局開設者，販売業者又は貸与業者」とあるのは「その者」と，「命ずる」とあるのは「請求する」と読み替えるものとする。

3　第一項第二号の規定による検査又は質問については，第七十五条の二の二第四項の規定を準用する。

（課徴金納付命令）

第七十五条の五の二　第六十六条第一項の規定に違反する行為（以下「課徴金対象行為」という。）をした者（以下「課徴金対象行為者」という。）があるときは，厚生労働大臣は，当該課徴金対象行為者に対し，課徴金対象期間に取引をした課徴金対象行為に係る医薬品等の対価の額の合計額（次条及び第七十五条の五の五第八項において「対価合計額」という。）に百分の四・五を乗じて得た額に相当する額の課徴金を国庫に納付することを命じなければならない。

2　前項に規定する「課徴金対象期間」とは，課徴金対象行為をした期間（課徴金対象行為をやめた後そのやめた日から六月を経過する日（同日前に，課徴金対象行為者が，当該課徴金対象行為により当該医薬品等の名称，製造方法，効能，効果又は性能に関して誤解を生ずるおそれを解消するための措置として厚生労働省令で定める措置をとつたときは，その日）までの間に課徴金対象行為者が当該課徴金対象行為に係る医薬品等の取引をしたときは，当該課徴金対象行為をやめてから最後に当該取引をした日までの期間を加えた期間とし，当該期間が三年を超えるときは，当該期間の末日から遡つて三年間とする。）をいう。

3　第一項の規定にかかわらず，厚生労働大臣は，次に掲げる場合には，課徴金対象行為者に対して同項の課徴金を納付することを命じないことができる。

一　第七十二条の四第一項又は第七十二条の五第一項の命令をする場合（保健衛生上の危害の発生又は拡大に与える影響が軽微であると認められる場合に限る。）

二　第七十五条第一項又は第七十五条の二第一項の処分をする場合

4　第一項の規定により計算した課徴金の額が二百二十五万円未満であるときは，課徴金の納付を命ずることができない。

（不当景品類及び不当表示防止法の課徴金納付命令がある場合等における課徴金の額の減額）

第七十五条の五の三　前条第一項の場合において，厚生労働大臣は，当該課徴金対象行為について，当該課徴金対象行為者に対し，不当景品類及び不当表示防止法（昭和三十七年法律第百三十四号）第八条第一項の規定による命令があるとき，又は同法第十一条の規定により課徴金の納付を命じないものとされるときは，対価合計額に百分の三を乗じて得た額を当該課徴金の額から減額するものとする。

（課徴金対象行為に該当する事実の報告による課徴金の額の減額）

第七十五条の五の四　第七十五条の五の二第一項又は前条の場合において，厚生労働大臣は，課徴金対象行為者が課徴金対象行為に該当する事実を厚生労働省令で定めるところにより厚生労働大臣に報告したときは，同項又は同条の規定により計算した課徴金の額に百分の五十を乗じて得た額を当該課徴金の額から減額するものとする。ただし，その報告が，当該課徴金対象行為についての調査があつたことにより当該課徴金対象行為について同項の規定による命令（以下「課徴金納付命令」という。）があるべきことを予知してされたものであるときは，この限りでない。

（課徴金の納付義務等）

第七十五条の五の五　課徴金納付命令を受けた者は，第七十五条の五の二第一項，第七十五条の五の三又は前条の規定により計算した課徴金を納付しなければならない。

2　第七十五条の五の二第一項，第七十五条の五の三又は前条の規定により計算した課徴金の額に一万円未満の端数があるときは，その端数は，切り捨てる。

3　課徴金対象行為者が法人である場合において，当該法人が合併により消滅したときは，当該法人がした課徴金対象行為は，合併後存続し，又は合併により設立された法人がした課徴金対象行為とみなして，第七十五条の五の二からこの条までの規定を適用する。

4　課徴金対象行為者が法人である場合において，当該法人が当該課徴金対象行為に係る事案について報告徴収等（第六十九条第五項の規定による報告の徴収，帳簿書類その他の物件の提出の命令，立入検査又は質問をいう。以下この項において同じ。）が最初に行われた日（当該報告徴収等が行われなかつたときは，当該法人が当該課徴金対象行為について第七十五条の五の八第一項の規定による通知を受けた日。以下この項において「調査開始日」という。）以後においてその一若しくは二以上の子会社等（課徴金対象行為者の子会社若しくは親会社（会社を子会社とする他の会社をいう。以下この項において同じ。）又は当該課徴金対象行為者と親会社が同一である他の会社をいう。以下この項において同じ。）に対して当該課徴金対象行為に係る事業の全部を譲渡し，又は当該法人（会社に限る。）が当該課徴金対象行為に係る事案についての調査開始日以後においてその一若しくは二以上の子会社等に対して分割により当該課徴金対象行為に係る事業の全部を承継させ，かつ，合併以外の事由により消滅したときは，当該法人がした課徴金対象行為は，当該事業の全部若しくは一部を譲り受け，又は分割により当該事業の全部若しくは一部を承継した子会社等（以下この項において「特定事業承継子会社等」という。）がした課徴金対象行為とみなして，第七十五条の五の二からこの条までの規定を適用する。この場合において，当該特定事業承継子会社等が二以上あるときは，第七十五条の五の二第一項中「当該課徴金対象行為者に対し」とあるのは「特定事業承継子会社等（第七十五条の五の五第四項に規定する特定事業承継子会社等をいう。以下この項において同じ。）に対し，この項の規定による命令を受けた他の特定事業承継子会社等と連帯して」と，第七十五条の五の五第一項中「受けた者は，第七十五条の五の二第一項」とあるのは「受けた特定事業承継子会社等（第四項に規定する特定事業承継子会社等をいう。以下この項において同じ。）は，第七十五条の五の二第一項の規定による命令を受けた他の特定事業承継子会社等と連帯して，同項」とする。

5　前項に規定する「子会社」とは，会社がその総株主（総社員を含む。以下この項において同じ。）の議決権（株主総会において決議をすることができる事項の全部につき議決権を行使することができない株式についての議決権を除き，会社法第八百七十九条第三項の規定により議決権を有するものとみなされる株式についての議決権を含む。以下この項において同じ。）の過半数を有する他の会社をいう。この場合において，会社及びその一若しくは二以上の子会社又は会社の一若しくは二以上の子会社がその総株主の議決権の過半数を有する他の会社は，当該会社の子会社とみなす。

6　第三項及び第四項の場合において，第七十五条の五の二第二項及び第三項，第七十五条の五の三並びに前条の規定の適用に関し必要な事項は，政令で定める。

7　課徴金対象行為をやめた日から五年を経過したときは，厚生労働大臣は，当該課徴金対象行為に係る課徴金の納付を命ずることができない。

8　厚生労働大臣は，課徴金納付命令を受けた者に対し，当該課徴金対象行為について，不当景品類及び不当表示防止法第八条第一項の規定による命令があつたとき，又は同法第十一条の規定により課徴金の納付を命じないものとされたときは，当該課徴金納付命令に係る課徴金の額を，対価合計額に百分の三を乗じて得た額を第七十五条の五の二第一項の規定により計算した課徴金の額から控除した額（以下この項において「控除後の額」という。）（当該課徴金納付命令に係る課徴金の額が第七十五条の五の四の規定により計算したものであるときは，控除後の額に百分の五十を乗じて得た額を控除後の額から控除した額）に変更しなければならない。この場合において，変更後の課徴金の額に一万円未満の端数があるときは，その端数は，切り捨てる。

（課徴金納付命令に対する弁明の機会の付与）

第七十五条の五の六　厚生労働大臣は，課徴金納付命令をしようとするときは，当該課徴金納付命令の名宛人となるべき者に対し，弁明の機会を与えなければならない。

（弁明の機会の付与の方式）

第七十五条の五の七　弁明は，厚生労働大臣が口頭ですることを認めたときを除き，弁明を記載した書面（次条第一項において「弁明書」という。）を提出してするものとする。

2　弁明をするときは，証拠書類又は証拠物を提出することができる。

（弁明の機会の付与の通知の方式）

第七十五条の五の八　厚生労働大臣は，弁明書の提出期限（口頭による弁明の機会の付与を行う場合には，その日時）までに相当な期間をおいて，課徴金納付命令の名宛人となるべき者に対し，次に掲げる事項を書面により通知しなければならない。

一　納付を命じようとする課徴金の額

二　課徴金の計算の基礎及び当該課徴金に係る課徴金対象行為

三　弁明書の提出先及び提出期限（口頭による弁明の機会の付与を行う場合には，その旨並びに出頭すべき日時及び場所）

2　厚生労働大臣は，課徴金納付命令の名宛人となるべき者の所在が判明しない場合においては，前項の規定による通知を，その者の氏名（法人にあつては，その名称及び代表者の氏名），同項第三号に掲げる事項及び厚生労働大臣が同項各号に掲げる事項を記載した書面をいつでもその者に交付する旨を厚生労働省の事務所の掲示場に掲示することによつて行うことができる。この場合においては，掲示を始めた日から二週間を経過したときに，当該通知がその者に到達したものとみなす。

（代理人）

第七十五条の五の九　前条第一項の規定による通知を受けた者（同条第二項後段の規定により当該通知が到達したものとみなされる者を含む。次項及び第四項において「当事者」という。）は，代理人を選任することができる。

2　代理人は，各自，当事者のために，弁明に関する一切の行為をすることができる。

3　代理人の資格は，書面で証明しなければならない。

4　代理人がその資格を失つたときは，当該代理人を選任した当事者は，書面でその旨を厚生労働大臣に届け出なければならない。

（課徴金納付命令の方式等）

第七十五条の五の十　課徴金納付命令（第七十五条の五の五第八項の規定による変更後のものを含む。以下同じ。）は，文書によつて行い，課徴金納付命令書には，納付すべき課徴金の額，課徴金の計算の基礎及び当該課徴金に係る課徴金対象行為並びに納期限を記載しなければならない。

2　課徴金納付命令は，その名宛人に課徴金納付命令書の謄本を送達することによつて，その効力を生ずる。

3　第一項の課徴金の納期限は，課徴金納付命令書の謄本を発する日から七月を経過した日とする。

（納付の督促）

第七十五条の五の十一　厚生労働大臣は，課徴金をその納期限までに納付しない者があるときは，督促状により期限を指定してその納付を督促しなければならない。

2　厚生労働大臣は，前項の規定による督促をしたときは，その督促に係る課徴金の額につき年十四・五パーセントの割合で，納期限の翌日からその納付の日までの日数により計算した延滞金を徴収することができる。ただし，延滞金の額が千円未満であるときは，この限りでない。

3　前項の規定により計算した延滞金の額に百円未満の端数があるときは，その端数は，切り捨てる。

（課徴金納付命令の執行）

第七十五条の五の十二　前条第一項の規定により督促を受けた者がその指定する期限までにその納付すべき金額を納付しないときは，厚生労働大臣の命令で，課徴金納付命令を執行する。この命令は，執行力のある債務名義と同一の効力を有する。

2　課徴金納付命令の執行は，民事執行法（昭和五十四年法律第四号）その他強制執行の手続に関する法令の規定に従つてする。

3　厚生労働大臣は，課徴金納付命令の執行に関して必要があると認めるときは，公務所又は公私の団体に照会して必要な事項の報告を求めることができる。

（課徴金等の請求権）

第七十五条の五の十三　破産法（平成十六年法律第七十五号），民事再生法（平成十一年法律第二百二十五号），会社更生法（平成十四年法律第百五十四号）及び金融機関等の更生手続の特例等に関する法律（平成八年法律第九十五号）の規定の適用については，課徴金納付命令に係る課徴金の請求権及び第七十五条の五の十一第二項の規定による延滞金の請求権は，過料の請求権とみなす。

（送達書類）

第七十五条の五の十四　送達すべき書類は，この法律に規定するもののほか，厚生労働省令で定める。

（送達に関する民事訴訟法の準用）

第七十五条の五の十五　書類の送達については，民事訴訟法（平成八年法律第百九号）第九十九条，第百一条，第百三条，第百五条，第百六条，第百八条及び第百九条の規定を準用する。この場合において，同法第九十九条第一項中「執行官」とあるのは「厚生労働省の職員」と，同法第百八条中「裁判長」とあり，及び同法第百九条中「裁判所」とあるのは「厚生労働大臣」と読み替えるものとする。

（公示送達）

第七十五条の五の十六　厚生労働大臣は，次に掲げる場合には，公示送達をすることができる。

一　送達を受けるべき者の住所，居所その他送達をすべき場所が知れない場合

二　外国においてすべき送達について，前条において準用する民事訴訟法第百八条の規定によることができず，又はこれによつても送達をすることができないと認めるべき場合

三　前条において準用する民事訴訟法第百八条の規定により外国の管轄官庁に嘱託を発した後六月を経過してもその送達を証する書面の送付がない場合

2　公示送達は，送達すべき書類を送達を受けるべき者にいつでも交付すべき旨を厚生労働省の事務所の掲示場に掲示することにより行う。

3　公示送達は，前項の規定による掲示を始めた日から二週間を経過することによつて，その効力を生ずる。

4　外国においてすべき送達についてした公示送達にあつては，前項の期間は，六週間とする。

（電子情報処理組織の使用）

第七十五条の五の十七　厚生労働省の職員が，情報通信技術を活用した行政の推進等に関する法律（平成十四年法律第百五十一号）第三条第九号に規定する処分通知等であつて第七十五条の五の二から前条まで又は厚生労働省令の規定により書類の送達により行うこととしているものに関する事務を，同法第七条第一項の規定により同法第六条第一項に規定する電子情報処理組織を使用して行つたときは，第七十五条の五の十五において準用する民事訴訟法第百九条の規定による送達に関する事項を記載した書面の作成及び提出に代えて，当該事項を当該電子情報処理組織を使用して厚生労働省の使用に係る電子計算機（入出力装置を含む。）に備えられたファイルに記録しなければならない。

（行政手続法の適用除外）

第七十五条の五の十八　厚生労働大臣が第七十五条の五の二から第七十五条の五の十六までの規定によつてする課徴金納付命令その他の処分については，行政手続法（平成五年法律第八十八号）第三章の規定は，適用しない。ただし，第七十五条の五の二の規定に係る同法第十二条の規定の適用については，この限りでない。

（省令への委任）

第七十五条の五の十九　第七十五条の五の二から前条までに定めるもののほか，課徴金納付命令に関し必要な事項は，厚生労働省令で定める。

（許可等の更新を拒否する場合の手続）

第七十六条　厚生労働大臣又は都道府県知事は，第四条第四項，第十二条第四項，第十三条第四項（同条第九項において準用する場合を含む。），第二十三条の二第四項，第二十三条の二十第四項，第二十三条の二十二第四項（同条第九項において準用する場合を含む。），第二十四条第二項，第三十九条第六項，第四十条の二第四項若しくは第四十条の五第六項の許可の更新，第六条の二第四項，第六条の三第五項，第十三条の三第三項において準用する第十三条第四項（第十三条の三第三項において準用する第十三条第九項において準用する場合を含む。）若しくは第二十三条の二十四第三項において準用する第二十三条の二十二第四項（第二十三条の二十四第三項において準用する第二十三条の二十二第九項において準用する場合を含む。）の認定の更新又は第十三条の二の二第四項（第十三条の三の二第二項において準用する場合を含む。），第二十三条の二の三第三項（第二十三条の二の四第二項において準用する場合を含む。）若しくは第二十三条の六第三項の登録の更新を拒もうとするときは，当該処分の名宛人に対し，その処分の理由を通知し，弁明及び有利な証拠の提出の機会を与えなければならない。

（聴聞の方法の特例）

第七十六条の二　第七十五条の二の二第一項第五号（選任製造販売業者に係る部分に限る。）に該当することを理由として同項の規定による処分をしようとする場合における行政手続法第三章第二節の規定の適用については，当該処分の名宛人の選任製造販売業者は，同法第十五条第一項の通知を受けた者とみなす。

（薬事監視員）

第七十六条の三　第六十九条第一項から第六項まで，第七十条第三項，第七十六条の七第二項又は第七十六条の八第一項に規定する当該職員の職権を行わせるため，厚生労働大臣，都道府県知事，保健所を設置する市の市長又は特別区の区長は，国，都道府県，保健所を設置する市又は特別区の職員のうちから，薬事監視員を命ずるものとする。

2　前項に定めるもののほか，薬事監視員に関し必要な事項は，政令で定める。

（麻薬取締官及び麻薬取締員による職権の行使）

第七十六条の三の二　厚生労働大臣又は都道府県知事は，第六十九条第四項若しくは第六項に規定する当該職員の職権（同項に規定する職権は第五十五条の二に規定する模造に係る医薬品に該当する疑いのある物に係るものに限る。）又は第七十条第三項に規定する当該職員の職権（同項に規定する職権のうち同条第一項に係る部分については第五十五条の二に規定する模造に係る医薬品に係るものに限る。）を麻薬取締官又は麻薬取締員に行わせることができる。

（関係行政機関の連携協力）

第七十六条の三の三　厚生労働大臣，都道府県知事，保健所を設置する市の市長又は特別区の区長は，この章の規定による権限の行使が円滑に行われるよう，情報交換を行い，相互に緊密な連携を図りながら協力しなければならない。

第十四章　医薬品等行政評価・監視委員会

（設置）

第七十六条の三の四　厚生労働省に，医薬品等行政評価・監視委員会（以下「委員会」という。）を置く。

（所掌事務）

第七十六条の三の五　委員会は，次に掲げる事務（薬事・食品衛生審議会の所掌に属するものを除く。）をつかさどる。

一　医薬品（専ら動物のために使用されることが目的とされているものを除く。以下この章において同じ。），医薬部外品（専ら動物のために使用されることが目的とされているものを除く。以下この章において同じ。），化粧品，医療機器（専ら動物のために使用されることが目的とされているものを除く。以下この章において同じ。）及び再生医療等製品（専ら動物のために使用されることが目的とされているものを除く。以下この章において同じ。）の安全性の確保並びにこれらの使用による保健衛生上の危害の発生及び拡大の防止に関する施策の実施状況の評価及び監視を行うこと。

二　前号の評価又は監視の結果に基づき，必要があると認めるときは，医薬品，医薬部外品，化粧品，医療機器若しくは再生医療等製品の安全性の確保又はこれらの使用による保健衛生上の危害の発生若しくは拡大の防止のため講ずべき施策について厚生労働大臣に意見を述べ，又は勧告をすること。

2　委員会は，前項第二号の意見を述べ，又は同号の勧告をしたときは，遅滞なく，その意見又は勧告の内容を公表しなければならない。

3　厚生労働大臣は，第一項第二号の意見又は勧告に基づき講じた施策について委員会に報告しなければならない。

（職権の行使）

第七十六条の三の六　委員会の委員は，独立してその職権を行う。

（資料の提出等の要求）

第七十六条の三の七　委員会は，その所掌事務を遂行するため必要があると認めるときは，関係行政機関の長に対し，情報の収集，資料の提出，意見の表明，説明その他必要な協力を求めることができる。

（組織）

第七十六条の三の八　委員会は，委員十人以内で組織する。

2　委員会に，特別の事項を調査審議させるため必要があるときは，臨時委員を置くことができる。

3　委員会に，専門の事項を調査させるため必要があるときは，専門委員を置くことができる。

（委員等の任命）

第七十六条の三の九　委員及び臨時委員は，医薬品，医薬部外品，化粧品，医療機器及び再生医療等製品の安全性の確保並びにこれらの使用による保健衛生上の危害の発生及び拡大の防止に関して優れた識見を有する者のうちから，厚生労働大臣が任命する。

2　専門委員は，当該専門の事項に関して優れた識見を有する者のうちから，厚生労働大臣が任命する。

（委員の任期等）

第七十六条の三の十　委員の任期は，二年とする。ただし，補欠の委員の任期は，前任者の残任期間とする。

2　委員は，再任されることができる。

3　臨時委員は，その者の任命に係る当該特別の事項に関する調査審議が終了したときは，解任されるものとする。

4　専門委員は，その者の任命に係る当該専門の事項に関する調査が終了したときは，解任されるものとする。

5　委員，臨時委員及び専門委員は，非常勤とする。

（委員長）

第七十六条の三の十一　委員会に，委員長を置き，委員の互選により選任する。

2　委員長は，会務を総理し，委員会を代表する。

3　委員長に事故があるときは，あらかじめその指名する委員が，その職務を代理する。

（政令への委任）

第七十六条の三の十二　この章に定めるもののほか，委員会に関し必要な事項は，政令で定める。

第十五章　指定薬物の取扱い

（製造等の禁止）

第七十六条の四　指定薬物は，疾病の診断，治療又は予防の用途及び人の身体に対する危害の発生を伴うおそれがない用途として厚生労働省令で定めるもの（以下この条及び次条において「医療等の用途」という。）以外の用途に供するために製造し，輸入し，販売し，授与し，所持し，購入し，若しくは譲り受け，又は医療等の用途以外の用途に使用してはならない。

（広告の制限）

第七十六条の五　指定薬物については，医事若しくは薬事又は自然科学に関する記事を掲載する医薬関係者等（医薬関係者又は自然科学に関する研究に従事する者をいう。）向けの新聞又は雑誌により行う場合その他主として指定薬物を医療等の用途に使用する者を対象として行う場合を除き，何人も，その広告を行つてはならない。

（指定薬物等である疑いがある物品の検査及び製造等の制限）

第七十六条の六　厚生労働大臣又は都道府県知事は，指定薬物又は指定薬物と同等以上に精神毒性を有する蓋然性が高い物である疑いがある物品を発見した場合において，保健衛生上の危害の発生を防止するため必要があると認めるときは，厚生労働省令で定めるところにより，当該物品を貯蔵し，若しくは陳列している者又は製造し，輸入し，販売し，若しくは授与した者に対して，当該物品が指定薬物であるかどうか及び当該物品が指定薬物でないことが判明した場合にあつては，当該物品が指定薬物と同等以上に精神毒性を有する蓋然性が高い物であるかどうかについて，厚生労働大臣若しくは都道府県知事又は厚生労働大臣若しくは都道府県知事の指定する者の検査を受けるべきことを命ずることができる。

2　前項の場合において，厚生労働大臣又は都道府県知事は，厚生労働省令で定めるところにより，同項の検査を受けるべきことを命ぜられた者に対し，同項の検査を受け，第四項前段，第六項（第一号に係る部分に限る。）又は第七項の規定による通知を受けるまでの間は，当該物品及びこれと同一の物品を製造し，輸入し，販売し，授与し，販売若しくは授与の目的で陳列し，又は広告してはならない旨を併せて命ずることができる。

3　都道府県知事は，前項の規定による命令をしたときは，当該命令の日，当該命令に係る物品の名称，形状及び包装その他厚生労働省令で定める事項を厚生労働大臣に報告しなければならない。

4　厚生労働大臣又は都道府県知事は，第一項の検査により当該検査に係る物品が指定薬物であることが判明したときは，遅滞なく，当該検査を受けるべきことを命ぜられた者に対して，当該検査の結果を通知しなければならない。この場合において，当該物品が次条第一項の規定による禁止に係る物品であるときは，当該都道府県知事は，併せて，厚生労働大臣に対して，当該検査の結果を報告しなければならない。

5　都道府県知事は，第一項の検査により当該検査に係る物品が指定薬物でないこと及び当該物品の精神毒性を有する蓋然性が判明したときは，遅滞なく，厚生労働大臣に対して，当該検査の結果を報告しなければならない。

6　厚生労働大臣は，第一項の検査により当該検査に係る物品が指定薬物でないこと及び当該物品の精神毒性を有する蓋然性が判明したとき又は前項の規定による報告を受けたときは，遅滞なく，当該物品について第二条第十五項の指定をし，又は同項の指定をしない旨を決定し，かつ，次の各号に掲げる場合の区分に応じ，それぞれ当該各号に定める者に対して，その旨（第一号に掲げる場合にあつては，当該検査の結果及びその旨）を通知しなければならない。

一　厚生労働大臣又は厚生労働大臣の指定する者が当該検査を行つた場合　当該検査を受けるべきことを命ぜられた者

二　都道府県知事又は都道府県知事の指定する者が当該検査を行つた場合　都道府県知事

7　都道府県知事は，厚生労働大臣から前項（第二号に係る部分に限る。）の規定による通知を受けたときは，遅滞なく，当該通知に係る検査を受けるべきことを命ぜられた者に対して，当該検査の結果及び当該通知の内容を通知しなければならない。

（指定薬物等である疑いがある物品の製造等の広域的な禁止）

第七十六条の六の二　厚生労働大臣は，前条第二項の規定による命令をしたとき又は同条第三項の規定による報告を受けたときにおいて，当該命令又は当該報告に係る命令に係る物品のうちその生産及び流通を広域的に規制する必要があると認める物品について，これと名称，形状，包装その他厚生労働省令で定める事項からみて同一のものと認められる物品を製造し，輸入し，販売し，授与し，販売若しくは授与の目的で陳列し，又は広告することを禁止することができる。

2　厚生労働大臣は，前項の規定による禁止をした場合において，前条第一項の検査により当該禁止に係る物品が指定薬物であることが判明したとき（同条第四項後段の規定による報告を受けた場合を含む。）又は同条第六項の規定により第二条第十五項の指定をし，若しくは同項の指定をしない旨を決定したときは，当該禁止を解除するものとする。

3　第一項の規定による禁止又は前項の規定による禁止の解除は，厚生労働省令で定めるところにより，官報に告示して行う。

（廃棄等）

第七十六条の七　厚生労働大臣又は都道府県知事は，第七十六条の四の規定に違反して貯蔵され，若しくは陳列されている指定薬物又は同条の規定に違反して製造され，輸入され，販売され，若しくは授与された指定薬物について，当該指定薬物を取り扱う者に対して，廃棄，回収その他公衆衛生上の危険の発生を防止するに足りる措置をとるべきことを命ずることができる。

2　厚生労働大臣又は都道府県知事は，前項の規定による命令を受けた者がその命令に従わない場合であつて，公衆衛生上の危険の発生を防止するため必要があると認めるときは，当該職員に，同項に規定する物を廃棄させ，若しくは回収させ，又はその他の必要な処分をさせることができる。

3　当該職員が前項の規定による処分をする場合には，第六十九条第八項の規定を準用する。

（中止命令等）

第七十六条の七の二　厚生労働大臣又は都道府県知事は，第七十六条の五の規定に違反した者に対して，その行為の中止その他公衆衛生上の危険の発生を防止するに足りる措置を採るべきことを命ずることができる。

2　厚生労働大臣又は都道府県知事は，第七十六条の六の二第一項の規定による禁止に違反した者に対して，同条第二項の規定により当該禁止が解除されるまでの間，その行為の中止その他公衆衛生上の危険の発生を防止するに足りる措置を採るべきことを命ずることができる。

3　厚生労働大臣又は都道府県知事は，第七十六条の五の規定又は第七十六条の六第二項の規定による命令若しくは第七十六条の六の二第一項の規定による禁止に違反する広告（次条において「指定薬物等に係る違法広告」という。）である特定電気通信による情報の送信があるときは，特定電気通信役務提供者に対して，当該送信を防止する措置を講ずることを要請することができる。

（損害賠償責任の制限）

第七十六条の七の三　特定電気通信役務提供者は，前条第三項の規定による要請を受けて指定薬物等に係る違法広告である特定電気通信による情報の送信を防止する措置を講じた場合その他の指定薬物等に係る違法広告である特定電気通信による情報の送信を防止する措置を講じた場合において，当該措置により送信を防止された情報の発信者に生じた損害については，当該措置が当該情報の不特定の者に対する送信を防止するために必要な限度において行われたものであるときは，賠償の責めに任じない。

（立入検査等）

第七十六条の八　厚生労働大臣又は都道府県知事は，この章の規定を施行するため必要があると認めるときは，厚生労働省令で定めるところにより，指定薬物若しくはその疑いがある物品若しくは指定薬物と同等以上に精神毒性を有する蓋然性が高い物である疑いがある物品を貯蔵し，陳列し，若しくは広告している者又は指定薬物若しくはこれらの物品を製造し，輸入し，販売し，授与し，貯蔵し，陳列し，若しくは広告した者に対して，必要な報告をさせ，又は当該職員に，これらの者の店舗その他必要な場所に立ち入り，帳簿書類その他の物件を検査させ，関係者に質問させ，若しくは指定薬物若しくはこれらの物品を，試験のため必要な最少分量に限り，収去させることができる。

2　前項の規定による立入検査，質問及び収去については第六十九条第八項の規定を，前項の規定による権限については同条第九項の規定を，それぞれ準用する。

（麻薬取締官及び麻薬取締員による職権の行使）

第七十六条の九　厚生労働大臣又は都道府県知事は，第七十六条の七第二項又は前条第一項に規定する当該職員の職権を麻薬取締官又は麻薬取締員に行わせることができる。

（指定手続の特例）

第七十六条の十　厚生労働大臣は，第二条第十五項の指定をする場合であつて，緊急を要し，あらかじめ薬事・食品衛生審議会の意見を聴くいとまがないときは，当該手続を経ないで同項の指定をすることができる。

2　前項の場合において，厚生労働大臣は，速やかに，その指定に係る事項を薬事・食品衛生審議会に報告しなければならない。

（教育及び啓発）

第七十六条の十一　国及び地方公共団体は，指定薬物等の薬物の濫用の防止に関する国民の理解を深めるための教育及び啓発に努めるものとする。

（調査研究の推進）

第七十六条の十二　国は，指定薬物等の薬物の濫用の防止及び取締りに資する調査研究の推進に努めるものとする。

（関係行政機関の連携協力）

第七十七条　厚生労働大臣及び関係行政機関の長は，指定薬物等の薬物の濫用の防止及び取締りに関し，必要な情報交換を行う等相互に連携を図りながら協力しなければならない。

第十六章　希少疾病用医薬品，希少疾病用医療機器及び希少疾病用再生医療等製品等の指定等

（指定等）

第七十七条の二　厚生労働大臣は，次の各号のいずれにも該当する医薬品，医療機器又は再生医療等製品につき，製造販売をしようとする者（本邦に輸出されるものにつき，外国において製造等をする者を含む。次項及び第三項において同じ。）から申請があつたときは，薬事・食品衛生審議会の意見を聴いて，当該申請に係る医薬品，医療機器又は再生医療等製品を希少疾病用医薬品，希少疾病用医療機器又は希少疾病用再生医療等製品として指定することができる。

一　その用途に係る対象者の数が本邦において厚生労働省令で定める人数に達しないこと。

二　申請に係る医薬品，医療機器又は再生医療等製品につき，製造販売の承認が与えられるとしたならば，その用途に関し，特に優れた使用価値を有することとなる物であること。

2　厚生労働大臣は，次の各号のいずれにも該当する医薬品，医療機器又は再生医療等製品につき，製造販売をしようとする者から申請があつたときは，薬事・食品衛生審議会の意見を聴いて，当該申請に係る医薬品，医療機器又は再生医療等製品を先駆的医薬品，先駆的医療機器又は先駆的再生医療等製品として指定することができる。

一　次のいずれかに該当する医薬品，医療機器又は再生医療等製品であること。

イ　医薬品（体外診断用医薬品を除く。以下この号において同じ。）及び再生医療等製品にあつては，その用途に関し，本邦において既に製造販売の承認を与えられている医薬品若しくは再生医療等製品又は外国において販売し，授与し，若しくは販売若しくは授与の目的で貯蔵し，若しくは陳列することが認められている医薬品若しくは再生医療等製品と作用機序が明らかに異なる物であること。

ロ　医療機器及び体外診断用医薬品にあつては，その用途に関し，本邦において既に製造販売の承認を与えられている医療機器若しくは体外診断用医薬品又は外国において販売し，授与し，若しくは販売若しくは授与の目的で貯蔵し，若しくは陳列することが認められている医療機器若しくは体外診断用医薬品と原理が明らかに異なる物であること。

二　申請に係る医薬品，医療機器又は再生医療等製品につき，製造販売の承認が与えられるとしたならば，その用途に関し，特に優れた使用価値を有することとなる物であること。

3　厚生労働大臣は，次の各号のいずれにも該当する医薬品，医療機器又は再生医療等製品につき，製造販売をしようとする者から申請があつたときは，薬事・食品衛生審議会の意見を聴いて，当該申請に係る医薬品，医療機器又は再生医療等製品を特定用途医薬品，特定用途医療機器又は特定用途再生医療等製品として指定することができる。

一　その用途が厚生労働大臣が疾病の特性その他を勘案して定める区分に属する疾病の診

断，治療又は予防であつて，当該用途に係る医薬品，医療機器又は再生医療等製品に対する需要が著しく充足されていないと認められる物であること。

二　申請に係る医薬品，医療機器又は再生医療等製品につき，製造販売の承認が与えられるとしたならば，その用途に関し，特に優れた使用価値を有することとなる物であること。

4　厚生労働大臣は，前三項の規定による指定をしたときは，その旨を公示するものとする。

（資金の確保）

第七十七条の三　国は，希少疾病用医薬品，希少疾病用医療機器及び希少疾病用再生医療等製品並びにその用途に係る対象者の数が本邦において厚生労働省令で定める人数に達しない特定用途医薬品，特定用途医療機器及び特定用途再生医療等製品の試験研究を促進するのに必要な資金の確保に努めるものとする。

（税制上の措置）

第七十七条の四　国は，租税特別措置法（昭和三十二年法律第二十六号）で定めるところにより，希少疾病用医薬品，希少疾病用医療機器及び希少疾病用再生医療等製品並びにその用途に係る対象者の数が本邦において厚生労働省令で定める人数に達しない特定用途医薬品，特定用途医療機器及び特定用途再生医療等製品の試験研究を促進するため必要な措置を講ずるものとする。

（試験研究等の中止の届出）

第七十七条の五　第七十七条の二第一項から第三項までの規定による指定を受けた者は，当該指定に係る希少疾病用医薬品，希少疾病用医療機器若しくは希少疾病用再生医療等製品，先駆的医薬品，先駆的医療機器若しくは先駆的再生医療等製品又は特定用途医薬品，特定用途医療機器若しくは特定用途再生医療等製品の試験研究又は製造若しくは輸入を中止しようとするときは，あらかじめ，その旨を厚生労働大臣に届け出なければならない。

（指定の取消し等）

第七十七条の六　厚生労働大臣は，前条の規定による届出があつたときは，第七十七条の二第一項から第三項までの規定による指定（以下この条において「指定」という。）を取り消さなければならない。

2　厚生労働大臣は，次の各号のいずれかに該当するときは，指定を取り消すことができる。

一　希少疾病用医薬品，希少疾病用医療機器若しくは希少疾病用再生医療等製品，先駆的医薬品，先駆的医療機器若しくは先駆的再生医療等製品又は特定用途医薬品，特定用途医療機器若しくは特定用途再生医療等製品が第七十七条の二第一項各号，第二項各号又は第三項各号のいずれかに該当しなくなつたとき。

二　指定に関し不正の行為があつたとき。

三　正当な理由なく希少疾病用医薬品，希少疾病用医療機器若しくは希少疾病用再生医療等製品，先駆的医薬品，先駆的医療機器若しくは先駆的再生医療等製品又は特定用途医薬品，特定用途医療機器若しくは特定用途再生医療等製品の試験研究又は製造販売が行われないとき。

四　指定を受けた者についてこの法律その他薬事に関する法令で政令で定めるもの又はこれに基づく処分に違反する行為があつたとき。

3　厚生労働大臣は，前二項の規定により指定を取り消したときは，その旨を公示するものとする。

（省令への委任）

第七十七条の七　この章に定めるもののほか，希少疾病用医薬品，希少疾病用医療機器若しくは希少疾病用再生医療等製品，先駆的医薬品，先駆的医療機器若しくは先駆的再生医療等製品又は特定用途医薬品，特定用途医療機器若しくは特定用途再生医療等製品に関し必要な事項は，厚生労働省令で定める。

第十七章　雑則

（手数料）

第七十八条　次の各号に掲げる者（厚生労働大臣に対して申請する者に限る。）は，それぞれ当該各号の申請に対する審査に要する実費の額を考慮して政令で定める額の手数料を納めなければならない。

一　第十二条第四項の許可の更新を申請する者

二　第十三条第四項の許可の更新を申請する者

三　第十三条第八項の許可の区分の変更の許可を申請する者

三の二　第十三条の二の二第四項の登録の更新を申請する者

四　第十三条の三第一項の認定を申請する者

五　第十三条の三第三項において準用する第十三条第四項の認定の更新を申請する者

六　第十三条の三第三項において準用する第十三条第八項の認定の区分の変更又は追加の認定を申請する者

六の二　第十三条の三の二第二項において準用する第十三条の二の二第四項の登録の更新を申請する者

七　第十四条又は第十九条の二の承認を申請する者

八　第十四条第七項（同条第十五項（第十九条の二第五項において準用する場合を含む。）及び第十九条の二第五項において準用する場合を含む。），第九項（第十九条の二第五項において準用する場合を含む。）又は第十三項（同条第十五項（第十九条の二第五項において準用する場合を含む。）及び第十九条の二第五項において準用する場合を含む。）の調査を申請する者

八の二　第十四条の二第一項（第二十三条の二十五の二において準用する場合を含む。）の確認を受けようとする者

九　第十四条の四（第十九条の四において準用する場合を含む。）の再審査を申請する者

九の二　第十四条の七の二第一項又は第三項（これらの規定を第十九条の四において準用

する場合を含む。）の確認を受けようとする者

十　第二十三条の二第四項の許可の更新を申請する者

十一　第二十三条の二の三第三項（第二十三条の二の四第二項において準用する場合を含む。）の登録の更新を申請する者

十二　第二十三条の二の四第一項の登録を申請する者

十三　第二十三条の二の五又は第二十三条の二の十七の承認を申請する者

十四　第二十三条の二の五第七項，第九項又は第十三項（これらの規定を同条第十五項（第二十三条の二の十七第五項において準用する場合を含む。）及び第二十三条の二の十七第五項において準用する場合を含む。）の調査を申請する者

十五　第二十三条の二の九（第二十三条の二の十九において準用する場合を含む。）の使用成績に関する評価を申請する者

十五の二　第二十三条の二の十の二第一項又は第三項（これらの規定を第二十三条の二の十九において準用する場合を含む。）の確認を受けようとする者

十六　第二十三条の十八第一項の基準適合性認証を申請する者

十七　第二十三条の二十第四項の許可の更新を申請する者

十八　第二十三条の二十二第四項の許可の更新を申請する者

十九　第二十三条の二十二第八項の許可の区分の変更の許可を申請する者

二十　第二十三条の二十四第一項の認定を申請する者

二十一　第二十三条の二十四第三項において準用する第二十三条の二十二第四項の認定の更新を申請する者

二十二　第二十三条の二十四第三項において準用する第二十三条の二十二第八項の認定の区分の変更又は追加の認定を申請する者

二十三　第二十三条の二十五又は第二十三条の三十七の承認を申請する者

二十四　第二十三条の二十五第六項（同条第十一項（第二十三条の三十七第五項において準用する場合を含む。）及び第二十三条の三十七第五項において準用する場合を含む。）又は第八項（第二十三条の三十七第五項において準用する場合を含む。）の調査を申請する者

二十五　第二十三条の二十九（第二十三条の三十九において準用する場合を含む。）の再審査を申請する者

二十五の二　第二十三条の三十二の二第一項又は第三項（これらの規定を第二十三条の三十九において準用する場合を含む。）の確認を受けようとする者

二十六　第四十条の二第一項の許可を申請する者

二十七　第四十条の二第四項の許可の更新を申請する者

二十八　第四十条の二第七項の修理区分の変更又は追加の許可を申請する者

二十九　第八十条第一項から第三項までの調査を申請する者

2　機構が行う第十三条の二第一項（第十三条の三第三項及び第八十条第四項において準用

する場合を含む。）の調査，第十四条の二の二第一項（第十四条の五第一項（第十九条の四において準用する場合を含む。）並びに第十九条の二第五項及び第六項において準用する場合を含む。）の医薬品等審査等，第十四条の七の二第八項（第十九条の四において準用する場合を含む。）の確認，第二十三条の二の七第一項（第二十三条の二の十第一項（第二十三条の二の十九において準用する場合を含む。）並びに第二十三条の二の十七第五項及び第六項において準用する場合を含む。）の医療機器等審査等，第二十三条の六第二項（同条第四項において準用する場合を含む。）の調査，第二十三条の二の十の二第九項（第二十三条の二の十九において準用する場合を含む。）の確認，第二十三条の十八第二項の基準適合性認証，第二十三条の二十三第一項（第二十三条の二十四第三項及び第八十条第五項において準用する場合を含む。）の調査，第二十三条の二十七第一項（第二十三条の三十第一項（第二十三条の三十九において準用する場合を含む。）並びに第二十三条の三十七第五項及び第六項において準用する場合を含む。）の再生医療等製品審査等又は第二十三条の三十二の二第八項（第二十三条の三十九において準用する場合を含む。）の確認を受けようとする者は，当該調査，医薬品等審査等，確認，医療機器等審査等，基準適合性認証又は再生医療等製品審査等に要する実費の額を考慮して政令で定める額の手数料を機構に納めなければならない。

3　前項の規定により機構に納められた手数料は，機構の収入とする。

（許可等の条件）

第七十九条　この法律に規定する許可，認定又は承認には，条件又は期限を付し，及びこれを変更することができる。

2　前項の条件又は期限は，保健衛生上の危害の発生を防止するため必要な最小限度のものに限り，かつ，許可，認定又は承認を受ける者に対し不当な義務を課することとなるものであつてはならない。

（適用除外等）

第八十条　輸出用の医薬品（体外診断用医薬品を除く。以下この項において同じ。），医薬部外品又は化粧品の製造業者は，その製造する医薬品，医薬部外品又は化粧品が政令で定めるものであるときは，その物の製造所における製造管理又は品質管理の方法が第十四条第二項第四号に規定する厚生労働省令で定める基準に適合しているかどうかについて，製造をしようとするとき，及びその開始後三年を下らない政令で定める期間を経過するごとに，厚生労働大臣の書面による調査又は実地の調査を受けなければならない。

2　輸出用の医療機器又は体外診断用医薬品の製造業者は，その製造する医療機器又は体外診断用医薬品が政令で定めるものであるときは，その物の製造所における製造管理又は品質管理の方法が厚生労働省令で定める基準に適合しているかどうかについて，製造をしようとするとき，及びその開始後三年を下らない政令で定める期間を経過するごとに，厚生労働大臣の書面による調査又は実地の調査を受けなければならない。

3　輸出用の再生医療等製品の製造業者は，その製造する再生医療等製品の製造所における製造管理又は品質管理の方法が第二十三条の二十五第二項第四号に規定する厚生労働省令で定める基準に適合しているかどうかについて，製造をしようとするとき，及びその開始後三年を下らない政令で定める期間を経過するごとに，厚生労働大臣の書面による調査又は実地の調査を受けなければならない。

4　第一項又は第二項の調査については，第十三条の二の規定を準用する。この場合において，同条第一項中「又は化粧品」とあるのは「，化粧品，医療機器（専ら動物のために使用されることが目的とされているものを除く。以下この条において同じ。）」又は体外診断用医薬品（専ら動物のために使用されることが目的とされているものを除く。以下この条において同じ。）」と，「前条第一項若しくは第八項の許可又は同条第四項（同条第九項において準用する場合を含む。以下この条において同じ。）の許可の更新についての同条第七項（同条第九項において準用する場合を含む。）」とあるのは「第八十条第一項又は第二項」と，同条第二項中「行わないものとする。この場合において，厚生労働大臣は，前条第一項若しくは第八項の許可又は同条第四項の許可の更新をするときは，機構が第四項の規定により通知する調査の結果を考慮しなければならない」とあるのは「行わないものとする」と，同条第三項中「又は化粧品」とあるのは「，化粧品，医療機器又は体外診断用医薬品」と，「前条第一項若しくは第八項の許可又は同条第四項の許可の更新」とあるのは「第八十条第一項又は第二項の調査」と読み替えるものとする。

5　第三項の調査については，第二十三条の二十三の規定を準用する。この場合において，同条第一項中「前条第一項若しくは第八項の許可又は同条第四項（同条第九項において準用する場合を含む。以下この条において同じ。）の許可の更新についての同条第七項（同条第九項において準用する場合を含む。）」とあるのは「第八十条第三項」と，同条第二項中「行わないものとする。この場合において，厚生労働大臣は，前条第一項若しくは第八項の許可又は同条第四項の許可の更新をするときは，機構が第四項の規定により通知する調査の結果を考慮しなければならない」とあるのは「行わないものとする」と，同条第三項中「前条第一項若しくは第八項の許可又は同条第四項の許可の更新」とあるのは「第八十条第三項の調査」と読み替えるものとする。

6　第一項から第三項までに規定するほか，輸出用の医薬品，医薬部外品，化粧品，医療機器又は再生医療等製品については，政令で，この法律の一部の適用を除外し，その他必要な特例を定めることができる。

7　薬局開設者が当該薬局における設備及び器具をもつて医薬品を製造し，その医薬品を当該薬局において販売し，又は授与する場合については，政令で，第三章，第四章，第七章及び第十一章の規定の一部の適用を除外し，その他必要な特例を定めることができる。

8　第十四条の三第一項（第二十条第一項において準用する場合を含む。）の規定による第十四条若しくは第十九条の二の承認を受けて製造販売がされた医薬品，第二十三条の二の八第一項（第二十三条の二の二十第一項において準用する場合を含む。）の規定による第二十三条の二の五若しくは第二十三条の二の十七の承認を受けて製造販売がされた医療機器若しくは体外診断用医薬品又は第二十三条の二十八第一項（第二十三条の四十第一項において準用する場合を含む。）の規定による第二十三条の二十五若しくは第二十三条の三十七の承認を受けて製造販売がされた再生医療等製品については，政令で，第四十三条，第四十四条，第五十条，第五十一条（第六十五条の四及び第六十八条の十九において準用する場合を含む。），第五十二条，第五十四条（第六十四条及び第六十五条の四において準用する場合を含む。），第五十五条第一項（第六十四条，第六十五条の四及び第六十八条の十九において準用する場合を含む。），第五十六条，第六十三条，第六十三条の二，第六十五条から第六十五条の三まで，第六十五条の五，第六十八条の二から第六十八条の二の三まで，第六十八条の二の六，第六十八条の十七，第六十八条の十八，第六十八条の二十及び第六十八条の二十の二の規定の一部の適用を除外し，その他必要な特例を定めることができる。

9　第十四条第一項に規定する化粧品以外の化粧品については，政令で，この法律の一部の適用を除外し，医薬部外品等責任技術者の義務の遂行のための配慮事項その他必要な特例を定めることができる。

第八十条の二　治験の依頼をしようとする者は，治験を依頼するに当たつては，厚生労働省令で定める基準に従つてこれを行わなければならない。

2　治験（薬物，機械器具等又は人若しくは動物の細胞に培養その他の加工を施したもの若しくは人若しくは動物の細胞に導入され，これらの体内で発現する遺伝子を含有するもの（以下この条から第八十条の四まで及び第八十三条第一項において「薬物等」という。）であつて，厚生労働省令で定めるものを対象とするものに限る。以下この項において同じ。）の依頼をしようとする者又は自ら治験を実施しようとする者は，あらかじめ，厚生労働省令で定めるところにより，厚生労働大臣に治験の計画を届け出なければならない。ただし，当該治験の対象とされる薬物等を使用することが緊急やむを得ない場合として厚生労働省令で定める場合には，当該治験を開始した日から三十日以内に，厚生労働省令で定めるところにより，厚生労働大臣に治験の計画を届け出たときは，この限りでない。

3　前項本文の規定による届出をした者（当該届出に係る治験の対象とされる薬物等につき初めて同項の規定による届出をした者に限る。）は，当該届出をした日から起算して三十日を経過した後でなければ，治験を依頼し，又は自ら治験を実施してはならない。この場合において，厚生労働大臣は，当該届出に係る治験の計画に関し保健衛生上の危害の発生を防止するため必要な調査を行うものとする。

4　治験の依頼を受けた者又は自ら治験を実施しようとする者は，厚生労働省令で定める基準に従つて，治験をしなければならない。

5　治験の依頼をした者は，厚生労働省令で定める基準に従つて，治験を管理しなければならない。

6　治験の依頼をした者又は自ら治験を実施した者は，当該治験の対象とされる薬物等その他の当該治験において用いる薬物等（以下「治験使用薬物等」という。）について，当該治験使用薬物等の副作用によるものと疑われる疾病，障害又は死亡の発生，当該治験使用薬物等の使用によるものと疑われる感染症の発生その他の治験使用薬物等の有効性及び安全性に関する事項で厚生労働省令で定めるものを知つたときは，その旨を厚生労働省令で定めるところにより厚生労働大臣に報告しなければならない。この場合において，厚生労働大臣は，当該報告に係る情報の整理又は当該報告に関する調査を行うものとする。

7　厚生労働大臣は，治験が第四項又は第五項の基準に適合するかどうかを調査するため必要があると認めるときは，治験の依頼をし，自ら治験を実施し，若しくは依頼を受けた者その他治験使用薬物等を業務上取り扱う者に対して，必要な報告をさせ，又は当該職員に，病院，診療所，飼育動物診療施設，工場，事務所その他治験使用薬物等の対象とされる薬物等を業務上取り扱う場所に立ち入り，その構造設備若しくは帳簿書類その他の物件を検査させ，若しくは従業員その他の関係者に質問させることができる。

8　前項の規定による立入検査及び質問については，第六十九条第七項の規定を，前項の規定による権限については，同条第八項の規定を，それぞれ準用する。

9　厚生労働大臣は，治験使用薬物等の対象とされる薬物等の使用による保健衛生上の危害の発生又は拡大を防止するため必要があると認めるときは，治験の依頼をしようとし，若しくは依頼をした者，自ら治験を実施しようとし，若しくは実施した者又は治験の依頼を受けた者に対し，治験の依頼の取消し又はその変更，治験の中止又はその変更その他必要な指示を行うことができる。

10　治験の依頼をした者若しくは自ら治験を実施した者又はその役員若しくは職員は，正当な理由なく，治験に関しその職務上知り得た人の秘密を漏らしてはならない。これらの者であつた者についても，同様とする。

（機構による治験の計画に係る調査等の実施）

第八十条の三　厚生労働大臣は，機構に，治験の対象とされる薬物等（専ら動物のために使用されることが目的とされているものを除く。以下この条及び次条において同じ。）のうち政令で定めるものに係る治験の計画についての前条第三項後段の規定による調査を行わせることができる。

2　厚生労働大臣は，前項の規定により機構に調査を行わせるときは，当該調査を行わないものとする。

3　機構は，厚生労働大臣が第一項の規定により機構に調査を行わせることとした場合において，当該調査を行つたときは，遅滞なく，当該調査の結果を厚生労働省令で定めるところにより厚生労働大臣に通知しなければならない。

4　厚生労働大臣が第一項の規定により機構に調査を行わせることとしたときは，同項の政令で定める薬物等に係る治験の計画についての前条第二項の規定による届出をしようとする者は，同項の規定にかかわらず，厚生労働省令で定めるところにより，機構に届け出なければならない。

5　機構は，前項の規定による届出を受理したときは，厚生労働省令で定めるところにより，厚生労働大臣にその旨を通知しなければならない。

第八十条の四　厚生労働大臣は，機構に，政令で定める薬物等についての第八十条の二第六項に規定する情報の整理を行わせることができる。

2　厚生労働大臣は，第八十条の二第九項の指示を行うため必要があると認めるときは，機構に，薬物等についての同条第六項の規定による調査を行わせることができる。

3　厚生労働大臣が，第一項の規定により機構に情報の整理を行わせることとしたときは，同項の政令で定める薬物等に係る第八十条の二第六項の規定による報告をしようとする者は，同項の規定にかかわらず，厚生労働省令で定めるところにより，機構に報告しなければならない。

4　機構は，第一項の規定による情報の整理又は第二項の規定による調査を行つたときは，遅滞なく，当該情報の整理又は調査の結果を厚生労働省令で定めるところにより，厚生労働大臣に通知しなければならない。

第八十条の五　厚生労働大臣は，機構に，第八十条の二第七項の規定による立入検査又は質問のうち政令で定めるものを行わせることができる。

2　前項の立入検査又は質問については，第六十九条の二第三項から第五項までの規定を準用する。

（原薬等登録原簿）

第八十条の六　原薬等を製造する者（外国において製造する者を含む。）は，その原薬等の名称，成分（成分が不明のものにあつては，その本質），製法，性状，品質，貯法その他厚生労働省令で定める事項について，原薬等登録原簿に登録を受けることができる。

2　厚生労働大臣は，前項の登録の申請があつたときは，次条第一項の規定により申請を却下する場合を除き，前項の厚生労働省令で定める事項を原薬等登録原簿に登録するものとする。

3　厚生労働大臣は，前項の規定による登録をしたときは，厚生労働省令で定める事項を公示するものとする。

第八十条の七　厚生労働大臣は，前条第一項の登録の申請が当該原薬等の製法，性状，品質又は貯法に関する資料を添付されていないとき，その他の厚生労働省令で定める場合に該当するときは，当該申請を却下するものとする。

2　厚生労働大臣は，前項の規定により申請を却下したときは，遅滞なく，その理由を示して，その旨を申請者に通知するものとする。

第八十条の八　第八十条の六第一項の登録を受けた者は，同項に規定する厚生労働省令で定める事項の一部を変更しようとするとき（当該変更が厚生労働省令で定める軽微な変更であるときを除く。）は，その変更について，原薬等登録原簿に登録を受けなければならない。この場合においては，同条第二項及び第三項並びに前条の規定を準用する。

2　第八十条の六第一項の登録を受けた者は，前項の厚生労働省令で定める軽微な変更について，厚生労働省令で定めるところにより，厚生労働大臣にその旨を届け出なければならない。

第八十条の九　厚生労働大臣は，第八十条の六第一項の登録を受けた者が次の各号のいずれかに該当するときは，その者に係る登録を抹消する。

一　不正の手段により第八十条の六第一項の登録を受けたとき。

二　第八十条の七第一項に規定する厚生労働省令で定める場合に該当するに至つたとき。

三　この法律その他薬事に関する法令で政令で定めるもの又はこれに基づく処分に違反する行為があつたとき。

2　厚生労働大臣は，前項の規定により登録を抹消したときは，その旨を，当該抹消された登録を受けていた者に対し通知するとともに，公示するものとする。

（機構による登録等の実施）

第八十条の十　厚生労働大臣は，機構に，政令で定める原薬等に係る第八十条の六第二項（第八十条の八第一項において準用する場合を含む。）の規定による登録及び前条第一項の規定による登録の抹消（以下この条において「登録等」という。）を行わせることができる。

2　第八十条の六第三項，第八十条の七及び前条第二項の規定は，前項の規定により機構が登録等を行う場合に準用する。

3　厚生労働大臣が第一項の規定により機構に登録等を行わせることとしたときは，同項の政令で定める原薬等に係る第八十条の六第一項若しくは第八十条の八第一項の登録を受けようとする者又は同条第二項の規定による届出をしようとする者は，第八十条の六第二項（第八十条の八第一項において準用する場合を含む。）及び第八十条の八第二項の規定にかかわらず，厚生労働省令で定めるところにより，機構に申請又は届出をしなければならない。

4　機構は，前項の申請に係る登録をしたとき，若しくは申請を却下したとき，同項の届出を受理したとき，又は登録を抹消したときは，厚生労働省令で定めるところにより，厚生労働大臣にその旨を通知しなければならない。

5　機構が行う第三項の申請に係る登録若しくはその不作為，申請の却下又は登録の抹消については，厚生労働大臣に対して，審査請求をすることができる。この場合において，厚生労働大臣は，行政不服審査法第二十五条第二項及び第三項，第四十六条第一項及び第二項並びに第四十九条第三項の規定の適用については，機構の上級行政庁とみなす。

（都道府県等が処理する事務）

第八十一条　この法律に規定する厚生労働大臣の権限に属する事務の一部は，政令で定めるところにより，都道府県知事，保健所を設置する市の市長又は特別区の区長が行うこととすることができる。

（緊急時における厚生労働大臣の事務執行）

第八十一条の二　第六十九条第二項及び第七十二条第四項の規定により都道府県知事の権限に属するものとされている事務は，保健衛生上の危害の発生又は拡大を防止するため緊急の必要があると厚生労働大臣が認める場合にあつては，厚生労働大臣又は都道府県知事が行うものとする。この場合においては，この法律の規定中都道府県知事に関する規定（当該事務に係るものに限る。）は，厚生労働大臣に関する規定として厚生労働大臣に適用があるものとする。

2　前項の場合において，厚生労働大臣又は都道府県知事が当該事務を行うときは，相互に密接な連携の下に行うものとする。

（事務の区分）

第八十一条の三　第二十一条，第二十三条の二の二十一，第二十三条の四十一，第六十九条第一項，第四項，第六項及び第七項，第六十九条の二第二項，第七十条第一項及び第三項，第七十一条，第七十二条第三項，第七十二条の五，第七十六条の六第一項から第五項まで及び第七項，第七十六条の七第一項及び第二項，第七十六条の七の二並びに第七十六条の八第一項の規定により都道府県が処理することとされている事務は，地方自治法（昭和二十二年法律第六十七号）第二条第九項第一号に規定する第一号法定受託事務（次項において単に「第一号法定受託事務」という。）とする。

2　第二十一条，第六十九条第一項，第四項及び第六項，第七十条第一項及び第三項，第七十一条，第七十二条第三項並びに第七十二条の五の規定により保健所を設置する市又は特別区が処理することとされている事務は，第一号法定受託事務とする。

（権限の委任）

第八十一条の四　この法律に規定する厚生労働大臣の権限は，厚生労働省令で定めるところにより，地方厚生局長に委任することができる。

2　前項の規定により地方厚生局長に委任された権限は，厚生労働省令で定めるところにより，地方厚生支局長に委任することができる。

（経過措置）

第八十二条　この法律の規定に基づき政令又は厚生労働省令を制定し，又は改廃する場合においては，それぞれ，政令又は厚生労働省令で，その制定又は改廃に伴い合理的に必要と判断される範囲内において，所要の経過措置（罰則に関する経過措置を含む。）を定めることができる。この法律の規定に基づき，厚生労働大臣が毒薬及び劇薬の範囲その他の事項を定め，又はこれを改廃する場合においても，同様とする。

（動物用医薬品等）

第八十三条　医薬品，医薬部外品，医療機器又は再生医療等製品（治験使用薬物等を含む。）であつて，専ら動物のために使用されることが目的とされているものに関しては，この法律（第二条第十五項，第六条の二第一項及び第二項，第六条の三第一項から第三項まで，第九条の三，第九条の四第一項，第二項及び第四項から第六項まで，第三十六条の十第一項及び第二項（同条第七項においてこれらの規定を準用する場合を含む。），第六十条，第六十九条第五項，第七十二条第五項，第七十五条の五の二第一項から第三項まで，第七十五条の五の三，第七十五条の五の四，第七十五条の五の五第七項及び第八項，第七十五条の五の六，第七十五条の五の七第一項，第七十五条の五の八，第七十五条の五の九第四項，第七十五条の五の十一第一項及び第二項，第七十五条の五の十二第一項及び第三項，第七十五条の五の十四，第七十五条の五の十五，第七十五条の五の十六第一項，第七十五条の五の十七，第七十五条の五の十八，第七十五条の五の十九，第七十六条の三の二，第七十六条の四，第七十六条の四，第七十六条の六，第七十六条の六の二，第七十六条の七第一項及び第二項，第七十六条の七の二，第七十六条の八第一項，第七十六条の九，第七十六条の十，第七十七条，第八十一条の四，次項及び第三項並びに第八十三条の四第三項（第八十三条の五第二項において準用する場合を含む。）を除く。）中「厚生労働大臣」とあるのは「農林水産大臣」と，「厚生労働省令」とあるのは「農林水産省令」と，第二条第五項から第七項までの規定中「人」とあるのは「動物」と，第四条第一項中「都道府県知事（その所在地が保健所を設置する市又は特別区の区域にある場合においては，市長又は区長。次項，第七条第四項並びに第十条第一項（第三十八条第一項並びに第四十条第一項及び第二項において準用する場合を含む。）及び第二項（第三十八条第一項において準用する場合を含む。）において同じ。）」とあるのは「都道府県知事」と，同条第三項第四号イ中「医薬品の薬局医薬品，要指導医薬品及び一般用医薬品」とあり，並びに同号ロ，第二十五条第二号，第二十六条第三項第五号，第二十九条の二第一項第二号，第三十一条，第三十六条の九（見出しを含む。），第三十六条の十の見出し，同条第五項及び第七項並びに第五十七条の二第三項中「一般用医薬品」とあるのは「医薬品」と，第八条の二第一項中「医療を受ける者」とあるのは「獣医療を受ける動物の飼育者」と，第九条第一項第二号中「一般用医薬品（第四条第五項第四号に規定する一般用医薬品をいう。以下同じ。）」とあるのは「医薬品」と，第十四条第二項第三号ロ中「又は」とあるのは「若しくは」と，「認められるとき」とあるのは「認められるとき，又は申請に係る医薬品が，その申請に係る使用方法に従い使用される場合に，当該医薬品が有する対象動物（牛，豚その他の食用に供される動物として農林水産省令で定めるものをいう。以下同じ。）についての残留性（医薬品の使用に伴いその医薬品の成分である物質（その物質が化学的に変化して生成した物質を含む。）が動物に残留する性質をいう。以下同じ。）の程度からみて，その使用に係る対象動物の肉，乳その他の食用に供される生産物で人の健康を損なうものが生産されるおそれがあることにより，医薬品として使用価値がないと認められるとき」と，同条第五項及び第十項，第二十三条の二の五第五項及び第十項並びに第二十三条の二十五第九項中「医療上」とあるのは「獣医療上」と，第十四条第五項及び第二十三条の二の五第五項中「人数」とあるのは「動物の数」と，第十四条の三第一項第一号，第二十三条の二の八第一項第一号及び第二十三条の二十八第一項第一号中「国民の生命及び健康」とあるのは「動物の生産又は健康の維持」と，第十四条の七の二第一項第三号ロ中「又は」とあるのは「若しくは」と，「認められること」とあるのは「認められること，又は当該医薬品が，当該変更計画に係る使用方法に従い使用される場合に，当該医薬品が有する対象動物についての残留性の程度からみて，その使用に係る対象動物の肉，乳その他の食用に供される生産物で人の健康を損なうものが生産されるおそれがあることにより，医薬品として使用価値がないと認められること」と，第二十一条第一項中「都道府県知事（薬局開設者が当該薬局における設備及び器具をもつて医薬品を製造し，その医薬品を当該薬局において販売し，又は授与する場合であつて，当該薬局の所在地が保健所を設置する市又は特別区の区域にある場合においては，市長又は区長。次項，第六十九条第一項，第七十一条，第七十二条第三項及び第七十五条第二項において同じ。）」とあるのは「都道府県知事」と，第二十三条の二十五第二項第三号ロ及び第二十三条の二十六第一項第三号中「又は」とあるのは「若しくは」と，「有すること」とあるのは「有すること又は申請に係る使用方法に従い使用される場合にその使用に係る対象動物の肉，乳その他の食用に供される生産物で人の健康を損なうものが生産されるおそれがあること」と，第二十三条の三十二の二第一項第三号ロ中「又は」とあるのは「若しくは」と，「有すること」とあるのは「有すること又は当該変更計画に係る使用方法に従い使用される場合にその使用に係る対象動物の肉，乳その他の食用に供される生産物で人の健康を損なうものが生産されるおそれがあること」と，第二十五条第一号中「要指導医薬品（第四条第五項第三号に規定する要指導医薬品をいう。以下同じ。）又は一般用医薬品」とあるのは「医薬品」と，第二十六条第一項中「都道府県知事（その店舗の所在地が保健所を設置する市又は特別区の区域にある場合においては，市長又は区長。次項及び第二十八条第四項において同じ。）」とあるのは「都道府県知事」と，同条第三項第四号中「医薬品の要指導医薬品及び一般用医薬品」とあるのは「医薬品」と，第三十六条の八第一項中「一般用医薬品」とあるのは「農林水産大臣が指定する医薬品（以下「指定医薬品」という。）以外の医薬品」と，同条第二項及び第三十六条の九第二号中「第二類医薬品及び第三類医薬品」とあるのは「指定医薬品以外の医薬品」と，同条第一号中「第一類医薬品」とあるのは「指定医薬品」と，第三十六条の十第三項及び第四項中「第二類医薬品」とあるのは「医薬品」と，第三十九条第二項中「都道府県知事（その営業所の所在地が保健所を設置する市又は特別区の区域にある場合においては，市長又は区長。次項，次条第二項及び第三十九条の三第一項において同じ。）」とあるのは「都道府県知事」と，第四十九条の見出し中「処方箋医薬品」とあるのは「要指示医薬品」と，同条第一項及び第二項中「処方箋の交付」とあるのは「処方箋の交付又は指示」と，第五十条第七号中「一般用医薬品にあつては，第三十六条の七第一項に規定する区分ごとに」とあるのは「指定医薬品にあつては」と，同条第十二号中「医師等の処方箋」とあるのは「獣医師等の処方箋・指示」と，同条第十三号及び第五十九条第九号中「人体」とあるのは「動物の身体」と，第五十二条第二項中「要指導医薬品，一般用医薬品」とあるのは「要指示医薬品以外の医薬品」と，第五十七条の二第三項中「第一類医薬品，第二類医薬品又は第三類医薬品」とあるのは「指定医薬品又はそれ以外の医薬品」と，第六十条中「及び第五十三条から第五十七条まで」とあるのは「，第五十三条から第五十六条まで及び第五十七条」と，「，第五十六条の二第一項中「第十四条，第十九条の二，第二十三条の二の五若しくは第二十三条の二の十七の承認若しくは第二十三条の二の二十三の認証」とあるのは「第十四条若しくは第十九条の二の承認」と，「第十四条の九若しくは第二十三条の二の十二」とあるのは「第十四条の九」と，同条第三項第二号中「第十四条の三第一項第二号に規定する医薬品その他の厚生労働大臣」とあるのは「厚生労働大臣」と読み替える」とあるのは「読み替える」と，第六十三条の二第二項中「一般消費者の生活の用に供される」とあるのは「動物の所有者又は管理者により当該動物のために使用される」と，第六十四条中「第五十五条の二まで及び第五十六条の二」とあるのは「第五十五条の二まで」と，「，第五十六条の二第一項中「第十四条，第十九条の二，第二十三条の二の五若しくは第二十三条の二の十七」とあるのは「第二十三条の二の五若しくは第二十三条の二の十七」と，「第十四条の九若しくは第二十三条の二の十二」とあるのは「第二十三条の二の十二」と，同条第三項第二号中「第十四条の三第一項第二号」とあるのは「第二十三条の二の八第一項第二号」と読み替える」とあるのは「読み替える」と，第六十八条の二の六第二項中「医学医術」とあるのは「獣医学」と，第六十九条第二項中「都道府県知事（薬局，店舗販売業又は高度管理医療機器等若しくは管理医療機器（特定保守管理医療機器を除く。）の販売業若しくは貸与業にあつては，その薬局，店舗又は営業所の所在地が保健所を設置する市又は特別区の区域にある場合においては，市長又は区長。第七十条第一項，第七十二条第四項，第七十二条の二第一項，第七十二条の二の二，第七十二条の四，第七十二条の五，第七十三条，第七十五条第一項，第七十六条，第七十六条の三の二及び第八十一条の二において同じ。）」とあるのは「都道府県知事」と，同条第四項及び第六項，第七十条第三項，第七十六条の三第一項並びに第七十六条の三の三中「，都道府県知事，保健所を設置する市の市長又は特別区の区長」とあるのは「又は都道府県知事」と，第七十六条の三第一項中「，都道府県，保健所を設置する市又は特別区」とあるのは「又は都道府県」と，第七十七条の二第一項第一号，第七十七条の三及び第七十七条の四中「対象者」とあるのは「対象の動物」と，「人数」とあるのは「数」とする。

2　農林水産大臣は，前項の規定により読み替えて適用される第十四条第一項若しくは第十五項（第十九条の二第五項において準用する場合を含む。以下この項において同じ。）若しくは第十九条の二第一項の承認の申請又は第十四条の七の二第一項の変更計画の確認の申出があつたときは，当該申請又は申出に係る医薬品につき前項の規定により読み替えて適用される第十四条第二項第三号ロ（残留性の程度に係る部分に限り，同条第十五項及び第十九条の二第五項において準用する場合を含む。）又は第十四条の七の二第一項第三号ロ（残留性の程度に係る部分に限る。）に該当するかどうかについて，厚生労働大臣の意見を聴かなければならない。

3　農林水産大臣は，第一項の規定により読み替えて適用される第二十三条の二十五第一項若しくは第十一項（第二十三条の三十七第五項において準用する場合を含む。以下この項において同じ。）若しくは第二十三条の三十七第一項の承認の申請又は第二十三条の三十二の二第一項の変更計画の確認の申出があつたときは，当該申請又は申出に係る再生医療等製品につき第一項の規定により読み替えて適用される第二十三条の二十五第二項第三号ロ（当該再生医療等製品の使用に係る対象動物の肉，乳その他の食用に供される生産物で人の健康を損なうものが生産されるおそれに係る部分に限り，同条第十一項において準用する場合（第二十三条の二十六第四項の規定により読み替えて適用される場合を含む。）及び第二十三条の三十七第五項において準用する場合を含む。），第二十三条の二十六第一項第三号（当該再生医療等製品の使用に係る対象動物の肉，乳その他の食用に供される生産物で人の健康を損なうものが生産されるおそれに係る部分に限り，第二十三条の三十七第五項において準用する場合を含む。）又は第二十三条の三十二の二第一項第三号ロ（当該再生医療等製品の使用に係る対象動物の肉，乳その他の食用に供される生産物で人の健康を損なうものが生産されるおそれに係る部分に限る。）に該当するかどうかについて，厚生労働大臣の意見を聴かなければならない。

（動物用医薬品の製造の禁止）

第八十三条の二　前条第一項の規定により読み替えて適用される第十三条第一項の許可（医薬品の製造業に係るものに限る。）又は第二十三条の二の三第一項の登録（体外診断用医薬品の製造業に係るものに限る。）を受けた者でなければ，動物用医薬品（専ら動物のために使用されることが目的とされている医薬品をいう。以下同じ。）の製造をしてはならない。

2　前項の規定は，試験研究の目的で使用するために製造をする場合その他の農林水産省令で定める場合には，適用しない。

（動物用再生医療等製品の製造の禁止）

第八十三条の二の二　第八十三条第一項の規定により読み替えて適用される第二十三条の二十二第一項の許可を受けた者でなければ，動物用再生医療等製品（専ら動物のために使用されることが目的とされている再生医療等製品をいう。以下同じ。）の製造をしてはならない。

2　前項の規定は，試験研究の目的で使用するために製造をする場合その他の農林水産省令で定める場合には，適用しない。

（動物用医薬品の店舗販売業の許可の特例）

第八十三条の二の三　都道府県知事は，当該地域における薬局及び医薬品販売業の普及の状況その他の事情を勘案して特に必要があると認めるときは，第二十六条第四項及び第五項の規定にかかわらず，店舗ごとに，第八十三条第一項の規定により読み替えて適用される第三十六条の八第一項の規定により農林水産大臣が指定する医薬品以外の動物用医薬品の品目を指定して店舗販売業の許可を与えることができる。

2　前項の規定により店舗販売業の許可を受けた者（次項において「動物用医薬品特例店舗販売業者」という。）に対する第二十七条並びに第三十六条の十第三項及び第四項の規定の適用については，第二十七条中「薬局医薬品（第四条第五項第二号に規定する薬局医薬品をいう。以下同じ。）」とあるのは「第八十三条の二の三第一項の規定により都道府県知事が指定した品目以外の医薬品」と，第三十六条の十第三項中「販売又は授与に従事する薬剤師又は登録販売者」とあるのは「販売又は授与に従事する者」と，同条第四項中「当該薬剤師又は登録販売者」とあるのは「当該販売又は授与に従事する者」とし，第二十八条から第二十九条の三まで，第三十六条の九，第三十六条の十第五項，第七十二条の二第一項及び第七十三条の規定は，適用しない。

3　動物用医薬品特例店舗販売業者については，第三十七条第二項の規定を準用する。

（使用の禁止）

第八十三条の三　何人も，直接の容器若しくは直接の被包に第五十条（第八十三条第一項の規定により読み替えて適用される場合を含む。）に規定する事項が記載されている医薬品以外の医薬品又は直接の容器若しくは直接の被包に第六十五条の二（第八十三条第一項の規定により読み替えて適用される場合を含む。）に規定する事項が記載されている再生医療等製品以外の再生医療等製品を対象動物に使用してはならない。ただし，試験研究の目的で使用する場合その他の農林水産省令で定める場合は，この限りでない。

（動物用医薬品及び動物用再生医療等製品の使用の規制）

第八十三条の四　農林水産大臣は，動物用医薬品又は動物用再生医療等製品であつて，適正に使用されるのでなければ対象動物の肉，乳その他の食用に供される生産物で人の健康を損なうおそれのあるものが生産されるおそれのあるものについて，薬事・食品衛生審議会の意見を聴いて，農林水産省令で，その動物用医薬品又は動物用再生医療等製品を使用することができる対象動物，対象動物に使用する場合における使用の時期その他の事項に関し使用者が遵守すべき基準を定めることができる。

2　前項の規定により遵守すべき基準が定められた動物用医薬品又は動物用再生医療等製品の使用者は，当該基準に定めるところにより，当該動物用医薬品又は動物用再生医療等製品を使用しなければならない。ただし，獣医師がその診療に係る対象動物の疾病の治療又は予防のためやむを得ないと判断した場合において，農林水産省令で定めるところにより使用するときは，この限りでない。

3　農林水産大臣は，前二項の規定による農林水産省令を制定し，又は改廃しようとするときは，厚生労働大臣の意見を聴かなければならない。

（その他の医薬品及び再生医療等製品の使用の規制）

第八十三条の五　農林水産大臣は，対象動物に使用される蓋然性が高いと認められる医薬品（動物用医薬品を除く。）又は再生医療等製品（動物用再生医療等製品を除く。）であつて，適正に使用されるのでなければ対象動物の肉，乳その他の食用に供される生産物で人の健康を損なうおそれのあるものが生産されるおそれのあるものについて，薬事・食品衛生審議会の意見を聴いて，農林水産省令で，その医薬品又は再生医療等製品を使用することができる対象動物，対象動物に使用する場合における使用の時期その他の事項に関し使用者が遵守すべき基準を定めることができる。

2　前項の基準については，前条第二項及び第三項の規定を準用する。この場合において，同条第二項中「動物用医薬品又は動物用再生医療等製品」とあるのは「医薬品又は再生医療等製品」と，同条第三項中「前二項」とあるのは「第八十三条の五第一項及び同条第二項において準用する第八十三条の四第二項」と読み替えるものとする。

第十八章　罰則

第八十三条の六　基準適合性認証の業務に従事する登録認証機関の役員又は職員が，その職務に関し，賄賂を収受し，要求し，又は約束したときは，五年以下の懲役に処する。これによつて不正の行為をし，又は相当の行為をしなかつたときは，七年以下の懲役に処する。

2　基準適合性認証の業務に従事する登録認証機関の役員又は職員になろうとする者が，就任後担当すべき職務に関し，請託を受けて賄賂を収受し，要求し，又は約束したときは，役員又は職員になつた場合において，五年以下の懲役に処する。

3　基準適合性認証の業務に従事する登録認証機関の役員又は職員であつた者が，その在職中に請託を受けて，職務上不正の行為をしたこと又は相当の行為をしなかつたことに関し，賄賂を収受し，要求し，又は約束したときは，五年以下の懲役に処する。

4　前三項の場合において，犯人が収受した賄賂は，没収する。その全部又は一部を没収することができないときは，その価額を追徴する。

第八十三条の七　前条第一項から第三項までに規定する賄賂を供与し，又はその申込み若しくは約束をした者は，三年以下の懲役又は二百五十万円以下の罰金に処する。

2　前項の罪を犯した者が自首したときは，その刑を減軽し，又は免除することができる。

第八十三条の八　第八十三条の六の罪は，刑法（明治四十年法律第四十五号）第四条の例に従う。

第八十三条の九　第七十六条の四の規定に違反して，業として，指定薬物を製造し，輸入し，販売し，若しくは授与した者又は指定薬物を所持した者（販売又は授与の目的で貯蔵し，又は陳列した者に限る。）は，五年以下の懲役若しくは五百万円以下の罰金に処し，又はこれを併科する。

第八十四条　次の各号のいずれかに該当する者は，三年以下の懲役若しくは三百万円以下の罰金に処し，又はこれを併科する。

一　第四条第一項の規定に違反した者

二　第十二条第一項の規定に違反した者

三　第十四条第一項若しくは第十五項の規定又は第十四条の七の二第七項の規定による命令に違反した者

四　第二十三条の二第一項の規定に違反した者

五　第二十三条の二の五第一項若しくは第十五項の規定又は第二十三条の二の十の二第七項の規定による命令に違反した者

六　第二十三条の二の二十三第一項又は第七項の規定に違反した者

七　第二十三条の二十第一項の規定に違反した者

八　第二十三条の二十五第一項若しくは第十一項の規定又は第二十三条の三十二の二第七項の規定による命令に違反した者
九　第二十四条第一項の規定に違反した者
十　第二十七条の規定に違反した者
十一　第三十一条の規定に違反した者
十二　第三十九条第一項の規定に違反した者
十三　第四十条の二第一項又は第七項の規定に違反した者
十四　第四十条の五第一項の規定に違反した者
十五　第四十三条第一項又は第二項の規定に違反した者
十六　第四十四条第三項の規定に違反した者
十七　第四十九条第一項の規定に違反した者
十八　第五十五条第二項（第六十条，第六十二条，第六十四条及び第六十五条の四において準用する場合を含む。）の規定に違反した者
十九　第五十五条の二（第六十条，第六十二条，第六十四条及び第六十五条の四において準用する場合を含む。）の規定に違反した者
二十　第五十六条（第六十条及び第六十二条において準用する場合を含む。）の規定に違反した者
二十一　第五十六条の二第一項（第六十条，第六十二条，第六十四条及び第六十五条の四において準用する場合を含む。）の規定に違反した者
二十二　第五十七条第二項（第六十条，第六十二条及び第六十五条の四において準用する場合を含む。）の規定に違反した者
二十三　第六十五条の規定に違反した者
二十四　第六十五条の五の規定に違反した者
二十五　第六十八条の二十の規定に違反した者
二十六　第六十九条の三の規定による命令に違反した者
二十七　第七十条第一項若しくは第二項若しくは第七十六条の七第一項の規定による命令に違反し，又は第七十条第三項若しくは第七十六条の七第二項の規定による廃棄その他の処分を拒み，妨げ，若しくは忌避した者
二十八　第七十六条の四の規定に違反した者（前条に該当する者を除く。）
二十九　第八十三条の二第一項，第八十三条の二の二第一項，第八十三条の三又は第八十三条の四第二項（第八十三条の五第二項において準用する場合を含む。）の規定に違反した者

第八十五条　次の各号のいずれかに該当する者は，二年以下の懲役若しくは二百万円以下の罰金に処し，又はこれを併科する。
一　第三十七条第一項の規定に違反した者
二　第四十七条の規定に違反した者

三　第五十五条第一項（第六十条，第六十二条，第六十四条，第六十五条の四及び第六十八条の十九において準用する場合を含む。）の規定に違反した者
四　第六十六条第一項又は第三項の規定に違反した者
五　第六十八条の規定に違反した者
六　第七十二条の五第一項の規定による命令に違反した者
七　第七十五条第一項又は第三項の規定による業務の停止命令に違反した者
八　第七十五条の二第一項の規定による業務の停止命令に違反した者
九　第七十六条の五の規定に違反した者
十　第七十六条の七の二第一項の規定による命令に違反した者

第八十六条　次の各号のいずれかに該当する者は，一年以下の懲役若しくは百万円以下の罰金に処し，又はこれを併科する。
一　第七条第一項若しくは第二項，第二十八条第一項若しくは第二項，第三十一条の二第一項若しくは第二項又は第三十五条第一項若しくは第二項の規定に違反した者
二　第十三条第一項又は第八項の規定に違反した者
三　第十四条第十三項の規定による命令に違反した者
四　第十七条第一項，第五項又は第十項の規定に違反した者
五　第二十三条の二の三第一項の規定に違反した者
六　第二十三条の二の五第十三項の規定による命令に違反した者
七　第二十三条の二の十四第一項，第五項（第四十条の三において準用する場合を含む。）又は第十項の規定に違反した者
八　第二十三条の二十二第一項又は第八項の規定に違反した者
九　第二十三条の三十四第一項又は第五項の規定に違反した者
十　第三十九条の二第一項の規定に違反した者
十一　第四十条の六第一項の規定に違反した者
十二　第四十五条の規定に違反した者
十三　第四十六条第一項又は第四項の規定に違反した者
十四　第四十八条第一項又は第二項の規定に違反した者
十五　第四十九条第二項の規定に違反して，同項に規定する事項を記載せず，若しくは虚偽の記載をし，又は同条第三項の規定に違反した者
十六　毒薬又は劇薬に関し第五十八条の規定に違反した者
十七　第六十七条の規定に基づく厚生労働省令の定める制限その他の措置に違反した者
十八　第六十八条の十六第一項の規定に違反した者
十九　第七十二条第一項又は第二項の規定による業務の停止命令に違反した者
二十　第七十二条第三項から第五項までの規定に基づく施設の使用禁止の処分に違反した者
二十一　第七十二条の四第一項又は第二項の規定による命令に違反した者

二十二　第七十三条の規定による命令に違反した者
二十三　第七十四条の規定による命令に違反した者
二十四　第七十四条の二第二項又は第三項の規定による命令に違反した者
二十五　第七十六条の六第二項の規定による命令に違反した者
二十六　第七十六条の七の二第二項の規定による命令に違反した者
二十七　第八十条の八第一項の規定に違反した者

2　この法律に基づいて得た他人の業務上の秘密を自己の利益のために使用し，又は正当な理由なく，権限を有する職員以外の者に漏らした者は，一年以下の懲役又は百万円以下の罰金に処する。

第八十六条の二　第二十三条の十六第二項の規定による業務の停止の命令に違反したときは，その違反行為をした登録認証機関の役員又は職員は，一年以下の懲役又は百万円以下の罰金に処する。

第八十六条の三　次の各号のいずれかに該当する者は，六月以下の懲役又は三十万円以下の罰金に処する。

一　第十四条第十四項（同条第十五項（第十九条の二第五項において準用する場合を含む。）及び第十九条の二第五項において準用する場合を含む。）の規定に違反した者
二　第十四条の四第八項（第十九条の四において準用する場合を含む。）の規定に違反した者
三　第十四条の六第六項（第十九条の四において準用する場合を含む。）の規定に違反した者
四　第二十三条の二の五第十四項（同条第十五項（第二十三条の二の十七第五項において準用する場合を含む。）及び第二十三条の二の十七第五項において準用する場合を含む。）の規定に違反した者
五　第二十三条の二の九第七項（第二十三条の二の十九において準用する場合を含む。）の規定に違反した者
六　第二十三条の二十九第七項（第二十三条の三十九において準用する場合を含む。）の規定に違反した者
七　第二十三条の三十一第六項（第二十三条の三十九において準用する場合を含む。）の規定に違反した者
八　第六十八条の五第五項の規定に違反した者
九　第六十八条の七第七項の規定に違反した者
十　第六十八条の二十二第七項の規定に違反した者
十一　第八十条の二第十項の規定に違反した者

2　前項各号の罪は，告訴がなければ公訴を提起することができない。

第八十七条　次の各号のいずれかに該当する者は，五十万円以下の罰金に処する。

一　第十条第一項（第三十八条，第四十条第一項及び第二項並びに第四十条の七第一項に

おいて準用する場合を含む。）又は第二項（第三十八条第一項において準用する場合を含む。）の規定に違反した者

二　第十四条第十六項の規定に違反した者

三　第十四条の九第一項又は第二項の規定に違反した者

四　第十九条第一項又は第二項の規定に違反した者

五　第二十三条の二の五第十六項の規定に違反した者

六　第二十三条の二の十二第一項又は第二項の規定に違反した者

七　第二十三条の二の十六第一項又は第二項（第四十条の三において準用する場合を含む。）の規定に違反した者

八　第二十三条の二の二十三第八項の規定に違反した者

九　第二十三条の二十五第十二項の規定に違反した者

十　第二十三条の三十六第一項又は第二項の規定に違反した者

十一　第三十三条第一項の規定に違反した者

十二　第三十九条の三第一項の規定に違反した者

十三　第六十九条第一項から第六項まで若しくは第七十六条の八第一項の規定による報告をせず，若しくは虚偽の報告をし，第六十九条第一項から第六項まで若しくは第七十六条の八第一項の規定による立入検査（第六十九条の二第一項及び第二項の規定により機構が行うものを含む。）若しくは第六十九条第四項若しくは第六項若しくは第七十六条の八第一項の規定による収去（第六十九条の二第一項及び第二項の規定により機構が行うものを含む。）を拒み，妨げ，若しくは忌避し，又は第六十九条第一項から第六項まで若しくは第七十六条の八第一項の規定による質問（第六十九条の二第一項及び第二項の規定により機構が行うものを含む。）に対して，正当な理由なしに答弁せず，若しくは虚偽の答弁をした者

十四　第七十一条の規定による命令に違反した者

十五　第七十六条の六第一項の規定による命令に違反した者

十六　第八十条の二第一項，第二項，第三項前段又は第五項の規定に違反した者

十七　第八十条の八第二項の規定に違反した者

第八十八条　次の各号のいずれかに該当する者は，三十万円以下の罰金に処する。

一　第六条，第六条の二第三項又は第六条の三第四項の規定に違反した者

二　第二十三条の二の六第三項の規定に違反した者

三　第二十三条の二の二十四第三項の規定に違反した者

四　第三十二条の規定に違反した者

第八十九条　次の各号のいずれかに該当するときは，その違反行為をした登録認証機関の役員又は職員は，三十万円以下の罰金に処する。

一　第二十三条の五の規定による報告をせず，又は虚偽の報告をしたとき。

二　第二十三条の十一の規定に違反して帳簿を備えず，帳簿に記載せず，若しくは帳簿に

虚偽の記載をし，又は帳簿を保存しなかつたとき。

三　第二十三条の十五第一項の規定による届出をしないで基準適合性認証の業務の全部を廃止したとき。

四　第六十九条第七項の規定による報告をせず，若しくは虚偽の報告をし，同項の規定による立入検査を拒み，妨げ，若しくは忌避し，又は同項の規定による質問に対して，正当な理由なしに答弁せず，若しくは虚偽の答弁をしたとき。

第九十条　法人の代表者又は法人若しくは人の代理人，使用人その他の従業者が，その法人又は人の業務に関して，次の各号に掲げる規定の違反行為をしたときは，行為者を罰するほか，その法人に対して当該各号に定める罰金刑を，その人に対して各本条の罰金刑を科する。

一　第八十三条の九又は第八十四条（第三号，第五号，第六号，第八号，第十三号，第十五号，第十八号から第二十一号まで及び第二十三号から第二十七号（第七十条第三項及び第七十六条の七第二項の規定に係る部分を除く。）までに係る部分に限る。）一億円以下の罰金刑

二　第八十四条（第三号，第五号，第六号，第八号，第十三号，第十五号，第十八号から第二十一号まで及び第二十三号から第二十七号（第七十条第三項及び第七十六条の七第二項の規定に係る部分を除く。）までに係る部分を除く。），第八十五条，第八十六条第一項，第八十六条の三第一項，第八十七条又は第八十八条　各本条の罰金刑

第九十一条　第二十三条の十七第一項の規定に違反して財務諸表等を備えて置かず，財務諸表等に記載すべき事項を記載せず，若しくは虚偽の記載をし，又は正当な理由がないのに同条第二項各号の規定による請求を拒んだ者は，二十万円以下の過料に処する。

附則　抄

（以下，略）

やさしい医薬品医療機器等法 第2版
—医薬品・医薬部外品・化粧品編—

定価　本体4,600円(税別)

2015年 2 月25日　初版発行
2020年 1 月30日　第 2 版発行

編　集　一般社団法人 レギュラトリーサイエンス学会
発行人　武田 正一郎
発行所　株式会社 じ ほ う

101-8421 東京都千代田区神田猿楽町1-5-15（猿楽町SSビル）
電話 編集 03-3233-6361 販売 03-3233-6333
振替 00190-0-900481
<大阪支局>
541-0044 大阪市中央区伏見町2-1-1（三井住友銀行高麗橋ビル）
電話 06-6231-7061

組版 (株)明昌堂　印刷 シナノ印刷(株)
Printed in Japan

ISBN 978-4-8407-5255-8